La sexualité
2

La sexualité

2

Un dossier rassemblé par
le Dr. Willy et C. Jamont

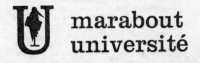
marabout
université

Ce volume est le soixantième de la collection

marabout université

dirigée par
Jean-Jacques Schellens et Jacqueline Mayer.

La première édition française, publiée sous la
direction du Dr. Willy, a paru en 1956 sous le titre
« La Sexualité et la Vie ».
Les textes originaux anglais ont été traduits par
Anne-Catherine Stier et Georges Vertut.

Nous remercions les auteurs et éditeurs qui nous
ont autorisés à reprendre certains textes de leur
fonds (pour ces copyrights, voir p. 350), ainsi que
M. C. Jamont qui a mis à jour cette nouvelle édition
et présenté les différents chapitres.
    Nous remercions également M. Isis Kischka, qui
a gracieusement mis à notre disposition le document
de couverture. Le tableau reproduit a figuré à l'exposition organisée au musée Galliera à Paris en 1964
par les « Peintres Témoins de leur Temps ».

Les collections Marabout sont éditées et imprimées par
GÉRARD & Cº, 65, rue de Limbourg, VERVIERS (Belgique). — Le label Marabout, les titres de collections et la
présentation des volumes sont déposés conformément à la loi.
Correspondant général à **Paris** : L'INTER, 118, rue de
Vaugirard, Paris VI. — Gérant exclusif et Distributeur
général pour les **Amériques** : D. KASAN, 226, EST, Chris-
tophe Colomb, Québec - P.Q., Canada. — Distributeur
en **Suisse** : Éditions SPES, 1, rue de la Paix, Lausanne.

Livre VI

DU MARIAGE

Quelle est donc cette métamorphose qui, d'un amant et d'une amante, fait un mari et une épouse ?

Ce ne peut être que l'amour, l'éros : car si cet élément disparaît, la vie en commun est, ou bien la simple satisfaction de l'appétit sensuel, ou bien une association établie en vue de tel ou tel but. Le mariage ne peut avoir d'autre motif et d'autre but que l'amour. Si une femme se mariait pour mettre au monde un sauveur, ce mariage serait immoral.

Cependant Byron n'est pas seul à déclarer que l'amour est un paradis et le mariage un enfer ; innombrables sont les œuvres littéraires qui se sont donné pour but de déposer une plainte formelle contre le mariage : comme s'il était dans l'essence du mariage d'anéantir le premier amour afin, par cet anéantissement, de rendre possible et réel l'amour conjugal. On incrimine, comme s'opposant à l'amour, le devoir et l'habitude inhérents à la vie conjugale. On ironise sur l'insipidité de ces gestes qui semblent manquer de toute spontanéité ; un peu comme dans cette tribu que les Jésuites trouvèrent au Paraguay : elle était si paresseuse que les missionnaires jugèrent nécessaire de sonner la cloche à minuit pour avertir commodément tous les époux et leur rappeler leurs devoirs conjugaux.

Et cependant : s'il était avéré que le temps des fiançailles est le plus beau, on ne voit vraiment pas pourquoi les fiancés se marieraient. Une jeune fille devant l'autel qui tend sa main à un homme, est-elle inférieure aux héroïnes de romans, toujours libres pour une nouvelle aventure ? Et ces habitudes, ce devoir : n'est-ce pas, en fait, ce que souhaitent les amants lorsqu'ils aspirent à ne plus jamais se quitter et formulent de solennels serments ?

En fin de compte, et c'est cela qui est grave, ceux qui rejettent ainsi le mariage au nom d'un amour qu'il faudrait sauvegarder, ceux-là doutent de l'amour ; ils ne croient pas que l'amour soit capable d'affronter le réel et de vaincre la vie.

Kierkegaard, à qui nous avons emprunté presque mot pour mot les réflexions qui précèdent, fut l'un des premiers à prendre conscience de ce profond mouvement qui devait aboutir à notre conception actuelle de la famille : pour nous, aujourd'hui, le mariage n'a plus de sens si ce n'est comme relation inter-personnelle. La famille ancestrale n'est plus qu'un souvenir ; nous ne connaissons plus que la famille conjugale.

Mais le procès du mariage n'est pas terminé pour autant : il s'en faut de beaucoup. En 1961, la revue Phantomas dans un questionnaire adressé aux femmes, demandait : « Que pensez-vous du mariage ? » Voici quelques réponses typiques. Une Hollandaise : « C'est pratique. » Une femme de Varsovie : « C'est un anachronisme. » Encore une Polonaise : « Il est indispensable, mais pas nécessairement lié à l'amour. » Une Parisienne : « Peut-être est-ce encore bien dans une petite ville d'épiciers. » Certes, on perçoit aisément dans ces réponses une révolte un peu facile et encore adolescente. Mais les « gens sérieux » ne sont pas tellement plus rassurants. En 1960, Esprit publiait un numéro spécial sur la sexualité. Paul Ricœur, dans son article de présentation, soulignait déjà que « le prix à payer pour socialiser Eros est assurément terrible. » Puis il résume comme suit les réponses à une question précise sur le mariage : « Il me semble que l'apologie du mariage est toujours mélange obscur d'un argument raisonnable (celui par exemple du docteur Hesnard : Le mariage n'est pas tout à fait conforme à l'exigence naturelle de la sexualité, mais, sur le plan éthique, du moins de l'éthique sociale, une solution meilleure n'est pas encore trouvée), d'un pari (je parie que seule une relation exclusive et durable peut réaliser l'union de deux êtres) et d'une invocation lyrique (« ô femme singulière, tu es pour moi toute l'espèce ! »). »

Nous pensons, quant à nous, que bien des ambiguïtés disparaîtraient si l'on soulignait mieux que, avant d'être une institution réglementée par les sociétés civile et religieuse, le mariage est une réalité simplement humaine ; qu'il n'est rien autre chose qu'un amour qui a choisi définitivement. Et certes, en ce sens, un mariage « légitime » peut être profondément immoral, tandis qu'une union illégale peut être infiniment respectable. Dans cette perspective, s'évanouit toute contradiction entre l'Eros et le mariage ; au contraire, ils s'appellent.

*Sans doute, cette distinction ne diminue en rien la néces-
sité du mariage-institution ; mais on comprendrait peut-être
mieux de la sorte que la forme institutionnelle du mariage,
telle que nous la connaissons, puisse appeler de profondes
réformes.*

La vie du foyer

Karl Jaspers

Le foyer, en tant que communauté familiale, naît de
l'amour par lequel un individu se lie à un autre pour la
vie, dans une fidélité inconditionnée ; ceux qui s'unissent
ainsi en fondant un foyer y trouvent de quoi élever leurs
enfants — des enfants qui sont vraiment les leurs — dans
la substance de la tradition, et de quoi assurer cette communication continuelle qui ne peut atteindre sa réalisation
vraie et sans réserve, dans une totale sincérité, que dans
les difficultés de la vie quotidienne.

C'est ici que l'on peut toucher la forme la plus solide de
la condition humaine, celle qui fonde toutes les autres.
Elle se trouve partout répandue dans la masse, à l'état
diffus, et elle y reste ignorée, repliée sur elle-même, liée
à son petit univers et à son destin. C'est pourquoi le mariage est aujourd'hui plus essentiel que jadis et compte
davantage ; lorsque la substance de l'esprit public était plus
riche et fournissait un appui aux individus, le mariage avait
moins de signification. Aujourd'hui, l'homme est pour ainsi
dire retombé dans l'espace le plus réduit de son origine ;
c'est là qu'il doit décider s'il veut rester homme.

La vie de famille exige un cadre d'intimité et une certaine organisation de vie, elle se fonde sur la solidarité,
la piété, et la confiance réciproque de tous ceux qui en font
partie et qui trouvent un appui mutuel au sein du phénomène familial.

Même aujourd'hui, les hommes s'accrochent avec un instinct inébranlable à ce monde originel ; mais les tendances
qui menacent de le dissoudre s'intensifient avec le mouvement qui porte à l'absolu l'organisation universelle de
l'existence.

Pour commencer par l'extérieur : la tendance à encaser-
ner les hommes, à transformer les habitations en dortoirs,
à soumettre à la technique, comme s'il s'agissait de produc-

tion industrielle, non seulement l'instauration du domaine pratique, mais celle de la vie quotidienne dans son ensemble, tout cela transforme un environnement encore pénétré d'âme en un type de réalité où tout est équivalent et interchangeable. Des forces qui prétendent représenter l'intérêt d'un tout plus important, essayent de frayer un chemin à l'égoïsme individuel contre la famille, à dissoudre sa solidarité, à soulever les enfants contre la maison paternelle. Au lieu d'envisager l'éducation publique comme le prolongement de l'éducation familiale, on veut l'y substituer, et le but que l'on poursuit ainsi est visible : il s'agit d'enlever les enfants aux parents pour en faire les enfants de la collectivité. Au lieu de maintenir le mouvement originel de répulsion que suscitent le divorce et la polygamie, et le sentiment d'horreur. qu'éveillent l'avortement, l'homosexualité et le suicide (parce qu'ils apparaissent comme dépassant les bornes permises à l'homme qui réalise son existence historique dans la famille), on favorise bien plutôt intérieurement ces atteintes à la réalité familiale ; il arrive qu'on les juge à l'occasion, mais c'est seulement au nom d'une morale pharisaïque, de façon conventionnelle ; ou bien, adoptant le comportement lié à la totalité d'existence de la masse, on les accepte avec indifférence ; ou encore, ne sachant quelle attitude prendre, par une réaction brutale, on frappe l'avortement et l'homosexualité dans le code pénal, mais en se plaçant uniquement du point de vue de l'ordre social, et bien que ces actes n'en relèvent pas à proprement parler.

Ces tendances dissolvantes menacent la famille d'autant plus gravement que celle-ci doit se construire, à partir de l'être des individus, sur ces îlots qui résistent encore à la désagrégation provoquée par le courant de l'organisation universelle de l'existence. C'est pourquoi le mariage représente actuellement une problématique humaine émouvante. On ne peut se faire une idée du nombre d'hommes qui n'ont pas en eux de quoi s'élever à la hauteur de leur tâche, et qui, ayant perdu l'appui que leur donnaient l'esprit de groupe et son autorité, dans ces îlots dont la possession était pour eux liée à leur être-soi, tombent dans l'abîme et deviennent à la fois sauvages et désorientés. A cela s'ajoute le fait que le mariage est devenu plus difficile à cause de l'émancipation économique de la femme, et du grand nombre de gens non-mariés qui cherchent une satisfaction dans une sexualité de masse. Le mariage n'est souvent plus autre chose qu'un contrat dont la rupture entraîne une obligation d'entretien, par une sorte de sanction conventionnelle. On est poussé, par l'absence de plus en plus complète de freins, à rendre le divorce de plus en plus facile. Le grand nombre de livres que l'on consacre actuellement au mariage est un signe de cet effondrement.

En face de cette détresse, le souci d'organiser l'existence de façon universelle s'attache à retrouver un ordre, ce qui n'est possible que dans l'individu ; c'est celui-ci qui doit faire jouer la liberté de son être originaire, éveillé par l'éducation. Comme la vie sexuelle menace de détruire tous les liens, l'organisation rationnelle s'empare aussi de cette dangereuse forme d'irrationalité. Par l'hygiène et par toutes sortes de prescriptions pratiques, elle en fait une technique, de façon à la libérer autant que possible de tout conflit et de la rendre aussi agréable que possible. Il faut regarder la tendance qui s'efforce de réduire le mariage à ses éléments purement sexuels, à la façon de *van de Velde*, par exemple, comme le symptôme d'une époque qui veut rendre l'irrationnel inoffensif. Peut-être n'est-ce pas par hasard que, selon les prospectus qui font la réclame de ce livre, il se trouve même des représentants de la théologie morale catholique pour le recommander. La dépréciation religieuse qui fait du mariage un état de second rang, aux yeux de laquelle il n'échappe à la luxure que par une légitimation sacramentelle, en nie involontairement l'inconditionnalité dans sa racine même, aussi bien que la transformation qui fait de la vie sexuelle, considérée comme un dangereux irrationnel, une technique harmonieuse. Les deux attitudes se rejoignent inconsciemment en ce qu'elles refusent de voir dans l'amour la force véritablement constituante du mariage. L'amour n'a pas besoin de légitimation, parce qu'il tire d'une source existentielle l'inconditionnalité d'une fidélité qui engage la vie tout entière et qui peut-être ne laisse s'épanouir que par instants un bonheur proprement sexuel. L'amour, qui n'est conscient de lui-même que dans la liberté de l'*Existence*, a sublimé en lui la vie sexuelle sans la dégrader et sans pourtant reconnaître ses exigences fondées sur le désir.

Celui qui a rompu les liens de la famille et de l'être-soi s'est rendu incapable de croître, à partir de leurs racines, en un tout véritable ; il ne peut plus vivre que dans l'esprit d'une totalité de masse, esprit qui reste d'ailleurs l'objet d'une vaine attente. En s'orientant vers l'organisation universelle de l'existence, on se propose de tout atteindre par son moyen, trahissant ainsi son propre univers et les exigences qui en naissent. Le foyer se dissout dès que ceux qui en font partie ne s'appuient plus sur leur moi véritable, mais acceptent de n'être plus que les membres d'une classe ou d'une communauté d'intérêts, ou des fonctions dans un mécanisme, et ne vont que là où ils croient trouver la puissance. S'il est des réalités que l'on ne peut atteindre que par la totalité, il reste en tout cas l'exigence qui impose à chaque homme d'assumer effectivement par lui-même les possibilités originelles qui lui appartiennent en propre.

La limite de l'organisation universelle de l'existence, c'est donc la liberté de l'individu, qui doit réaliser par lui-même ce dont personne ne peut le décharger, si du moins les hommes veulent rester hommes.

La Situation spirituelle de notre époque.
(Ed. Desclée-De Brouwer)

L'éducation
et l'adaptation conjugale

Read Bain
directeur de l'Institut de sociologie
de l'Université de Miami

Cet essai vise à dégager la signification et la portée de l'évolution de l'individualité de l'enfant en fonction de son milieu familial, dans la mesure où cette évolution constitue la base de son adaptation au milieu social, puis au partenaire conjugal. Dans ce but, sept points fondamentaux seront brièvement analysés : 1° l'acquisition de l'habitude du bonheur ; 2° l'équilibre psychique et les prédispositions à l'inquiétude ; 3° l'attitude envers la sexualité ; 4° les fixations parents-enfant et enfant-parents ; 5° les cercles vicieux ; 6° le principe de la ressemblance ; 7° les modifications de comportement de l'enfant.

L'ACQUISITION DE L'HABITUDE DU BONHEUR

Tous les spécialistes s'accordent sur ce point : l'aptitude au mariage dépend, dans une large mesure, de la qualité du niveau humain de la famille où les conjoints ont été élevés. S'il existe des exceptions à la règle, on peut du moins affirmer que l'avenir d'une union conjugale se présente sous un jour plus heureux et plus stable si les conjoints sont issus de foyers où les parents, heureux et unis, ont permis à leur progéniture d'évoluer dans des conditions saines et normales.

Dans son ouvrage *Conditions psychiques du bonheur conjugal* (« Psychological factors in Marital Happiness »), Lewis M. Terman a dégagé une série de propriétés caractérielles capables de provoquer l'insuccès, la décomposition, la ruine d'une union. Il s'agit des traits de caractère suivants : l'hypersensibilité, les caractères moroses, les tempéraments coléreux, les comportements hargneux, brutaux et exclusifs, l'absence de discipline, l'hypersensibilité envers les éloges et les blâmes, le doute de soi, l'attitude tyrannique envers le sexe opposé, l'absence d'intérêt pour les autres individus, une attitude religieuse fausse, une propension désordonnée à l'alcoolisme ou la sexualité, les humeurs changeantes sans raisons valables. Les meilleures conditions d'une union heureuse sont les suivantes (dans l'ordre d'importance) : l'union heureuse des parents, une enfance heureuse, l'absence de conflits avec la mère, une discipline souple et compréhensive, mais pas trop sévère dans la famille, l'affection soutenue pour la mère et le père, aucun conflit profond avec le père, la confiance dans les parents au sujet des questions sexuelles, les punitions rares et peu sévères pendant l'enfance et une attitude saine, équilibrée envers la sexualité.

L'enfant malheureux s'adapte difficilement à la société. Différent des autres, son entendement, sa perspicacité sont plus déficients ; il se montre moins sensé et peu judicieux. Il s'insurgera contre les formes de culture et de civilisation propres à la société dont il fait partie. Au contraire, l'enfant heureux accepte facilement son milieu. Nullement égocentrique, il s'intéresse activement aux autres enfants. L'amour, le sens de l'appartenance à l'humain et la faculté d'adaptation représentent les éléments de base de sa personnalité. Cet enfant s'est « habitué » au bonheur ; et cette habitude est un acquis qu'il transposera dans son mariage futur, ainsi qu'en d'autres formes du comportement social.

Quels sont donc les éléments qui permettent à un jeune être d'évoluer vers cette forme de l'individualité ? Selon toute probabilité, il est et sera un enfant (plus tard un adulte) heureux, si sa naissance, sa venue au monde, ont été désirées par ses parents. Il a besoin d'être aimé et il doit apprendre à aimer les Autres ; il a besoin d'être encouragé, d'être loué, de se sentir en sécurité ; il doit sentir une poigne ferme, sans excessive sévérité, et il faut qu'il puisse se divertir et s'ébattre à sa guise, librement. En outre, il a besoin d'avoir des droits, des privilèges et des objets tels qu'en possèdent ses camarades. Les parents doivent lui procurer bien-être et plaisir. Ils feront avec lui des projets et des voyages ; ils l'autoriseront à inviter des amis et aller les visiter. De tels parents ne prétendent point que « les enfants doivent être vus, mais non entendus ». Ils s'intéressent aux préoccupations de leur enfant, ils le traitent et lui parlent comme à une personne responsable. Il faut bannir le langage enfantin, les histoires fantaisistes, les mensonges, les railleries, les humiliations. L'enfant ne doit point être traité comme un jouet. Les parents intelligents protègent leur enfant des personnes capables de lui faire du tort ; ils le préservent également des craintes et des préoccupations qui accablent tous les adultes, mais ne concernent point directement les êtres jeunes : ennuis financiers, soucis professionnels et domestiques, maladie et mort.

Toutefois, il ne faut point laisser l'enfant en dehors des événements qui peuvent l'émouvoir, le toucher : une enfance heureuse ne signifie pas forcément que l'enfant ne soit jamais malheureux, qu'il ne ressente jamais aucun chagrin. S'il y a un décès parmi ses proches ou si son chien meurt, l'enfant ne peut rester dans l'ignorance de l'événement. Mais les parents raisonnables sauront préparer l'âme et l'esprit de l'enfant pour lui permettre de comprendre, d'assimiler l'événement sans secousses psychiques trop fortes ou trop accentuées. Peut-être la qualité de l'éducation familiale se mesure-t-elle au tact avec lequel les parents traitent les crises et les drames, sérieux ou futiles, du monde de l'enfant. C'est une mauvaise technique et une éducation fausse de mentir, de faire des promesses vaines, d'abuser avec des espoirs fallacieux, de montrer de l'indifférence envers un chagrin profond de l'enfant, quand la sévérité et les punitions ne peuvent le calmer. Par contre, les crises, les désespoirs des enfants, inévitables bien sûr, seront aisément surmontés et vaincus grâce à l'affection, à la compréhension, à la tendresse, à la diversion et aux soins attentifs de sa santé. De toute évidence, des parents malheureux réussiront rarement à donner une enfance heureuse à leur progéniture. « C'est en forgeant qu'on devient forgeron », dit le proverbe. Les parents insatisfaits ou écrasés de misère sont si préoccupés qu'ils en oublient les problèmes de leurs enfants.

Terman ne mentionne pas dans son ouvrage le sens naturel de l'humour qui habite les gens heureux. Les êtres humains sains et équilibrés, bien adaptés au point de vue social, rient volontiers et souvent. Or, le rire est le moyen le plus simple, le plus élémentaire, le plus plaisant d'aboutir à la décontractation. L'esprit et le sens de l'humour sont des habitudes que l'on acquiert comme les bonnes manières ou la facilité d'élocution. Les personnes capables de rire des mêmes faits et des mêmes choses s'entendent en général très bien. Il faut le dire, un sens de l'humour bien développé est aussi important pour l'enfant qu'une bonne éducation. Celui qui possède le sens de l'humour rit *avec* les Autres et il ne rit pas *des* autres.

L'EQUILIBRE PSYCHIQUE ET LES PREDISPOSITIONS A L'INQUIETUDE

On a, hélas !, coutume de considérer les émotions, telles que la peur, l'amour et la mauvaise conscience comme des particularités biologiques innées. En outre, on oppose habituellement l'« intelligence » à l'« émotivité », c'est-à-dire aux manifestations des phénomènes psychiques.

En réalité, on pourrait décrire l'émotivité comme une chaîne de réactions qui varient en fonction d'une situation, d'un excitant donnés. En d'autres termes, il s'agit d'un processus biologique qui permet à l'organisme de libérer l'énergie nécessaire pour déclencher une réaction d'ordre physique ou psychique. D'autre part si, en face d'une situation donnée, il est possible de réagir de manières différentes, il faudra qu'il y ait production d'une énergie suffisante pour vaincre l'inertie de l'organisme, ou encore pour surmonter la paralysie intérieure. Par exemple, en face d'une situation qu'il sait par expérience dangereuse, un homme peut réagir de diverses façons. Si à cause de son expérience antérieure, cet homme se décide à la fuite, on appellera ordinairement « crainte » cette réaction psychique ; si cet homme au contraire s'apprête à se défendre, on appellera sa réaction « colère ou fureur ».

L'émotivité elle-même est donc un processus de comportement qui est inné au même titre que la digestion ou la respiration. Tous les mammifères évolués possèdent la faculté innée de libérer des quantités d'énergie inégales suivant les situations. Mais si l'émotivité est innée, elle n'est pas « spécifiée » : c'est-à-dire que l'aptitude à la peur, à la haine, à l'amour ou à la colère est innée, mais que nous devons apprendre ce qu'il faut craindre, haïr ou aimer ; nous devons aussi apprendre de quelle manière nous pouvons extérioriser ces émotions. Qu'il s'agisse de résoudre un problème ou de combattre un adversaire, il faut, avant d'agir, que nous sachions dominer l'émotion déclenchée.

Aussi bien le contraire de l'« intelligence », ce n'est pas l'« émotivité », mais l'ignorance, l'inintelligence ou une attitude irraisonnable. Le contraire de l'« émotivité », c'est l'apathie, l'inactivité, l'insensibilité. Et lorsqu'on dit qu'une personne s'est laissé emporter par ses émotions, on veut dire qu'elle a fait montre d'un comportement irraisonnable, mal adapté à la situation, prohibé par les usages et les mœurs de la société.

Quand on dit d'un être qu'il a un « bon équilibre psychique », on entend par là que son organisme a été « impressionné » suffisamment pour pouvoir fournir l'énergie requise pour une adaptation adéquate à la situation donnée. Cela signifie que (par rapport à son degré de culture) cet individu a compris et évalué une situation donnée, d'une façon précise et exacte, et qu'il y a réagi d'une manière normale et adéquate (par rapport à ses besoins et aux usages). La vie psychique équilibrée dépend donc toujours des circonstances sociales. S'agit-il d'un comportement automatique obéissant à l'habitude et à la routine, il exige peu de force et d'énergie. S'agit-il par contre, d'une situation inconnue, d'une crise, ou d'habitudes nouvelles, l'individu a besoin d'une énergie accrue (d'une émotivité accrue), que ce soit en fonction d'un acte, d'une pensée ou d'un sentiment. La vie psychique est-elle mal équilibrée : il s'ensuit que l'évaluation erronée d'une situation, ou de faits contradictoires, libère dans l'individu trop ou trop peu d'énergie : le comportement est alors inadapté au point de vue individuel ou au point de vue social, c'est-à-dire que la réaction n'est pas adéquate à la situation. Or, si un tel comportement habituel et défectueux a été acquis pendant l'enfance, il peut influencer l'individu pendant de longues années. Plus l'individu a conscience de son attitude inadaptée, plus les conflits internes et externes s'aggravent, donc plus il agira d'une manière « émotive ». La « crainte » de l'enfant peut évoluer, chez l'adulte, vers un état pathologique de crainte maladive, qui peut conduire à l'inquiétude permanente, à la tension nerveuse et à un comportement névrosé.

La crainte est un élément nécessaire à l'adaptation, mais l'enfant doit apprendre à ne craindre que les dangers réels et à n'éprouver cette crainte que dans une juste mesure par rapport à son objet. Il est nécessaire que s'établisse, à côté de la crainte normale et rationnelle, un comportement devenu habituel en face des situations qui suscitent la crainte ; il faut que l'enfant sache alors de quelle manière il peut la surmonter et maîtriser la situation. On sait de nos jours que l'émotivité intense — lorsqu'il y a une libération d'énergie dépassant les besoins — est nocive pour l'organisme. Elle trouble le processus de la digestion, elle provoque des maux de tête et, si elle persiste, elle peut aboutir à des maladies psychosomatiques telles que les ulcères de l'estomac, l'asthme ou les maladies de cœur. Les jeunes garçons qui, dans l'obscurité, sifflent, crient ou se sauvent, usent et utilisent ainsi l'excédent d'énergie déclenchée et libérée par la peur. Car, sous l'effet d'une émotion très forte, l'individu a tendance à accomplir un acte qui exige beaucoup d'énergie.

Il est raisonnable de redouter une maladie contagieuse ou la traversée d'un carrefour dangereux. Mais, si on a inculqué une peur très grande à un enfant et que, par conséquent, la crainte des microbes ou des automobiles le paralyse au point qu'il est incapable de rien entreprendre, il s'agit alors d'un trouble psychique. Si au contraire, il n'éprouve point suffisamment de crainte et qu'il ne s'occupe jamais des conséquences éventuelles d'un acte, son comportement est également inadapté. La peur, chez l'enfant, naît du fait que son désir de traverser un carrefour est « bloqué » par la crainte qu'il a d'être écrasé par une voiture ; il réagit donc d'une manière « émotive ». La vie psychique de cet enfant est-elle suffisamment équilibrée : il traversera le carrefour avec prudence sans être obsédé ensuite par l'idée fixe qu'il aurait pu mourir ou être tout au moins estropié. Si la traversée prudente de la rue est devenue comme un processus automatique, elle ne nécessite qu'une émotivité minime, et l'adaptation à la situation est alors au maximum.

L'émotivité mal équilibrée est le résultat d'une peur irrationnelle dont la forme la plus habituelle, dans notre civilisation, est la peur d'avoir peur, ou mieux, la peur de paraître peureux. Cette peur est souvent profondément refoulée et elle déclenche alors dans le subconscient des conflits qui rendent l'individu « hyper-émotif » d'une manière continue. Cet état entraîne les conséquences décrites ci-dessus ; il peut aussi provoquer un comportement téméraire, impulsif et dangereux. Une des formes les plus répandues du manque d'équilibre émotif est ce que l'on appelle la « surcompensation » qui pousse l'individu à vouloir convaincre ou soi-même ou les autres, qu'il est, en réalité, autre qu'il ne paraît. L'homme craintif cherche à paraître brave, le sot essaye de paraître intelligent, l'homme mesquin et petit veut se faire admirer en se donnant une allure impertinente, agressive, dominatrice. De tels êtres ne trompent personne, sinon eux-mêmes.

La surcompensation est habituellement le résultat de complexes d'infériorité qui ont leur origine dans la peur (échappant à la raison) d'être anormal, ou inférieur aux Autres. Or, si cette peur est sans fondement sérieux, si elle doit être attribuée à un concours de circonstances malheureuses, par exemple un échec dans une tentative, un désaveu collectif, ou le manque de soins et d'affection des parents, et si l'individu en question n'a pas « surcompensé », il risque de sous-compenser, c'est-à-dire, de fuir la réalité et la vie sociale, et de chercher refuge dans le rêve et l'imagination, ou dans le doute de soi, la pitié de soi et d'autres formes du repli sur soi-même.

L'enfant peut réagir contre sa crainte maladive par la lecture ou l'expression littéraire, par la musique ou la manie de collectionner. S'il a la chance que la société approuve sa retraite tout intérieure, la vie émotive psychique déficiente peut évoluer vers un comportement normal. Cela est vrai également pour l'enfant qui a réussi à surcompenser, qui est agressif et réclame une attention soutenue. Le bagarreur coléreux peut devenir boxeur, footballeur émérite, héros ou aventurier.

Une émotivité mal équilibrée provient parfois d'une adaptation sociale défectueuse relative à l'alimentation, au sommeil, au processus digestif ou au jeu en commun. Ici, l'enfant risque de devenir un adulte morose, irritable, asocial, peu apte au mariage et à la paternité. Les individus ayant tendance à réagir anormalement par rapport à certains aliments ou à être difficiles quant à la nourriture, les insomnieux et les êtres incapables de se décontracter, ceux dont l'intestin est extrêmement fragile, peuvent devenir des conjoints et des parents difficiles. Les enfants querelleurs, d'humeur morose ou hypersensibles témoigneront de traits de caractère analogues lorsqu'ils seront adultes.

L'équilibre émotionnel défectueux peut résulter de la discipline appliquée par les parents — discipline insuffisante ou rigoriste, trop indulgente, déraisonnable ou mal partagée entre les parents, lorsque par exemple, l'un des parents pardonne tandis que l'autre punit. Il est indispensable que les parents conviennent d'une discipline commune et qu'ils l'appliquent. Il est aussi essentiel pour l'enfant de prévoir avec certitude une mesure disciplinaire dans un cas précis que d'avoir la certitude d'être aimé. Les parents doivent éviter d'éduquer l'enfant en lui inspirant de la crainte et en le menaçant avec des notions inaccessibles à sa raison, et dont ils savent bien, ainsi que l'enfant, que ce ne sont que des paroles vaines. De nos jours, les parents

menacent rarement les enfants des revenants, de l'agent
de police ou de la maison de redressement, mais ils les
effraient, inconsciemment d'ailleurs, en discourant sur les
microbes, les vitamines, les dangers de la circulation des
rues ou en leur disant qu'ils ne les aimeront plus, qu'ils
sont la honte de la famille et ne réussiront jamais dans la
vie.

Pour que l'enfant épanouisse son caractère individuel fon-
damental de manière à devenir plus tard un amant, un
époux et un parent, il est indispensable qu'il reçoive très
tôt la formation nécessaire afin de pouvoir résoudre avec
équilibre et réalisme, les problèmes qui lui seront posés sur
le plan émotif.

L'ATTITUDE ENVERS LA SEXUALITE

Une attitude saine envers la sexualité est d'importance
capitale pour l'aptitude à la vie conjugale. Aucun autre domaine de notre culture n'est aussi grevé de peur irrationnelle, d'ignorance, de « tabous » et de déséquilibres émotionnels que celui de la sexualité. Au lieu d'aider leur enfant
à acquérir les comportements, les jugements et les concepts
qui correspondent à scn individualité et à la société dans
laquelle il vit, nombre de parents contribuent à donner à
leur enfant une adaptation sexuelle totalement inadéquate.
Souvent, ce qui touche ce domaine est entouré de mystère,
de crainte, de peur et de honte. Lorsque les parents tentent
d'expliquer « ça » à leur enfant, ils manquent souvent des
connaissances élémentaires et du vocabulaire approprié.
Disposent-ils des connaissances et du vocabulaire, ils n'ont
pas toujours eux-mêmes une attitude saine et normale envers la sexualité. Fréquemment les adultes s'acquittent à
un moment mal choisi et sur un ton doctoral, tragique ou
funèbre, d'une initiation savante que l'enfant ne comprend
pas, mais qui le trouble. Or, l'initiation sexuelle doit être
donnée sur un ton simple et d'une manière naturelle, que
les adultes devraient acquérir au même titre que le langage
ou les bonnes manières. L'adolescent ne devrait même plus
se souvenir de l'époque où il ignorait les différences anatomiques entre les deux sexes, où il ne savait pas comment
un enfant vient au monde ; il ne devrait plus se souvenir
du temps où il ignorait encore que les enfants doivent grandir, puis sont attirés par l'amour, se marient et ont des
enfants exactement de la même manière que son père et
sa mère. Les garçons et les filles devraient apprendre naturellement ce que signifie la menstruation, connaître les noms

et les fonctions des organes sexuels des deux sexes. Les enjolivements, les périphrases, le langage niais et enfantin, troublent l'intelligence et l'âme des enfants. L'adulte qui est péniblement surpris et impressionné par les questions et les gestes de l'enfant, est aussi inapte à être un parent que les adultes qui racontent des mensonges, se servent de faux-fuyants et d'omissions volontaires et laissent grandir l'enfant dans la peur et l'ignorance d'un des domaines les plus importants de l'existence. Toutes ces questions devront être expliquées avec la même exactitude et le même naturel que les problèmes de la circulation sanguine ou de la gravitation.

Fréquemment, de jeunes adolescents entretiennent des amitiés « amoureuses » que les parents devraient traiter avec compréhension et avec un intérêt affectueux. Il est cruel de se moquer, d'une façon humiliante de ces « premières amours ». De plus, la faculté d'aimer, la capacité de recevoir et de donner est également une chose que l'on apprend par observation. Il faut que les enfants voient et entendent que leurs parents ont de l'affection l'un pour l'autre, et il faut qu'ils y prennent part. Il ne suffit pas d'exprimer l'attachement mutuel par des cadeaux ou des prévenances du bout des lèvres, la tendresse doit se manifester dans les paroles et par des actes. Dans le domaine de l'amour, les parents devraient enseigner en donnant l'exemple. Les maladroits qui, à propos des « affaires de cœur » de leurs enfants, se servent d'expressions humiliantes (comme « sottise enfantine », ou « histoire de gamins et de gamines stupides »), ces parents sont responsables si leurs enfants deviennent un jour cyniques et désabusés. La même remarque vaut pour la puberté et l'adolescence comme pour la première enfance. Si l'enfant a été traité avec équité pendant son jeune âge, les parents feront moins souvent l'expérience — humiliante — d'être traités comme des étrangers par leurs fils ou par leurs filles. L'enfant a-t-il été traité avec compréhension et affection, il s'adressera tout naturellement à ses parents lorsqu'il se trouvera en face d'un problème difficile. L'incapacité des parents à maintenir entre eux et l'enfant une compréhension franche et ouverte, l'incapacité de se placer au niveau de l'enfant en butte à une difficulté, cette incapacité est souvent responsable de l'attitude de « révolte » des adolescents comme elle est à l'origine du caractère abrupt et « difficile » d'un enfant qui deviendra plus tard un adulte déséquilibré et sans maturité psychique. Il est certain que les plus grands **obstacles** à l'évolution de la personnalité découlent en

droite ligne des modes de comportement touchant la sexualité et l'affectivité.

LES FIXATIONS PARENTS-ENFANT
ET ENFANT-PARENTS

La « fixation » est une concentration de l'attention et
des sentiments sur un objet, un acte ou une personne ; et
cette concentration se développe au cours d'un processus
qui échappe à la raison, et qui agit comme si une force
incoercible était à l'œuvre. Si l'individu s'abandonne à
cette force, il est comme possédé par une puissance extérieure qui peut se transformer en manie. Soit, par exemple,
l'« enragé » du jeu de billard qui néglige sa famille et ses
affaires pour mieux se consacrer à ce jeu. Mais si l'individu
est fixé *négativement* à ce jeu, il le détestera, le fuira, et
il peut en arriver jusqu'à importuner son entourage par ses
tentatives pour « guérir » tous ceux qui ont la mauvaise
habitude de pratiquer ce jeu.

De même les fixations parents-enfant et enfant-parents
peuvent être soit positives, soit négatives, soit ambivalen-
tes. Mais tout d'abord il ne faut pas oublier qu'une telle
fixation concerne toujours une personnalité anormale. Dans
la fixation parents-enfant, le psychisme (l'émotivité) mal
équilibré des parents les pousse à des actes de punition ou
d'autorité déraisonnables ou à des comportements anormaux.
L'enfant affligé de tels parents réagira par le développement
d'une fixation enfant-parents qui pourra être soit positive
(amour excessif, transferts, dépendance), soit négative
(haine, aliénation, résistance, mépris), soit ambivalente
(amour-haine). On peut observer de multiples formes de
fixations. En ce qui concerne le nombre, la variété et l'intensité des fixations, on ne dispose que d'un matériau pratiquement inutilisable au point de vue scientifique ; en outre
on ignore presque tout de l'influence que ces fixations peuvent exercer sur l'évolution de l'individualité de l'enfant
et sur sa vie future. Toutefois divers cas, ainsi que le simple raisonnement logique, démontrent qu'il existe une connexion notamment par rapport aux comportements futurs
dans le mariage.

Il faut remarquer ici que ces notions de fixation sont
souvent employées avec trop de liberté ; et les idées du
profane, en ce qui concerne la signification, l'intensité et
les conséquences des attachements à l'intérieur de la famille,
sont souvent exagérées. Il faut se garder de confondre
l'amour, l'attachement puissant mais normal entre des con-

joints, ou entre des frères et sœurs, ou entre les parents
et les enfants, avec ce qu'on appelle une fixation. La plupart des parents aiment beaucoup leurs enfants, et les enfants aiment énormément leurs parents. Il ne s'agit pas là
d'une fixation. Il n'y a fixation que si l'amour ou la haine
exercent une contrainte telle que, sous leur emprise, l'individu est comme subjugué ; si bien que l'individu qui « fixe »
aussi bien que l'individu qui est « fixé » témoignent tous
deux de comportements anormaux. Les brèves remarques
analytiques qui suivent tendent à expliquer quelques formes de fixation bien connues et leurs conséquences éventuelles.

Il semble que la fixation parents-enfant naît lorsqu'il
existe, entre les parents, un climat de discorde et de mutuelle incompréhension. Aussi bien la fixation à l'enfant
est-elle plus fréquente du côté de la mère que du côté du
père. Car si un époux n'aime plus sa femme, il lui est plus
facile de trouver une compensation à l'absence de ce sentiment ; il peut prendre une maîtresse, se consacrer à son
travail, boire, jouer aux cartes, exercer un sport. Il est
vrai que de nos jours la femme « malheureuse » peut trouver des compensations analogues. Il n'est pas rare que les
parents désunis — et ils ne se rendent pas toujours compte
de la tiédeur de leurs relations mutuelles — rivalisent, consciemment ou inconsciemment, pour obtenir l'affection et
l'attachement de l'enfant. S'il y a deux enfants, habituellement ils s'attacheront chacun à un enfant. Il peut se faire
alors que la mère développe une fixation positive (amour
excessif) à sa fille, et le père à son fils (ou vice versa),
et que les enfants y répondent. Il est à craindre alors que
ces deux enfants développent une fixation négative —
haine — l'un envers l'autre ; d'autre part le père se fixe
négativement à la fille (elle est « du côté de la mère »),
et la mère se fixe négativement au fils (le favori du père).
Si les enfants répondent à ces fixations de manière positive,
ils risquent de réagir de façon négative envers l'autre parent. Il est d'ailleurs probable que, dans tous les cas cités,
l'ambivalence (amour-haine) sera plus fréquente que l'amour
ou la haine nettement accusés.

Lorsque les deux parents rivalisent pour obtenir l'amour
des enfants, la mère a un avantage sur le père, à l'époque
de leur plus tendre enfance. L'attachement que la mère
suscite alors chez son enfant peut, ou durer toute l'existence de celui-ci, ou aboutir, lors de la puberté, à une
résistance au cours de laquelle la fixation positive est
transférée au père, et l'enfant peut alors se retourner con-

tre sa mère (fixation négative). L'enfant résiste-t-il à la mère (sans transférer la fixation au père), il peut développer alors une individualité normale. A notre avis, ce cas est le plus fréquent. Dans d'autres cas, l'enfant adopte une attitude négative envers la mère, et il la « punit » par des excès, des outrances, des absences à l'école, des écarts sexuels. Parfois, l'adolescent se punit lui-même parce qu'il se sent « coupable » envers la mère délaissée à laquelle il cause du chagrin. Avec quelques variantes, le cas est semblable lorsque la fille se révolte contre la fixation de la mère, ou si le fils et la fille cherchent à échapper à la fixation du père.

On a tout lieu de supposer que la fixation mère-enfant est plus fréquente que la fixation père-enfant. L'école freudienne prétend que les fixations mutuelles positives mère-fils et père-fille sont caractéristiques dans toutes les civilisations, et que les formes de fixation — positive, négative et ambivalente — ne sont que des transferts inconscients, des complexes d'Œdipe et d'Electre, plus élémentaires et conformes à l'instinct. Nous avons de bonnes raisons de croire que, dans notre civilisation, les mères sont plus souvent fixées aux filles et les pères aux fils. En définitive, il semble qu'il existe une exagération évidente quant au nombre et à l'intensité des fixations parents-enfant et enfant-parents, et que ces dernières sont en régression. La fixation parents-enfant indique donc un trouble dans l'évolution de la personnalité des parents, trouble dont l'origine réside habituellement dans leur enfance. Nous ne nous occuperons ici ni de la genèse d'une fixation positive mère-fils, ni de l'influence qu'elle peut exercer sur la mère (qui est l'individu inadapté), mais nous expliquerons l'influence de cette fixation sur le fils. Dans son esprit inquiet, la mère craint toujours que le fils ne risque un accident, et elle ne peut supporter son absence ; il faut qu'il soit près d'elle ; en tout ce qui le concerne, elle décide. Lorsqu'il grandit, elle souffre de le voir fréquenter l'école. Plus tard, elle est profondément malheureuse lorsqu'il aime et qu'il veut se marier, et elle cherche par tous les moyens à contrecarrer ses entreprises amoureuses. S'il lui résiste et se marie contre son gré, elle devient la belle-mère qui se mêle de tout et qui déteste (souvent inconsciemment) sa bru. Une telle femme peut inciter son fils à haïr son père, et hormis elle, à fuir et à craindre les femmes ; elle enchaîne son fils. Elle lui permettra peut-être quelques amitiés masculines, qu'elle jalousera d'ailleurs. Réussit-elle à éloigner de son fils les femmes de son entourage : elle est capable de créer ainsi la base d'un comportement homosexuel, puisque, pour le fils, l'homosexualité est la seule relation sentimentale possible. D'après cet exposé, il est facile d'imaginer les conséquences parallèles lorsqu'il y a fixation mère-fille, père-fils ou père-fille, mère-fils — positive ou négative.

Les jeunes enfants ont peu de défense contre une forme d'amour aussi exclusive. Le jeune garçon (décrit plus haut), risque de rester enfant pendant son existence entière ; il pourra ne jamais devenir une individualité indépendante, libre et autonome, équilibrée, capable d'envisager les problèmes et les situations que l'existence lui réservera. Il risque de devenir un homme efféminé incapable de prendre une décision sans consulter sa mère. Incapable de quitter sa mère, il n'étudiera pas, ne choisira pas de métier, ne se mariera pas. Ou, s'il a le courage de se révolter contre sa mère, il la rendra profondément malheureuse. Se marie-t-il, il répétera à chaque instant à son épouse : « Maman fait ce travail ainsi », « ma mère pense tout autrement à ce sujet », etc.

Les parents, qui n'ont pu réaliser l'idéal qu'ils souhaitaient pendant leur existence, cherchent à l'atteindre à travers les enfants. On appelle cela une projection. Une femme, par exemple, qui voulait aboutir au professorat mais qui a été insatisfaite et malheureuse, sera suffisamment forte pour contraindre son enfant à obtenir ses grades de professeur, même si l'enfant est inapte à l'enseignement et n'a pas le goût de l'exercer. Une autre forme de projection consiste à obliger l'enfant à reprendre, à continuer le métier du père. C'est peut-être la forme la plus fréquente de la fixation père-fils. Il est évident qu'une telle projection parentale est plus fréquente lors d'une fixation parents-enfant et qu'il s'agit là d'une compensation de la part des parents.

Si l'enfant est intéressé par les projets et les désirs des parents, et s'il possède les dons indispensables, certaines de ces projections ne lui seront ni inutiles, ni nuisibles. La plupart des parents nourrissant ces ambitions vis-à-vis de leur enfant céderont facilement s'il n'est pas d'accord avec leurs espérances. Mais certains parents sont incapables de subordonner leurs désirs aux intérêts de l'enfant. Ils le contraignent alors à une activité contraire à ses capacités et à sa volonté. C'est peut-être une des raisons pour lesquelles tant d'individus sont déclassés. Ces parents s'intéressent, il faut le dire, plus à eux-mêmes, qu'à l'enfant. Ils cherchent à le former de la manière dont ils rêvent, décident de ses loisirs, de sa foi religieuse, de son école, de son travail, bref, ils décident de tout. L'enfant est alors dans l'impossibilité de développer son sens de l'indépendance et de la liberté ; il ne peut s'habituer à être heureux et il sera alors inapte au mariage.

LES CERCLES VICIEUX

Il faut entendre ici par l'expression *cercles vicieux*, un comportement mal adapté qui s'accentue dans la durée, ou qui apparaît dans les générations successives.

Toutes les déficiences accusées nettement par une individualité, sont le résultat d'un cercle vicieux. C'est, par exemple, le cas de l'enfant qui est comme étouffé par l'amour maternel ; il ne peut faire ce que font les autres. Par conséquent, il a besoin des soins, de la protection et de l'indulgence de la mère ; et, de ce fait, il devient encore plus dépendant et inapte. C'est ce qu'on appelle un cercle vicieux, c'est-à-dire un cercle sans fin ; la symbolique du serpent qui se mord la queue. Cet enfant cherche-t-il à se révolter contre la tyrannie de la mère, il est capable de commettre des méfaits et des délits. Plus il devient méchant, plus il fait souffrir sa mère ; et plus elle souffre, plus l'enfant devient méchant. L'enfant se sent coupable ; il hait et aime sa mère (ambivalence) et il commet souvent des actes avant tout nuisibles pour lui-même. C'est là un des moyens par lesquels l'individu cherche à se libérer de la pression de la culpabilité. Plus l'enfant blesse sa mère, plus il se sent coupable ; il se punit lui-même et, à travers soi, punit la mère plus durement encore.

Le cercle vicieux est une déplorable habitude. Il naît et se développe parce qu'un individu cherche à satisfaire un désir incoercible, à surmonter une tension, à résoudre un problème vital. Il n'est ni efficace, ni salutaire puisqu'il ne permet jamais d'atteindre le but visé. Plus l'individu s'adresse à cette technique, plus le cercle exercera une emprise irrésistible, une contrainte qui deviendra un automatisme. Cet état n'a aucun rapport avec la méchanceté récalcitrante ou la malice délibérée. Le cercle vicieux naît toujours d'une cause extérieure, et il s'agit généralement de causes sociales plutôt que biologiques.

Comment réagir ? La meilleure thérapeutique est préventive. Nombre de malices et d'impertinences de l'enfant, qui agacent les parents, sont en fait sans importance et disparaissent d'elles-mêmes si les parents ne les prennent pas au sérieux. Si les besoins élémentaires de l'enfant sont satisfaits, nombre de ces défauts n'apparaissent même pas.

Surgissent-ils, et sont-ils bénins, il ne faut pas y prendre garde. Si les défauts sont plus graves et plus accentués, il faut chercher à comprendre la nature des besoins que l'enfant tend à satisfaire et trouver éventuellement des compensations à ses désirs insatisfaits. Les défenses et les ordres impérieux ne servent ici à rien, sinon à aggraver les difficultés. Au lieu de rudoyer l'enfant, il vaut mieux essayer de l'influencer, de détourner son attention, de lui procurer des compensations, de lui donner un bon exemple. Un comportement calme, affectueux et raisonnable obtiendra de meilleurs résultats que les punitions et les menaces. Il est possible par exemple, que la masturbation exagérée de l'enfant soit le résultat d'une curiosité sexuelle insatisfaite. L'enfant peut avoir observé chez ses parents, ou chez des amis, une attitude malsaine en fonction de la sexualité. Il peut avoir rencontré des obstacles lors de ses premières expériences, en cherchant à satisfaire des désirs d'aventure, d'excitation, d'approbation et d'affection. N'ayant pu décharger et équilibrer son besoin d'activité, ce besoin se concentrera sur sa propre personne. C'est alors qu'il préférera jouer avec lui-même plutôt qu'avec d'autres objets et d'autres personnes ; et alors son imagination suppléera à la réalité.

Si le cercle vicieux se développe et que les parents ne savent comment réagir, ils devront alors s'adresser au spécialiste. Nombre de parents sont incapables de détecter l'existence d'un cercle vicieux et ne peuvent ni l'analyser, ni le guérir. Ils en sont souvent le centre et la cause. Si c'est le cas, ils ne peuvent suivre les conseils du médecin que s'ils brisent leur propre cercle vicieux. Les parents de caractère difficile, donnent le jour à des enfants de caractère difficile ; ces enfants ne peuvent être guéris que si les parents le sont.

Il existe, sur le plan des générations successives, un autre genre de cercle vicieux, et qui peut prendre une forme alternative ou répétitive.

Prenons, pour la forme alternative, l'exemple d'un enfant qui a été soumis dans sa jeunesse, à une discipline sévère et impitoyable. Révolté contre son sort, il sera plus tard le père qui gâte et dorlote ses enfants. Cet excès d'indulgence sera à l'origine d'une mauvaise adaptation sociale des enfants, qui souffriront à l'école, dans leur métier, dans leur foyer. Par conséquent, ces individus auront tendance à élever leurs enfants avec trop de sévérité ; ces derniers se révolteront contre les parents et le cercle vicieux se perpétuera. La bigoterie des parents peut provoquer l'athéisme chez l'enfant ; l'alcoolisme, l'antialcoolisme ; l'avarice, la prodigalité ; l'amour passionné du savoir, le dégoût des études, etc. Jusqu'à la génération suivante où l'extrême contraire réapparaît.

Reprenons l'exemple de la discipline sévère pour la forme répétitive. Il est possible que l'enfant élevé sévèrement réussisse son adaptation sociale. Convaincu d'avoir réussi dans la vie, grâce à la dure discipline reçue pendant son enfance, il élèvera ses enfants de la même manière : sévèrement.

Pour briser le cercle vicieux, l'individu qui en est le sujet doit être capable de développer une personnalité qui, sans ressembler au modèle que donnent les parents, n'adopte pas non plus une réaction violente contre ce modèle. La chose est possible, puisque l'individu peut apprendre à se réadapter à l'aide de ses expériences, d'une culture appropriée, de professeurs compétents, d'amis sûrs, d'études scientifiques, etc. Tous les facteurs capables d'intensifier l'adaptation sociale peuvent contribuer à briser le cercle vicieux.

LE PRINCIPE DE LA RESSEMBLANCE

La *vox populi*, les proverbes, les livres soutiennent — et nombre d'individus le croient — que les contraires s'attirent : les hommes de grande taille épousent des femmes petites ; le trapu recherche la maigre ; les blonds aiment les brunes ; les esprits éminents préfèrent épouser une femme plus simple ou même sotte. Cette assertion prétendument conforme au « bon sens » est, en réalité, dénuée de fondement. En approfondissant les cas individuels, on sera vite convaincu que le contraire est plus proche de la vérité : ce sont en effet, les semblables qui cherchent à contracter union. Un mariage heureux exige un minimum de ressemblance individuelle et culturelle. Or les formes de caractères responsables de l'amour ou de la haine futurs de l'individu sont modelées dès la plus tendre enfance. Même si certain caractère de l'enfant se transforme par la suite, cette altération ne semble pas avoir opéré en profondeur. Au cours de l'existence, lors d'une crise, ce caractère peut s'intensifier à nouveau et aboutir à des comportements qui paraissent incompréhensibles.

Un homme, par exemple, ayant souffert pendant son enfance d'une fixation positive à la mère, peut se révolter, se marier et vivre apparemment heureux. Mais lors d'une crise grave (la mort d'un enfant, la perte d'un travail, des heurts importants avec l'épouse), il est capable de se réfugier chez sa mère ou de manifester d'une autre manière sa fixation (positive ou négative) à la mère : il s'adonnera à la boisson, il deviendra très pieux, il émigrera, il se consacrera entièrement à son métier, etc. L'épouse sera dans l'incapacité de saisir ce qui est arrivé à son mari, qu'elle pensait si bien connaître, et elle sera surprise de son étrange comportement. Il existe aussi une catégorie d'individus qui, après une déception amoureuse, épousent une femme qui est l'exacte antithèse de leur premier amour. De telles unions — appelées « unions par dépit » — sont souvent fort malheureuses.

Certes des mariages apparemment heureux semblent confirmer la théorie de la force d'attraction des contraires. C'est le cas pour les hommes tyranniques et les femmes de caractère soumis. Tous deux sont mal adaptés, mais les imperfections de leurs individualités s'équilibrent du fait que les besoins névrotiques opposés s'assouvissent mutuellement. Tel homme égocentrique qui se croit plus accompli qu'il ne l'est en réalité, peut désirer une femme belle, mais sotte, dont la médiocrité relative renforcera les illusions qu'il nourrit envers soi. Mais, d'ordinaire, deux êtres affectés d'anomalies analogues — comme par exemple l'égoïsme impudent — ne seront point heureux en mariage.

Le principe de la ressemblance semble généralement valable pour les individus normaux. Toutefois, il n'est pas absolu. Le choix du partenaire conjugal se limite en général au milieu, aux relations de la personne en question. Les personnes possédant l'aisance matérielle épouseront des partenaires qui jouissent de la même aisance, c'est-à-dire des personnes de leur milieu. Ce principe est valable pour les individus intelligents, les médiocres, les personnes cultivées ou de même confession, ainsi que pour les citadins, les paysans. Les catholiques peuvent épouser des protestants et être heureux, si leurs convictions religieuses ne sont ni fanatiques, ni intolérantes. Du reste, c'est l'importance accordée par le conjoint aux particularités de son partenaire, qui déterminera en fin de compte le résultat pratique. Nombre d'individus sont en butte aux disputes conjugales parce qu'ils sous-estiment l'importance des particularités caractérielles du partenaire. Et les humains sont souvent moins tolérants et d'esprit moins ouvert qu'ils ne le croient.

Pour conclure, il faut avouer que le choix du partenaire conjugal et la constitution d'une famille sont des problèmes sur lesquels il faudra se pencher longtemps encore avant d'en comprendre les lois et les règles générales.

LES MODIFICATIONS DES COMPORTEMENTS DE L'ENFANT

A la lecture de cet essai, certains lecteurs pourront ressentir quelque inquiétude et croire leurs chances de bonheur conjugal minimes étant donné ce que fut leur enfance. Mais, il ne faut pas perdre de vue que la nature humaine est extrêmement malléable et susceptible de se transformer. L'homme apprend toujours, depuis sa naissance et jusqu'à sa mort. Grâce à la réflexion, aux gestes et aux actes sensés et appropriés — dans les limites de sa nature et comme ses semblables dans la société — il peut modifier son comportement. A l'intérieur de ces limites, les possibilités sont nombreuses et variées. Certes, un individu dispose d'un nombre de possibilités plus restreint qu'une génération entière, mais il faut constater que peu d'individus s'approchent des limites du possible.

En tirant un enseignement des expériences des autres, on peut résoudre la majorité des problèmes d'une manière satisfaisante, et on peut élever ses enfants plus intelligemment qu'on n'a été soi-même éduqué. Si les parents d'un individu ont vécu dans une union conjugale malheureuse et que cet individu a eu, de ce fait, une enfance difficile, il peut malgré tout, faire un beau mariage et être heureux, avoir des enfants sains, heureux et socialement bien adaptés. Il est possible de briser les cercles vicieux.

Un être a-t-il souffert d'une fixation aux parents, il lui est possible d'épargner à ses enfants une situation semblable ; il peut les aimer normalement et d'une manière constructive. Celui qui a souffert pendant son enfance de menaces et d'intimidations peut traiter ses enfants avec franchise et compréhension. Beaucoup d'adultes, maltraités pendant leur enfance, deviennent, grâce à une juste compréhension de ce qui fut nocif pour eux, de parfaits partenaires conjugaux et des parents excellents. Ayant durement acquis un comportement normal et adapté, ils épargneront à leur progéniture les affres et les conflits qu'ils avaient dû surmonter.

Les hommes qui, après un départ difficile, atteignent le but proposé sont des hommes, *stricto sensu*. Ils ont appris une vérité qui leur a conféré la liberté intérieure. Ce sont ces hommes-là qui tendent à réaliser un des rêves des plus anciens et des plus chers de l'humanité : une vie meilleure sur la terre.

Le choix du conjoint
à la lumière des statistiques

M. H. Kuhn
*professeur à l'Institut d'anthropologie
de l'Université de l'Iowa*

A l'approche de la vingtième année et au-delà, la majorité des hommes et des femmes sont préoccupés par le problème de leur futur mariage, ils discutent et rêvent du conjoint idéal tant désiré et quelquefois des enfants qu'ils souhaiteraient avoir. Cela n'a certes rien de surprenant quand on considère l'importance du mariage dans l'existence humaine. Les projets d'avenir, les ambitions des jeunes gens et des jeunes filles, modelés par le milieu familial, obéiront, dans leurs lignes essentielles, aux habitudes et aux expériences acquises au foyer. L'adolescent dont les besoins et les désirs élémentaires ont été satisfaits pendant l'enfance, éprouvera l'impulsion irrésistible de fonder un foyer dès l'époque où son indépendance commencera à s'affirmer et où les liens qui l'attachaient à sa famille seront, de ce fait, en partie relâchés. A cette époque, il est aussi naturel d'entretenir des rêves au sujet du futur conjoint qu'au sujet des ambitions professionnelles. Ces deux problèmes sont, du reste, si intimement liés que l'un ne pourra être envisagé sans l'autre.

Mais est-on vraiment libre de décider si l'on veut se marier ou non ? Peut-on réellement « choisir » son futur conjoint ? Est-il possible de « projeter » une union raisonnable et stable ?

Le choix du partenaire joue un rôle beaucoup moins important qu'on pourrait le croire. La possibilité du choix, libre et conscient, est limitée par un certain nombre de facteurs analogues à ceux qui dirigent les gestes et les activités humaines dans d'autres domaines. On peut, grosso modo, les grouper de la manière suivante : 1° les particularités individuelles et le psychisme qui se développent, grâce à la coopération entre les caractères génétiques et la formation acquise pendant l'enfance, et qui formeront le cadre du comportement futur ; 2° les états de fait expérimentaux individuels, des relations humaines mutuelles, lesquels représentent le résultat des comportements réciproques lors de la quête amoureuse ; 3° les expériences impersonnelles que l'on peut classer dans les sous-groupes suivants : a) le choix du partenaire, limité en fonction de l'espace et du métier ; *b)* les limites découlant de la composition de la population et des proportions numériques des sexes ; *c)* le choix du partenaire, influencé par les facteurs éthiques, les lois, les règles et les interdictions sociales. Il faut le souligner, tous ces facteurs limitent la possibilité du libre choix même si on ne s'en rend pas toujours compte et bien que ces facteurs ne soient point soumis à un contrôle, à une influence consciente et organisée.

Cette constatation, toutefois, n'équivaut pas à un déterminisme fatal qui exclurait la possibilité d'un choix intelligent ou d'un projet rationnel. La connaissance des limites existantes permettra au contraire d'éliminer, lors du choix du partenaire conjugal, une part de romanesque en faveur de réflexions plus raisonnables. En d'autres termes, on ne peut contracter une union raisonnable qu'en sachant que la raison constitue une donnée essentielle dans le choix d'un partenaire.

Nous examinerons donc les différents facteurs dont la coopération détermine le choix du partenaire conjugal. En outre, nous analyserons brièvement la signification de ce choix dans la mesure où il peut présenter des garanties pour le succès et la stabilité du mariage.

LES FACTEURS QUI PEUVENT INFLUENCER LE CHOIX DU CONJOINT

On peut affirmer que certaines particularités caractérielles — qualités et défauts — attirent ou rebutent l'individu qui cherche à contracter mariage. En dehors des normes, des goûts et des modes propres à chaque civilisation, la majorité des individus ont un idéal personnel qui exprime leur goût propre. Mais il n'est pas toujours possible de trouver le partenaire correspondant à ce goût, à cet idéal personnel. Le choix du partenaire est limité aux personnes issues du milieu avec lequel l'individu est en contact : le milieu professionnel, social et de l'habitat.

La proportion numérique des sexes en tant que facteur du choix du conjoint

Sans aucun doute, la proportion numérique entre les sexes joue un grand rôle par rapport aux chances du choix. Les statistiques ont établi que, pour 100 naissances d'enfants vivants de sexe féminin, il y a 104 naissances d'enfants vivants de sexe masculin. Mais ces différences numériques se déplacent, par la suite, en raison des particularités géographiques, des différences entre les villes et les campagnes et finalement, par rapport aux différences économiques et de classe.

L'Ouest des Etats-Unis par exemple, a attiré plus d'hommes en âge de se marier que de femmes. Ici, il y a 106 hommes pour 100 femmes, et dans certains Etats montagneux il y en a 108. Dans les Etats de l'Est, il n'y a que 97 hommes pour 100 femmes. Ogburn a observé que le pourcentage le plus élevé de couples mariés n'était pas situé dans les lieux où la proportion numérique entre les sexes était égale, mais là où il y avait plus d'hommes que de femmes.

Parmi les populations rurales, les villes exercent plus d'attraits sur les femmes que sur les hommes. La statistique reproduite ci-dessous a été établie aux Etats-Unis d'après le recensement de 1940 :

	Pourcentage masculin
Etats-Unis	100,7
Villes	95,5
Campagne	103,7
Régions agricoles	111,7

Les citadines — d'après ce tableau — trouveront donc plus difficilement un conjoint que les femmes vivant à la campagne.

Il faut toutefois remarquer qu'avec la guerre de 1940 et le départ des hommes, les proportions numériques ont localement changé. En outre, il fallut compter avec la perte des hommes en âge de se marier, dans les pays belligérants. Par conséquent, pendant une certaine période, les jeunes femmes en âge de se marier eurent moins de chances de trouver un partenaire.

Les influences locales et professionnelles

L'automobile, l'avion, la radio, ont accéléré et multiplié nos contacts avec le vaste monde. Mais la vitesse et la facilité des communications ne semblent jouer aucun rôle dans le choix du partenaire conjugal, puisque ce choix est restreint à un milieu social, à une localité, à un voisinage où les habitants se connaissent. Bossard a effectué un sondage sur 5 000 couples mariés à Philadelphie dans la première moitié de l'année 1931. Il a pu établir que 1 679 de ces couples — c'est-à-dire plus d'un tiers — ont choisi leur partenaire dans les cinq blocs d'immeubles avoisinant le leur. Ci-dessous, la statistique de Bossard d'après la proximité de résidence des futurs conjoints :

	Nombre des mariages	Pourcentage
Dans le même immeuble	632	12,64
Dans le même bloc d'immeubles	859	17,18
Dans les deux blocs d'immeubles les plus proches .	1 163	23,26
Dans les trois blocs d'immeubles les plus proches .	1 373	27,46
Dans les quatre blocs d'immeubles les plus proches .	1 528	30,56
Dans les cinq blocs d'immeubles les plus proches .	1 679	33,58
Dans les dix blocs d'immeubles les plus proches .	2 116	43,32
Dans les quinze blocs d'immeubles les plus proches .	2 400	48,00
Dans les vingt blocs d'immeubles les plus proches .	2 597	51,94

Un sondage de Ruby J.-R. Kennedy à New Haven prouve qu'il ne s'agit point ici d'un pur hasard. Les chiffres de Kennedy, établis entre les années 1931 et 1940, indiquent au contraire que l'habitude du choix d'un partenaire dans le voisinage immédiat, tend à s'intensifier.

	Pourcentage	
	1931	1940
Dans la même maison	9,05	9,92
Dans les cinq blocs d'immeubles	33,30	35,79
Dans les dix blocs d'immeubles	55,44	55,48
Dans les vingt blocs d'immeubles	64,43	76,31
Au-dessus des vingt blocs	35,39	23,69

D'après cette statistique, 64,43 % des individus épousaient en 1931 des partenaires demeurant dans la zone des vingt blocs d'immeubles avoisinants ; en 1940, le pourcentage s'élève à 76,31.

Ces chiffres semblent donc prouver que le choix du partenaire conjugal se limite de préférence au voisinage étroit qui, de toute évidence, n'est pas toujours un voisinage géographique. Il y a, dans la plupart des grandes villes, des quartiers ouvriers et des quartiers bourgeois, et les personnes d'un même niveau de vie habitent en général dans les mêmes quartiers. Or, le niveau économique étant un facteur important dans le choix du conjoint, le point de vue économique joue donc un grand rôle dans la proportion élevée des mariages contractés entre personnes résidant dans un voisinage local étroit.

Un autre facteur important pour le choix du conjoint est la profession, le métier. Les mariages entre personnes exerçant le même métier sont fréquents. Les statistiques ont établi que les médecins ont tendance à épouser des doctoresses, les avocats des avocates etc. Il est en outre intéressant de constater qu'une grande majorité de femmes, choisissant des professions peu encombrées par les hommes, réduisent ainsi leurs chances de se marier. Ce fait est bien illustré par la statistique ci-dessous, basée sur le recensement de la population des Etats-Unis en 1940 :

Profession		Hommes	Femmes
Enseignement		247 716	772 044
Œuvres sociales		24 868	44 809
Infirmiers		7 509	348 277
Bibliothécaires		3 801	32 546
Activités paroissiales		8 798	25 874
Télégraphe-téléphone		10 697	189 002

L'énorme différence des effectifs masculins et féminins dans le corps enseignant explique certainement en partie, le taux élevé des femmes célibataires dans cette profession.

Ce bref aperçu établit clairement qu'il existe nombre de facteurs indépendants de la volonté individuelle et qui limitent le libre choix du partenaire conjugal. D'autres éléments aussi, d'ordre psychologique, entrent en jeu.

HOMOGAMIE

Il faut avant tout préciser la signification des notions d'*homogamie* et de *choix adapté* puisque le profane a tendance à les croire synonymes. L'homogamie s'applique à l'individu qui cherche à s'unir à une personne dotée de caractères physiques et psychiques analogues aux siens. Le choix « adapté » signifie qu'en dehors de ces similitudes, il y a des analogies acquises au point de vue culturel, social, professionnel, etc.

A l'origine, ces deux notions ont été créées en connexion avec les recherches entreprises dans le domaine des animaux peu évolués. Si l'on veut appliquer la notion d'homogamie aux unions sexuelles de l'homme, il est nécessaire de dégager en premier lieu la différence entre l'accouplement des animaux et celui des hommes. Une première différence réside dans le fait que les actes, les jugements de valeur, les opinions et les normes de l'homme lui sont dictés, du moins en partie, par la société et la civilisation dans lesquelles il est né. L'homme possède la faculté de se transformer et d'apprendre, il n'est pas strictement soumis à son acquis héréditaire comme l'animal. La faculté d'apprendre confère à l'homme une capacité d'adaptation inexistante chez les êtres vivants inférieurs. Toutefois l'homme, dans la vie quotidienne, tend à utiliser les modes de comportement et d'adaptation dont la société a usé dans le passé face à des événements et à des circonstances analogues. Ce sont de telles habitudes, communes à un groupe humain, qui expliquent le goût du Français pour le « bifteck-pommes frites », le goût de l'Anglais pour le mouton bouilli, le goût du Chinois pour les œufs couvés. Et si cela ne s'explique pas en soi, il est vrai néanmoins que ces habitudes et usages jouent un rôle lors du choix du conjoint. Il y a moins d'un demi-siècle, l'homme préférait la femme un peu grasse. De nos jours, la femme mince a ses suffrages. D'autre part, en 1965 comme en 1890, le jeune homme qui veut se faire agréer pour mari devra représenter « un bon parti », quelle que soit sa corpulence.

Dans notre société, les mariages entre personnes d'âges rapprochés sont les plus fréquents. Certains spécialistes aperçoivent là la preuve que pour l'homme, le choix d'un partenaire biologiquement adapté entre en ligne de compte. Mais chez les tribus indiennes des hauts-plateaux, les jeunes gens préfèrent épouser des femmes âgées. Il est donc certain que le choix du conjoint obéit également aux traditions et aux mœurs du groupe ethnique.

Chaque civilisation attribue à certaines particularités une valeur précise capable d'influencer le goût des hommes et des femmes en âge de se marier. Il y a quelques années, les Noirs américains préféraient épouser des femmes au type racial peu prononcé, à la peau aussi claire que possible. Aujourd'hui, ayant pris conscience de leur race, la préférence pour un type racial plus marqué apparaît nettement dans le choix du conjoint.

Le « choix adapté » a été l'objet de nombreux examens relatifs à la taille, l'âge, le poids, les déficiences physiques, la couleur des cheveux et des yeux, l'intelligence et le tempérament. Les résultats de ces investigations semblent appuyer la thèse biologique qui veut que les semblables aient tendance à s'unir, c'est-à-dire que l'homogamie joue un grand rôle dans le choix du conjoint. Ceci est vrai particulièrement en ce qui concerne l'intelligence. Mais il faut constater que ces investigations négligent le fait que les instincts biologiques sont modelés, transformés par la pression sociale du groupe ; et, tant qu'on ne disposera pas de sondages comparatifs entre divers groupes de culture, les résultats cités plus haut ne représenteront aucune base solide.

Il faut se garder de généraliser les investigations confirmant la thèse biologique. On prétend par exemple, que la majorité des couples sont d'âge rapproché. Or, il est certain qu'à toutes les époques de crises économiques, l'âge des hommes qui se marient est plus avancé en raison des difficultés matérielles, et les femmes qu'ils épousent sont souvent beaucoup plus jeunes qu'eux, en tout cas plus jeunes que les femmes qu'ils auraient épousées dans des circonstances économiques normales.

Sans aucun doute, les facteurs physique et biologique

interviennent dans le choix. Mais ayant subi des altérations et des modifications importantes au cours de l'existence d'un individu, ces facteurs sont souvent difficiles à déceler dans le comportement de l'adulte. Tel jeune homme nous a confié que, pour lui, les pieds d'une jeune femme jouaient un rôle décisif. Le biologiste conclura alors que le goût précis du jeune homme devait obéir, dans le choix du partenaire, à l'homogamie biologique fondamentale. L'école freudienne orthodoxe y découvrira une forme de fétichisme du pied. Tout cela n'est que spéculation. Si, sur le plan biologique, la nature humaine comporte des données élémentaires et primitives, il est certain que celles-ci ont changé d'aspect et de forme grâce aux acquis culturels et sociaux de l'individu.

En ce qui concerne l'homogamie des caractères physiques, il ne faut point négliger la tendance de la plupart des êtres humains à choisir des partenaires de la même couleur de peau. D'aucuns interprètent cette préférence comme un exemple-type d'homogamie, dans son sens le plus élémentaire, c'est-à-dire que le comportement inné, instinctif de la nature humaine s'exprimerait dans le choix d'un partenaire de la même couleur de peau (de la même race). Pour les spécialistes de la sociologie et de l'anthropologie, cette interprétation semble naïve, sinon absurde. Il suffit d'aller à Hawaii ou au Brésil pour le constater. Avant d'analyser le problème des métis, nous esquisserons brièvement celui, plus large, des mariages mixtes.

MARIAGES MIXTES

Dans toutes les civilisations, le choix individuel du conjoint est limité par certaines lois et certaines règles, et ceci est vrai également pour les civilisations primitives. En effet, le choix du conjoint et l'union conjugale sont soumis, pour un grand nombre de tribus primitives, à des prescriptions beaucoup plus sévères que les nôtres. Dans notre civilisation occidentale, l'individualisme, le romantisme, la culture en général et l'agglomération des populations dans les grandes cités ont dégagé le choix du conjoint de beaucoup de principes et de statuts anciens et traditionnels. Il existe évidemment dans notre société une tendance à se prononcer pour les mariages entre personnes de même race, de même religion, de même province et de même nationalité, voire de même classe sociale. Toutefois, le nombre des individus qui choisissent leur conjoint en dehors de ces limites est élevé, et c'est de ces individus que nous nous occuperons ici.

Il est certain que les mariages conclus en dehors des statuts habituels et usuels ne sont pas toujours condamnés par les groupes sociaux respectifs des partenaires et, si l'employé sans fortune épouse la fille de son patron, il arrive que l'entourage se montre satisfait de part et d'autre. Pour faciliter notre exposé, nous classerons les mariages mixtes dans les sous-groupes suivants : mariages métissés, mariages entre nationalités, classes et religions différentes, mariages entre personnes d'un niveau culturel dissemblable et mariages entre personnes de régions différentes.

Unions métissées

Les mariages entre individus de races différentes pâtissent d'un préjugé défavorable dans presque tous les pays, mais plus particulièrement aux Etats-Unis. 1° Les mariages entre deux races sont des mariages entre personnes de castes différentes, et l'abîme est particulièrement profond entre Blancs et Noirs en Amérique. 2° Les mariages métissés sont en même temps des unions entre des personnes de classes sociales dissemblables. Chaque race a une manière de vivre et d'agir qui lui est propre ; de plus, les usages et traditions d'une classe sociale à l'intérieur d'une race donnée, diffèrent des usages et traditions de la même classe sociale à l'intérieur d'une autre race. Cette divergence des traditions et des mœurs s'accentue encore lorsqu'un individu contracte mariage avec une personne appartenant non seulement à une autre race mais à une autre classe sociale : par exemple lorsqu'un Blanc de la bourgeoisie épouse une Noire d'une classe sociale inférieure. 3° La conviction pseudo-biologique de la supériorité raciale aboutit à ce raisonnement erroné que les enfants métissés seraient inférieurs aux enfants des deux races en question.

Pourquoi, malgré ces obstacles, y a-t-il des unions métissées ? Ce problème n'est pas résolu. Baber suppose que les mariages entre races différentes ont les mêmes causes que les unions entre individus de même race : amour, voisinage, intérêts communs, etc. La chose va de soi. Et il est remarquable que de plus grandes dissimilitudes entre conjoints de races différentes ont parfois abouti à des unions dont la valeur dépasse celle de la plupart des unions non métissées.

Un mariage entre personnes de races différentes attire généralement la désapprobation sur les deux conjoints ; très souvent un tel mariage leur fait perdre leurs relations sociales, leurs amis ; aux Etats-Unis leur existence est particulièrement difficile puisqu'ils ne peuvent fréquen-

ter ensemble ni théâtres, ni restaurants, etc. La loi de désé-
grégation — que l'on a décrite comme l'acte le plus important en ce domaine depuis l'abolition de l'esclavage par
Lincoln — ne modifiera sans doute pas la situation du jour
au lendemain ; mais sur tous les plans l'évolution est aujourd'hui extrêmement rapide, et l'effet psychologique de
cette loi pourrait être d'une extrême importance dans le
domaine qui nous occupe.

Pour l'instant, les relations conjugales, dans les unions
métissées, sont nécessairement difficiles. Chacun des conjoints risque d'attribuer à son partenaire l'insuccès de leur
union. Normalement, l'enfant est un facteur important pour
consolider l'union : mais parce que les conjoints savent que
les enfants métissés rencontreront de grandes difficultés
dans leur existence, les époux en arrivent parfois à refuser toute progéniture. Et si des enfants naissent, l'un des
conjoints peut reprocher à l'autre le destin difficile de ces
enfants.

En définitive, les difficultés auxquelles se heurtent les
unions métissées ont leur source dans la société.

Autres mariages mixtes

Pour toutes les unions, contractées en dépit des frontières
nationales, religieuses, régionales, sociales ou économiques,
il faut compter avec les différences d'ordre culturel. Au
cours de ses observations sur les mariages métissés, Baber
a découvert que les oppositions conjugales sont en relation
directe avec le degré de différence de culture et de couleur de la peau. Cette constatation s'appuie en outre sur le
fait que, lors de mariages mixtes, plusieurs autres différen-
ciations entrent en ligne de compte. L'union entre personnes de nationalités différentes est souvent une union entre
deux appartenances religieuses. L'union entre races diverses
est généralement une union entre deux nationalités. Lorsque deux individus de niveau social et d'éducation dissemblables se marient, ils sont en général issus de familles
dont les conditions économiques sont différentes. Dans nombre de mariages, les frontières raciales, religieuses et nationales sont franchies en même temps. Or, déjà entre
personnes d'un même niveau social, d'un même milieu, les
discordes conjugales sont souvent inévitables, et le risque
de conflits est plus grand lorsqu'il y a union entre individus de milieux dissemblables.

Il est certain que les êtres jeunes peuvent se libérer plus
facilement de leur milieu social que les personnes plus
âgées. Cependant même les jeunes gens « émancipés » finis-

sent souvent par se rendre compte qu'ils le sont bien moins qu'ils ne l'avaient cru. Cette pensée est parfaitement exprimée par Willa Cather, dans son livre *Shadows on the Rock* (Ombres sur le Roc) : « On ne possède qu'une seule chaîne de souvenirs et il est impossible de l'échanger contre une autre. » Le milieu social a imprimé son sceau sur ces souvenirs et ainsi ils représentent une sorte de fin tamis qui filtre tous les événements vécus afin de leur donner une signification. Cela revient à dire qu'il est aussi impossible de se libérer de l'empreinte du milieu qu'il est impossible de se dégager de ses souvenirs. Il ne faudrait jamais oublier ce fait lorsqu'on affirme à la légère que « l'amour vainc tous les obstacles ».

Il va de soi que les conceptions romanesques n'ont point rompu toutes les digues nationales, religieuses, raciales et culturelles. On a pu observer à l'aide des sondages de Kennedy, relatifs à l'influence du voisinage sur le choix du conjoint, que la tendance à contracter mariage à l'intérieur du même groupe social est prédominante dans les grandes villes où l'on aurait pu supposer, au contraire, qu'un certain nivellement aurait pu aboutir à la disparition des appartenances sociales. Les sondages effectués parmi les populations rurales ont démontré que là aussi, les individus ont tendance à choisir des conjoints de même nationalité et de même religion.

Burgess et Wallin ont étudié, de façon approfondie, 1 000 couples de fiancés, habitant le centre de Chicago, dont les parents exerçaient diverses professions (commerce, professions libérales) et appartenaient à la bourgeoisie moyenne ou à la haute bourgeoisie. Tous avaient choisi leur partenaire dans le lieu même où ils avaient passé leur jeunesse et où ils avaient été éduqués. En fonction des influences sociales sur le choix du conjoint, cette même étude met en relief les facteurs suivants : niveau social et culturel identique des parents, même religion et mêmes convictions philosophiques et politiques, milieu familial analogue (relations conjugales des parents, attitude des fiancés envers leurs parents, affection envers les frères et sœurs), intérêts mondains et sociaux égaux, et enfin comportements amoureux et conceptions du mariage à peu près identiques.

Ces sondages aboutissent à ce résultat surprenant qu'en dépit de la pression exercée par certaines idées en cours (l'attitude de la jeunesse actuelle, le principe de l'égalité, l'individualisme), en dépit donc de ces idées exerçant une si forte pression sur les préjugés raciaux, religieux, moraux, etc., le principe du « choix adapté » du conjoint demeure prépondérant. Si les écarts contre ces principes ainsi que les révoltes sont fréquents parmi la jeunesse, les unions libres contractées par pur dépit social aboutissent rarement au mariage légal, la pression exercée par les parents et par le milieu social, en faveur des « unions adaptées », reste généralement la plus forte. Et les jeunes gens apprennent par une dure expérience personnelle que, pour devenir un membre de la société, il est indispensable d'en accepter les statuts principaux et les règles traditionnelles.

LES IMAGES PARENTALES EN TANT QUE FACTEUR DANS LE CHOIX DU CONJOINT

La psychanalyse, en particulier la thèse du complexe d'Œdipe, a donné naissance à l'idée que, dans le choix du conjoint, l'individu est influencé par l'image subconsciente (*imago*) de l'un ou l'autre des parents. L'imago se développe à travers le processus de l'identification et à travers l'attachement émotionnel aux parents pendant l'enfance. Sans vouloir adopter cette thèse dans sa totalité, nous croyons qu'elle contient une pensée exacte : nombre d'individus sont guidés, lors du choix du conjoint, par des modèles inconscients et inexprimés. Ces images-modèles proviennent d'événements vécus pendant la première enfance et refoulés ; elles sont profondément enfouies dans le subconscient en raison de leur connexion avec des conflits pénibles, des inimitiés, des dégoûts et même des haines. Ces modèles subconscients peuvent être les premiers objets d'amour de l'enfant, qui sont généralement les parents ou les frères et sœurs ; ou bien ils se rapportent à des liaisons amoureuses avant ou pendant la puberté et, enfin, ils peuvent dépendre d'un grand nombre d'expériences qui n'ont aucun rapport avec l'amour.

Il est certes malaisé de vérifier le bien-fondé de la théorie des images parentales. En premier lieu, comment faut-il expliquer et comprendre ces images ? S'agit-il de tout un ensemble, d'une image complète, ou seulement de quelques traits, de particularités isolées que l'individu cherche à trouver et à reconnaître chez son futur partenaire ? S'agit-il, en premier lieu, de particularités physiques, ou bien de qualités psychiques, ou est-ce, en définitive, une combinaison entre le psychique et le physique ? La difficulté principale apparaît lorsqu'on cherche à déceler l'influence de l'imago subconsciente sur les processus conscients qui déterminent le choix du conjoint.

Les analyses de Robert Winch et d'Anselm Strauss aboutissent à cette conclusion que la plupart des individus, lors du choix d'un partenaire, sont influencés par une représentation idéalisée et que cet idéal est toujours relatif à la famille dont la personne est issue. Il semble alors que les caractères physiques prédominent. Les corrélations constatées par le sondage statistique sont relativement restreintes mais non sans intérêt. Les résultats obtenus par Winch et Strauss, tout en ne représentant qu'un début dans ce domaine, permettent sans aucun doute d'élargir nos connaissances par rapport au choix adapté du conjoint.

Il est possible malgré tout d'émettre quelques théories plus satisfaisantes. Le caractère subconscient sur lequel s'appuie la psychanalyse dépend de l'intensité de l'attachement émotif de l'enfant à la mère ou au père. En d'autres termes, plus cet attachement a été intense, plus il devient comme névrosé et plus le comportement de l'individu lors du choix du partenaire est contraint et imprévisible. C'est en définitive, le même processus qui joue un rôle si grand dans l'amour romanesque. C'est de cette manière qu'il faut interpréter la chanson populaire où la fiancée répond, lorsqu'on lui demande pourquoi elle a choisi, parmi tant d'autres, précisément « ce » fiancé-là : « Il est — je ne sais pourquoi — il est mon Bill. » Il faut constater néanmoins que le phénomène du « choix adapté », prouvé et confirmé par les statistiques, est difficile à comprendre si on attribue à l'influence de l'imago une signification aussi décisive. La question est importante car, si les facteurs subsconscients jouaient un rôle si déterminant, le choix du conjoint échapperait totalement à notre contrôle. Il faut croire qu'il s'agit ici de demi-vérités dont l'influence est certaine, mais non totale et absolue.

LE « CHOIX ADAPTE » DU CONJOINT ET LES PREVISIONS RELATIVES A L'UNION HEUREUSE

Deux enquêtes utilisant des méthodes statistiques très perfectionnées — l'une d'Ernest Burgess et de Léonard S. Cottrell, l'autre de Lewis M. Terman et de ses collaborateurs — ont permis de déterminer un certain nombre de rapports entre le choix du partenaire et le bonheur conjugal.

Terman, grâce à son enquête effectuée auprès de 792 couples, a pu établir que le bonheur conjugal dépend du psychisme, de l'émotivité, c'est-à-dire de facteurs innés et d'expériences précoces. Terman a pu constater, grâce à ses tableaux numériques comparatifs, que les couples qui attei-

gnaient le maximum de « points » relatifs au bonheur conjugal, étaient ceux qui avaient eu l'enfance la plus heureuse. Cette enquête permet de conclure que le risque inhérent à toute union diminue quand, lors du choix du conjoint,
on s'informe si le futur partenaire possède une personnalité harmonieuse et équilibrée et s'il a vécu une enfance
heureuse.

Lors de leurs investigations auprès de 526 couples mariés, Burgess et Cottrell ont pu confirmer l'hypothèse généralement admise qu'un arrière-plan familial semblable des
conjoints favorise l'harmonie conjugale. Ces deux spécialistes ont élaboré une méthode statistique permettant de
mesurer et de comparer le degré de similitude des arrière-
plans familiaux. Cette méthode se rapporte aux convictions
religieuses des parents des conjoints ainsi qu'à leur degré
de culture, la profession du père, le potentiel économique
de leur famille et leur position sociale. Les chiffres obtenus ont été ramenés à un seul indice représentant le degré
de similitude des arrière-plans familiaux. Les couples ont
été questionnés au sujet de l'harmonie conjugale dans laquelle ils vivaient et répartis en trois groupes : harmonie
faible, acceptable et marquée. Le chiffre représentant le
degré de similitude des arrière-plans familiaux a été placé
en face du groupe représentant le degré de l'harmonie conjugale (pour permettre un aperçu clair, le tableau ci-dessous a été composé seulement pour les couples dont le chiffre était ou le plus faible, ou le plus élevé).

Chiffre indiquant la similitude des conditions familiales				*faible*	*Harmonie conjugale* *acceptable*	*marquée*
19-21 (le plus faible)	.	.	.	41,1 %	27,7 %	31,2 %
28-30 (le plus élevé)	.	.	.	27,7 %	20,2 %	57,1 %

Cette statistique démontre nettement que, pour les couples dont les arrière-plans familiaux sont dissemblables
(chiffre indicateur 19-21), l'harmonie conjugale est beaucoup plus faible que pour les couples où la similitude des
arrière-plans familiaux s'est exprimée par un chiffre élevé.
Dans le premier groupe, l'harmonie conjugale est faible
pour 41,1 % et normale pour 31,2 % seulement. Dans le second groupe, 57,1 % vivent en parfaite harmonie et 22,7 %
seulement accusent une faible harmonie.

Les investigations de Burgess et de Cottrell dégagent un
autre facteur qui indique que les arrière-plans familiaux
du mari ont plus d'importance pour le bonheur conjugal
que ceux de la femme. Elles prouvent en outre que les
individus qui ont passé leur enfance et leur adolescence à

la campagne, s'adaptent mieux au mariage que les citadins, et que les époux qui ont beaucoup aimé leurs parents et n'ont pas eu de conflits avec eux, sont particulièrement aptes au mariage. Les analyses de Terman ont abouti au même résultat. Les sondages de Terman et de Burgess-Cottrell concordent également sur l'existence d'une connexion entre le bonheur conjugal des parents des deux partenaires et le bonheur de leur propre union.

Les enfants uniques et les derniers-nés sont des conjoints plus difficiles. L'aîné par contre, ou les enfants de familles nombreuses, sont généralement des partenaires conjugaux bien adaptés. Les deux conjoints sont-ils des enfants uniques, l'harmonie conjugale est généralement faible. Les deux partenaires sont-ils des aînés de familles nombreuses, leur union présente le maximum de garantie d'harmonie conjugale.

La signification, l'importance de l'âge par rapport au bonheur conjugal, pose aussi un problème. Hart et Shields sont d'avis que l'âge idéal pour la femme est de vingt-quatre ans, pour l'homme de vingt-neuf. D'autres fixent l'âge idéal de l'aptitude au mariage dans des limites moins élevées. Les sondages de Burgess-Cottrell et de Terman prouvent que les mariages conclus à un âge trop précoce, ne favorisent point le bonheur conjugal. Ces spécialistes sont d'avis que la plupart des unions sont médiocres lorsqu'un des conjoints a moins de vingt-deux ans. Leur matériau statistique a permis de conclure que l'harmonie conjugale était meilleure lorsque l'âge des conjoints était égal ou lorsque l'époux avait deux ou trois ans de plus que sa femme. Mais il faut constater que là aussi, les influences culturelles et sociales jouent un rôle. On croit généralement que l'époux « doit avoir quelques années de plus » que la jeune femme, et on pense que les « jeunes gens ne doivent pas se marier avant d'avoir vingt-deux ou vingt-trois ans ».

Une des découvertes les plus importantes de Burgess-Cottrell est que le degré de culture peut avoir une influence sérieuse sur le mariage. Les mariages entre jeunes gens ayant fréquenté uniquement l'école primaire sont en général les moins harmonieux. Les mariages de ceux qui ont bénéficié de l'enseignement le plus poussé, sont les plus heureux. Cependant, le niveau de culture n'est qu'un facteur parmi tous ceux qui peuvent favoriser l'adaptation conjugale. Chez les individus ayant de nombreux amis et un vif intérêt pour les questions religieuses ou sociales, le sens de l'adaptation semble plus développé.

Les occupations professionnelles qui obligent à des déplacements fréquents sont défavorables à l'harmonie conjugale. Les satires mordantes et les plaisanteries lourdes visant le voyageur de commerce reposent sur l'expérience.

Les femmes qui, avant le mariage, ont travaillé dans l'enseignement, sont en général des partenaires conjugales excellentes. Les femmes de ménage ont, par contre, de grandes difficultés à s'adapter au mariage.

Burgess-Cottrell ont établi également que le consentement des parents était important pour le bonheur du couple.

Les sondages, les analyses esquissées ici permettent d'apercevoir certains facteurs indispensables au choix raisonnable du conjoint. On peut constater qu'une personnalité satisfaite et équilibrée est un facteur essentiel pour une union heureuse. Les conjoints biens adaptés sont généralement issus de familles elles-mêmes socialement bien adaptées et dont les parents ont été heureux. Mieux vaut, en général, que le partenaire ne soit ni un enfant unique, ni le dernier-né d'une famille. Les couples heureux ont habituellement un bon bagage scolaire ; ils ont des amis, des relations agréables. Il est bon que le mari ait plus de vingt-deux ans, qu'il ait une profession qui le place en contact direct avec la société. Bref il s'agirait donc de valeurs inhérentes à l'individu et qui s'ajoutent à l'éducation reçue. Dans cette optique, l'influence des facteurs d'adaptation sur le choix du conjoint, analysée au début de notre étude, passe au second plan.

Les dernières analyses de Burgess et de Wallin, ont permis de constater que les facteurs d'adaptation relatifs à certains détails (taille, poids, santé, beauté) jouent un rôle ; mais ces deux psychologues ajoutent que « la similitude culturelle semble plus importante que la similitude du tempérament et de la personnalité ». Et, ces statistiques permettent encore de dégager l'importance des convictions religieuses, du degré de culture, du comportement amoureux et des conceptions du mariage et de la vie sociale.

CONCLUSION

L'étude des résultats obtenus par Terman et Burgess-Cottrell, permet d'affirmer qu'il a été possible de dégager au moins le quart des conditions d'adaptation au mariage. Ce résultat peut donc servir de base aux futures recherches dans ce domaine. Mais il ne sera pas possible d'effectuer de sitôt des pronostics par rapport aux conditions *concrètes* du mariage. Il suffit en effet d'examiner un seul couple pour s'apercevoir que l'aptitude au mariage repose en fin de compte sur un juste équilibre de divers facteurs conscients et inconscients, rationnels et irrationnels. Tempérament, société et culture s'unissent pour devenir un seul et même facteur. Or cet équilibre, cette unité dépendent de la personne. C'est là que réside la véritable difficulté lorsqu'on cherche à déterminer la signification des divers facteurs d'adaptation par rapport au choix du conjoint. Déjà, ce rôle personnel est difficile à décrire ; mais il est plus délicat encore de vouloir le mesurer objectivement et de le déterminer à l'aide de statistiques.

Pour finir, revenons brièvement sur les conditions inconscientes et irrationnelles qui influencent le choix du conjoint. On croit généralement que les êtres humains se marient par amour, et l'on ajoute que l'amour est irrationnel : l'amour rend aveugle, dit-on. La société ne désapprouve nullement un tel comportement irrationnel. Au contraire, si un individu obéit à un raisonnement lors du choix de son conjoint, on estimera que c'est là le fait d'un esprit mesquin et calculateur ; on dira qu'il feint un amour qu'il n'éprouve pas.

En fait l'homme est à la fois rationnel et irrationnel. Il est parfaitement possible de procéder à un choix rationnel de son conjoint, et néanmoins de tomber « irrationnellement » amoureux de son futur partenaire. Lorsque les jeunes seront convaincus que la raison a un rôle à jouer dans le choix du partenaire, ils réfléchiront mieux avant de faire le saut dans l'inconnu.

Psychologie de la vie conjugale quotidienne

Dr A. Willy, Paris

La découverte de ce que l'on peut appeler la « psychologie de la vie quotidienne » est relativement récente et, à vrai dire, elle ne s'est imposée à l'esprit des psychologues qu'à l'avènement du règne de la bourgeoisie. Jusqu'alors, la psychologie officielle s'était exclusivement consacrée à l'étude du héros, du chevalier et du martyr. La découverte de la vie quotidienne, qui auparavant avait semblé sans intérêt psychologique, n'a été possible qu'en fonction d'une nouvelle idéologie qui plaçait le bourgeois au centre des préoccupations littéraires, artistiques et scientifiques.

Cette forme révolutionnaire de l'étude de la psychologie
« domestique » du mariage fut suivie d'une « dévalorisation » qui a paralysé tout progrès dans ce domaine. La
découverte de la vie quotidienne comme thème de la littérature, de l'art et de la science, avait été un événement
historique. Mais de nos jours, la science de la vie conjugale
est devenue un sujet banal. Le psychologue contemporain
estime de son devoir d'avertir le lecteur que tel détail pro-
saïque n'est pas apte à éveiller une atmosphère érotique,
que la femme devrait rester séduisante même après le mariage, que le mobilier devrait être pratique et beau à la
fois, etc. Il est certain que tous ces conseils, cette science
domestique, si répandus dans les revues féminines et la littérature populaire de la sexologie, présentent une certaine
valeur pratique, mais il n'est guère possible de les considérer comme une « science ». Ces prescriptions, ces « modes
d'emploi » sont et resteront superficiels.

Il serait aisé d'emplir un livre entier de lieux communs,
de conseils « sages » comme par exemple : « Ne vous dis-
putez pas pour des choses insignifiantes », « soyez raisonnables », « ne soyez pas égoïstes », « tâchez de trouver
des intérêts communs », etc. Tout cela n'a aucun sens tant
que l'on ne cherche pas à approfondir le sujet, tant que
l'on ne sait pas pourquoi certains couples semblent comme
condamnés à un désaccord, à une « petite guerre » éter-
nelle, et cela sans être querelleurs de nature ; pourquoi
il y a des conjoints incapables d'avoir une conversation inté-
ressante l'un avec l'autre alors que, séparément, et avec des
interlocuteurs étrangers, ils sont pleins d'esprit ; enfin, pourquoi d'autres couples, nullement hypocrites par ailleurs, ne
peuvent que se mentir mutuellement.

Au cours des relations sexuelles, et au cours du mariage
en particulier, l'influence, l'activité alternée des conjoints
permet aux individualités séparées, c'est-à-dire au « Moi »
et au « Toi », de devenir une nouvelle unité sociale, le
« Nous ». Ce « Nous » est plus que l'ensemble des particularités individuelles du « Moi » et du « Toi », ce « Nous »
est une sorte d'unité psychique autonome possédant des lois
propres. Or, ces lois sont comme indépendantes des individus, et provoquent une évolution spontanée du « Nous »
qui, indépendante et même contraire à la volonté des deux
partenaires, peut les dépasser et les contraindre à des réactions pour ainsi dire automatiques et qu'ils n'avaient pas
prévues. Il existe des unions où les partenaires, comme hyp-
notisés, sont poussés à se disputer pour des riens, qu'ils
le veuillent ou non. La dispute terminée, ils réagissent.

« Comment ai-je pu être aussi sot » ; ou « pardonne-moi, je ne comprends pas comment j'ai pu dire des choses aussi terribles », avoue un des conjoints. Mais, quelques heures plus tard ils recommenceront. Le tyran auquel ils sont assujettis et auquel ils ne peuvent échapper, ce n'est ni l'un, ni l'autre partenaire, mais leurs relations mutuelles et alternées qui se sont cristallisées en un « Nous » autonome.

Ce « Nous » possède non seulement ses lois propres et ses caractéristiques, mais aussi des formes précises et définies. Psychologiquement, on distingue trois types caractéristiques et fondamentaux du mariage ; ce qu'on appelle le « mariage consistant », le « mariage inconsistant » et le « mariage vide ». Cette terminologie a été formulée par Künkel qui fut un élève d'Adler.

Il a été démontré que cette classification des relations conjugales est plus rationnelle et plus valable au point de vue pratique que les nombreuses tentatives pour diviser en groupes et en sous-groupes les caractères individuels. Il est plus facile de commenter et d'interpréter les rapports entre deux partenaires que le caractère de l'individu ; il est pratiquement impossible d'expliquer les caractères individuels de deux personnes. Mais quelques mots peuvent éventuellement suffire à fixer et à décrire le comportement et l'attitude qu'ils observent l'un envers l'autre. On pourrait comparer les deux partenaires aux deux parties d'une ville séparée en son centre par un fleuve. Il serait long et fastidieux de décrire en détail tout ce qui se passe dans les deux parties de la ville, mais il est possible de situer et de caractériser le pont qui relie les deux rives et qui permet à chacune des deux parties d'évoluer en toute spontanéité.

Il est évident que les types et les modèles parfaitement précis et définis n'existent jamais à l'état pur dans la vie réelle ; l'être humain est toujours comme une forme de transition et de passage fluctuant entre des extrêmes. Aussi n'est-il pas possible de rencontrer à l'état « pur », les « types de mariage » cités plus haut. Mais c'est précisément la tâche du psychologue de dégager les principes fondamentaux de la complexité afin de pouvoir la comprendre et la connaître. Nous savons que le type anglo-saxon n'existe pas plus sous une forme pure que le type latin. Mais si l'on veut comprendre le croisement entre ces deux types ethniques, il faut d'abord les analyser séparément dans leur forme pure et idéale, même si celle-ci n'existe pas dans la réalité.

Il nous faut donc étudier les trois formes de l'union conjugale : le « mariage consistant », le « mariage inconsistant » et le « mariage vide ». A son début, toute relation conjugale est fatalement exposée à une crise, décisive parce qu'elle définira la forme future des rapports conjugaux. La crise peut être consciemment perçue par les partenaires mais, en général, elle se développe au long d'un processus qui demeure inconscient. Après les fiançailles et la lune de miel, pendant lesquelles le couple a vécu dans une sorte d'euphorie, le moment critique approche où le partenaire, à travers la vie de tous les jours, perd cette sorte d'auréole artificielle dont il semblait paré, pour apparaître tel qu'il est, avec ses qualités et ses défauts. Et c'est au cours de cette crise que le « Nous » conjugal s'épanouit et prend forme.

Il peut arriver alors que les partenaires ne puissent supporter les infériorités, les défaillances qui apparaissent. Mais pour maintenir au moins l'apparence du bonheur, ils feignent inconsciemment de ne voir que les qualités qui correspondent aux illusions qu'ils ont nourries sur le partenaire ; autrement dit, ils ne remarquent que ce qu'ils veulent bien voir. C'est de cette manière qu'évolue ce que l'on appelle « le mariage inconsistant ». On pourrait supposer qu'une telle mystification réciproque devrait fatalement entraîner la décomposition rapide du mariage. Il n'en est rien. Cette attitude déterminée, mais inconsciente, alliée au désir de sauvegarder et de maintenir l'illusion, concrétise souvent un « Nous » durable, bâti sur ce que l'on pourrait appeler une « illusion stabilisée vis-à-vis de soi-même ».

Citons un exemple-type de « mariage inconsistant ». Un petit fonctionnaire, possédé du désir de dominer mais doué d'un caractère et de capacités médiocres, épouse une jeune fille d'esprit romanesque, dont l'idéal masculin est le type du conquérant. Pendant la période des fiançailles, le petit fonctionnaire paraît incarner une personnalité virile et puissante. Il conte à la jeune fiancée ses exploits « héroïques » au bureau, où les collègues tremblent devant lui cependant que le « patron » l'apprécie et le couvre de faveurs. La jeune fille croit tout ce qu'il dit : elle l'adore. Mais après quelques semaines ou quelques mois de vie conjugale, elle s'aperçoit de sa méprise ; l'époux n'est qu'un employé moyen, un fonctionnaire médiocre comme il en existe des milliers. L'époux n'ignore point que l'épouse a découvert ce que lui-même ne s'avoue que dans le tréfonds le plus obscur de l'inconscient. Le résultat est là, c'est la crise. Aucun des partenaires n'est capable de reconnaître, d'identifier la raison profonde du malaise dont ils n'ont point nettement conscience. Inconsciemment pourtant, ils savent bien de quoi il s'agit. L'époux a dû descendre du piédestal sur lequel il était monté pour mieux se faire admirer et qui représentait pour lui une nécessité vitale. L'épouse est désormais incapable de l'admirer, bien que pour elle l'admiration soit un besoin vital essentiel. Le moment critique et décisif est arrivé. Pour tous deux, le désir de compréhension, de sympathie et de contact est si fort qu'ils agissent, réagissent et se conduisent *comme si* l'époux était réellement le personnage qu'il avait voulu paraître et *comme si* la jeune femme n'avait pas compris ce qu'elle ne veut pas comprendre. L'homme reste sur son piédestal, la femme continue comme par le passé de l'adorer, et tous deux sont et restent heureux.

On serait alors tenté de croire qu'ils se jouent la comédie de façon permanente. Mais la remarque ne serait qu'une description assez superficielle d'un état de fait fort complexe. Certes, les protagonistes donnent une représentation, non de ce qu'ils sont réellement, mais de ce qu'ils voudraient être. Ces deux êtres vivent dans une atmosphère de complexités subtiles plus ou moins raffinées et dépourvues de sincérité, hypocrite donc, mais qui, à vrai dire, ne l'est pas tant que cela, car aucun des deux partenaires devenus complices ne désire se voir « démasqué », c'est-à-dire qu'aucun ne veut savoir la vérité sur soi-même. Ils devinent que si un esprit spéculatif doit douter de soi et chercher à connaître la vérité absolue, il est souvent brisé au contact de la réalité.

Le « mariage inconsistant » se sert donc de l'illusion comme fondement stable et durable de l'existence. Les conjoints qui ont façonné de tels liens mutuels ne s'apercevront même plus qu'ils jouent un rôle. Le « Nous » qu'ils ont créé possède une telle puissance suggestive que le sens critique qui, au début, fut seulement écarté, disparaît totalement.

Cette forme de mariage comprend, entre autres, les alliances avec le « génie méconnu », où le seul disciple ardent du génie est l'épouse ; et les mariages avec des hommes politiques « incompris », convaincus que, si leur pays reconnaissait la valeur de leur talent (que seule leur femme apprécie), le destin de la nation en serait changé. On rencontre les « mariages inconsistants » avant tout chez les êtres qui aiment briller, se faire valoir. Cette catégorie comprend également les individus qui attribuent leur insuccès, leur échec persistant, aux circonstances, à la malchance et à la méchanceté des humains.

Quel est l'aspect journalier d'un tel mariage ? C'est une caractéristique du « mariage inconsistant » que les partenaires sont en général satisfaits l'un de l'autre, mais extrêmement mécontents de l'existence. Cette amère insatisfaction, due à la pénible réalité, est comme contre-balancée par l'union conjugale qui est douce et, psychiquement, comme « ouatinée ». Les disputes sont rares puisque le mari a toujours raison. Est-ce l'épouse qui a été mise sur un piédestal : c'est elle qui est une incomprise et qui a toujours raison envers et contre tout. La tendresse conjugale entre les partenaires du « mariage inconsistant » est habituellement de forme infantile, comme l'est, du reste, toute leur vie. Les caresses, la tendresse sans maturité repoussent la véritable sexualité à l'arrière-plan. Généralement, les conjoints ne désirent pas avoir d'enfant car ils sentent inconsciemment que sa présence serait dangereuse pour leur compréhension réciproque basée sur l'illusion. Par ailleurs, ils éludent toute explication sérieuse et profonde avec le monde extérieur parce qu'ils craignent apparemment que leur paradis artificiel ne risque alors de s'écrouler. Ils redoutent le plus infime changement. Le mobilier même doit rester en place, les acquisitions nouvelles de la science n'ont aucune valeur... Ils arrivent même à garder longtemps leur aspect, leur apparence juvénile. Insensibles et intouchables, ils vivent comme sur une île déserte, à l'écart du monde et du temps.

Il est certain que cette union est constamment en danger ; les fausses apparences font naître des sentiments d'insatisfaction et de vide. Ces existences sont comme bâties sur une mince couche de sable recouvrant des profondeurs inconnues remplies de dangers : le moindre contact avec la réalité peut briser et détruire l'équilibre psychique des époux. Devant une catastrophe, ces êtres sont généralement désemparés.

L'insatisfaction inavouée peut agir sur la sexualité de la femme. L'instinct sexuel prend racine dans les profondeurs subconscientes de l'émotivité qui, elle, ne peut être dupée ni trompée. Pour cette raison, la frigidité est fréquente chez ces femmes vivant d'illusions. Mais la froideur sensuelle ne dérange point vraiment le monde « ouatiné » des partenaires, dans un « mariage inconsistant ». La sexualité naturelle, saine et vraie, est trop concrète, elle risque trop de détruire leur monde illusoire. La stabilité de la communauté conjugale remplace et compense la déficience sexuelle.

L'atmosphère de tension, l'« instant critique » qui suit la lune de miel est surmonté par le fait que les partenaires fondent et construisent leurs relations mutuelles sur des « apparences » qui correspondent aux représentations que chacun d'eux se fait de soi-même et du conjoint. Tel est le « mariage inconsistant ».

Le « mariage consistant » procède d'une manière opposée : il pose une sorte de négation à la base de toute sa relation, de toutes ses évaluations. Non pas qu'il ignore les qualités véritables et attirantes, c'est-à-dire positives, du conjoint, mais il n'en tient aucun compte ; il considère uniquement les particularités « repoussantes », c'est-à-dire négatives du partenaire. Dans les cas extrêmes, ce processus débouche sur la haine et aboutit rapidement à une fin dramatique. Les relations réciproques ont évolué vers le plan négatif. Le Nous du « mariage consistant » atteint sa stabilité grâce à une tension perpétuelle, une tension constante mais chargée de conflits. Le couple vit dans une inquiétude permanente et l'union est alimentée par un état de friction mutuelle.

Dans le « mariage consistant », les partenaires sont sans cesse préoccupés de maintenir et de défendre leur propre individualité. Leurs relations reposent sur le maintien d'une certaine distance, sur le fait de « rester à l'écart » ; ils ne peuvent se permettre aucun rapprochement. Ils ne peuvent vivre l'un sans l'autre parce qu'ils ont besoin de ces frictions, de ces éclatements pour ainsi dire volcaniques. Chacun se plaint, prétend être prêt à rompre les liens conjugaux devenus insupportables : mais rien ne changera, soit « à cause des enfants », soit « pour éviter le scandale ». En réalité et en dépit de toute cette hostilité, le Nous conjugal a évolué vers une stabilité durable. Dans le « mariage inconsistant », les partenaires s'arrangent pour que passent inaperçues et demeurent dans l'inconscient toutes les particularités et les aspérités qui risquent de heurter et de séparer. Dans le « mariage consistant », les partenaires veulent une absence totale d'illusion et ils vivent dans une dure réalité.

Un tel mariage ignore ou refuse la tendresse. Même si les conjoints ne manquent ni de cœur ni de sensibilité, tous deux renoncent, dans leurs relations, à l'atmosphère « ouatinée ». Toute effusion sentimentale, toute caresse « inutile » est considérée comme dangereuse. Chacun nourrit ses propres pensées, ses sentiments, ses rêves, mais il est admis qu'il serait ridicule, « romantique » et comme impudent d'en parler : car ils tiennent pour évident qu'on ne peut avoir la prétention de « posséder » l'âme de l'autre. Les conversations « nocturnes » consistent surtout en reproches mutuels et sont reprises au petit déjeuner. Les conjoints ont besoin de ces disputes quotidiennes, ils ne seraient pas à l'aise sans elles. Le « mariage consistant » est fréquent chez les paysans ; tandis qu'on retrouve le « mariage inconsistant » surtout dans la petite bourgeoisie.

Si, apparemment, le « mariage consistant » n'est pas heureux, les deux partenaires — à l'opposé de ceux du « mariage inconsistant » — sont bien adaptés au monde extérieur. Il semblerait que l'équilibre de l'union conjugale ne vienne point des relations mutuelles, mais des rapports du couple avec le monde extérieur. C'est ainsi qu'il est possible d'expliquer l'intérêt et le plaisir dont ils témoignent envers toute nouveauté et avant tout, leur joie de l'enfant. Les « mariages consistants » sont habituellement plus prolifiques que les « mariages inconsistants ».

Ce type de mariage dur, intransigeant, est également plus satisfaisant, plus élémentaire et naturel en ce qui concerne le domaine de la sexualité. La sexualité, comme infantile, voilée et tendre dans le « mariage inconsistant », est ici plus animale, sans tendresse, sans délicatesse et sans liant. Les caresses amoureuses paraissent à ce couple aussi déplacées que les paroles appelées sentimentales. Mais cette absence de tendresse ne porte aucun préjudice à la tension et à la détente sexuelles. L'épouse du « mariage consistant » n'est point pudique ni frigide et son orgasme est violent.

Ajoutons que ces formes du mariage dépendent aussi de la structure sociale de l'époque, dans la mesure où tous les rapports humains sont influencés par les courants d'idées et les mœurs. Au point de vue sociologique, le « mariage inconsistant » est le résultat caractéristique du conflit profond entre l'individu et la société, conflit auquel l'individu tend à échapper, par le refus de la réalité et le refuge dans l'illusion. Le « mariage consistant », par contre, caractérise les difficultés sans pitié de notre époque dont l'inflexible âpreté est reflétée dans sa forme de communauté sociale. Moins l'individu compte dans une civilisation, moins il est satisfait et plus sa sphère personnelle et intime semble comme imprégnée par la dureté du milieu extérieur.

Le « mariage vide » est caractérisé par l'absence d'évolution du « Nous » conjugal qui n'arrive pas à maturité. Ce n'est pas par l'intérieur, le dedans, mais par l'exté-

rieur que le « mariage vide » garde sa continuité. Il peut
se présenter sous forme d'association d'intérêts matériels,
sociaux, professionnels, etc. Ce mariage de « raison » peut
devenir ensuite une union véritable, et ne sera donc plus
« vide », mais à condition que les partenaires y engagent
leur vie personnelle. Une seconde forme de mariage « vide »
peut débuter avec la première crise conjugale, immédiatement après la lune de miel. A partir de cette crise,
l'état d'amour euphorique disparaît sans laisser de traces.
Si les deux êtres, qui n'ont plus rien de commun, restent
néanmoins mariés, ce sont en général les circonstances extérieures d'ordre matériel ou les convenances qui les y contraignent, et quelquefois c'est l'enfant. L'habitude contribue également à la stabilité de l'union. Les partenaires
ne sont, à vrai dire, pas habitués l'un à l'autre, mais ils
ont pris l'habitude de vivre l'un à côté de l'autre et l'union
se maintient, à force d'indifférence et d'inertie.

La sexualité du « mariage vide » — dans le cas où les
rapports sexuels persistent — n'est qu'une fonction physique, qui n'a rien de commun avec l'amour. Du reste, les
mariages fondés sur la seule sexualité, où tout lien psychique fait défaut, doivent être classés parmi les « mariages
vides ». Ces relations ont peu de chance de se stabiliser.
Existe-t-il un attrait physique sérieux et puissant : il sera
rapidement épuisé et rien d'autre ne demeurera. Cependant,
si une telle relation est néanmoins durable, il faut croire
que tôt ou tard, des contacts psychiques se sont établis. Il
n'existe pas d'union stable et durable à base sexuelle unique. La durée d'une relation est toujours la preuve d'un
choix positif d'une personne définie. Le cinéma a coutume
de présenter des scénarios où une femme tient un homme
captif par la seule force de ses charmes physiques. De
telles relations sont possibles à l'écran, mais non pas dans
la vie réelle ; le charme physique, sans accent psychique
interne, est limité dans le temps ; et les échanges de cette
sorte ne correspondent pas à la moyenne des mariages bourgeois mais plutôt à la moyenne des échanges frisant la
prostitution.

Toutefois, il faut constater qu'un cas spécial est possible
et que les partenaires peuvent être liés par la sexualité
seule s'il existe une déviation sexuelle précise. Les unions
fondées sur un comportement perverti sont moins rares
qu'on ne pourrait le croire. Il y a des mariages où les partenaires tendent et atteignent à l'équilibre parce que l'un est
sadique et l'autre masochiste ; il y a les mariages des fétichistes, les alliances infantiles où les partenaires, dans l'inti-

mité, peuvent céder à leurs besoins et à leurs penchants
enfantins ; il y a enfin les mariages entre individus à
penchants homosexuels et qui, d'une manière singulière,
échangent leurs rôles sexuels, etc. Il ne faut surtout pas
croire que de tels individus puissent trouver leur équilibre
et leur guérison dans un mariage avec un partenaire sain,
et c'est pourquoi il est vain de jouer les moralistes à leur
égard. A moins que l'un des partenaires souffre d'une telle
union, il convient de faire abstraction pour eux de la morale habituelle si les deux êtres arrivent à une compréhension mutuelle grâce à leur comportement anormal.

Pour terminer cette esquisse des trois formes fondamentales du mariage, répétons que ce que l'on appelle le
« mariage consistant » ne signifie point un mariage entre
deux êtres « butés », le « mariage inconsistant » ne signifie
point une union entre deux êtres « inconsistants », et le
« mariage vide », une union entre deux individus « vides ».
Il s'agit de relations types et non de types de caractères. Si
par exemple dans le « mariage consistant » l'union s'est
stabilisée par la haine, cela ne signifie point que les partenaires aient des caractères haineux. Cela veut dire, en définitive, qu'un individu n'est jamais « apte » d'avance à
l'une ou l'autre forme de relation. C'est l'union de deux
êtres, leurs relations réciproques qui prendront l'une ou
l'autre forme au cours de leur transformation. L'union conjugale normale est en général un mélange de trois formes
types. Ces trois formes étant des cas extrêmes, elles semblent caricaturales à l'état « pur ». Mais, ce qui est « normal » n'est pas autre chose que l'équilibre des extrêmes.
Dans tel mariage, la force brutale est prépondérante, dans
un autre, c'est la douceur, et un certain « vide » peut exister
dans toutes les unions.

En quoi consiste la valeur, l'utilité pratique de cet énoncé
théorique ? Une connaissance théorique présente toujours un
intérêt d'ordre pratique et est souvent plus utile que les
conseils et les recommandations. Car celui qui comprend
les motifs et les principes de ses actes est capable de les
modifier et « d'adapter » son comportement. A vrai dire,
la lutte contre les symptômes est comme la lutte contre
les moulins à vent. Seule la compréhension, la pénétration
des causes permet un combat utile contre les symptômes,
et c'est dans ce sens qu'il faut comprendre l'exposé ci-
dessus.

L'union libre

Dr Hans Giese
chef de service à l'Institut de sexologie
de la Faculté de médecine de Hambourg

Le terme de mariage désigne, en général, une union contractée à la mairie devant un officier d'état civil, éventuellement bénie devant l'autel, et qui dès lors bénéficie de la protection de l'Etat et de l'Eglise. Chez les peuples primitifs, le mariage était également une institution civile et religieuse, et qui devait être légitime pour que les Ancêtres pussent se perpétuer dans leur descendance.

En fait, à côté des mariages légitimes, il existe des unions libres, illégales. Comment faut-il expliquer ce phénomène de l'union libre, du mariage libre ?

Il n'y a mariage que s'il existe une relation « conjugale » entre deux partenaires, c'est-à-dire s'il s'agit non pas d'une relation sexuelle fortuite et de courte durée, mais d'un choix conscient, distinct et définitif. Au point de vue légal, juridique, seule la légitimité d'une union crée le mariage, et cette légitimité est obtenue par l'inscription au registre d'état civil ; pour l'Eglise il faut aussi qu'il y ait reconnaissance officielle pour que l'union soit valide. Par conséquent, pour l'Etat comme pour l'Eglise, le mariage doit être légitimé, sinon il n'y a pas mariage.

A considérer le seul point de vue psychologique, le problème se présente différemment.

Il est évident que l'Etat et l'Eglise ne font qu'entériner officiellement le « oui » des deux partenaires, que c'est ce « oui » qui donne au mariage sa légitimité première. Une union d'où serait absent ce « oui », même si elle était reconnue par l'Etat et par l'Eglise, ne serait pas conjugale, ne serait pas un vrai mariage. Non pas que le fait de contracter mariage devant un officier de l'état civil ou devant un ministre de la religion soit une pure formalité ; mais précisément pour ne pas être une pure formalité, cette dimension communautaire et juridique du mariage présuppose une décision personnelle, libre de toute contrainte extérieure.

D'autre part, la relation conjugale proprement dite a, comme caractéristique, la confiance et l'habitude. La confiance réciproque est un des liens les plus importants du comportement humain. Avoir confiance en un être, cela signifie qu'en sa présence on se sent en sécurité, qu'on peut s'abandonner à lui en toute quiétude. Et la confiance va entraîner la fidélité, l'habitude au plus beau sens de ce mot. Confiance, fidélité, vie en commun : c'est ainsi que s'élabore peu à peu l'histoire du couple, l'histoire du « Nous » conjugal.

L'histoire du couple, l'évolution du « Nous » conjugal, dans une union libre, sera identique à celle d'un mariage légalement reconnu. Il faut cependant souligner qu'une telle union court de plus grands risques.

Il y a d'abord les unions libres qui se cachent. Or cette hypocrisie envers la société, ce jeu de « cache-cache » se transforme rapidement en une habitude, une méthode qui risquent de s'étendre à la sphère privée et constituent le meilleur terrain pour le mensonge et l'infidélité mutuels. L'habitude du mensonge — même forcé et nécessaire — est toujours dangereuse ; le mensonge « social » devient facilement mensonge intime, et comme une seconde nature qui peut miner et ruiner la vie intime des êtres.

Quant aux unions libres qui ne se cachent pas, le danger est qu'elles s'affichent, le danger est que cette proclamation à la face du monde d'une situation illégale soit surtout un geste de révolte. Et l'on sait qu'un geste de révolte, comme tel, manque d'authenticité puisqu'il est comme « téléguidé » de l'extérieur au lieu d'être simplement l'expression d'une conviction intime.

Aussi bien, sans même faire appel aux conséquences qu'une telle union entraîne par rapport aux enfants, il faut insister sur le fait que bien peu d'êtres sont capables d'aller à l'encontre de l'ordre public ; bien peu de personnes sont capables de se soumettre à l'ordre et aux règles qu'ils se sont imposés à eux-mêmes. Comme le dit Gehlen, un être humain doit compter avec ses propres limites, et il devrait *en principe* s'abstenir de s'engager dans une voie s'il n'a pas *en principe* la force d'assumer les difficultés que ce chemin comporte.

En ce qui concerne les motifs qui sont à l'origine des unions libres, il ne nous est pas possible de les recenser ici. Nous en noterons deux. En certains pays la loi interdit le cumul des pensions de vieillesse ; de là certains « faux ménages » qui ne veulent pas perdre l'avantage d'une des deux pensions. Puis encore : les temps ne sont pas loin où, en Allemagne, un Aryen ne pouvait épouser une Juive, et par conséquent l'union d'un tel couple était nécessairement « libre » et illégale.

Ceci pour souligner que, de l'extérieur, personne ne peut se permettre de juger la qualité d'une union libre ; et si nous rencontrons de ces êtres qui, vivant en dehors de la règle commune, prouvent qu'existe vraiment ce quelque chose qui s'appelle « liberté humaine », même si ces êtres ne sont pas estimés du grand public, ils méritent notre respect.

L'infidélité conjugale

Dr A. Willy, Paris et Dr H. Giese, Hambourg

De l'avis général, l'instinct sexuel de l'homme serait plus puissant, plus irrésistible que celui de la femme. Il est malaisé d'évaluer l'exactitude de cette affirmation car il est pratiquement impossible de mesurer le degré d'intensité et de puissance de l'instinct sexuel. On proclame également — et la constatation semble plus précise — qu'après la puberté, l'instinct sexuel de l'adolescent est plus développé que celui de la jeune fille. Puis on prétend que, chez la femme de trente ans, la sexualité est plus accentuée et accusée que celle de l'homme du même âge. Or, ni l'expérience scientifique ni l'observation clinique n'ont fourni les indices nécessaires à un « diagnostic » exact en la matière. Il est permis de supposer que la réceptivité sexuelle de l'homme est plus forte, mais plus rapidement tarie que celle de la femme. On a pu constater que l'excitation sexuelle de la femme ne débute habituellement qu'avec le contact physique, tandis que pour l'homme, elle peut apparaître plus tôt. Si on prenait la faculté d'excitation comme mesure comparative pour l'intensité de l'instinct sexuel, on pourrait alors penser que l'instinct opère plus rapidement chez l'homme que chez la femme.

Les statistiques ont établi que 35 % des hommes environ sont adultères. Mais ces 35 % ne représentent qu'un minimum puisqu'il ne s'agit que d'individus dont l'adultère peut être surpris par les statistiques. Or, l'adultère est en général un secret que l'époux ne dévoile qu'à son corps défendant. Il est permis de supposer que le pourcentage dépasse les 35 % et on ne risque guère de se tromper en affirmant qu'un époux sur deux a trompé son épouse. Si chaque infidélité conjugale devait entraîner la séparation ou le divorce, un coupable sur deux subirait ce sort. Or, pour l'époux, il s'agit, dans la plupart des cas, d'un caprice passager sans grande importance que la femme légitime ignore ou qu'elle pardonne, plus ou moins facilement.

Dans la mesure où il est possible d'en juger d'après les statistiques, l'époux des classes bourgeoises moyennes ou supérieures, tout au moins au début du mariage, est moins souvent infidèle que l'époux appartenant à un milieu ouvrier. Le rapport de Kinsey en fait foi. Il est toutefois probable que moins de ménages qu'on ne le croit, et qu'on n'a coutume de le dire, sont brisés en raison de l'adultère de l'époux. En effet, lorsqu'une union est stabilisée dans la durée, le «Nous» conjugal est devenu si puissant et si résistant dans sa particularité essentielle qu'une trahison véritable en confirmerait plutôt la solidité qu'elle ne la détruirait.

On peut alors se demander si la réceptivité sexuelle plus prompte de l'homme est seule responsable du fait qu'il trompe plus souvent et plus facilement. Sans aucun doute, cette particularité doit y contribuer. Mais, dans nombre de cas, le comportement de l'épouse favorise l'adultère du conjoint, quantité de femmes négligeant le plan sexuel dans l'existence conjugale.

L'infidélité conjugale est plus rare chez la femme que chez l'homme. Aucun psychologue sérieux n'a jamais affirmé le contraire. S'il est évident que la femme est sexuellement moins réceptive que l'homme, il semble qu'on se trouve ici devant une différence bio-sexuelle particulière qui entraîne la moindre fréquence de l'adultère féminin. Lorsque la femme commet l'adultère, les raisons profondes ne sont habituellement pas d'ordre biologique élémentaire — comme c'est souvent le cas pour l'homme — mais d'ordre psychique.

Notons que pour la femme, les causes de l'infidélité conjugale découlent de deux sources principales, les souvenirs de la première enfance constituant la plus importante. La seconde réside dans les méthodes éducatives dont elle a été l'objet pendant son enfance et qui reflètent le milieu familial. On sait que l'éducation de la jeune fille crée souvent un état, un climat, pour ainsi dire asexuel qui a pour résultat que, dans l'esprit de la jeune fille, la sexualité s'identifie à ce qui est « défendu » et peut demeurer telle même lorsque la femme sera adulte. Il faut ajouter que, par rapport à son mariage, la jeune fille est souvent influencée par des considérations d'ordre matériel, social ou mondain, c'est-à-dire par des facteurs qui ne touchent ni son cœur ni son émotivité. Par conséquent, de telles alliances évoluent facilement dans un climat asexuel ou d'indifférence sexuelle (ce que Künkel appelle le «mariage vide»). Or, l'adultère de la femme découle pratiquement toujours, d'une des trois causes citées ci-dessus.

Ce qui est défendu a plus d'attraits que ce qui est permis, et la tendance de l'être humain à goûter au fruit défendu s'explique psychologiquement. Or, l'éducation « asexuelle » développe ce goût chez l'être humain. Ce qui est autorisé — donc, dans notre cas, les rapports conjugaux — perd tout attrait, c'est-à-dire que la saine faculté de jouissance sexuelle est alors enrayée ou totalement absente. En même temps, la curiosité spéciale et si caractéristique de ce qui est défendu, de ce qui est inconnu, s'accroît ; et la lecture des « romans d'amour » contribue à alimenter et à attiser cette curiosité. C'est de cette manière (représentée ici d'une façon simpliste) que naît et évolue le type de femmes qui trouvent et goûtent la volupté sexuelle dans les bras de n'importe quel homme peut-être, mais jamais dans ceux de leur mari.

Si une femme contracte mariage pour des raisons d'ordre social ou matériel, si, par conséquent, son choix n'est pas motivé par les sentiments, le danger de l'adultère éventuel est grand et il faut alors beaucoup de fermeté de caractère pour le surmonter. Car si un homme peut posséder le corps d'une femme parce qu'il est riche ou parce qu'il occupe une position élevée, il ne possédera pas pour autant son cœur. Il est naturellement possible que dans un mariage de « convenance », le « Nous » conjugal évolue avec le temps, mais c'est rare. L'homme qui, directement ou indirectement, conquiert une femme et se hasarde dans un mariage « vide » de sentiments, court toujours le risque de l'adultère éventuel de son épouse. Malheureusement, cette vérité de La Palisse est régulièrement oubliée dans la pratique. C'est ainsi que le « patron » vieillissant entoure la jeune et jolie secrétaire de ses hommages, et que la jeune fille est incapable de résister à l'attrait de son prestige ; nombreuses sont les jeunes filles qui succombent à l'idée d'être une « dame » riche, choyée et élégante. Mais en contractant un tel mariage, la jeune fille nourrit des illusions et s'aveugle consciemment. Et l'époux mérite alors d'être trompé...

Est-il nécessaire de faire des distinctions entre les diverses formes de l'infidélité conjugale ? Existe-t-il une différence entre l'adultère de l'homme et celui de la femme ? Cette question touche à des problèmes fondamentaux et, avant d'essayer d'y répondre, il est nécessaire d'éclaircir certains points.

S'unir dans le mariage sous-entend la création d'un « Nous » conjugal qui deviendra une unité totale et indépendante, quelque chose de plus que la somme de deux individualités séparées. Or, ce « Nous » sera composé de nombreuses particularités d'un caractère nouveau ; entre autres, à deux, on peut faire face à l'existence d'une manière plus raisonnable que si l'on est seul ; à deux, on « est » plus résistant et plus efficace. Ces particularités du « Nous » peuvent être constructives ou destructives ; la volonté des partenaires de créer une union stable et durable, d'essayer d'être probe et fidèle, sont des facultés constructives. La jalousie, l'hypocrisie, le mensonge et l'infidélité sont des facultés destructives. Le premier groupe est comme l'ensemble, la somme, la synthèse des forces qui transforment les relations des partenaires en une véritable « rencontre » des corps et des âmes. Le second groupe représente la somme des forces contraires à cette rencontre — forces qui rendent possible la trahison, dans le sens le plus large du mot.

Il est hors de doute que les rôles de l'un et l'autre groupe sont d'importance égale. Il serait erroné de prétendre que cette possibilité de trahison (dans le sens que nous venons de lui donner) est nuisible aux relations conjugales. Il ne faut pas oublier que les deux êtres qui forment un « Nous » ne deviennent pas pour autant *un seul et même* individu ; le « Nous » est précisément une sorte de miracle parce que les deux êtres sont et restent deux êtres distincts. Un abandon, une union absolue et totale signifierait que chacun des partenaires perdrait son individualité, son « moi », en faveur de l'autre et qu'il renoncerait alors précisément aux facultés qui lui avaient permis de créer le « Nous ». Le « Nous » n'exige point le renoncement du « moi », mais le « moi » permet de créer le « Nous ».

Mais cela signifie qu'à l'intérieur du « Nous », le « moi » a conservé la faculté de s'éloigner du « Nous » dans la même mesure où il s'est abandonné au « Nous » librement, de son plein gré. En d'autres termes : l'individu ne doit pas perdre la possibilité de dissoudre le « Nous », c'est-à-dire d'agir d'une manière destructive.

Pourquoi ne doit-il pas perdre cette possibilité ? Pourquoi lui conférons-nous volontairement et expressément cette liberté ? Pour la simple raison que les sentiments ne supportent pas la contrainte. Rien n'est plus nocif pour le « Nous » que la contrainte ; rien n'est plus grave pour lui que de devenir automatique et routinier. C'est la possibilité de pouvoir dire « non » qui donne toute sa signification au « oui ». La conscience de la valeur du « Nous » s'appuie sur une base, une fondation qui peut recéler des fissures. Et la connaissance de ces éventuelles lézardes tient l'être en alerte afin de veiller à la sécurité de la fondation. Il faut avoir conscience de la valeur d'une chose pour avoir la volonté de la sauvegarder et de la défendre s'il le faut.

C'est pour cette raison que la possibilité constante de la trahison est aussi importante pour une union que la fidélité. Ce qui est destructif rend possible ce qui est constructif : la trahison rend possible la fidélité, la rencontre. L'adultère est donc un événement possible, qui peut naître d'une disposition existant dans toute union. Se réalise-t-il, devient-il concret, il est alors comme un symptôme permettant de déceler la nature et la gravité du trouble. Là où l'adultère a lieu, le mariage est perturbé, et ceci est valable dans tous les cas, si différents qu'ils puissent être les uns des autres.

Mais cette règle générale indique en quelque sorte l'attitude que l'homme et la femme devraient observer face à l'adultère ; il faut examiner les raisons et les causes qui l'ont rendu possible et qui l'ont provoqué. On peut être soi-même la cause de l'adultère commis par le partenaire, celui-ci peut être victime d'une éducation qui a favorisé son comportement désaxé. L'infidélité peut être provoquée par l'ennui, par une sorte de dégoût, et même par le hasard. En outre, il est indispensable de garder une attitude raisonnable en face de l'adultère ; elle seule permettra de comprendre les raisons profondes qui l'ont motivé. Du reste, seule la compréhension des raisons et des causes peut décider de l'attitude qu'il convient d'adopter en l'occurrence.

En général, le pardon ou le refus d'absoudre dépend du caractère ou, mieux, du goût intérieur d'un être. Or, dans tous les cas où on a réussi à en appeler à la raison, on s'aperçoit qu'on porte une part de responsabilité dans l'infidélité du partenaire. L'adultère projette une lumière particulière sur le « Nous » conjugal qui l'a fait naître ; l'être qui accepte de prendre sa part de responsabilité dans l'adultère du partenaire, parce qu'il fait partie et qu'il est responsable du « Nous » (qui a permis à l'adultère d'exister), celui-là ne se demande plus s'il peut pardonner, car, pénétrant la signification de l'adultère par rapport à la communauté conjugale, il a déjà pardonné. Et c'est alors que l'infidélité a véritablement confirmé l'union conjugale dans son indestructibilité.

Il faut enfin souligner qu'en face de l'adultère, il convient avant tout d'examiner sa propre culpabilité envers l'être qui a trompé. Certes, cela est difficile, mais il n'existe rien au monde d'aussi précieux, d'aussi important à sauvegarder que l'union conjugale ; car — ne l'oublions pas — nous sommes par essence, seuls.

Existe-t-il une différence entre l'adultère de l'homme et celui de la femme ? Certes, il y a une différence physiologique et psychique. Mais cette différence naturelle ne justifie nullement une attitude différente.

La disposition à l'infidélité est plus grande chez l'homme que chez la femme, mais elle semble avoir moins de poids. Sexuellement l'homme réagit plus rapidement que la femme, avant tout stimulée par l'excitation tactile, ce qui est important dans le problème qui nous occupe. La sexualité féminine a, de nature, une structure différente de celle de l'homme. Qu'on se souvienne seulement de « l'instinct maternel » de la femme auquel on pourrait opposer « l'instinct de la chasse » de l'homme. Dans notre civilisation la femme se lie plus difficilement mais, même sans enfant, elle demeure plus facilement fixée au partenaire. La sexualité masculine est plus instable, plus apte au changement.

Pour conclure, on peut affirmer que les distinctions sexuelles naturelles expliquent la disponibilité à la trahison, différente chez l'homme et chez la femme. Toutefois, cette différence ne justifie point une différence de principe dans l'attitude envers l'adultère. Qu'il soit commis par l'époux ou par l'épouse, il signifie qu'il y a une crise grave et dangereuse pour la communauté conjugale. Il s'agit avant tout de retrouver à travers et à l'issue de cette crise, le chemin du retour vers le partenaire et de découvrir la valeur essentielle et véritable de l'union. Il advient alors quelquefois que la crise surmontée devienne le début de ce qu'on appelle « le bonheur conjugal ».

Le divorce et le sort des enfants

Dr Carl Haffter
professeur à l'Université de Bâle

Sous une forme ou une autre, le divorce a existé de tout temps, mais sa signification sociologique, ses conséquences et ses effets sur la destinée des enfants varient avec les structures des sociétés. De nos jours — dans le passé il en fut tout autrement — le divorce implique a priori et en même temps, la décomposition de la famille. En Europe, seules quelques grandes dynasties paysannes ont conservé

partiellement les formes de la famille ancienne. La même
ferme abrite plusieurs générations, non seulement un couple avec ses enfants, mais les grands-parents, les oncles et
les tantes de leurs progénitures. Dans la communauté
d'une telle famille, composée de plusieurs couples, le départ d'un conjoint n'a pas une portée aussi dramatique pour
les enfants que dans une famille moderne ; la défection du
père (ou de la mère) étant intervenue, leur rôle sera assuré
par un proche parent que les enfants connaissent déjà intimement. Parce que la petite famille moderne est constituée
par un seul couple, la discorde et la séparation des parents
auront sur les enfants une influence plus grosse de conséquences que dans ces grandes familles où les parents ne
sont pas le seul et unique soutien de la progéniture.

Aussi, la destinée des « enfants de divorcés » est-elle un
problème inhérent à notre époque, et ceci non seulement
parce que la proportion des divorces augmente, mais parce
que les structures de la famille et du mariage ont changé.
Il est intéressant de comparer ce problème avec celui des
orphelins. En temps de paix la mort d'un des parents est
devenue plus rare, dans les pays industrialisés, mais les
« orphelins » par divorce ont augmenté au point que, dans
certains orphelinats, ils dépassent en nombre les orphelins
véritables. Or, si l'on compare l'état d'esprit et le psychisme des deux groupes d'enfants, on est obligé de constater que le sort des enfants de divorcés est plus déchi-
rant, plus lamentable, que celui des orphelins. En définitive,
ce qui compte, en premier lieu, ce n'est pas *la perte* du
père et de la mère, mais les circonstances de cette perte.

Avant même que le problème des enfants de divorcés ne
soit devenu un sujet d'étude et d'analyse sociologique ou
psychologique, les destinées de ces enfants ont été décrites
et expliquées isolément dans des biographies ou dans des
romans. Une des autobiographies les plus anciennes est
celle de la veuve du colonel Florian Engel, officier suisse
au service de Napoléon. Après le divorce de ses parents,
la petite Regula avait été confiée à son père. N'ayant trouvé
ni affection, ni compréhension chez sa belle-mère, elle se
réfugia chez sa mère, après une fuite des plus aventureu-
ses. Le poète Félix Dahn et le médecin Carl Ludwig Schleich
ont évoqué dans leurs autobiographies le divorce de leurs
parents qui signifiait pour eux, en même temps, la perte
du foyer familial aimé. Dans son livre *Aus dem Bilderbuch
eines Lebens* (« De l'album d'une vie »), Walter Siegfried
conte l'affliction et les souffrances des enfants de divorcés,
telles qu'elles apparaissent aux yeux d'un père aimant. Le

roman (anonyme) norvégien, connu en français sous le titre *J'étais enfant de parents divorcés*, est certainement construit sur des événements vécus. Dans sa nouvelle, *Rosshalde*, Herman Hesse a analysé l'influence exercée par une union brisée sur le développement des enfants.

Depuis le début du siècle, la littérature spécialisée a multiplié les analyses des conflits psychiques suscités par le divorce et ses conséquences. Les conclusions des divers spécialites ont souvent été contradictoires ; certains tendaient à simplifier le problème en prenant parti, ou pour ou contre le divorce en général. Ces divergences ne s'expliquent pas seulement en raison de conceptions individuelles opposées, mais aussi en raison d'expériences personnelles contradictoires. Les juges et les éducateurs, par exemple, observeront avant tout les troubles et les méfaits résultant des cas de divorce ; les psychiatres et les psychologues se pencheront plutôt sur les problèmes que les mariages détruits imposent à l'âme enfantine. On comprend alors que les uns, en fonction de la destinée des enfants, se prononcent pour l'abolition du divorce et que d'autres puissent écrire, comme Wittels : « Etre malheureux ensemble pour le bien des enfants est un leurre, une hypocrisie. »

En posant le problème, il faut donc s'abstenir de tout préjugé, favorable ou défavorable. Dans quelles circonstances le divorce est-il préjudiciable aux enfants ? Dans quelles circonstances peut-il être « accepté » par les enfants sans provoquer de perturbations et, le cas échéant, être plus favorable pour eux qu'un foyer désuni ? Pratiquement, la majorité des divorces concerne les ménages sans enfants ; ce qui signifie que les ménages stériles se désagrègent plus facilement que les autres. Mais ceci ne veut pas dire que la présence des enfants empêche le divorce. Ainsi, les mariages conclus pour « réparer » ne sont pas plus stables que les mariages sans enfant. La naissance d'un enfant illégitime étant généralement indésirable, la venue d'un enfant devient souvent l'unique raison du mariage des parents, et si les partenaires ne souhaitaient pas ou n'avaient pas encore désiré le mariage, cela peut être une grande épreuve pour le jeune couple. En ce qui concerne la Suisse, les statistiques ont indiscutablement prouvé que les unions conjugales conclues pour « régulariser » après la conception, comportent trois fois plus de divorces que les unions où les enfants sont conçus dans le mariage. Ce n'est pas le fait d'être « gratifié par le Ciel d'un enfant » qui fait un bon mariage, mais c'est l'enfant désiré et voulu qui caractérise le bon mariage et consolide l'attachement des parents.

Ce fait indique déjà qu'il existe un certain « type » de mariage dont la permanence ne joue pas forcément dans l'intérêt de l'enfant. Grâce à une législation plus libérale, il est, de nos jours, plus facile de se marier que jadis. Point n'est besoin de remonter à la féodalité où, pour conclure mariage, les sujets avaient besoin du consentement du seigneur. Prenons, par exemple, la loi sur le mariage du canton suisse d'Uri, datée de 1859 ; elle stipulait que, pour épouser des étrangers, les autochtones devaient obtenir le consentement des autorités locales. Conformément au Droit Canon, elle interdisait le mariage aux personnes divorcées, ainsi qu'aux « gens de mauvaise vie, aux pauvres sans soutien et sans appui, aux faibles d'esprit et aux maladroits, incapables de nourrir et d'élever des enfants, aux veufs ayant négligé leurs enfants issus du premier lit, aux mendiants professionnels, aux personnes bénéficiant du secours de l'Assistance Publique ainsi qu'aux personnes ayant reçu des secours depuis leur seizième année, sans avoir pu les rembourser ». Dans la législation actuelle, les restrictions de ce genre ont été abrogées. La conception individualiste de notre existence a pratiquement écarté tout droit de regard de la famille et de l'Etat. Tout individu majeur peut librement choisir son partenaire ; il sera aussi seul responsable des charges de la parenté. La liberté individuelle est un bien inestimable certes, mais elle a augmenté le risque des erreurs et des échecs en fonction desquels il devient nécessaire, entre autres choses, de faciliter la dissolution du mariage. En fait, un grand nombre de divorces actuels concernent des partenaires peu aptes au mariage et à la famille, c'est-à-dire des unions qui n'auraient pu être conclues avant notre époque libérale. Le fait est facile à prouver lorsqu'on examine les divorces, non seulement du point de vue juridique, mais du point de vue psychologique. On constate les insuffisances et les écarts psychiques qui, très souvent, aboutissent fatalement à la désagrégation. Dès le début, les enfants issus de ces mariages grandissent dans des conditions défavorables qui ont existé bien avant le divorce des parents, et qui peuvent au contraire être améliorées par la séparation.

Néanmoins, avec ou sans divorce, l'existence de ces enfants est lésée par le double handicap de l'hérédité et de l'influence désastreuse du milieu. C'est précisément cet aspect du problème qui incite à se demander si on n'est pas allé trop loin dans la liberté donnée à l'individu par rapport au « choix » du mariage, et si l'on ne devrait pas soumettre la législation à quelques sérieuses revisions. Cer-

tes, il existe des pays où les futurs conjoints doivent produire un certificat médical. Mais ce certificat concerne la
santé physique seulement, et éventuellement, les troubles
mentaux apparents. Il est certain, d'autre part, qu'un examen obligatoire du tempérament et de la santé au point
de vue biologique et héréditaire signifierait, pour l'homme
moderne, une régression regrettable. Mais il serait indiqué
de parfaire l'éducation actuelle en y ajoutant une sorte
d'éducation en vue du mariage ayant pour but d'éveiller
une discipline morale, une hygiène mentale ainsi qu'une
conscience accrue de la responsabilité personnelle. Aux Etats-
Unis, il existe des tentatives dans ce but[1] : les fiancés peuvent consulter des spécialistes qui les conseillent, par rapport à leur aptitude au mariage, leur accord mutuel et
leur maturité en fonction de la famille.

En ce qui concerne les dangers spécifiques menaçant l'évolution des enfants de divorcés, l'exposé qui suit est basé
sur les résultats d'un examen portant sur 210 enfants issus
de 100 ménages divorcés de Bâle. Ces cas de divorce ont
été choisis au hasard parmi plusieurs milliers de procédu-
res plaidées pendant une période de quinze ans, de sorte que
les résultats du sondage représentent en moyenne le sort
des enfants de divorcés de la ville de Bâle. L'échelonne-
ment chronologique des dates des divorces a permis d'examiner des sujets d'âge divers ; certains étaient encore exposés aux effets immédiats du divorce, tandis que d'autres,
adultes, fournissaient des informations sur un événement
qui pour eux, était « le passé ». Il est dès lors aussi surprenant qu'impressionnant d'apprendre que, parmi les
« enfants de divorcés », mineurs et adultes, 100 parmi eux
considéraient la dissolution du mariage de leurs parents
comme un tournant favorable dans leur existence, et que
30 seulement le tenaient pour un événement malheureux.
Notre évaluation objective de ces cas a abouti à un résultat moins unilatéral ; toutefois, il restait 110 cas favorables contre 100 défavorables. Ce bilan, assez angoissant,
s'explique lorsqu'on examine la vie de ces enfants jusqu'au
divorce des parents ; pour les deux tiers des cas, le milieu
familial avait été désastreux pendant plusieurs années avant
le divorce, et pour l'autre tiers, il l'avait été depuis leur
naissance. En y ajoutant les cas où les enfants avaient
été placés en nourrice en dehors de la famille, on constate que la moitié de ces enfants de divorcés n'avaient ja-

---

1. Et, aujourd'hui, dans les grandes villes d'Europe. De plus, on a organisé
des « Cours sur le mariage », soit le soir, soit par correspondance.

mais vécu dans un foyer familial normal. Parmi les enfants ayant vécu dans leur famille, la moitié à peu près présentait, déjà avant la dissolution du ménage, des symptômes de troubles psychiques. Ces faits expliquent pourquoi les enfants, dans la mesure où ils prennent position, appellent plutôt le divorce qu'ils ne cherchent à l'empêcher, et que la majorité considère, plus tard, que le divorce fut un bienfait pour eux en dépit des conséquences matérielles défavorables.

La majorité de ces enfants (trois quarts) ne vivaient plus avec les deux parents au moment du divorce ou de la séparation ; et, de cette manière, ils avaient échappé aux lamentables disputes, aux dernières discussions. Néanmoins, pour un sixième de ces enfants, la période de l'instance en divorce fut particulièrement pénible, du fait qu'ils furent placés temporairement chez des étrangers ou qu'ils furent l'enjeu et l'objet de disputes entre les parents.

Le sort de ces enfants devait dépendre en premier lieu de la décision qui les attribuerait ou au père ou à la mère. L'*attribution à la mère* fut la meilleure pour l'enfant, dans la grande majorité des cas, ce qui s'explique par plusieurs raisons. L'attribution à la mère correspond habituellement aux désirs de l'enfant. D'autre part, la mère favorise, plus souvent que le père, la continuité de la vie familiale, et garantit un foyer plus stable. Du reste, les changements ultérieurs quant à l'établissement de l'enfant consistent fréquemment dans la cession de la garde du père à la mère. Il nous a été possible de démontrer que, même dans les cas où la mère, adultère, vivait en concubinage, il était possible de lui confier l'enfant. Il est alors nécessaire d'examiner, sans idées préconçues, les raisons qui ont provoqué l'adultère ou le concubinage, ainsi que l'aptitude de la mère à l'éducation.

Dans la majorité des cas, la mère, qui a la garde des enfants, ne se remarie pas. Du reste, la présence d'un beau-père gêne relativement peu les contacts entre la mère et les enfants. Toutefois, il peut se produire des conflits graves et gros de conséquences, entre les enfants et le beau-père, et qui risquent de provoquer des névroses chez les enfants. Plus rare encore que le remariage de la mère, est la vie en commun de la mère et de l'enfant avec les parents ou d'autres membres de la famille de la mère — solution qui, à l'usage, a fréquemment donné de bons résultats.

Les désavantages de l'attribution à la mère consistent dans le fait que les enfants souffrent souvent d'un opprobre social, qu'ils vivent dans des conditions matérielles plus

difficiles et que, par conséquent, leur éducation professionnelle est moins complète. L'influence d'une mère névrosée
ou aigrie par sa situation, peut être psychiquement dangereuse pour les enfants ; ceci est vrai surtout pour la fille
vivant seule avec sa mère.

L'enquête de Bâle a révélé que lorsque la *garde des enfants était confiée au père,* cette décision représentait en
général une solution extrême, et le plus souvent néfaste
pour les enfants. On croyait, à tort ou à raison, qu'il était
impossible de les confier à la mère. Mais nombre de ces
pères étaient si peu qualifiés pour élever un enfant qu'il
fallut les leur enlever par la suite. Car, même lorsqu'il
n'existe aucune objection contre le père, celui-ci ne peut
donner aux enfants des possibilités de développement aussi
stables que la mère. En principe, il a le choix entre deux
solutions ; ou il se remarie pour donner aux enfants
une belle-mère, ou il doit placer ses enfants à l'extérieur.
Dans le meilleur des cas — fort rare pourtant — le père
vit avec ses enfants chez ses propres parents. Si les enfants
sont jeunes, ils peuvent s'habituer à une belle-mère, les
garçons plus facilement que les filles. Celles-ci sont exposées à de graves conflits avec leur belle-mère et par conséquent, à de futures névroses. Avant la puberté, la fille court
des risques particuliers en raison de son attachement particulier au père, attachement qui peut aller jusqu'à l'inceste.
La tâche de la belle-mère est alors ingrate et ardue. La
complexité du problème devient éclatante du fait que la
moitié des enfants confiés au père ont dû tôt ou tard quitter la maison de celui-ci.

Le partage des enfants — à moins qu'il ne résulte d'un
accord à l'amiable entre les parents — est une solution extrême, lorsque ni le père ni la mère ne semblent suffisamment qualifiés pour élever tous les enfants. La dispersion des frères et des sœurs, qu'elle soit stipulée par un
jugement de divorce ou résulte d'un partage, est particulièrement regrettée par les enfants. Nous avons pu démontrer
que la dispersion des enfants — dans la mesure où celle-ci
n'était pas exigée par le Tribunal — était plus fréquente
lorsque les enfants étaient confiés au père. Cette dispersion
est particulièrement douloureuse pour les enfants parce
qu'elle aboutit souvent à la perte de tout contact ou même
à une attitude hostile entre frères et sœurs. Même les
enfants qui considéraient la séparation de leurs parents
comme fatale et inévitable, désapprouvent la dissolution
de la communauté entre frères et sœurs et estiment qu'elle
aurait dû être évitée à tout prix. Même dans les cas où

les parents sont convenus d'un partage, le juge devrait examiner la décision et se demander si le partage n'est pas contraire au bien-être élémentaire des enfants.

En ce qui concerne *le droit de visite*, il faut constater que les relations entre les enfants et une mère visiteuse demeurent plus régulières et plus intimes que celles avec un père visiteur. Dans ces cas, le contact avec la mère, lors des visites, donne des résultats plus heureux. Les enfants se sentent plus attachés à la mère qu'au père ; et la mère, qui n'a pas la garde des enfants, s'en occupe énormément lors des visites. C'est également la mère qui maintient un contact positif entre des frères et des sœurs séparés, et sa vigilance est si précieuse que, même dans les cas où les enfants sont confiés au père, elle incite ses propres parents à s'en occuper.

Le droit de visite du père ne peut avoir de bons résultats que lorsque la discorde, les disputes entre les parents divorcés sont apaisées. Dans le cas contraire, la visite du père signifie pour la mère le constant, l'obsédant rappel de son mariage brisé, c'est-à-dire une perturbation physique dont les effets sont pernicieux aussi pour les enfants. En considérant le seul intérêt des enfants, il serait souhaitable, pour un grand nombre de cas, de couper tout contact avec le père. Mais le droit de visite des parents étant expressément stipulé par la loi, il faudrait s'efforcer de l'adapter de façon qu'il ne provoque pas de perturbation chez les enfants.

La réalisation des propositions formulées dans cet exposé, concernant l'attribution et le droit de visite, sera nécessairement considérée par un des parents comme un préjudice et comme une injustice. Mais le bien des enfants exige des situations nettes qui ne peuvent être créées que par une décision unilatérale. De parents qui ne peuvent vivre ensemble, on est en droit d'exiger un sacrifice par rapport à la solution qui, objectivement, sera la meilleure pour les enfants.

En conformité avec les expériences de l'Assistance Sociale, nous avons dû constater que le versement de la *pension alimentaire* est un des chapitres les plus sombres de l'histoire des enfants de divorcés. Les sommes que le père divorcé devrait verser sont non seulement insuffisantes, mais la plupart du temps, acquittées incomplètement ou pas du tout. Ceci est également préjudiciable pour les enfants confiés à la mère et pour ceux confiés au père et placés en pension à l'extérieur.

Dans le problème de la pension alimentaire, les facteurs

psychologiques jouent un rôle qu'il ne faut pas sous-estimer. L'acquittement de la pension, dépendant du droit de visite, place nombre de mères dans un dilemme ; ou elles obligent les enfants, contre leur gré, aux visites chez leur père parce que celui-ci ne verse la pension qu'à cette condition, ou elles renoncent à la pension pour soustraire les enfants à l'influence du père. C'est ici que les mères divorcées ont besoin d'un sérieux appui des instances officielles. Dans le jugement de divorce, il faudrait régler les questions de la pension alimentaire et du droit de visite indépendamment l'une de l'autre, et épargner à la mère le souci de veiller elle-même à ce que soit effectué le paiement des sommes qui lui sont dues.

A quel âge l'enfant est-il le plus sensible aux effets de la dissolution de son foyer ? Ce sont, semble-t-il, les époques de la première enfance, de la pré-puberté et de la puberté. Par principe et quand cela est possible, il ne faudrait jamais séparer l'enfant de sa mère pendant les trois premières années de sa vie. Pour être précis, la séparation est une aventure dangereuse à partir du sixième mois. Il faut distinguer ici entre les besoins physiques et psychiques du nourrisson. Les progrès de la médecine moderne, en matière d'alimentation artificielle et de soins d'hygiène, ont rendu l'absence de la mère moins grave pour le nourrisson pendant les premiers mois de son existence.

Jusqu'au sixième mois environ, il est relativement facile d'habituer l'enfant à une autre personne, à une nourrice ou à une belle-mère. Plus tard, l'enfant développe un attachement personnel à la mère dont la perte ou l'échange ne s'effectue pas sans préjudice psychique. Il suffit d'une séparation prolongée entre la mère et l'enfant (séjour à l'hôpital ou placement dans une pouponnière) pour retarder l'évolution psychique de l'enfant et porter atteinte, éventuellement d'une façon définitive, à ses facultés d'attachement et au développement des liens sentimentaux. Ce phénomène constitue une réelle maladie : l'hospitalisme. Par analogie avec la psychologie des animaux, on peut affirmer que l'enfant subit l'empreinte d'une individualité maternelle définie ; et cette empreinte ne devrait pas être altérée à l'âge critique, c'est-à-dire du sixième mois jusqu'à la fin de la seconde année. Des auteurs anglais et américains ont analysé ce phénomène appelé *early separation* (séparation précoce), et ils ont pu démontrer qu'il entraînait des préjudices graves et durables dans l'évolution du caractère. Leurs investigations s'étendent en partie à des observations concernant des enfants évacués de villes bombardées pendant la guerre ; à la suite de la séparation d'avec leur mère, ceux-ci avaient subi des atteintes plus graves et plus durables que ceux qui, à côté de leur mère, avaient vécu sous les bombardements. En tenant compte des découvertes psychologiques récentes, il serait prudent d'éviter les séparations entre la mère et l'enfant, même dans les cas où les circonstances sociales et l'hygiène laissent à désirer. La séparation s'impose-t-elle ; il faudrait l'effectuer pendant les premiers mois de l'existence du nourrisson ou bien attendre, si possible, le début de la troisième année.

Entre 10 et 15 ans, autre phase critique dans l'évolution de l'enfant, le divorce laisse toujours des traces dans son âme même s'il reste sous la garde de la mère. A cet âge, l'attachement au père et à la mère est très profond. Sans être encore capable de le comprendre et de l'assimiler rationnellement, l'enfant ressent et accuse fortement le conflit qui divise ses parents. Un beau-père, ou une belle-mère, sera accepté difficilement sinon pas du tout, et à coup sûr combattu jalousement. Les rapports entre belle-mère et belle-fille posent des problèmes extrêmement aigus (remarquablement mis en évidence dans les Contes de Grimm).

En étudiant les deux cinquièmes des enfants normalement disposés, il nous a été possible d'observer *les conséquences désastreuses du divorce* en ce qui concerne les difficultés scolaires et les troubles de l'évolution sexuelle, ou encore, chez les plus âgés, les difficultés d'adaptation professionnelle et conjugale. Ces conséquences du divorce doivent être classées suivant deux points de vue différents : parfois en effet c'est le relâchement des liens familiaux qui est prépondérant, et d'autres fois ce sera un déplacement d'équilibre parce que la famille est incomplète. Dans le premier cas, le cercle de famille est brisé ; la direction de l'éducation est nulle et les enfants, abandonnés à eux-mêmes, sont exposés aux influences étrangères. Il en résulte un comportement relâché et instable, une nette déficience dans l'apprentissage scolaire et professionnel, des séductions sexuelles précoces et des risques de grossesses préconjugales. Dans le second cas, le milieu familial reste stable et ordonné, mais il est incomplet dans sa structure ou bien artificiellement complété par un beau-père ou une belle-mère dont la présence signifie, pour les enfants, une source de conflits constants. C'est ici qu'on observe les évolutions défectueuses des enfants et des adolescents, évolutions basées sur les fixations positives ou négatives envers le père ou la mère. Le comportement anormal, par rapport à l'un ou à l'autre sexe ou par rapport au mariage, est caractéristique chez les enfants issus de ces familles. Pour les uns, c'est le refuge dans le mariage, c'est-à-dire le choix d'un partenaire à l'image du père ou de la mère, pour les autres, c'est l'incapacité d'aimer, la peur de se fixer, la crainte du mariage et de la maternité.

La difficulté de contracter des liens humains normaux et de réagir sainement par rapport au choix du partenaire ressort nettement du fait que les divorces des enfants de divorcés dépassent la moyenne. Dans les cas où, déjà dans la génération des grands-parents, le chiffre des divorces dépassait la moyenne, la dissolution de la famille se poursuit, telle une fatalité, à travers trois générations. Or, cette « hérédité » du malheur conjugal ne dépend que partiellement des facteurs héréditaires biologiques. Elle dépend en grande partie d'une évolution névrotique anormale. Même si les enfants sont confiés à la mère — ce qui est encore la meilleure solution — ils ne peuvent éviter totalement ce danger. La jeune fille, ayant grandi sans père, témoigne d'une forte tendance à choisir un partenaire conjugal « paternel » et plus âgé qu'elle. Le désir du père commence à se dessiner nettement dès la puberté ; ensuite — et le phénomène est presque habituel et régulier — la jeune fille qui ne connaissait qu'à peine son père, qui n'en savait et n'en pensait que peu de bien, commence à rêver de sa personne, à l'idéaliser et à désirer sa présence. Elle peut alors accuser sa mère de l'avoir privée de père et même d'être responsable du divorce. Dans les cas graves, cette transvaluation, cette revalorisation des idées provoquées par la puberté, aboutit à un désaccord total avec la mère lorsque la fille ne rencontre chez elle aucune compréhension. Pour la femme divorcée, c'est une des tâches les plus difficiles que de communiquer aux enfants une conception exacte et juste du père absent. Pour la femme demeurée seule, la solution de ce problème dépend, en premier lieu, de la manière dont elle a assumé la perte du mari divorcé. L'idéalisation de son image, aussi bien que le ressentiment envers lui, provoquent une conception malsaine chez les enfants ; ce qui est le plus grave, c'est sans doute ce mélange d'amour et de haine que l'on observe chez les filles-mères pour le père de l'enfant ou chez les femmes divorcées très jeunes. Pour les enfants, il en résulte une attitude ambiguë envers le père, qui est susceptible d'être transférée ensuite sur d'autres individus.

Cette fixation au père va nécessairement gauchir, chez la jeune fille, le choix d'un partenaire : cette élection, en effet, sera pour ainsi dire fondée sur un malentendu. La jeune fille — inconsciemment — choisira un homme qui ne risque pas d'altérer et dégrader l'image qu'elle s'est faite du père : c'est-à-dire un homme qui ne jouera qu'un rôle insignifiant et subordonné (un rôle de fils et non de père). Dans le meilleur cas, l'union avec un tel partenaire aboutit à une camaraderie comme il en existe entre frère et sœur, mais non pas à une véritable union conjugale. Un tel choix est conforme au désir inconscient de la jeune fille qui veut maintenir intact l'attachement absolu qu'elle voue à son père, un attachement si absolu qu'il n'admet aucune concurrence.

C'est un conflit de ce genre qui a modelé la destinée de la belle-fille de Gœthe, Ottilie von Gœthe. Pendant toute sa vie, elle a poursuivi « l'image idéale » d'un amant paternel, éminent, dominateur : bien entendu sans jamais rencontrer un homme qui incarnât cette image. Le ménage de ses parents avait été brisé, mais en secret la mère d'Ottilie nourrissait un profond chagrin d'être séparée de son époux. De même la jeune Ottilie rêvait de son père. Elle lui écrivait : « Cher père, depuis quatre ans j'ai espéré en vain un mot affectueux de toi, et j'ai désiré en vain de tes chères nouvelles... » A l'âge de 21 ans, Ottilie épousa le fils de Gœthe, Auguste : mais ce fut non pas par amour du jeune homme, mais à cause de l'affection et de l'admiration qu'elle portait à son futur beau-père. Très vite, cette union devint pour Ottilie un poids presque insupportable : Auguste lui paraissait falot, insignifiant ; il n'était ni brillant, ni fascinant comme le grand poète. Après la mort d'Auguste, elle vint demeurer chez Gœthe, jusqu'à la mort de celui-ci. Or, déjà du vivant d'Auguste, les amours d'Ottilie défrayaient la chronique de Weimar ; mais toujours ces liaisons amoureuses, après lui avoir inspiré de grands espoirs, finissaient lamentablement. Elle écrivait à un de ses amis : « Mon grand tort a été de vouloir rencontrer un être auquel je puisse consacrer mon existence ; un être qui m'eût considérée tout entière comme son bien et sa propriété... J'ai poursuivi cette image de rêve, ardemment, en courant d'un précipice à un autre ; mais toujours j'ai rencontré des hommes qui me désiraient passionnément tant que mon amour leur était refusé, et qui en étaient importunés quand il leur était accordé. Et vous désirez prolonger la série ? »

Des perturbations analogues s'observent chez les fils de divorcés. Ou bien ils choisissent une femme maternelle et mûre auprès de laquelle ils joueront le rôle du fils choyé ; ou bien ils chercheront une partenaire insignifiante, sou-

mise à sa propre mère ou du moins inférieure à l'image
idéalisée de la mère.

Cet aperçu des troubles du comportement, par rapport
au choix du partenaire, chez les enfants de divorcés, montre clairement à quel point un foyer harmonieux et complet
constitue, pour l'enfant, une valeur inestimable.

En quel sens l'Eglise orthodoxe accepte le divorce

Paul Evdokimov
*professeur à l'Institut théologique russe
de Paris*

*Parce qu'il est toujours dangereux d'isoler quelques pages
de leur contexte et pour éviter de malencontreuses interprétations, afin aussi de dégager certaines conséquences importantes, quelques remarques nous paraissent opportunes.*

*Dans cet ouvrage, il eût été compréhensible que nous pré-
sentions une position opposée à celle de l'Eglise catholique.
Mais ce n'est nullement en ce sens que nous offrons au lecteur ces pages écrites par le plus grand théologien actuel
de l'Eglise orthodoxe. Nous pensons au contraire que, de
part et d'autre, la doctrine du mariage est identique en ce
qui concerne l'essentiel, et que les positions divergent uniquement sur le plan des ordonnances pratiques.*

*Aux yeux de l'Eglise orthodoxe comme pour l'Eglise
catholique, et aussi par exemple pour le protestant von
Allmen (cf. Maris et Femmes d'après saint Paul), le couple chrétien n'est pas constitué par un contrat social; ce
n'est même pas l'association d'un homme et d'une femme
que rapproche le plus beau des amours: c'est Dieu qui
donne l'unité à ce couple. Chrétiens, nous croyons qu'un
foyer est aussi certainement formé par Dieu, qu'il est certain que le baptisé est agrégé au corps du Christ. Le mariage est un sacrement: c'est-à-dire que l'amour qui unit
les époux est le signe d'une réalité plus secrète; nous
croyons que, à travers cet amour et ses manifestations quotidiennes, Dieu réalise une unité qui reste hors de toute
atteinte humaine.*

Ce couple chrétien devra ensuite témoigner de cette unité

dans sa vie : quelle que soit d'ailleurs sa propre misère et à travers cette faiblesse même. Car un couple chrétien n'est pas meilleur qu'un couple profane : mais il sait, comme dit von Allmen, qu'« il est situé ailleurs » ; il croit que son unité véritable se noue sur un plan qui transcende tout amour humain, si beau ou si pauvre qu'il puisse être, et donc aussi toute fornication, tout adultère et toute trahison terrestre.

C'est pourquoi les chrétiens pensent que l'Eglise joue sa fidélité sur sa doctrine du mariage et ses ordonnances conjugales.

L'argumentation de Paul Evdokimov, si du moins nous l'avons bien comprise, s'appuie sur cette constatation : lorsque l'amour humain a disparu — cet amour qui est la matière du sacrement —, l'action divine a perdu son point d'insertion dans la vie du couple, et il serait néfaste de contraindre ces conjoints à poursuivre une vie commune qui n'a plus de sens.

La réalité, par ailleurs, est loin d'être simple. On ne perd pas un amour comme on égare un stylo. Perdre son amour, si cet amour a été vrai, cela suppose un changement radical de la vie : non pas seulement à l'égard du partenaire, mais face au monde entier et tout d'abord par rapport à Dieu. Un tel drame nous semble assez rare.

Lorsque l'Eglise entérine officiellement le fait et constate la disparition non seulement de l'amour humain mais de la foi vivante qui pourrait rendre un sens à ce foyer brisé, il importe assez peu que l'on parle alors de divorce ou de séparation. A condition, bien sûr, de s'entendre sur les mots. Pour le protestant von Allmen, exactement comme pour un catholique, il serait absurde que l'Eglise bénisse le remariage d'un de ces conjoints avec un nouveau partenaire. L'Eglise n'a pas plus le pouvoir de délier un chrétien de son mariage, qu'elle ne peut le délier de son baptême. Car c'est Dieu qui est l'auteur du mariage comme il est l'auteur du baptême.

Ce qui précède concerne la doctrine du mariage. Le plan des ordonnances pratiques est tout autre.

Comme le dit fort bien von Allmen : « on n'applique pas une discipline de « militants » à une Eglise dont la majorité des membres ne sont chrétiens que de nom. L'Eglise se trouve toutefois dans un tel effort de « ressourcement », qu'il n'est pas déplacé, après d'autres, de l'inviter à réexa-

miner aussi sa doctrine *du mariage, pour qu'un jour elle
puisse l'incarner dans des* ordonnances *plus bibliques que
celles dont tant de fidèles souffrent aujourd'hui.* »

*Sans doute von Allmen fait allusion ici à un certain lais-
ser-aller, chez ses frères protestants, au sujet du divorce.
Mais il nous semble que sa remarque vaut — quoique en
sens inverse — pour l'Eglise catholique.*

Il est rare que les désaccords conjugaux plongent dans
ces profondeurs « métaphysiques » dont nous parlions plus
haut. Le plus souvent il s'agit de tout autre chose.

A l'heure actuelle, en raison sans doute d'une large vulgarisation des principes psychanalytiques, il n'est pas rare —
par exemple — qu'un beau jour un des conjoints se réveille
et constate, non sans raison, qu'il n'a jamais aimé personne,
pas plus sa femme qu'un autre être humain ; que, en fait,
il a projeté sur sa partenaire des désirs infantiles inassou-
vis et qu'en réalité il n'a jamais dit un vrai « oui » à son
mariage. Ou encore tel désaccord conjugal signifie simplement que l'amour des conjoints tend à devenir adulte ; et
les partenaires reculent devant l'austérité apparente de ces
nouvelles exigences ; ils restent obsédés par le souvenir
d'un amour « romantique » et adolescent.

Certes, si de tels problèmes surgissaient dans un foyer
animé d'une véritable vie chrétienne, dans un foyer qui
croit vraiment au salut apporté par le Christ (et les pires
difficultés psychologiques peuvent très bien coexister avec
une vraie foi), il resterait à ce couple de prendre conscience
qu'une telle découverte — si douloureuse qu'elle puisse être
— recèle un appel à l'amour, et que cette pauvreté elle-
même, reconnue et acceptée, peut constituer la plus merveilleuse des « matières » pour l'action divine.

Il est trop évident qu'une telle foi se rencontre assez
rarement.

C'est ici que la position de Paul Evdokimov nous paraît
si importante : il est essentiel que les lois — même religieuses — ne viennent pas contraindre les conjoints à la
vie commune, surtout en de telles circonstances. Certes, il
est facile d'en appeler au « bien commun » : mais cet
appel au sociologique, même religieux, est déjà une trahison envers l'amour.

Il n'y a pas si longtemps, les divorcés étaient pratiquement exclus de toute société catholique : tels des lépreux,
des pestiférés. Aujourd'hui encore, il n'est pas rare d'entendre poser cette question : « Jusqu'à quel point avons-nous

le droit de les recevoir, de les accueillir dans notre foyer ? »

D'autre part, les époux catholiques qui, après la séparation, contractent un nouveau mariage civil, ressentent comme une injustice le fait que l'Eglise continue d'affirmer que leur premier mariage reste indélébile aux yeux de Dieu, et que ce second mariage est en fait un adultère. Comme si cette affirmation impliquait qu'il y a, dans cette seconde union, quelque chose qui ne serait pas très « propre », comme si, de la sorte, on niait la réalité et la beauté de ce second amour. Il n'est guère douteux, d'ailleurs, que, consciente ou non, telle est la pensée de nombreux catholiques.

Il faut d'abord souligner que cette espèce de mépris dans lequel on tient trop souvent les divorcés, constitue un chantage moral proprement intolérable. Mais surtout il faut redire qu'une telle optique présuppose de singulières confusions, et que l'on passe ainsi indûment d'un plan à un autre.

L'Eglise, en parlant comme nous le disions ci-dessus, ne nie pas que ce second amour puisse être plus beau même que le premier, plus épanouissant et plus riche éventuellement, sur le plan humain. L'Eglise, simplement, rappelle aux divorcés qu'un lien, que personne au monde ne pourrait trancher, subsiste entre chacun d'eux et leur premier partenaire, et que ce n'était pas à cet amour-ci que Dieu les appelait. Mais personne n'a le droit de mettre en doute la qualité humaine de ce nouvel amour. Et sans doute à l'origine de cette suspicion, y a-t-il une vieille erreur : l'acte sexuel, de lui-même, serait un acte animal, laid et répugnant, et seule la bénédiction nuptiale pourrait l'« exorciser ». Comme le mariage des divorcés est inexistant sur le plan religieux, il s'ensuivrait que leurs relations sexuelles retomberaient dans ce premier état d'animalité. Il est trop évident que rien n'est plus faux, et que les gestes sexuels entre des divorcés sont tout aussi « nobles » que l'amour sentimental et le dévouement qu'ils peuvent se témoigner. C'est « uniquement » sur le plan religieux que leur union n'a pas de sens.

Et encore, même ici, faudrait-il apporter quelques nuances. La plupart des chrétiens qui ont ainsi divorcé pour contracter ensuite un nouveau mariage civil, en sont restés à une religion terriblement infantile ; et tous ces rappels d'une doctrine, si vraie qu'elle soit, ont surtout comme effet de faire naître en eux des sentiments de culpabilité qui n'ont à peu près rien à voir avec le véritable sens du péché. Lorsqu'on analyse les rétroactes de ces divorces et

*remariages on retrouve, presque infailliblement, un « nœud
de vipères » familial quelconque ; et l'on comprend mieux
alors le drame qui a amené la première séparation et les
difficultés qui subsistent dans cette deuxième union. En
faisant appel à ces origines psychologiques des conflits conjugaux, nous ne pensons nullement éliminer la responsabilité des conjoints en cause. Mais il faut se demander où se
situe cette responsabilité.*

*Lorsqu'on se trouve ainsi en présence de divorcés-rema-
riés dont la conduite s'explique, en partie du moins, par
quelque blocage à un stade infantile ou juvénile, il est très
facile, en utilisant un certain langage religieux, de faire
monter en eux une véritable marée de sentiments de culpabilité ; et même, en certains cas, de les amener à renouer
avec leur premier partenaire. Résultat : dans le premier
cas, on aura troublé en profondeur une relation humaine
qui tentait, péniblement, de s'établir ; dans le second cas,
on aura « forcé » un homme à reprendre une vie profondément détestée, qu'il traînera comme un boulet... et sans
qu'une espérance vivante vienne transfigurer toute cette
misère.*

*Est-ce vraiment cela que demande l'Evangile ? Et ne
serait-il pas plus conforme à l'esprit du Christ qui ne voulait pas éteindre la mèche qui fume encore, d'aider ces
divorcés à apprendre l'amour vrai, même si c'est à l'intérieur d'une union illégale ?*

*Il y a d'autre part ces ménages de divorcés qui, même
s'ils le voulaient, ne peuvent plus se séparer et revenir à
leur premier foyer : à cause de la présence d'enfants nés de
leur nouvelle union, par exemple. Chrétiens, nous croyons au
pardon de Dieu : non pas à un pardon théorique, mais à un
pardon qui pénètre notre réalité humaine. A ces divorcés, il
ne faut pas craindre de dire que leur devoir est de rester
ensemble, et que, eux aussi, ils ne s'aimeront jamais assez,
ils ne s'aimeront jamais trop.*

*Les chrétiens devraient être, dans le monde et à hauteur
d'homme, le signe visible du royaume de Dieu, du royaume
de l'amour ; ils devraient être les gardiens de l'espérance.
Il est triste — et tragique — que, en ce qui concerne les
divorcés, trop souvent une position doctrinale mal dirigée,
durcie, sclérosée, et que l'on transpose sans aucune nuance
dans le domaine toujours si fluant des réalités humaines,
ne fasse que créer des obstacles supplémentaires dans une
situation qui par elle-même est déjà difficile.*

*Ce n'est certainement pas ainsi que l'on parviendra à ar-
rêter la montée en flèche du nombre des divorces.*

En conclusion : on souhaiterait, bien entendu sans que cela comporte aucune compromission doctrinale, que l'accession aux sacrements soit facilitée aux divorcés-remariés, en des conditions bien précises. Mais surtout on souhaiterait un changement d'atmosphère dans l'opinion catholique : les divorcés-remariés ne demandent pas que les chrétiens « canonisent » leur comportement, et moins encore ils attendent notre pitié (le mot « pitié » n'est supportable que sur les lèvres du Christ). Ils attendent de nous, tout simplement, un peu de véritable amitié.

Cela dit, nous cédons la parole à Paul Evdokimov.

C. J.

Le tréfonds de l'homme qui prononce le « oui » est impénétrable pour tout ministre du sacrement, il est mystérieux avant tout pour l'homme lui-même. Il n'existe aucune possibilité humaine formelle de vérifier et d'éprouver la qualité de l'amour, sa durée, sa profondeur. Toutefois, dans une union contractée par intérêt ou imposée par une volonté extérieure, dans une union entre personnes qui ne sont pas libres intérieurement, les liens n'ont rien de commun avec un mariage au sens mystique et sacré. La matière du sacrement, l'amour, y est absente ou totalement tarie.

De réelles incompatibilités, des « mal-aimés », sont un phénomène fréquent. Toutefois, dans la majorité des désordres conjugaux, se trouve une défaillance spirituelle, un refus de suivre la voie héroïque, un rejet du repentir, de la metanoïa évangélique. Trahir son amour, c'est se trahir soi-même. Mais cette exigence de se maintenir au niveau de son esprit ne peut jamais être ni formelle, ni imposée. On n'impose pas l'amour comme on n'impose pas le martyre...

Selon l'Evangile, l'adultère détruit la réalité même, l'essence mystique du mariage. Si c'est l'amour qui est matière du sacrement, et Justinien déclare que le mariage n'est réel que par l'amour seul (Nov. 74), l'échange des promesses n'est qu'un témoignage symptomatique de la présence réelle de l'amour. L'adultère est le témoignage qu'il ne reste rien de la matière du sacrement. Le divorce n'est qu'une constatation de l'absence, de l'évanouissement, de la destruction de l'amour, et partant la simple déclaration de l'inexistence du mariage. Il est analogue à l'acte d'excommunication, il n'est point un châtiment, mais la constation post-factum d'une séparation déjà accomplie.

En acceptant le divorce, l'Eglise orthodoxe témoigne de son respect infini de la personne humaine et du sacrement de l'amour charismatique. Si elle rend le divorce toutefois difficile et exprime nettement ses réserves, c'est qu'elle désire prévenir toute légèreté coupable et avertir du danger de compromettre le destin. Toujours elle manifeste sa confiance là où l'homme adulte est seul juge de son destin. La grandeur du sacrement l'exige, car la vie conjugale est le sacrement perpétué et on ne peut jamais le profaner sans encourir un châtiment immanent, en faire le vide infernal.

Selon ce qu'on appelle le *privilegium Paulinum* (1 Cor., 7, 12-16), le mariage des non-baptisés peut être rompu en faveur de celui qui se convertit. Or il semble que saint Paul préconise juste le contraire, il permet de rompre à celui qui n'est pas converti. De toute manière, dans ce passage, le mystère prime sur la loi : « *Le frère et la sœur ne sont pas enchaînés.* » Saint Jean Chrysostome en commentant ce passage dit : « Mieux vaut rompre le mariage que de se perdre. » « Le salut, déclare saint Grégoire de Naziance, est pour ceux qui le désirent. »

L'Eglise reconnaît donc qu'il y a des cas où la vie conjugale est vidée de sa substance sacramentelle et n'est qu'une profanation perpétuée, allant jusqu'à la perdition de l'âme. L'indissolubilité du lien risque de contraindre au mensonge ; en protégeant le bien commun, on massacre le bien personnel. Pour sauvegarder les apparences sociologiques, la face digne du *pater familias*, la société avec la complicité de l'Etat a institué la prostitution. Celle-ci paie les frais de la monogamie établie. C'est pourquoi peut-être l'Evangile dit la parole si énigmatique sur les prostituées qui nous devancent sur le chemin du Royaume...

L'indissolubilité du lien n'intéresse nullement l'amour. La question se pose quand il n'y a plus rien à sauvegarder, le lien proclamé initialement indissoluble est déjà dissous et la loi n'a rien pour remplacer la grâce, elle ne peut ni guérir ni ressusciter, ni dire : « Lève-toi et marche ».

On est en présence d'un phénomène très étrange. Parmi tous les péchés jugés très sévèrement par l'Evangile, en dépit du péché par excellence de l'orgueil satanique, c'est pourtant dans la sexualité que la théologie morale courante trouve la manifestation essentielle du péché originel, et c'est principalement parce que le mariage est réduit à la procréation que le divorce est condamné. L'amour est méconnu dans son mystère, mais le contrat conjugal reçoit le statut d'une obligation absolue. Or les promesses du baptême engagent et lient au même titre la fidélité d'un croyant. La vie d'un chrétien moyen est en contradiction flagrante avec l'engagement du baptême ; cet état de parjure continuel, malgré l'avertissement redoutable de saint Siméon, le Nouveau Théologien, n'empêche nullement d'être membre de l'Eglise. L'Evangile dit que les riches n'entreront pas au Royaume de Dieu, le chemin le plus large leur est ouvert dans l'Eglise.

Parmi les fausses revendications des temps modernes, il y a un cri sincère, il y a l'aspiration profonde aux réalités ultimes de l'existence. On ne peut pas les atteindre sans la liberté de l'esprit humain, sans sa maturité qui fait de lui un croyant adulte, seul responsable de sa destinée. C'est à ce niveau seul qu'il peut retrouver la grandeur de la foi, anéantir la morne grisaille et l'ennui des enfers et vivre son aventure la plus passionnante, et alors les fleurs s'épanouissent dans le monde et les miracles éclatent... Il sent sous ses pieds non pas le sable sociologique, mais cet océan mouvant capable de se renverser en profondeur du ciel et du Royaume.

Deux esprits s'unissent face au difficile et au tragique de la vie, deux mondes mettent ensemble leur richesse et leur pauvreté, leur histoire et leur éternité. C'est l'histoire de l'humanité depuis Adam et Eve qui se projette dans leur fragile existence. C'est tout le Masculin et le Féminin qui président à cette naissance dans l'amour et espèrent discerner dans ce résumé de l'universel une réponse à leur attente, un miracle. C'est pourquoi tout amour est toujours unique et sa promesse est comme le premier soleil sur le premier matin.

La virginité monastique a eu le privilège de révéler la valeur absolue de la personne humaine, de confirmer la grandeur du mariage. Mais un moine peut abandonner son état monastique au nom justement de la valeur de sa personne et de sa libre vocation. C'est pourquoi la même liberté doit être offerte aux mariés. Leur « oui » ne résonne vraiment qu'à la condition qu'ils puissent à tout moment dire « non ».

C'est librement, en rois, qu'ils montent vers la chasteté et ce n'est qu'au terme de leur totale liberté que leur amour transcende ce monde vers son propre cœur, annonce le Royaume, devient l'éclat fulgurant de sa réelle transfiguration.

Sacrement de l'amour   (Ed. de l'Epi).

Le point de vue catholique

C. Jamont, Bruxelles

Ce livre s'adresse à des adultes ; à aucun degré, il ne saurait constituer un ouvrage d'initiation pour des adolescents. Mais un chrétien adulte devrait y trouver matière à réflexion. En effet, si la sexualité n'est pas « une fonction de luxe », si l'être humain *est* homme ou femme, il faut en conclure que l'exercice de sa virilité ou de sa féminité l'atteint dans ce qu'il a de plus essentiel ; et, ajoute von Allmen[1], la manière dont il se comporte sexuellement a donc une portée capable de compromettre non seulement sa personne, mais le Seigneur dont il est membre.

LA PROMESSE NUPTIALE

Les ordres biologique, psychique et spirituel ne sont pas trois mondes différents qui subsisteraient en nous comme des couches superposées : à chaque fois, ce sont les mêmes éléments, différemment structurés. De même, lorsque la foi intervient, elle assume ce qu'elle trouve, pour lui donner une orientation nouvelle.

Aussi bien faut-il d'abord souligner que le catholicisme n'éprouve aucune suspicion à l'égard du domaine sexuel, comme tel. « Lorsqu'ils abordent ce sujet (le mariage de la Sainte Vierge et de saint Joseph), certains auteurs spirituels ont coutume de dire que l'absence de rapports charnels rendait leur union plus « pure ». Cette expression implique une idée inadmissible et dans son fond hérétique, car elle laisse entendre que l'acte conjugal est en lui-même quelque chose d'imparfait, voire de peccamineux... cet acte est en lui-même aussi pur que n'importe quelle autre manifestation d'amour. Ce n'est pas dans une pureté plus haute qu'il faut chercher la grandeur de cette abstention, mais dans l'accomplissement d'une vocation supérieure. Cet exemple souligne à sa manière que ce n'est pas le célibat comme tel, mais le célibat consacré à Dieu qui l'emporte sur l'état de mariage. » (Son Em. le cardinal Suenens. *Amour et maîtrise de soi*, p. 54). Appellent donc les plus expresses réserves des textes tels que celui de Gustave Thibon :

---

1. *Maris et femmes d'après saint Paul*, p. 10 J.-J. von Allmen est protestant, mais les textes que nous lui empruntons de-ci de-là sont tels que le théologien catholique le plus délicat ne peut qu'y acquiescer. D'autre part, ces citations voudraient poursuivre ce dialogue œcuménique de plus en plus indispensable.

« L'exercice normal de la sexualité freine incontestablement l'élan spirituel, sinon en tant que vertu, du moins en tant qu'expérience vécue des choses de Dieu. »[1]

Si maintenant nous nous demandons quelle est l'orientation nouvelle que la foi donne aux gestes sexuels, il faut bien reconnaître que les études sur ce point sont encore singulièrement embryonnaires (de même d'ailleurs que sur le plan spirituel humain). Nous nous contenterons de souligner les points suivants :

1) Il faudrait étudier quelles sont, dans le domaine sexuel, les conséquences du Mystère de l'Incarnation ; et commencer par souligner que, la sexualité étant une dimension essentielle de l'être humain et ne comportant en soi rien de peccamineux, il est certain que le Christ l'a assumée comme toutes les autres dimensions de la nature humaine.

2) C'est pourquoi le concile de Trente a pu dire : « Jésus-Christ lui-même, auteur et instituteur des sacrements, nous a mérité par sa Passion la grâce propre à *perfectionner l'amour naturel* des époux. » Et il explique comment : a) affirmer l'union indissoluble qui existe entre eux ; b) la sanctifier.

3) Le Christ Jésus n'a pas gardé jalousement son rang divin, mais il s'est fait semblable à nous ; il a « vécu », il a porté nos misères jusqu'à l'agonie de Gethsémani, jusqu'à la croix. De même les époux ne peuvent pas garder jalousement leur personnalité ; ils doivent la risquer dans la vie commune, se souvenant que « celui qui veut sauver sa vie la perdra, et celui qui admet de la perdre la sauvera. » Ceci va loin, terriblement loin. Il n'est pas possible de participer profondément au drame spirituel d'un être, de vivre ce drame avec lui, sans en éprouver le contrecoup. Et c'est le moins que l'on puisse dire. Là d'ailleurs réside la plus grande difficulté des mariages religieux mixtes. Si l'Eglise se montre réticente sur ce dernier point, ce n'est pas seulement en raison du danger (très réel) du laisser-aller ; plus profondément, c'est parce qu'elle sait qu'un tel amour exige un héroïsme auquel nous ne devons pas trop facilement nous croire appelés. On relira sur ce sujet, avec intérêt, le beau roman de Gertrude von Lefort : *La Couronne des Anges*... en prenant garde de ne pas généraliser indûment les analyses de l'auteur. Mais c'est une seule et même Passion que doivent vivre les époux.

---

1. *Médecine et sexualité, du Groupe lyonnais* (Spes), p. 208.

4) Les vertus théologales ne laissent pas de jeter une lumière nouvelle sur l'amour humain. Il nous faut « croire » non seulement en l'amour de l'autre, mais en notre propre amour. L'amour ne se prouve pas, il est objet de « foi ». D'autre part, l'amour espère tout, comme dit Kierkegaard, et son espérance n'est jamais confondue. Le Christ a espéré en l'homme, il a cru en nous, en ceux-là même qui étaient en train de le crucifier.

5) Il y a cependant une difficulté qu'il nous faut aborder franchement. De toute évidence, les autorités catholiques se montrent plus que réticentes devant une certaine tendance contemporaine à faire, de la sexualité, comme la pierre de touche de notre édifice personnel : comme si une vie sexuelle libre et épanouie devait nécessairement entraîner la valorisation de la personne tout entière. On pourrait d'abord remarquer que, en fait, les études théoriques, les romans et les films modernes ne nous présentent, sur ce point précis, qu'un monde où l'homme est livré à l'absurde, au non-sens, un homme englué, déchiré, émietté : le couple, tel qu'Ingmar Bergman le décrit. Or, Dieu seul peut faire l'unité en l'homme. Lorsque le goût de l'autre ne nous donne pas faim de Lui, la sexualité interrompt ce mouvement dialectique qui devrait toujours la porter en avant ; elle se love sur elle-même, et peu à peu s'épuise, se détruit. Seules la faim et la soif de la Justice, jamais assouvies, peuvent sauvegarder la jeunesse et l'intégrité de la sexualité humaine.

6) Si la sexualité a une si grande importance, c'est qu'elle constitue un appel à engager dans ces gestes notre liberté tout entière, notre libre subjectivité, dirait Sartre. Mais « il est incontestable que nous ne sommes pas libres par nous-mêmes, mais par ce qui, au fond de notre liberté, *nous donne à nous-mêmes en présent*. Ce fait nous devient sensible lorsque nous nous manquons à nous-mêmes : nous avons beau alors vouloir être libres, cela ne suffit pas à nous rendre tels. Là où la liberté est à son comble, nous prenons conscience du fait que nous sommes pour nous un don : notre liberté nous fait vivre, mais nous ne pouvons pas nous la procurer nous-mêmes par force » (Karl Jaspers). D'où viendra le secours ? De Dieu, mais à travers l'autre. C'est pourquoi, dit encore Jaspers, « la sexualité n'acquiert un contenu humain que par le caractère exclusif d'une liaison inconditionnée ».

7) Quant au rôle du couple chrétien, von Allmen encore l'a formulé en des termes qui nous paraissent singulièrement heureux. « S'il était loisible de débarrasser ce terme

(sacrement) des pressions traditionnelles et confessionnel-
les qui le font suffoquer, s'il était possible de lui rendre
son souffle premier en le définissant comme un signe visible, dans ce monde et à hauteur de ce monde, du monde
à venir — comme un miracle par lequel Dieu choisit et
prend, dans sa créature déchue, un élément qu'il sanctifie
pour rendre à tout ce qui lui ressemble une espérance vivante, on pourrait dire que le couple chrétien est un sacrement. Comme Jésus-Christ est sacrement, ou l'Eglise ; puisqu'en Jésus d'abord, et par conséquent dans l'Eglise qui est
son corps, le monde de la promesse divine vient prendre en
charge l'éon présent, pour le tourner vers un miraculeux
accomplissement dans le Royaume de Dieu. »[1]

LES ENFANTS

« Votre enfant vient à travers vous mais il n'est pas de
vous, » dit le poète. On pourrait ajouter : comme Dieu a
demandé à Marie d'être la mère du Sauveur, ainsi Il demande au couple : « Acceptez-vous de conduire jusqu'à sa
maturité humaine et chrétienne l'enfant que je vous con-
fierai ? »... Dès lors, il ne peut plus être question de mettre au monde des enfants que l'on n'est pas capable d'élever... ce dernier terme étant synonyme d'aimer.

Mais la vocation du couple dépasse, et de beaucoup, la
procréation. Les enfants ne sont pas et ne peuvent pas être
le seul but du foyer. Il y a un dépassement de l'individualisme à opérer en ce qui concerne la famille elle-même.
Travailler à ce que le Christ soit présent dans les orienta-
tions fondamentales du monde moderne, « baptiser » les
grandes transformations techniques, économiques et politiques, travailler à édifier un univers qui soit plus humain :
cela n'est pas — pour les foyers qui ont des enfants — un
travail de surplus, surérogatoire, qu'il leur serait loisible
d'accepter ou de refuser. C'est un travail qui s'inscrit dans
la vocation du foyer chrétien, au même titre qu'avoir des
enfants.[2]

Un foyer qui croirait « avoir fait son devoir » parce qu'il
a le nombre d'enfants (et même un de surplus) qu'il est
capable d'éduquer, s'asphyxierait, en se repliant sur lui-

---

1. *Maris et femmes d'après saint Paul*, p. 61.
2. Si la procréation n'avait pas existé, la sexualité serait probablement restée
aberrante. Mais l'enfant conduit plus loin que lui-même.

même, en s'arrêtant en chemin. Encore une fois, la sexualité est un mouvement dialectique jamais achevé.

LE CONTROLE DES NAISSANCES

Voici tout d'abord le texte le plus récent, émanant de l'autorité ecclésiastique, sur cette question. Il convient de le lire attentivement car chaque terme y a son importance.

« Nous parlerons d'un problème et d'un événement que le prochain avenir nous prépare.

» Ce problème dont tout le monde parle, c'est celui du contrôle des naissances, c'est-à-dire d'une part l'augmentation de la population, et d'autre part la morale familiale. C'est un problème extrêmement grave : il touche aux sources de la vie humaine : il touche aux sentiments et aux intérêts les plus proches de l'expérience de l'homme et de la femme. C'est un problème extrêmement complexe et délicat. L'Eglise reconnaît ses multiples aspects, c'est-à-dire les multiples compétences qui entrent en jeu, parmi lesquelles celle des conjoints a certes la primauté, avec leur liberté, leur conscience, leur amour, leur devoir. Mais l'Eglise doit également affirmer sa compétence, c'est-à-dire celle de la loi de Dieu qu'elle interprète, enseigne, prône et garde. Et l'Eglise devra proclamer cette loi de Dieu à la lumière des vérités scientifiques, sociales et psychologiques qui, ces derniers temps, ont fait l'objet d'études et documentations très vastes. Il sera nécessaire de suivre attentivement les développements, tant théoriques que pratiques, de la question. Et c'est précisément ce que fait l'Eglise. La question est à l'étude, une étude aussi large et profonde que possible, c'est-à-dire aussi grave et honnête que le requiert la grande importance de cette matière.

» Nous espérons achever cette étude bientôt avec la collaboration de nombreux savants de valeur. Nous en donnerons par conséquent bientôt les conclusions dans la forme que l'on estimera la plus appropriée au sujet traité et au but à atteindre. Mais nous disons franchement que nous n'avons pas, jusqu'à présent, de raisons suffisantes pour considérer comme dépassées, et par conséquent n'ayant pas un caractère obligatoire, les règles données par le Pape Pie XII à ce sujet. Celles-ci doivent donc être considérées comme gardant toute leur valeur, du moins tant que nous ne nous sentirons pas en conscience obligé de les modifier. Dans des questions aussi graves, il est bon que les catholiques suivent une seule loi, celle que propose l'Eglise avec toute son autorité. Il semble donc opportun de recom-

mander que personne pour le moment ne s'arroge le droit
de se prononcer en des termes non conformes aux règles
en vigueur. »

S.S. Paul VI
Allocution au Sacré Collège, le 23 juin 1964.

En ce qui concerne le contrôle des naissances, les règles
données par le Pape Pie XII indiquaient, comme seule possibilité, la continence périodique. Quant à la fameuse pilule,
le R. P. Janssens écrivait : « Dans les cas où la continence
périodique est indiquée, mais n'est pas praticable... il nous
semble qu'elle peut être remplacée par le recours aux progestogènes... » (*Ephémérides théologiques de Louvain*, dé-
cembre 1963).

Il est certain, cependant, que toutes les situations concrètes ne trouveront pas, dans une ou l'autre de ces deux
méthodes, une solution évidente. Que faire si différents devoirs — étreinte sexuelle nécessaire à la vie du couple —
contrôle des naissances — directives du magistère — entrent en conflit ?

Nous croyons qu'il serait absurde de vouloir donner, *du
dehors*, une réponse précise à une telle question.

« En dernière instance, la conscience personnelle devra
fournir la réponse définitive dans ces questions. Mais dans
la situation concrète et individuelle, cette conscience personnelle devra s'efforcer de donner tout son sens à la loi
de Dieu et elle devra tenir compte de l'interprétation que
l'Eglise présente à ses fidèles concernant l'application de
cette loi. » (*Déclaration de l'épiscopat des Pays-Bas*, 10 août
1963).

Comme on l'a vu, le Pape Paul VI affirme, lui aussi, que
« dans les multiples compétences qui entrent en jeu... celle
des conjoints a certes la primauté, avec leur liberté, leur
conscience, leur amour, leur devoir. » Sans doute il ajoute que les règles traditionnelles gardent, pour le moment,
leur caractère d'obligation. Mais en ce qui concerne ces règles, et pour obligatoires qu'elles soient, on ne peut oublier — comme le disait l'évêque de Bois-le-Duc dans un
texte déjà cité — que « L'Eglise reconnaît qu'il y a place
pour un progrès graduel, parfois lent et déficient, exactement comme cela se passe dans tous les domaines de la
vie humaine... »

Il en va un peu ici — *en certains cas plus difficiles* —
comme de cet idéal évangélique (Soyez parfaits comme votre Père céleste est parfait ; si l'on vous frappe sur la
joue droite, tendez aussi la joue gauche, ne vous amassez

pas de trésors sur la terre, etc.) dont l'Eglise sait très bien, tout en le proposant comme obligatoire, qu'il n'est pas immédiatement accessible aux hommes. La guerre est toujours une catastrophe ; pourtant, lorsque Hitler a envahi la Belgique et la France, qui aurait osé suggérer aux Anglais de « tendre la joue gauche » ? Ce que le Christ — et l'Eglise — nous demandent, c'est de créer peu à peu un monde qui soit *orienté* par la loi évangélique. C'est cette orientation, cette « conversion » qui est indispensable si nous voulons être chrétiens.

A mesure que le Seigneur nous révélera son amour, cette orientation fondamentale va prendre un aspect tellement différent, même sur le plan de la sexualité ! Aussi différent qu'a pu l'être la Passion selon saint Matthieu de J. S. Bach par rapport à ses premiers essais musicaux. L'essentiel est que nous soyons en route.

Il est possible que certains lecteurs soient déçus par cette réponse, qui cependant n'est nullement évasive. Mais c'est là une salutaire, une nécessaire déception. La vie spirituelle commence toujours par un sevrage ; il nous faut d'abord renoncer aux paradis infantiles. Cette enfance de l'âme, que nous devrons sauvegarder jusqu'à la fin, n'a rien à voir avec la puérilité, avec une lâcheté plus ou moins consciente qui nous pousserait à faire endosser par les autres nos responsabilités : en ce qui concerne le contrôle des naissances, notamment. Certes, il se peut qu'un directeur spirituel en soit réduit à conseiller nettement, à un être qui ne parvient pas à dominer son angoisse, « fais ceci, fais cela », mais en parlant ainsi on ne l'invite nullement à « jouer à l'enfant ». Notre « moi » spirituel ne s'identifie pas avec notre « moi » psychique. C'est pourquoi on peut très bien, dit le chanoine Guelluy, être à la fois déséquilibré et authentiquement saint ; par contre on peut guérir de ses complexes ou passer de l'inconduite à la chasteté sans pour autant gagner en valeur religieuse. Etre chrétien, c'est nous remettre, tels que nous sommes, avec nos richesses et nos misères, « en la douce pitié de Dieu ». Mais cet abandon à Dieu suppose précisément que, du moins à la fine pointe de l'âme, notre « moi » vive de foi, d'espérance et de charité, et que nous gardions confiance et paix.

Cependant quand nous disions que nous ne pouvons pas faire endosser à un autre nos responsabilités, nous ne faisions qu'écarter une forme de fausse communication. Il ne saurait y avoir de « moi » s'il n'y a pas de « tu ». Ce livre le répète à satiété : la liberté commence à deux. Tel est aussi le sens du vieil adage « Hors de l'Eglise point de salut » : je ne peux me sauver que par les autres. C'est pourquoi il n'est nullement puéril et c'est le contraire d'une fuite que de nous adresser à un spécialiste — médecin, psychologue, prêtre, conseiller conjugal — lorsque, dans ce problème du contrôle des naissances, nous nous heurtons à des difficultés qui nous paraissent invincibles. Nous irons vers ce conseiller non pas comme un enfant qui recherche la protection paternelle, mais comme un adulte désireux de mieux voir ses responsabilités pour mieux les assumer. Quant à ce conseiller — si du moins il a une vraie conscience de son rôle — il nous aidera à vivre plus lucidement notre situation : dans un dialogue qui sera aussi important pour lui que pour nous, parce qu'il s'y engagera tout entier, admettant même que nos problèmes puissent remettre en question ses propres positions.

Ainsi donc désirer qu'un autre résolve mon problème serait puéril ; mais ce serait me condamner à l'asphyxie que de m'enfermer dans un isolement orgueilleux. Une liberté qui n'aspire pas à la communication n'est que désespoir. Etre libre, c'est reconnaître que personne ne peut choisir à ma place, mais c'est aussi reconnaître qu'il me faut recevoir cette liberté même.

La vie chrétienne oscille sans cesse entre deux pôles apparemment contradictoires et qu'il serait vain de vouloir réunir en un seul concept logique : il y a d'une part ce « moi » responsable devant Dieu, qui vit un amour unique, et qui peut dire avec le Docteur mystique : « Je n'avais ni guide, ni lumière, excepté celle qui brillait dans mon cœur. » Mais d'autre part il y a la communauté, avec la présence de Jésus, et dont l'autorité est une dimension essentielle.

La vie chrétienne ne s'apprend pas dans les livres, ni auprès d'un professeur, mais dans l'Eglise.

Livre VII

PROBLEMES DE LA FECONDITE CONSCIENTE

Le problème de la procréation volontaire dépasse, sans le contredire, le souci du bien-être des individus et du couple lui-même. Aussi bien risque-t-on de fausser le problème au départ en le formulant comme suit : « Comment avoir une vie sexuelle normale sans être condamné à une prolifération indéfinie ? »

L'eudémonisme, ou recherche du bonheur, — qu'il soit individuel, conjugal ou social — est impuissant à infuser à l'existence une véritable grandeur. C'est en termes de responsabilités qu'il faut énoncer le problème : responsabilité vis-à-vis de la liberté de chacun des conjoints, vis-à-vis du couple lui-même, vis-à-vis enfin du rôle que ce couple doit assumer.

De même que l'individu ne peut accéder à la liberté et promouvoir son être propre si ce n'est avec le concours des autres, grâce à la présence de l'autre (et le mariage constitue la relation intersubjective la plus profonde que nous connaissions), — de même le couple ne peut s'achever et « devenir ce qu'il est » si ce n'est en assumant sa part de responsabilité à l'intérieur de la grande communauté humaine dont il est une cellule.

La procréation volontaire est un aspect, une dimension de cette responsabilité.

C'est donc un problème très vaste et qui est loin de se réduire au contrôle des naissances. Il englobe aussi bien, par exemple, le problème des foyers sans enfants, des foyers stériles : eux aussi, sous peine d'asphyxie, doivent trouver et jouer leur rôle dans la société ; et ce rôle social ne sera pas une compensation au fait de ne pas avoir d'enfants. Au contraire, cette tension continuelle entre l'histoire propre du couple et la grande vie communautaire permettra à ce couple « stérile » d'accéder à une existence tout aussi véritable que s'il lui avait été demandé de collaborer à l'histoire de l'humanité en mettant au monde des hommes nouveaux.

Notons quelques points névralgiques :

— *La procréation ne constitue pas pour le couple le seul moyen de ne pas se refermer sur lui-même.*
— *Une maîtrise totale des fonctions physiologiques de la fécondité permettrait de faire de la procréation un acte plus humain. Il ne peut donc être question de prôner, par principe, des méthodes qui laissent une marge d'imprévisibilité quant aux naissances.*
— *Il est évident que, si l'on parvient à affranchir entièrement la sexualité de la procréation, cette nouvelle situation comportera de nombreux dangers. En l'absence de toute référence aux enfants, la sexualité risque de perdre sa signification. Mais c'est là un danger normal ; toute accession à l'indépendance et à la maturité entraîne toujours semblables périls.*
— *La régulation des naissances ou leur limitation pour une période délimitée ou indéfinie suivant les cas, constitue un devoir quand elle est exigée par la santé physique ou psychique d'un ou des conjoints, par la situation économique du foyer, le bien des enfants déjà nés ou à naître, le rôle social que le couple s'est assigné.*
— *Cette régulation ou limitation des naissances ne doit pas être un obstacle à une vie sexuelle normale. Le dialogue des corps, dans la mesure où il est possible, est indispensable à l'existence même du couple. L'abstinence sexuelle prolongée ne peut donc être proposée comme moyen « normal » pour obtenir le but désiré.*

Le couple, tel que nous le connaissons, n'a même pas cinquante années d'existence. Comment dès lors s'étonner que la plupart des foyers en soient toujours à chercher leur existence ? Il y a moins à s'étonner encore si le couple, comme tel, n'a pas encore trouvé sa fonction dans le monde.

De là les ambiguïtés, les tâtonnements, les déviations dans le problème que nous abordons ici. Il faudra de longues années encore avant que nous comprenions comment l'amour humain, même avec sa composante sexuelle, a d'autres buts que la seule procréation, et que ces buts ne se situent pas à l'intérieur du couple.

« Le mariage, écrivait Montaigne, est un nom d'honneur et de dignité, non de folâtre et lascive concupiscence. » (Essais I, ch. XXX). Il serait simpliste de ne voir en ces mots que le reflet d'une époque qui n'avait pas encore découvert le sens profondément humain de la sexualité. Nous préférons y entendre cet appel qui, d'âge en âge, invite l'homme à réaliser sa plus haute liberté. Or il n'est de grandeur humaine que si nous nous donnons, corps et âme, à une cause qui nous dépasse et nous arrache à nous-mêmes.

Peu de questions, mieux que la fécondité consciente, permettent d'entrevoir combien il est vrai que nous en sommes seulement au début de notre Histoire humaine.

La fécondation

Dr N. Haire, Londres

La question est très importante et il faut la poser encore : quel est le processus biologique de la fécondation ? L'ovule, la plus grande cellule humaine (elle mesure 0,1 - 0,3 mm), à peine visible à l'œil nu, est un corps sphérique qui contient de nombreuses substances. Il est porteur des caractères héréditaires des générations précédentes, parents, grands-parents et lointains ancêtres. Les supports de ces caractères sont les gênes, eux-mêmes fixés sur les chromosomes.

Le spermatozoïde est infiniment plus petit que l'ovule, et des milliers de cellules mâles pourraient trouver place dans un seul ovule. Cette différence de volume s'explique du fait que l'ovule est muni des « réserves » nécessaires à alimenter l'œuf pendant un certain temps. Puis, l'œuf se nide dans la muqueuse de l'utérus où il trouvera les substances indispensables à son évolution.

Les spermatozoïdes sont produits en nombre infini. Si un seul ovule tombe de l'ovaire chaque mois, 400 à 700 millions de spermatozoïdes sont libérés dans une seule éjaculation par les organes masculins.

Chacun des deux ovaires libère alternativement un ovule, à peu près vers le milieu du cycle menstruel. L'ovule n'a pas de mobilité propre. Lorsqu'il vient à maturité, il est expulsé de l'ovaire, puis reçu dans les trompes. La surface intérieure de ces dernières est tapissée d'une muqueuse garnie de cils vibratiles qui transportent l'ovule vers l'utérus. Cette progression est aidée par des contractions rythmiques des trompes. C'est de cette manière que l'ovule atteint l'utérus. S'il n'a pas été fécondé pendant son voyage, 'l est détruit et expulsé avec les menstrues.

Le laps de temps nécessaire au transfert de l'ovule est d'une importance capitale ; en effet, normalement, ce n'est que pendant ce transfert qu'il peut être fécondé.

Et c'est la tâche du spermatozoïde de rejoindre l'ovule pour le féconder. Dès l'instant où le sperme est projeté dans la cavité intérieure du vagin, l'orgasme de la femme provoque des contractions de l'utérus qui aspirent pour ainsi dire le sperme : quelques minutes après l'éjaculation, les spermatozoïdes aboutissent au fond de l'utérus. Dès cet instant, ils avancent à la recherche de l'ovule. Cet assaut en masse, peut-on écrire, ressemble à une course effrénée à la fin de laquelle un seul entre tous fécondera l'ovule ; tous les autres, qui ne sont ni élus ni prédestinés, seront détruits.

Par rapport à sa taille microscopique, le spermatozoïde parcourra un chemin immense, dépassant de plusieurs centaines de milliers de fois sa longueur (d'autant plus que les muqueuses de l'utérus ne sont pas lisses, mais plissées et inégales). D'autre part, le mouvement ondulatoire des cils dans les trompes, exécuté en direction de l'utérus, est un sérieux obstacle que le spermatozoïde doit surmonter dans sa marche ascendante.

Il peut être gêné aussi par la composition chimique des substances sécrétées par les muqueuses du vagin et de l'utérus. Contiennent-elles un excédent d'acide lactique, l'avance du spermatozoïde èst freinée. En considérant tous ces facteurs, on comprend la difficulté d'évaluer exactement le temps nécessaire au spermatozoïde pour rejoindre l'ovule.

L'expérience a prouvé que la fécondation était possible lorsque l'acte sexuel intervenait quelques-heures après la fécondation de l'ovule. De leur côté, les spermatozoïdes, étant susceptibles de garder durant plusieurs jours leur puissance et leur capacité de fécondation, celle-ci peut s'effectuer plusieurs jours après l'acte.

Comme une seule éjaculation déverse dans le vagin de 400 à 700 millions de spermatozoïdes qui tous, tendent à rejoindre l'ovule, on ne peut s'empêcher d'admirer le « mécanisme de précision » déployé en vue de la fécondation. Quel que soit le nombre des obstacles à surmonter, un seul des spermatozoïdes à la recherche de l'ovule est certain de l'atteindre. Or, en dehors de la garantie de succès que représente le grand nombre de spermatozoïdes, il est vraisemblable qu'à l'aide de réactions chimiques définies, les muqueuses facilitent le « voyage » des cellules sexuelles mâles. On croit du reste que l'ovule sécrète des substances qui attirent le spermatozoïde.

Dès que les premiers spermatozoïdes ont atteint l'ovule, ils tendent à y pénétrer à l'aide de la pointe extrême de leur tête. L'ovule ne permet la pénétration qu'à un seul d'entre eux ; dès ce déclic, il se ferme à tous les autres, grâce à une réaction chimique de sa membrane. C'est ainsi que l'union des deux cellules sexuelles est réalisée. A ce jour, cet événement demeure dans le monde microscopique un mystère qui n'a jamais été photographié.

Les périodes de fécondité de la femme

Dr N. Haire, Londres

En 1929, la revue médicale anglaise *The Lancet* publia une brève notice résumant la communication d'un médecin japonais, le docteur Ogino, qui déclarait pouvoir identifier le moment exact du cycle menstruel où s'effectuait l'ovulation. Tout d'abord, la nouvelle suscita peu de commentaires. Ogino ayant effectué ses recherches dans les services chirurgicaux d'une clinique de femmes, on concluait qu'elles présentaient une valeur limitée, les résultats obtenus grâce à l'observation des femmes malades ne pouvant être valables pour des femmes saines par rapport aux fonctions organiques normales. Quelques mois plus tard, un communiqué parvenait de Prague : le professeur Hermann Knaus avait réussi lui aussi à identifier le moment de l'ovulation. Bien que Knaus n'eût pu avoir connaissance des recherches du médecin japonais, les résultats obtenus par les deux savants étaient identiques dans leur ensemble.

On dressa l'oreille. S'il était possible de déterminer le jour exact où l'ovule prêt à être fécondé, quittait l'ovaire, un grand pas sur la voie qui mènerait à l'évaluation précise de la période de fécondité était franchi.

Logiquement, la fécondation ne peut avoir lieu que lorsque l'ovaire a produit et expulsé un ovule en état d'être fécondé. Et la possibilité d'une fécondation n'existe qu'aussi longtemps que l'ovule demeure fécondable.

Nous savons qu'au cours de chaque cycle menstruel de la femme, un nouvel ovule vient à maturité ; cet ovule, s'il n'est pas fécondé, meurt à un certain moment, pour être expulsé de l'utérus avec les menstrues. Par conséquent, le cycle menstruel peut être divisé en deux : d'une part, l'époque où la femme ne peut être fécondée (à savoir, avant l'ovulation et après la mort de l'ovule) et d'autre part, l'époque pendant laquelle la fécondation est possible (à savoir lorsqu'il y a un ovule à maturité). Pour tirer de cela un enseignement d'utilité pratique, il faut également poser deux questions supplémentaires : à quel moment, l'ovule est-il expulsé de l'ovaire ? Combien de temps survit-il biologiquement, c'est-à-dire pendant combien de temps est-il susceptible d'être fécondé ?

La naissance et la mort de l'ovule sont des processus que l'œil ne peut observer. Comme il s'agit d'un processus qui se déroule à l'intérieur des organes sexuels féminins vivants, le microscope n'est d'aucune utilité. Pour permettre l'observation des phénomènes qui se produisent dans l'organisme, il ne reste donc à la disposition de l'intelligence que l'intervention chirurgicale. Toutefois, le chirurgien ne dispose que de femmes malades chez lesquelles les organes fonctionnent peut-être irrégulièrement. Les observations et les constatations faites sur des malades ne sont pas absolument transposables au cas des femmes en bonne santé. Si l'on ajoute que l'examen aux rayons X ne permet pas d'enregistrer les altérations provoquées par la mort de l'ovule, on comprend aisément les difficultés soulevées par les deux questions. Pour les surmonter on commença d'abord par effectuer des recherches sur les animaux.

Sauf pour quelques espèces de singes, la menstruation n'existe pas chez l'animal. Chez eux existe simplement l'époque du rut, qui est également un phénomène cyclique. Sans exception, les rapports sexuels des animaux ont lieu à l'époque du rut et la fécondation n'est possible qu'à cette époque. On s'est demandé quels jours de la période du rut l'accouplement aboutissait à la fécondation. Pour la chienne, on a établi que la fécondation n'était réalisable qu'entre le neuvième et le douzième jour. Chez la truie, la durée de cette période est de vingt et un jours ; la fécondation est possible pendant trois jours seulement. La période de « chaleur » de la vache est également de vingt et un jours, dont un seul permet la fécondation. Ces observations démontrent que les animaux femelles ne peuvent être fécondés que pendant un court moment de la période de rut. Pendant les autres jours, il faut conclure que l'ovule n'est pas encore venu à maturité, ou qu'il est déjà atrophié. Par conséquent, la période de fécondabilité est, chez les animaux, de courte durée ; pour les félins et les chattes, elle n'est que de quelques heures. Chez les lapines, l'ovulation se produit pendant l'accouplement, c'est-à-dire que les ovules ne peuvent venir à maturité sans l'accouplement. De ce fait, la fécondation est alors pour ainsi dire certaine. Du reste, la fécondité des lapines est proverbiale.

Chez la femme, la durée de vie de l'ovule est probablement brève. Ce n'est qu'en arrivant dans les trompes qu'il trouve des protéines et d'autres substances nutritives qui lui forment une membrane infranchissable pour la cellule mâle. Cela se passe probablement pendant les premières vingt-quatre heures après la ponte de l'ovule. Par conséquent, la femme ne peut être (théoriquement) fécondée que pendant vingt-quatre heures de son cycle menstruel. Elle serait infécondable le reste du temps.

Est-ce bien exact au point de vue pratique ? Supposons par exemple que l'ovule tombe de l'ovaire le 10 octobre et que le 11 octobre il soit déjà recouvert d'une membrane de protéines si épaisse qu'aucun spermatozoïde ne puisse plus y pénétrer. La femme n'est-elle donc fécondable alors que le 10 ou le 11 octobre ? Est-il permis de supposer que les spermatozoïdes déposés dans les organes sexuels féminins lors d'un coït qui a eu lieu le 9 ou le 8 octobre (et qui demeurent actifs pendant quelques jours) peuvent féconder l'ovule ?

On ne peut répondre à cette question que si l'on connaît la durée de survie active des spermatozoïdes dans les organes sexuels féminins. Des recherches délicates et complexes ont été entreprises, notamment à l'aide d'expériences effectuées sur des animaux. Nous savons que les spermatozoïdes sont produits par les testicules situés dans le scrotum qui est un organe externe. La température interne du scrotum est inférieure de quelques degrés à celle du corps. Cette température plus fraîche est indispensable au développement des spermatozoïdes. Au cours de nombreuses expériences, on a placé ces derniers dans un liquide approprié maintenu à la température du corps. On s'est aperçu que les cellules mâles se déplaçaient à l'aide de mouvements actifs de leur extrémité caudale durant quarante-huit heures environ ; plus tard, leur énergie est presque épuisée, ils deviennent comme engourdis, flasques et certainement incapables de percer la membrane de l'ovule pour le féconder. On a placé des spermatozoïdes dans un liquide plus froid. Ceux-ci restaient presque immobiles, leurs mouvements étaient faibles, ils n'usaient pas leur énergie et vivaient plus longtemps. Ces expériences et tant d'autres, ont démontré que les spermatozoïdes survivaient plus longtemps s'ils étaient soumis à une température inférieure à celle du corps tandis que, maintenus dans une température égale, ils dépensaient inutilement leur capacité d'action. Tant qu'ils demeurent dans les réservoirs frais du sac scrotal, ils sont au repos et n'usent guère leur énergie vitale. Lorsqu'au cours du coït ils sont projetés dans les organes sexuels féminins, ils sont soumis à la température la plus élevée du corps, c'est-à-dire qu'ils sont contraints à ces mouvements serpentins typiques, qui ne durent pas longtemps. L'énergie, et par conséquent la capacité de fécondation, est rapidement épuisée. D'autres expériences ont permis d'observer que les cellules sexuelles mâles gardent en moyenne pendant quarante-huit heures au maximum leur capacité de fécondation à l'intérieur des organes sexuels féminins. Au bout de ce temps, ils ne sont pas encore atrophiés mais leur énergie est devenue insuffisante pour la fécondation. Des durées de survie active beaucoup plus longues ont été décrites par d'autres auteurs (Vincent).

Revenons à notre exemple. L'ovule est donc venu à maturité le 10 octobre. S'il y a coït ce jour-là, les spermatozoïdes rencontrent dans les organes sexuels féminins un ovule qu'ils peuvent féconder. Le coït a-t-il lieu le 9 octobre : les cellules mâles ne rencontrent pas d'ovule mais, comme elles gardent leur force vitale pendant quarante-huit heures, elles peuvent féconder un ovule le 10 octobre. Il en est de même pour un coït effectué le 8 octobre, la vitalité des spermatozoïdes restant intacte pendant deux jours. Cette constatation permet de conclure que les rapports sexuels peuvent aboutir à la fécondation pendant trois jours seulement du cycle menstruel de la femme : le jour où l'ovule vient à maturité, et les deux jours qui précèdent. Pendant les autres jours du cycle, la femme sera infécondable.

Toutefois, tant que l'on restera dans l'ignorance du jour exact où l'ovule arrive à maturité, toutes ces observations ne présentent aucune valeur pratique. C'est seulement quand on le sait, que l'on peut repérer les trois jours pendant lesquels la femme peut concevoir. Penchons-nous sur ce problème important : la date de l'ovulation[1].

Le follicule éclate vraisemblablement par hypertension passive. Il semble que certains ferments y contribuent. Lorsque l'ovule a quitté l'ovaire, le corps jaune se forme dans la cavité vide. La première tâche consiste à expédier une sorte de « message » hormonal informant l'utérus qu'un ovule est venu à maturité, et qu'il doit se préparer à le

---

1. Pour les détails relatifs au processus de l'ovulation et à ses aspects hormonaux, voir, dans le livre II (tome 1), le chapitre « Les organes sexuels ».

recevoir. Dans peu de temps (10 jours environ) l'ovule tendra à se nider dans l'utérus ; ce qui ne peut s'accomplir que si les contractions provoquées par l'hypophyse se sont arrêtées. En d'autres termes, les hormones du *corps jaune* stoppent la production des hormones de l'hypophyse qui gouvernent les muscles de l'utérus. Ceci provoque un équilibre physiologique différent qui permet la nidation de l'ovule dans l'utérus.

Pendant ce temps, l'ovule progresse vers l'utérus. Lentement, à l'aide des mouvements ondulatoires des trompes, il est transporté vers sa destination. Il n'est point relié alors à la circulation sanguine. Ce n'est qu'arrivé à l'utérus, où il s'installe après la fécondation, qu'il peut, grâce à des hormones, informer les autres organes et avant tout le corps jaune, qu'il est enfin fécondé. Si la fécondation n'a pas eu lieu, le corps jaune s'atrophie, les hormones de l'hypophyse reprennent la direction active des muscles de l'utérus, qui se contractent et provoquent l'expulsion du contenu de l'utérus ; les menstrues s'écoulent. L'ovule par contre, a-t-il été fécondé : le corps jaune continue à paralyser les hormones d'hypophyse ; l'utérus reste au repos et l'embryon peut se développer.

On comprend donc de quelle manière l'utérus est dirigé par l'influence alternée de l'hypophyse et du corps jaune. Ces deux glandes exercent une action régulatrice polyvalente qui permet le déroulement harmonieux du processus. C'est sur ce fait que sont basées les recherches de Knaus. Elles ont leur origine dans l'hypothèse que si l'utérus est au repos, c'est-à-dire s'il n'a fait preuve d'aucune activité musculaire, il est sous l'influence du corps jaune. Or, ce dernier ne pouvant évoluer qu'à condition que l'ovule ait quitté le follicule de De Graaf, l'arrêt des contractions utérines permet de conclure que l'ovulation a eu lieu. Knaus a construit un instrument perfectionné qu'il a introduit dans l'utérus de nombreux animaux afin de pouvoir contrôler les mouvements de cet organe. Finalement, il a utilisé cet instrument sur des femmes.

Les cycles menstruels des femmes que Knaus a examinées à l'aide de son instrument, étaient de durée variable : 24, 25, 26, 27 jusqu'à 36 jours. La première observation, commune à tous les cas examinés, était péremptoire et confirmait que peu de temps avant le début de chaque nouvelle menstruation, l'utérus manifestait de fortes contractions musculaires. Ce fait est le signal que le corps jaune a déjà abandonné la direction de l'utérus. Après comparaisons de toutes les observations relevées par rapport aux mouvements

de l'utérus, on pouvait noter que, quelle que soit la durée
du cycle menstruel, le corps jaune empêche toujours les
contractions musculaires pendant quatorze jours. Par conséquent, en décomptant quatorze jours à partir du premier
jour des règles, on connaît le jour où le corps jaune a commencé son activité. Sachant que celui-ci se forme environ
24 heures après l'expulsion de l'ovule venu à maturité,
Knaus a pu formuler son observation de la manière suivante : l'ovulation se produit quinze jours avant le premier
jour de la menstruation, quelle que soit la durée du cycle
menstruel.

Nous possédons donc finalement les réponses aux questions formulées au début :

1° Quinze jours avant le début de la menstruation, l'ovaire a produit un ovule prêt à être fécondé.

2° Cet ovule peut être fécondé pendant vingt-quatre heures
seulement.

3° Les spermatozoïdes introduits dans les organes sexuels
féminins quarante-huit heures avant la mort de l'ovule, peuvent encore féconder celui-ci.

Soit le 30 septembre le premier jour de la menstruation.
A cette même date, l'hypophyse peut reprendre la direction
de l'utérus, le corps jaune ayant arrêté ses fonctions. Or,
pendant les quatorze jours précédant le début des règles,
le corps jaune a exercé ses fonctions et un jour avant,
l'ovule est né. Par conséquent, l'ovule est tombé du follicule
de De Graaf le 16 septembre. Cette femme aurait donc
seulement pu concevoir à l'occasion d'un coït pratiqué le
14, le 15 ou le 16 septembre, à l'exclusion de tout autre
jour de la période intermenstruelle. Par mesure de sécurité, et afin de parer à toute cause d'erreur, Knaus conseille
d'ajouter un jour avant et après les jours de fécondation
mentionnés, à savoir dans notre cas, le 13 et le 17 septembre.

Ces observations démontrent qu'il est impossible de calculer les jours de fécondation éventuelle à partir d'une
menstruation qui a eu lieu. La femme doit supputer la
date exacte du début de ses règles à venir ; en s'appuyant
sur cette date, elle décompte 18 jours et ce dix-huitième
jour est le premier des cinq jours pendant lesquels elle
peut concevoir. Elle saura qu'elle doit éviter les rapports
sexuels pendant cette période si elle ne souhaite pas de
grossesse.

A première vue, ces calculs paraissent assez compliqués.
La femme n'est pas toujours sûre du jour exact de ses
règles à venir, et tout décompte devient alors difficile. La

plupart des femmes sont incapables d'indiquer avec certitude la durée de leur cycle menstruel. Lorsqu'on questionne une femme, elle parlera généralement de 28 jours. Or, en l'examinant de près on constate souvent qu'en réalité le cycle est de un ou deux jours ou plus court, ou plus long. En outre, il y a des irrégularités, le cycle est parfois plus long, parfois plus court. Par conséquent, pour tirer un enseignement pratique des principes de Knaus, il est indispensable que la femme observe minutieusement son cycle pendant neuf à douze mois en notant, chaque fois, la date du début de ses règles. A l'aide d'observations consciencieuses (faites par écrit, car la mémoire peut être défaillante) on obtient à peu près le tableau suivant : pour certaines femmes, la période du cycle sera toujours de la même durée. Cette dernière peut être de 25, 26, 27 jours ou plus. Si une de ces femmes a établi après dix mois d'observations que ses règles débutent régulièrement le 31e jour, par exemple, il lui est facile de calculer la date de sa prochaine menstruation. Supposons qu'une femme a eu ses règles le 1er mai, ses prochaines règles débuteront donc le 31 mai, puis le 30 juin, le 30 juillet, le 29 août etc. De chacun de ces jours de pointe (le jour de pointe non compris) elle décomptera 15 jours et elle aura ainsi le jour de son ovulation. Sait-elle par exemple que ses prochaines règles commenceront le 31 mai (parce qu'elle est indisposée régulièrement tous les trente jours), elle décompte quinze jours sans compter le 31 mai. Son ovulation aura lieu le 16 mai. De cette manière elle peut calculer d'avance, et ceci pour plusieurs mois, le jour exact de l'ovulation. Elle sait donc qu'à l'occasion de l'acte sexuel, elle pourra concevoir aussi bien le jour de l'ovulation qu'un jour plus tard et trois jours avant.

Chez les femmes dont le cycle menstruel est irrégulier, les circonstances sont plus compliquées. Toutefois, dans ces cas, on peut observer une régularité relative. Elle consiste dans le fait que le cycle aura tantôt 27, tantôt 29 jours, mais jamais par exemple 25, 26, 28 ou 30 jours. Ces femmes ne peuvent calculer la date exacte de la menstruation, la période pouvant être de 27 ou de 29 jours. Si une menstruation a commencé le 1er mai, la prochaine peut débuter le 28 ou le 30 mai. Si c'est le 30 mai, l'ovulation aura lieu le 15 mai ; mais si la menstruation commence déjà le 28 mai, l'ovulation débutera le 13 mai. Cette femme saura donc avec certitude que son ovulation doit avoir lieu ou le 13 mai ou le 15 mai. Elle est obligée de compter avec la possibilité d'une fécondation pendant ces trois jours et elle doit ajouter trois jours avant et un jour après l'ovulation. Par conséquent, si l'ovulation a lieu le 13 mai, elle peut concevoir le 10, le 11 et le 12 ; l'ovulation n'a-t-elle lieu que le 15 mai, elle peut encore concevoir le 16 mai. Les jours de fécondité de cette femme se situent donc entre le 10 et le 16 mai.

En plus de quoi, il y a des cas d'exception où les femmes ont les menstruations d'une manière absolument irrégulière. Là aussi, il est possible de calculer la période de l'ovulation, mais le calcul en est plus compliqué. Ces femmes doivent s'observer soigneusement pendant une année, en notant avec exactitude les dates de leurs règles à l'aide desquelles le médecin calculera les périodes.

Nous voici à la fin de l'énoncé concernant les périodes de fécondité naturelle. En exposant le problème d'une manière aussi minutieuse, nous pensons surtout aux femmes désireuses d'avoir un enfant. Les femmes qui, pour des raisons personnelles, ne désirent point concevoir, peuvent également en retirer un enseignement utile. Il faut avouer que le calcul exact des jours de fécondité, aussi simple qu'il paraisse, n'est pas d'une certitude absolue. Certaines particularités de la nature peuvent souvent s'inscrire en faux dans la solution du problème.

Causes d'erreurs dans les calculs

Dr G. Schulte, Waiblingen

Aucun événement biologique — et cela est caractéristique — ne se déroule selon le rythme mathématique, précis et exact d'un mouvement d'horlogerie. Réunis en un grand nombre, les cas isolés démontrent une variabilité typique où les exceptions à la règle sont fréquentes. Ainsi, on sait par exemple, en ce qui concerne la menstruation, que 1 % des femmes à peine ont leurs règles tous les 28 jours, avec exactitude et précision.

Or, si nous désirons étudier les causes d'erreurs dans la méthode d'Ogino-Knaus, il faut constater que l'organisme humain n'est nullement un mouvement d'horlogerie rigoureux, précis et à l'abri des accrocs mais, au contraire, que ses fonctions sont soumises à l'influence de nombreux facteurs internes ou externes, qui agissent par l'intermédiaire du système nerveux. Précisément, dans le domaine des organes génitaux de la femme, et plus particulièrement des ovaires, l'influence purement nerveuse, démontrée par Stieve, est prépondérante et très active. Knaus, quand il a élaboré son « système anticonceptionnel naturel », a nié toute influence nerveuse sur les ovaires. Il était convaincu que l'ovulation avait toujours lieu quinze jours avant le commencement des règles et que le corps jaune exerçait son activité hormonale exactement pendant 14 jours. Avec l'arrêt de la production d'hormones, les règles commençaient. Or, quand Knaus prétend que grâce à la régularité absolue de ce processus, les dates de l'ovulation et de la conception ne sont plus un problème biologique, mais une simple question de calcul, l'expérience pratique lui inflige un cinglant démenti.

Dans ses travaux plus récents, Knaus admet la possibilité d'une irrégularité du cycle menstruel après des maladies affaiblissantes, des accidents et des blessures graves, des opérations et des secousses psychiques, des changements brusques de climat et d'existence, ou la pratique d'exercices sportifs violents. Il reconnaît par conséquent l'éventualité d'une influence du système nerveux ; comment pourrait-on expliquer autrement (Stieve l'a démontrée) l'altération des ovaires qui se produit à la suite d'une grave secousse psychique ? Quel est le gynécologue qui n'a observé le cas d'une femme ayant eu, prétend-elle, une soi-disant « grossesse prolongée » de un ou de deux mois ? A l'accouchement, l'enfant ne porte aucun stigmate de surmaturation. Généralement, on finit par apprendre que cette femme — il s'agit souvent d'une femme non mariée — a cru être enceinte à la suite d'un coït. En raison de cette crainte et des soucis qui en découlèrent, les règles ont fait défaut et le doute s'est confirmé ; quand elle s'est crue enceinte, toutes mesures contraceptives lui parurent (comme à son partenaire) superflues, et c'est alors qu'elle fut réellement fécondée. La peur a provoqué une aménorrhée et l'ovulation suivante a donné une fécondation.

Il est bien établi qu'au cours du cycle menstruel, le follicule se rompt entre le 12ᵉ et le 16ᵉ jour après le début des dernières règles. S'il n'y avait pas d'exception possible, les jours « stériles » de la femme, déterminés par le calcul, ne permettraient jamais la conception. En réalité, il en est tout autrement ; les questions posées par le gynécologue, permettent souvent d'établir avec certitude, que la fécondation n'a pas eu lieu pendant les jours favorables à celle-ci, mais à une autre date, déclarée, elle, non favorable. Ce fait, depuis longtemps connu des cliniciens, a été démontré avec exactitude par les recherches anatomiques de Stieve.

Il est possible certes — mais le cas est rare — qu'une femme soit fécondée à une date qui correspondrait, d'après le calendrier de la menstruation, à la phase lutéinique (phase du corps jaune). Il faut en chercher la raison d'abord dans le fait que le follicule, qui s'est rompu entre le 12e et le 16e jour, ne s'est point transformé en corps jaune, en raison d'un événement puissamment perturbateur survenu chez la femme. La phase lutéinique fait alors défaut ; la muqueuse de l'utérus n'est pas éliminée, un nouveau follicule aboutit rapidement à maturité et libère un ovule pendant la période supposée inféconde. Il est aussi possible qu'au moment de l'ovulation, toutes les cellules granuleuses soient expulsées avec l'œuf et que l'évolution du corps jaune soit contrariée. Dans ce cas, l'activité des hormones lutéiniques fait défaut ; un nouveau follicule évolue rapidement jusqu'à maturité et l'ovulation se produit à une date qui correspondrait normalement aux jours stériles avant les règles. Dans ce cas également, les règles, à cause de l'activité retardée du corps jaune, commencent plus tard.

Il est évident que des influences extérieures qui agissent pendant les 14 premiers jours après le début des dernières règles, peuvent également retarder l'ovulation. C'est de cette manière qu'on explique des altérations dans le déroulement du cycle, comme par exemple les retards de règles, si fréquents après des déplacements pénibles, des voyages, etc.

La conception n'est point impossible immédiatement avant ou pendant l'hémorragie menstruelle. C'est le cas lorsqu'après une première ovulation (régulière) il s'en produit une seconde. Le fait a été établi ; il est provoqué vraisemblablement par des impulsions nerveuses.

Stieve a cité le cas d'une jeune femme, chez laquelle une ovulation s'est produite immédiatement après les règles. Cette « ovulation paracyclique » est toujours possible chez une femme en pleine maturité sexuelle, et il est hors de doute que nombre de femmes ont conçu pendant ou peu de temps après leurs règles. Il est probable que les rapports sexuels — surtout s'ils ont fait défaut pendant une période assez longue — stimulent l'évolution du follicule au point qu'une ovulation peut se produire à une époque qui précède la date habituelle, alors qu'il existe encore dans les organes féminins des spermatozoïdes actifs provenant du dernier coït. Grâce au coït, surtout s'il est accompagné d'un violent orgasme, les organes génitaux de la femme sont fortement congestionnés. Cette irrigation sanguine accrue est favorable au développement des cellules, et de cette manière, il est possible d'expliquer que le follicule évolue en peu de temps d'un diamètre de 8 millimètres à un diamètre de 15 à 20 millimètres et qu'arrivé à ce point extrême, il éclate.

Il est certain — Stieve dont nous avons suivi l'exposé dans les grandes lignes l'affirme — que l'ovulation se produit spontanément, en l'absence d'influence extérieure ; toutefois, les « exceptions à la règle Ogino-Knaus » ne sont pas une hypothèse « théorique ». Si beaucoup de femmes, leur vie durant, peuvent appliquer avec succès cette méthode de calcul, chez nombre d'autres (après quelques mois ou quelques années), une grossesse se déclare, en dépit d'une stricte observance des dates obtenues grâce au calcul de l'ovulation. Des observations pratiquées sur des femmes violées, à la fin de la dernière guerre, ont à nouveau confirmé que la conception est possible en dehors des dates établies.

On peut donc constater, pour conclure, que l'ovulation se produit en général spontanément et sans influence extérieure entre le 12e et le 16e jour d'un cycle de 28 jours. Cette période permet la conception. La phase lutéinique ne peut être fixée à 14 jours exactement ; elle peut avoir une durée variable. Ce seul fait permet lui aussi une altération des dates de la menstruation. Des impulsions ou excitations accusées chez la femme, peuvent, par le système nerveux, stimuler ou freiner le processus des organes sexuels. En outre, des ovulations paracycliques sont possibles à toutes les époques. Sans être ni la règle, ni la loi, ni le principe, la conception à n'importe quelle époque du cycle menstruel est possible.

Pour ces raisons, les « périodes de fécondité naturelle » ne peuvent être déterminées d'avance avec une certitude absolue. En biologie, l'absolu n'existe point. Dans tous les cas où une grossesse doit être évitée à tout prix, la méthode Ogino-Knaus n'offre pas de garanties suffisantes. Elle suffit par contre, dans le cas où l'on désire limiter plus ou moins complètement les risques de conception.

La température basale

Dr W. Williams, Londres

La maternité consciente joue un rôle important dans les pays protestants comme l'Angleterre, la Scandinavie et, avant tout, les Etats-Unis. C'est pour cette raison que la méthode de Knaus permettant de calculer l'ovulation, c'est-à-dire les jours de fécondation possible, y a été accueillie si favorablement. Mais comme elle n'offrait pas de garantie absolue, la déception fut vive. On a tenté alors de découvrir des procédés plus sûrs.

On a élaboré trois méthodes sûres en vue de calculer la date exacte de l'ovulation ; mais, toutes les trois présentent le même défaut ; elles sont en fait inutilisables pour le contrôle des naissances parce qu'impraticables pour le profane.

La plus simple de ces méthodes consiste dans l'examen microscopique d'un fragment de la muqueuse du vagin. Ce procédé s'appuie sur la constatation que les cellules de la couche supérieure de la muqueuse vaginale sont soumises au cours du cycle menstruel à certaines altérations provoquées par les hormones ovariennes. Il est facile d'observer les altérations à l'aide des fragments de la muqueuse. Avec l'observation journalière de ces derniers la date de l'ovulation peut être déterminée à une heure près. La seconde méthode consiste dans l'examen quotidien de l'urine de la femme. La quantité d'hormones contenues dans l'urine — il s'agit des hormones du corps jaune et de l'hypophyse — permet de déterminer approximativement la date de l'ovulation. Finalement, on peut se servir de ce que l'on appelle la « biopsie endométriale », méthode qui consiste dans l'examen d'un fragment de la muqueuse de l'utérus et qui permet également d'aboutir à des conclusions rigoureuses quant à la date de l'ovulation.

Un quatrième procédé, élaboré depuis une époque récente, offre en fonction de la « maternité consciente » un intérêt accru, du fait que le profane peut s'appuyer sur lui sans difficulté et sans assistance médicale. Ce procédé est fondé sur l'observation que, sous l'influence des hormones sexuelles, la femme accuse pendant le cycle menstruel des fluctuations de température qui permettent de repérer avec exactitude la date de l'ovulation.

Au début du siècle, on savait déjà que la température d'une femme saine, en pleine maturité sexuelle, était en corrélation étroite avec le cycle menstruel ; mais ce n'est que depuis une dizaine d'années, qu'on a réussi à déterminer la nature de ce phénomène et à en tirer un enseignement pratique. En prenant tous les jours, au lever (pendant un cycle menstruel) la température du corps, il est possible d'observer les fluctuations suivantes : au début des règles, la température est faible et demeure ainsi stationnaire —

avec des fluctuations insignifiantes — jusqu'à la moitié environ du cycle menstruel. A ce moment, elle baisse, pour s'élever considérablement jusqu'à un niveau où elle restera stationnaire jusqu'au début des règles suivantes ; puis elle baissera subitement. On suppose que la montée subite de température environ au milieu du cycle, est due à une intensification des fonctions métaboliques, qui serait provoquée par les hormones du corps jaune ; celles-ci n'apparaissant qu'après l'ovulation, cette dernière a nécessairement lieu peu de temps avant la montée thermique.

Par conséquent, au moment de la montée subite de la température, on peut admettre avec un maximum de certitude, qu'un ovule est venu à maturité et que le coït d'une femme et d'un homme sexuellement normaux risque d'aboutir à la fécondation.

Bien que la méthode de Knaus soit peu sûre, une publicité tapageuse et prématurée l'a rapidement portée à la connaissance du public. On peut calculer, affirmait-on, la date à laquelle l'ovulation *devrait* avoir lieu. Mais, on ne pouvait jamais deviner à l'aide de cette méthode si la date de l'ovulation avait été avancée ou retardée pour des raisons physiques ou psychiques. Par contre, celle qui s'appuie sur les fluctuations de la température permet de savoir (dans certaines limites) si l'ovulation a eu lieu et à quelle date. Ce qui revient à dire que si la première méthode est basée sur une hypothèse, la seconde s'appuie sur un fait objectivement vérifié grâce à la courbe de température.

Son importance, sa signification, par rapport à la « maternité consciente » tombe sous le sens. Puisqu'on suppose que l'ovule n'a que vingt-quatre heures de capacité de fécondité, les époux qui désirent un enfant devraient donc pratiquer le coït au moment de la montée de la température. Il va de soi que le contraire sera vrai pour les personnes désireuses d'éviter une grossesse. Constatons en outre que l'Eglise n'a fait aucune opposition à cette forme de régulation des naissances.

Penchons-nous sur l'aspect pratique de la méthode. Simple en théorie, elle présente dans son application, certaines difficultés qu'il est possible de surmonter à l'aide d'une exécution minutieuse. En premier lieu, il faut constater qu'il s'agit d'un changement de température variant entre un demi à un degré centigrade. Cette fluctuation relativement faible, peut être provoquée par un repas copieux, par l'alcool, par une dispute ou d'autres tensions nerveuses, un rhume, etc. Il faut donc, si possible, essayer d'éviter ce genre d'« accident » au moment de l'expérience. Il est démontré que la température physique est plus stable et peu influencée par les circonstances extérieures, le matin au réveil. La température prise à ce moment est appelée « température basale ». Les fluctuations qui surviennent au cours du cycle

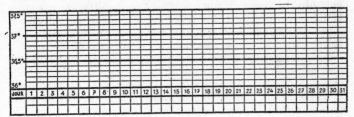

Diagramme 1

menstruel sont alors enregistrées avec un maximum de garantie. Il faut prendre la température rectale, avant le petit déjeuner et la toilette matinale ; laisser le thermomètre en place pendant cinq minutes environ ; le résultat doit être enregistré sur un diagramme approprié (fig. 1). On peut dessiner ce diagramme soi-même ou le demander à un gynécologue.

Les diagrammes n°s 2 et 3, montrent la courbe de la tem-

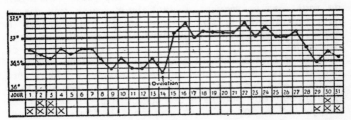

Diagramme n° 2

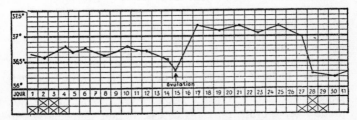

Diagramme n° 3

pérature pendant le cycle menstruel d'une femme à ovulation normale. On admet que l'ovulation a lieu au moment où la courbe est la plus basse. Certains spécialistes pensent qu'elle a lieu huit à dix heures avant ou après. Pour notre part, nous croyons que l'ovulation s'effectue quelques heures avant que la température n'atteigne son degré le plus bas. Quoi qu'il en soit, sur le diagramme n° 2, elle a lieu le 14e jour, sur le diagramme n° 3, le 15e jour du cycle.

On a de bonnes raisons de supposer que les spermatozoïdes contenus dans les organes de la femme gardent leur capacité de fécondation de 24 à 36 heures. Par conséquent, si le coït a eu lieu 36 heures avant l'ovulation, il peut encore aboutir à la fécondation. En ajoutant les 24 heures pendant lesquelles l'ovule est fécondable, il s'ensuit qu'une femme peut concevoir au plus pendant trois jours de son cycle menstruel.

La descente brusque et la montée plus rapide encore de la courbe de température ne sont pas toujours aussi prononcées et caractérisées que sur les diagrammes reproduits. Comme nous l'avons mentionné, des événements insignifiants (une veillée prolongée, l'absorption d'alcool) risquent d'influencer les fluctuations de la température. Certaines femmes ont deux ovulations au cours d'un cycle menstruel ; chez d'autres, elles peuvent faire défaut dans l'un ou l'autre cycle. Il existe des femmes qui n'ont point d'ovulation du tout. Par conséquent, il faut, pour éviter tout risque d'erreur, prendre la température basale pendant trois à quatre mois consécutifs. Il est prudent de marquer les jours des règles d'un X, et si l'hémorragie est très forte, de deux X. Il faut également cocher les jours où un coït a eu lieu et ceux où, pour des raisons étrangères, une légère montée de la température a pu se produire. Les diagrammes doivent être soumis à des spécialistes qui sauront les interpréter, et apprendre au profane à le faire. On admet que pour éviter toute cause d'erreur, il ne faut pratiquer le coït que le troisième jour de la hausse thermique.

Le diagramme qui indique la courbe de la température possède une autre signification importante. Si, au moment approximatif du début des règles, la température ne baisse pas brusquement, si stabilisée, elle reste constante, pendant 21 jours, elle indique une grossesse. Pendant les trois premiers mois de la grossesse, elle demeure (avec des fluctuations légères) au degré maximum de la courbe. Baisse-t-elle brusquement à cette époque : un accouchement prématuré est à craindre. Dans ce cas, il faut immédiatement consulter le gynécologue qui peut intervenir utilement.

On n'ignore pas que la menstruation peut avoir un retard provoqué par des raisons physiques ou psychiques, et,
souvent la femme se croit enceinte. Dans ce cas, le diagramme de la température basale est d'un grand secours, car si
la femme *n'est pas enceinte,* la température baisse brusquement au moment où les règles *auraient dû* normalement
se produire.

La pilule antifécondante

Dr Roger Géraud, Paris

Les quarante-cinq mille médecins français sont en droit
de prescrire aujourd'hui, sous les noms chimiques de No-
rethynodrel, Norethindrone ou Norethistérone, bientôt sans
doute sous d'autres encore, l'arme absolue et non sans danger de la contraception, la pilule antifécondante.

Toute femme qui le désire peut, dès maintenant, sur la
seule prescription de son médecin, se rendre inféconde pour
la durée d'un cycle, de plusieurs cycles ou de plusieurs
années.

Vendus en pharmacie, en tant que régulateurs, les progestogènes de synthèse, dont la propriété est de bloquer
l'ovulation, sont tout simplement inscrits au Tableau A,
c'est-à-dire délivrés sur ordonnance.

Missile antimissile de la fécondation, la pilule antifécondante tombe sur le marché français, sans préparation, sans
éducation préalable, avec l'assentiment du législateur et de
la loi eugénique de 1920.

Son efficacité est certaine à 98 % et reste constante.

Administrée convenablement, elle empêche toute ovulation. Or, pas d'ovulation, pas d'ovule, donc pas de fécondation.

Il est utile de définir ces médicaments, dont on parle
beaucoup à tort et à travers.

Les nouveaux progestogènes de synthèse peuvent se diviser en deux groupes principaux : les dérivés de la nortestostérone (la testostérone est une hormone mâle) et les dérivés de la progestérone, (la progestérone est une hormone femelle). Seuls, les premiers bloquent l'ovulation.

Les chercheurs français ont été d'assez loin précédés par
les Américains dans ce domaine particulier : dès 1938, In-
hoffen et Holweg se sont attachés à l'étude pharmacologi-

que et chimique des dérivés de la nortestostérone ; ce sont Pincus, John Rock et Garcia qui, depuis sept ans, se sont livrés aux vastes enquêtes et expérimentations qui permettent aujourd'hui d'avoir une vue précise de la question.

J'ai eu le plaisir de rencontrer Pincus et d'assister à la communication qu'il a faite à Paris en 1962 sur les résultats de son expérimentation massive.

L'Enovid des laboratoires américains Searle, qui a été commercialisé en France sous un nom différent, est un Ethynyl-5-10 Œstrénolone. A l'origine, il ne diffère chimiquement de la testostérone que par le glissement d'une double liaison. Les chimistes ont pallié son action virilisante, en lui ajoutant 0,15 mmg d'Ethynyl Œstradiol. Je vous fais grâce de la formule développée.

C'est avec ce médicament qu'ont été effectuées les expériences massives de Pincus à Porto Rico ; depuis lors, d'autres médicaments de la série des progestogènes ont été utilisés en France et à l'étranger soit isolés, soit associés à des œstrogènes.

Les patientes qui ont été soumises à un traitement prolongé cyclique ont reçu dix milligrammes par jour (soit : deux comprimés) du cinquième au vingt-cinquième jour du cycle et ceci pendant des périodes courtes (trois mois), moyennes (trente mois), ou prolongées (plus de trois ans). Il n'y a jamais eu d'ovulation, donc pas de grossesse.

Le flux menstruel a été diminué, ainsi que la durée de l'écoulement. Au début du traitement et pendant plusieurs mois la muqueuse utérine ou endomètre garde son aspect normal et sa valeur trophique. Le traitement prolongé amène un aspect particulier de l'endomètre en état de fausse grossesse. On a remarqué qu'à la fin du traitement, les ovaires présentent normalement leurs follicules primordiaux : l'arrêt du traitement, même après plusieurs années d'usage, facilite la fécondation. Tout saignement intervenant en cours de traitement peut être stoppé par l'augmentation des doses : les saignements inattendus sont assez fréquents en début de cure.

PREMIÈRE EXPÉRIENCE DE PORTO-RICO
Caractéristiques des femmes intéressées

Nombre de femmes	550
Rang d'âge	16-46
Age moyen	27,5
Durée moyenne du mariage	8,7
Enfants nés vivants	4,6

Nés vivants mais décédés	0,4
Mort-nés	0,1
Avortements	0,5
Total des grossesses	5,2
Grossesses pour 100 années de mariage	59
Grossesses pour 100 années d'exposition	110

Dans près de 20 % des cas, on note des intolérances digestives qui s'estompent ou disparaissent par la suite, après la phase de début. On a signalé également (Swyer) des phénomènes de congestion mammaire, des troubles veineux et, assez fréquemment (près d'une fois sur deux), une diminution de la libido ou appétit sexuel, quelquefois un gain de poids de plusieurs kilos.

Donc, nous savons que ces médicaments empêchent la maturation complète des follicules et s'opposent à l'ovulation. Est-ce là leur seule vertu ? Etonnante particularité de la fameuse pilule : elle donne la fécondité à celles qui ne l'ont pas... non pas à toutes, hélas, mais, à celles qui souffrent de stérilité, par absence d'ovulation, ou liées à une insuffisance de la progestérone.

Ces médicaments sont également très précieux pour traiter l'endométriose et les hémorragies gynécologiques du type ménométrorragies.

Plus à la portée de tout un chacun, sont les propriétés secondaires de ces médicaments, dont on a bien tort de ne point parler.

Les progestogènes, en effet, ont la propriété de retarder la menstruation aussi longtemps qu'il est souhaitable. Toute femme ou toute jeune fille qui désire s'assurer la tranquillité en vue d'examens, de concours, de voyages, de vacances, d'épreuves sportives ou pour convenance personnelle n'a plus qu'un geste à faire, sachant évidemment que tout arrêt de traitement provoquerait l'apparition de l'hémorragie.

Autre condition essentielle : le traitement doit avoir commencé dès le cinquième jour du cycle ; les patientes doivent êtres averties que le cycle est à décompter à partir du premier jour des règles et que, si elles arrêtent un seul jour la prise du médicament, elles ont toutes chances d'être fécondables les jours suivants.

Le traitement par les progestogènes constitue également une excellente thérapeutique, la meilleure, des dysménorrhées fonctionnelles, ou règles douloureuses. Nous savons que si le médicament est pris du cinquième au vingt-cinquième jour du cycle, l'hémorragie se produit au vingt-septième jour. Cette hémorragie est nommée hémorragie privative pour la différencier des règles normales, qui supposent physiologiquement le schéma folliculine-progestérone. Elle est indolore. La menstruation est indolore aussi chez les femmes bien portantes, mais elle est liée à un contexte psychosomatique tel qu'elle est ressentie comme douloureuse, sinon invalidante. L'hémorragie privative est également beaucoup moins gênante, car elle est de faible abondance.

Autre indication de ce médicament : la ménopause. Après trente ans de petites misères, les femmes finissent par s'y habituer. La ménopause ou retour d'âge les soumet à des sentiments de dévalorisation de soi-même, de crainte et de mélancolie. Elles sont moins jeunes et se croient plus vieilles. Or il est possible de retarder la ménopause, de la reporter à une échéance relativement lointaine. Il suffit de prendre la même pilule, aux mêmes doses, vingt jours par mois lunaire, de façon à renouveler, non pas à la lettre, le cycle normal, mais l'hémorragie privative ; nos amies américaines semblent devoir s'accommoder de cet usage. Ainsi a-t-on pu envisager la prolongation de l'aptitude à la maternité jusqu'à 60 ans...

Au XXe siècle, le Dr Faust est une femme !

Il était normal que les chercheurs essaient de trouver aux progestogènes de nouvelles indications : la menace d'avortement a été considérée au début comme une de ces indications. Or, il semble bien aujourd'hui démontré que les progestogènes, dérivés de la testostérone, en particulier ceux qui ne sont pas associés à des œstrogènes, puissent donner des accidents par virilisation, c'est-à-dire par développement de caractères sexuels masculins. Ces accidents, minimes pour la mère elle-même, peuvent être très importants pour l'enfant qu'elle porte. Celui-ci peut développer non pas des anomalies phocoméliques[1] comme cela a pu être lancé à la légère dans l'opinion, mais des hermaphrodismes, ou états de différenciation sexuelle incomplète.

Dans le groupe de faits qui nous intéresse, ce n'est point pendant la grossesse que la drogue est administrée, c'est, à l'inverse, pour prévenir celle-ci.

Voici l'ordonnance-type que donnent à leurs patientes, aussi bien dans les endométrioses, les stérilités anovulaires, etc., que pour le contrôle biologique de la conception, les médecins de la clinique gynécologique de Broca.

---

1. La phocomélie est cette malformation des membres qui s'est multipliée dans les pays où les femmes enceintes prenaient, au début de leur grossesse, de la thalidomide. (N. D. E.)

« (Noréthistérone ou Noréthynodrel) 2 tubes de 20 comprimés à 5 mg.

Prendre à partir du 5e jour du cycle (compté à partir du premier jour des règles) 2 comprimés chaque soir (à avaler avec un peu d'eau) pendant 20 jours consécutifs, sans aucune interruption.

A renouveler les X... mois suivants toujours à partir du 5e jour du cycle, pendant 20 jours consécutifs.

Au cas où des règles surviendraient avant la fin des 20 jours de prise du médicament, stopper la série et recommencer 5 jours plus tard.

Au cas où les règles ne surviendraient pas à la fin d'une série, et s'il n'y a eu aucun oubli, commencer une nouvelle série au 7e jour. S'il y a quelque doute, consulter le gynécologue avant de recommencer.

Quand on cesse le médicament plus de sept jours, il y a habituellement un rebond de fertilité, mais on ne peut prévoir à l'avance quels seront les jours fertiles. Noter la température rectale chaque matin dès le réveil à partir de la fin du traitement. »

RISQUES EVENTUELS

Depuis le drame de la thalidomide, le public occidental se méfie des médicaments, et il a raison.

Dès mars 1961 et dans un hebdomadaire parisien de grande diffusion, j'avais demandé que la prescription des médicaments majeurs soit soumise à une ordonnance interconfraternelle, c'est-à-dire signée par plusieurs médecins. C'est dire que je n'y vais pas de main morte, comme on a pu le dire dans le milieu médical où cette initiative n'a pas été trop bien accueillie. Depuis lors, le drame de Liège est intervenu et d'un excès nous passons dans l'autre.

Systématiquement et non sans arrière-pensée, on nous invite à voir partout et à prévoir toujours des bébés phocoméliques. Il y a là une fâcheuse confusion de plans qui ne serait que désagréable, si elle n'était volontaire.

Dans la population des femmes traitées et examinées pendant cinq ans par Pincus, John Rock et Garcia, le pourcentage de cancers n'a pas été supérieur au pourcentage moyen des populations non soumises au traitement. Il a même été inférieur. Pincus a donné à Paris le détail de son travail et toutes assurances sur sa méthodologie. Il est même possible que l'on trouve — et Pincus le dit volontiers — dans la série des progestogènes, un médicament inhibiteur ou freinateur de la maladie cancéreuse.

Les mêmes conclusions se dégagent de l'enquête de Edward Tyler à San Juan de Porto-Rico, Humacao (également à Porto-Rico) et Haïti.

C'est actuellement à près de trois millions de femmes dans le monde que s'élève le chiffre des personnes qui ont pris ou qui prennent la pilule (Pincus).

Toutes les affirmations tendant à démontrer le caractère cancérigène de l'Enovid sont des propos allusifs, voire des propos de table. L'Enovid n'est pas cancérigène. Peut-il le devenir ? Là je n'affirmerai rien, parce que personne encore ne peut apporter des documents à long terme, capables de nous donner une preuve objective et scientifique. L'Enovid, absorbé pendant de longues années, modifie le terrain, la physiologie des patientes. Or, nous savons qu'il est dangereux de modifier le terrain et il semble que la réceptivité à l'agression microbienne ou cellulaire soit augmentée ou augmentable sur un tel terrain.

La plupart des expérimentateurs dans le monde s'accordent pour reconnaître la relative bénignité des troubles dus à l'usage des progestogènes. Ces troubles semblent apparaître préférentiellement au début dans les cures courtes, à la fin dans les cures longues.

Pincus note que l'administration prolongée de noréthynodrel provoque des effets secondaires tels que douleurs de seins, nausées, vertiges, vomissements et douleurs pelviennes. (Dans 18 % des cas traités et suivis à Porto-Rico.)

Matsumoto à Nagasaki, Margulis à Détroit, Peeters à Turnhout, Amreich à Vienne trouvent une proportion beaucoup moindre d'intolérance. Amreich, en particulier, estime que cette « stérilisation endocrinienne temporaire » est la méthode de choix, et signale n'avoir observé jusqu'à présent aucune altération atrophique de l'hypophyse, de l'ovaire, aucun trouble durable du métabolisme et de la coordination glandulaire.

P. M. F. Bishop, endocrinologiste à l'hôpital de Chelsea, affirme que « selon les données présentes, les contraceptifs oraux sont atoxiques et efficaces, bien que l'on doive éliminer leurs inconvénients avant de pouvoir les considérer comme parfaits ».

« Le seul danger, écrit Raoul Palmer, c'est la grossesse méconnue, la femme prenant le médicament alors qu'elle est déjà enceinte » (*Revue de médecine*, janvier 63).

« Cette méthode de la pilule, comme la méthode d'Ogino contrôlée par celle des températures, constitue le type même des méthodes qui doivent pouvoir rallier la majorité des médecins comme des moralistes » déclare Jean Harteman, citant le R. P. Riquet, le chanoine Janssens, la revue de saint Luc (janvier 61) et le Pr. Ferin, de Louvain, qui abonderaient les uns et les autres dans le même sens (cf *Revue de Médecine*, janvier 63, p. 8).

La presque totalité des médecins considèrent que les progestogènes constituent une médication d'exception. Ils s'élèvent avec une sage prudence contre toute tentative de vulgarisation d'un procédé encore insuffisamment étudié.

Nous ne connaissons pas l'avenir et ne croyons pas aux Cassandres qui se délectent des catastrophes de demain.

Mais, six ans d'expérimentation c'est peu pour une hormone ! j'ai eu l'occasion de le dire récemment à la radio et je le maintiens. Toutes réserves sont à faire ; il faut les faire ; ce qui est insupportable, c'est que l'on affirme sans preuve et que l'on parle de mutation de l'espèce. L'Humanité aime avoir peur : on est si bien après, disait un humoriste. Or il est maladroit de chercher à faire peur, pour le plaisir de faire peur. Le bon La Fontaine nous a pourtant bien avertis à propos d'un dit Loup et d'un certain Guillot...

Evidemment, il n'est pas interdit à une consommatrice d'Enovid d'avoir un cancer, comme tout un chacun. Le cas se présentera et il sera exploité. Alors, tous ceux qui, jusqu'à ce jour, n'auront révéré que les chiffres et parlé en conséquence seront appelés « traîtres ».

Bien sûr, on est toujours le traître de quelqu'un...

Autre question importante, mais sur laquelle nous insisterons moins, parce que l'opinion publique n'y est pas sensibilisée : les effets de l'Enovid sur la fertilité ultérieure.

Sur les deux cent dix femmes de San Juan qui ont arrêté la médication au trentième mois, quatre-vingt-six ont été suivies ultérieurement pour connaître leur fertilité. Celles qui n'ont pratiqué aucune méthode de contraception après la fin de la médication ont été enceintes dans la proportion de 83 % dans les six mois qui ont suivi. Constatations comparables dans l'enquête de Pincus à Porto-Rico.

Villord, Birbis et Irène Bernard de Bordeaux écrivent dans la *Gazette Médicale de France* :

« Nous pensons que la chimie est arrivée à un stade où elle met à la disposition du clinicien une multitude et une variété de norstéroïdes, tellement surprenantes qu'on pourrait penser à une source inépuisable capable de fournir par synthèse des corps aussi puissants que les hormones naturelles, mais qui habilement maniés permettent d'obtenir l'action favorable désirée. »

Mais, comme ces auteurs, et comme Kepp (in *Gynécologie pratique*, 1962, n° 5), et malgré toutes les conclusions favorables, nous déconseillons ce traitement à long terme chez la femme jeune et, jusqu'à maintenant, nous n'avons ordonné les traitements antiovulatoires que pendant trois mois consécutifs. Encore le plus souvent s'agissait-il du traitement des aménorrhées...

L'indication médicale de la contraception est toujours difficile, l'indication de la pilule l'est particulièrement. Voici pourquoi : le médecin n'est ni un juge ni un moraliste. De quel droit refuserait-il une prescription à une personne qui la lui demande, à partir du moment où il connaît l'innocuité de cette prescription ? Comment pourrait-il connaître les cœurs, sonder les intentions ? Comment et pourquoi se permettrait-il d'inculquer à autrui sa propre conception du monde ? A partir de quels critères et en vertu de quels pouvoirs ? Au début de la contraception féminine, il n'y a pas si longtemps, alors que nous n'étions en France que onze médecins prescripteurs, je demandais systématiquement que la consultante m'apporte son livret de famille. Pourquoi, de quel droit ? Depuis que les médecins ont perdu leur robe, ils ont toujours jalousé les juges. Les médecins éprouvent trop fréquemment l'irrésistible envie de se grandir. Quand un médecin vous dit « mon petit », il se dit à lui-même « mon grand ». Le rôle du médecin est strict, rigoureux et défini. Le médecin est un technicien de la santé, il ne saurait refuser des soins, de même qu'il ne saurait refuser d'apprendre, d'assumer et de pratiquer toutes disciplines afférentes à son domaine propre, qui est le maintien de l'équilibre physique et mental des individus. La contraception sous toutes ses formes compatibles avec la santé est une de ces disciplines. On reste stupéfait en lisant dans le *Bulletin de l'Ordre des Médecins* cette sentence que je transcris à votre intention : « Le médecin n'a aucun rôle à jouer et aucune responsabilité à assumer dans l'application des moyens anticonceptionnels, dans les conseils au public ou les démonstrations relatives à l'emploi de ces moyens » (février 62). Texte soumis à la réflexion du lecteur.

Ne criez pas au scandale, tout espoir n'est pas perdu. Il est fréquent chez nous de voir condamner *ex-cathedra* les idées que l'on reprend ensuite à son profit, et que l'on applique bon gré mal gré dans les faits et dans les lois. Les idées en France, comme les trains en Italie, avancent lentement avec des haltes interminables.

La Limitation médicale des naissances
(Union Générale d'Editions)

La contraception mécanique ou chimique

Dr N. Haire, Londres

Dans ce chapitre, traitant de la limitation des naissances à l'aide de procédés artificiels, on se bornera strictement à l'aspect pratique et médical du problème sans s'occuper des objections éthiques et morales qu'il pourrait soulever.

Dans le monde médical, les avis à ce propos sont contradictoires. Nombre de spécialistes affirment avec pertinence qu'au point de vue biologique, toute mesure visant à empêcher artificiellement la conception est erronée, car le corps féminin est constitué en vue d'une fécondation périodique. La menstruation, en éliminant les préparatifs élaborés en vue d'une grossesse est le signe objectif que la véritable tâche biologique, la fécondation, n'a pas eu lieu. Qui gêne et dérègle le processus naturel des fonctions d'un organisme sain et normal, agit contre la nature. Dans certains cas, ces manœuvres peuvent aboutir à des maladies et à des troubles graves. Il faut constater en outre qu'il n'existe aucun contraceptif efficace à cent pour cent, exception faite d'opérations radicales (hystérectomie, ablation des ovaires ou de l'utérus, ligature des trompes). Or, ces interventions sont définitives et excluent à tout jamais la possibilité de la conception. D'autre part, toute personne recourant à des mesures contraceptives court toujours des risques.

D'autres médecins, par contre, présentent des arguments en faveur du contrôle artificiel des naissances. Ils affirment notamment que si le spécialiste refuse aux patients conseils et secours quant au contrôle des naissances, la plupart des individus y auront quand même recours ; dans ce cas, ils risquent d'user de méthodes souvent dangereuses pour la santé.

Il faut ajouter qu'un certain nombre de maladies rendent la grossesse indésirable. La santé d'une femme peut être ébranlée au point qu'une grossesse ait des conséquences préjudiciables.

En dehors de l'état de santé de la mère, il faut prévoir aussi les conséquences graves pour l'enfant, de maladies héréditaires (maladies mentales, syphilis, hémophilie, etc).

Ce n'est pas seulement l'hérédité qui peut être invoquée en faveur d'une limitation des naissances. Les grossesses répétées peuvent nuire à la santé de la mère. Entre deux accouchements, il faut un délai suffisant.

Ces deux avis opposés, que nous venons de rapporter

brièvement, sont basés sur des données en partie objectives, en partie influencées par des conceptions éthiques. Nous étudierons ici les avantages et les inconvénients des diverses méthodes anticonceptionnelles en fonction de leur efficacité ou de leur nocivité éventuelles.

Parmi les innombrables procédés anticonceptionnels, si aucun ne présente de garantie absolue, il y en a d'efficaces et d'autres totalement vains. Pour cette raison, il est utile de demander conseil au médecin. En Angleterre, où l'information à propos du contrôle des naissances n'est point limitée par la loi, tout spécialiste est habilité à donner les renseignements nécessaires.

Pour éviter la fécondation, l'homme dispose de deux moyens ; ou il retire son pénis du vagin immédiatement avant l'éjaculation, ou il se sert d'un agent protecteur qui empêche l'épanchement du sperme.

La première méthode, le coït interrompu pouvant être pratiquée sans le secours d'aucun appareil ou d'autres moyens coûteux, est sans doute le procédé le plus ancien et le plus répandu de contrôle des naissances. Nous n'ignorons pas les inconvénients de cette méthode pour les deux partenaires, notamment le fait qu'elle risque d'empêcher l'orgasme chez la femme. En outre, le procédé n'offre aucune garantie absolue de sécurité. Quand l'homme est tout à son désir, un peu de sperme peut quitter l'urètre avant qu'il ait retiré son pénis et ces quelques gouttes peuvent suffire à la fécondation. Un second coït a-t-il lieu peu de temps après le premier : il y a généralement sur le pénis, au-dessous du prépuce ou dans l'urètre, des restes de la première éjaculation, c'est-à-dire des spermatozoïdes vivants qui sont alors introduits dans le vagin de la femme lors du second coït et qui — en dépit du coït interrompu — peuvent la féconder. La fécondation est possible lorsque l'éjaculation en s'effectuant hors du vagin, s'accomplit tout de même à proximité de celui-ci ; car, des spermatozoïdes peuvent trouver le chemin des organes sexuels de la femme. On sait qu'une vierge, l'hymen intact, peut éventuellement être fécondée de cette manière.

Pour résumer, sans offrir une garantie absolue contre la conception, le coït interrompu[1], pratiqué longtemps, est dangereux pour la santé et l'équilibre psychique du couple.

Le second procédé consiste dans l'emploi d'un préservatif (condom), mince pellicule de caoutchouc placée sur le pénis

---

1. Voir tome 1, livre V.

qui évite que le sperme ne se répande dans le vagin lors de l'éjaculation.

Cette méthode présente certains inconvénients. Beaucoup de femmes se plaignent d'une diminution de la sensation de volupté ; la pénétration est plus difficile et la friction provoque souvent des douleurs pour la femme (certaines inflammations sont provoquées par une allergie au caoutchouc). Des hommes constatent que l'usage de préservatifs diminue l'érection.

Le préservatif n'offre pas de garantie absolue. Le caoutchouc, très mince, peut se déchirer. Est-il épais, il diminue la sensibilité. On peut affirmer, grâce à des nombreux témoignages, que dans certains cas, il y a conception en dépit des préservatifs. Même le caoutchouc le plus résistant possède souvent une perméabilité, invisible à l'œil, mais suffisante pour livrer passage aux spermatozoïdes.

Le coït interrompu et l'usage de préservatifs sont les méthodes anticonceptionnelles utilisées par l'homme pour empêcher l'introduction du sperme dans le vagin. Parmi les méthodes susceptibles d'être employées par la femme, il y en a qui exigent l'aide du médecin et d'autres que la femme peut employer sans aide extérieure.

Il existe des produits chimiques dits anticonceptionnels. Sous forme de pommade, de gelée ou de cachets solubles, ils sont introduits dans le vagin dans le but de détruire les spermatozoïdes. Peu de substances chimiques sont capables de couvrir totalement les muqueuses du vagin. On a fait des essais avec des cachets qui, grâce aux sécrétions du vagin, se dissolvent en formant une sorte d'écume susceptible d'atteindre et de couvrir toutes les parois du vagin. Si les expériences effectuées dans les laboratoires donnent d'excellents résultats, il arrive dans la pratique que le vagin ne soit point assez humide pour que les cachets se dissolvent. Les pommades et les gelées ont donné de meilleurs résultats.

Les contraceptifs chimiques ont pour tâche de fermer l'orifice et le col de l'utérus et de détruire rapidement les spermatozoïdes. Ils se trouvent généralement dans le commerce sous forme de longs tubes munis d'un tuyau de verre mince que l'on peut visser, permettant d'introduire le tube jusqu'à l'orifice de l'utérus. Une légère pression permet au liquide de s'échapper.

Dans les classes supérieures de la société en Europe et en Amérique, on pratique, en tant que mesure d'hygiène et de prévention la douche vaginale qui, en France, fait partie de la toilette quotidienne. Les avis, quant à cette pratique sont partagés. Les douches et les injections, additionnées ou non de produits chimiques peuvent provoquer des inflammations et d'autres affections des muqueuses du vagin. En tant que moyen anticonceptionnel, ce procédé est peu sûr. Pratiqué avant l'acte sexuel, il est sans effet. Après le coït, son efficacité dépend de la rapidité de l'exécution. Toutefois, le liquide de l'injection ne peut détruire que les spermatozoïdes qui se trouvent encore dans le vagin. Si l'emploi n'est point immédiat (et il l'est rarement) quelques spermatozoïdes peuvent avoir pénétré dans l'utérus.

Il existe des préservatifs féminins qui empêchent la pénétration des spermatozoïdes dans l'utérus. Il y a en premier lieu les capuchons de col en caoutchouc, en métal ou en matière plastique, placés sur le col de l'utérus. Ces appareils restent en place grâce à l'effet de succion. Le choix d'un tel appareil est délicat et il est nécessaire de consulter à plusieurs reprises un bon médecin à cet effet. D'autre part, le col de l'utérus peut se gonfler ou se rétrécir sans que la femme s'en aperçoive et le capuchon ne sera plus étanche. Cet appareil peut se déplacer lors du coït ou à la suite d'un mouvement brusque qui provoque une secousse du bas-ventre (toux, éternuement, etc.). L'intestin ou la vessie gonflés empêchent de le placer d'une manière rigoureuse. Il ne faut jamais oublier d'enlever l'appareil avant les règles pour permettre au sang de s'écouler. Un sérieux apprentissage est nécessaire.

Le diaphragme obéit à un autre principe. Fait de caoutchouc, il a l'aspect d'un petit capuchon arrondi au bord duquel est disposé un mince ressort spiralé. Le diaphragme est placé de manière à partager la cavité du vagin en deux parties. La cavité supérieure, avec le col de l'utérus, est hermétiquement fermée. Le ressort permet au capuchon d'adhérer étroitement aux parois du vagin et l'empêche de se déplacer ; la succion provoquée par la forme concave du diaphragme contribue à une fermeture étanche de la cavité supérieure du vagin. Ce moyen de protection offre une garantie sérieuse. En oignant le diaphragme d'une pommade toxique pour les spermatozoïdes (gelée d'acide lactique), on peut parer à l'éventualité (improbable) d'un passage de spermatozoïdes le long du bord du diaphragme vers l'utérus.

Si la description d'un diaphragme semble un peu complexe, sa manipulation est en réalité simple, à condition qu'il soit de dimensions parfaitement adaptées aux organes de la femme. Pour le coït, il ne gêne ni l'un ni l'autre des partenaires. Pour le choix du diaphragme, il est indiqué de s'adresser à un gynécologue. Il est inutile d'enlever l'appareil après le coït, mais une antiseptie fréquente s'impose ; en aucun cas, il ne faut le laisser en place plus de quelques heures. Les inflammations sont toujours dues à un manque d'hygiène, à un appareil mal placé ou mal ajusté. L'utérus est-il dévié : il est plus difficile, mais non impossible de mettre l'appareil en place.

Pour terminer, constatons que cette énumération d'appareils et de procédés anticonceptionnels ne vise qu'à présenter une information d'ensemble bien superficielle. Chaque cas est particulier et exige un examen et une solution individuels. Quoi qu'il en soit, de quelque manière qu'on envisage la question, il est toujours nécessaire de s'adresser au spécialiste.

L'insémination artificielle

Dr G. Schulte, Waiblingen

Il faut constater avec regret que, des deux aspects de l'harmonisation des naissances, seule la question de leur limitation fait l'objet de fréquentes discussions. L'autre volet qui traite de l'accroissement des naissances est souvent oublié. Or, pour le spécialiste, c'est ce second aspect qui représente la tâche la plus délicate, le problème le plus difficile à résoudre.

Il existe de nombreux cas où, après de longues années de vie conjugale, le désir de fonder une famille n'a pu être exaucé par les moyens ordinaires et naturels ; peut se poser alors la question de l'insémination artificielle.

Dans son principe, le procédé est très simple : une certaine quantité de sperme du mari est récoltée par masturbation, recueillie dans un verre stérilisé et gardée à la température du corps, pour être ensuite injectée dans l'utérus à l'aide d'une seringue et d'une fine canule du calibre approprié.

Cette technique est surtout indiquée lorsque la stérilité de la femme est due à la composition des sécrétions vaginales et cervicales qui provoquent la destruction des spermatozoïdes et, en conséquence, interdisent toute fécondité. L'injection directe des spermatozoïdes du mari dans l'utérus évite le contact avec les sécrétions nocives.

Lorsque la stérilité se situe chez le père et est due à une

obstruction des canaux déférents le problème est plus difficile. En ce cas, en effet, l'éjaculation ne produit que les
sécrétions de la prostate et des glandes de Cowper. Seule,
en l'occurrence, une opération chirurgicale peut procurer
les spermatozoïdes nécessaires.

Déjà, les situations que nous venons de décrire ne laissent pas d'entraîner de graves inconvénients sur les plans
psychologique et moral. La question devient presque insoluble lorsque l'époux est atteint d'azoospermie ou si, par
suite d'un accident par exemple, il a dû être châtré. Il est
évident qu'il faudrait alors recourir à un donneur de sperme
étranger au foyer. On a même envisagé l'insémination artificielle comme solution au problème des jeunes filles qui,
dans certains pays où il y a un excédent de femmes, ne
peuvent se marier et réaliser leur désir de maternité.

Il est sans doute inutile de souligner que, dans ces cas,
les difficultés juridiques, psychologiques et morales deviennent insurmontables.

Néanmoins, si élémentaires que soient encore de telles
techniques, on peut y lire l'espoir qu'un jour la science
pourra apporter une vraie solution au tragique problème
des époux qui ne peuvent avoir d'enfants.

L'avortement provoqué

Dr V. Chevalier et C. Jamont, Bruxelles

En avril 1962, une femme-médecin, mère de trois enfants,
Mme Lagroua Weill-Hallé, publiait *La grand-peur d'aimer* :
un ouvrage qui eut immédiatement et continue d'avoir un
grand retentissement. L'introduction donne bien *le ton*
général du livre : lors de son premier stage en Chirurgie,
l'auteur voit, attachée à la table d'opérations, une femme
que l'on est en train de cureter et qui, les yeux exorbités,
se tord de douleur. La « panseuse » explique à la jeune sta-
giaire que la patiente n'est pas anesthésiée pour que « cela
lui ôte l'envie de recommencer ». Depuis lors, certes, on
anesthésie en pareil cas, mais ce sont toujours « les mêmes
visages..., qui étaient sourds il y a vingt ans aux cris de la
femme liée sur la table d'opérations, et qui voient aujour-
d'hui ce que je vois. » Mme Weill-Hallé raconte ensuite *ce
qu'elle voit* presque chaque jour : beaucoup d'histoires d'avor-

tements, mais aussi les difficultés de couples dont la vie conjugale est hantée par la crainte de la grossesse. Elle termine son livre en affirmant la nécessité d'assouplir les lois civiles et morales relatives aux contraceptifs : seule solution, à ses yeux, pour remédier à une situation tragique non seulement pour les époux, mais pour les enfants et en fin de compte pour la Nation.

La préface est de Mme Simone de Beauvoir, qui résume d'abord les situations décrites : grossesses non consenties et subies dans l'angoisse ; enfants mal accueillis, mal aimés ; ménages minés par des charges excessives ; couples désunis dans la crainte d'une nouvelle naissance ; carrières féminines brisées ; femmes torturées par des peurs obsédantes ; l'amour, recours unique contre la dureté du monde, qui dépérit lentement. Ce sont les femmes, dit-elle, qui subissent surtout les conséquences de ces situations : parce qu'elles n'ont pas la liberté de conception, et aussi parce que les hommes en de telles occurrences se montrent indifférents et même hostiles à l'égard de leurs compagnes de détresse. Tout ce malheur vient, affirme-t-elle, d'une législation qui s'entête dans l'obscurantisme, et aussi des salaires et logements insuffisants. Personne n'aide ces femmes qui se débattent à l'aveuglette contre un destin qu'elles jugent inacceptable. Le remède ? Le « planning familial » qui suppose la contraception.

Soulignons, parce que ce point nous paraît constituer une des données essentielles du problème, que dans la plupart des cas cités par Mme Weill-Hallé, il s'agit de patientes ayant subi des avortements répétés.[1]

En novembre 1963, la Revue *Elle* (n° 935) publiait un article de Fanny Deschamps, intitulé *Voyage au centre de l'horreur* et qui traite exclusivement des avortements clandestins.

L'auteur souligne d'abord à quel point le mal est répandu ; nous reprendrons un peu plus loin les chiffres qui concernent l'ensemble de la France. Un fait frappe l'auteur : 5, 6, 8, 10 avortements entre 20 et 40 ans semblent des chiffres « normaux ». « L'horreur devient une habitude ; c'est sans frémir qu'on enveloppe « la chose » dans un journal pour la glisser dans l'égout en allant au bureau. » Ces avortements ruinent la santé de la femme ; 65 à 70 % reviennent

_____

1. Dans les pays où la loi admet l'avortement en certaines circonstances, on s'est très vite rendu compte de ce phénomène. C'est pourquoi les législations susdites en sont venues à prévoir des tarifs de plus en plus élevés pour les deuxième, troisième et quatrième *opérations.*

ensuite trouver le médecin ; métrite, salpingite, psychose, stérilité, ablation de l'utérus et des ovaires[1] sont trop souvent les conséquences inéluctables de ces manœuvres. Car ce sont de misérables moyens que ces malheureuses utilisent pour arriver à leurs fins. Pour s'en rendre compte, il suffit de relire les conseils que Fanny Deschamps croit devoir donner à ses lectrices :

— Ne sautez pas sur l'avortement comme sur l'unique solution avant d'avoir réfléchi et pesé les risques. Vous pouvez, par cet acte, engager votre vie, votre santé, votre fécondité ultérieure...

— Si vous avez commencé « quelque chose » et que « ça n'est pas venu », que vous arrêteriez bien « si vous étiez sûre que vous ne lui avez rien démoli », arrêtez-vous sans crainte ! Puisque ça n'est pas venu, vous ne l'avez pas atteint. Courez vous confesser à votre médecin, il vous rassurera sur la venue d'un bébé entier, conforme au modèle initialement prévu !

— N'essayez pas n'importe quoi sur votre pauvre précieux corps, jeune mariée qui, pour ne pas gâcher un billet de 10 F, demanderez vingt conseils et achèterez deux livres de cuisine !

— Ne vous infligez pas de supplices barbares (sauts, etc.) rien moins que sûrs, mais qui vous font risquer la délabrante fausse couche tardive, toujours ressentie comme un crime par la mère, déjà bien installée, même à contrecœur, dans sa grossesse.

— Laissez tranquille votre tube digestif (purges, médicaments), il ne peut vraiment rien pour vous, sauf vous empoisonner.

— N'introduisez pas dans le vagin des désinfectants de cheval, qui ne servent à rien si ce n'est à brûler cruellement la muqueuse.

— N'injectez aucun liquide dans l'utérus. Rien, rien. Toute injection intra-utérine est infiniment dangereuse et n'avance pas la fausse couche.

— Ne vous massacrez pas avec des objets perforants. N'employez jamais d'objets non stérilisables. Ne vous promenez pas des semaines avec une sonde maladroitement posée, fixée à l'abdomen par un sparadrap, canal idéal pour les microbes ! L'appareil gynécologique est hypersensible à l'infection qui y prend vite une allure galopante.

---

1. Sans oublier la frigidité. D'autre part, il nous semble opportun de rappeler que l'avortement provoqué est un crime aux yeux de la loi, et est passible de peines très graves.

— Appelez le médecin, faites-vous transporter à l'hôpital ou la clinique à la moindre complication. N'attendez pas qu'il soit trop tard, dans votre cas, les urgences sont très urgentes. Faites soigner les « suites », même bénignes.

— Et surtout jurez qu'on ne vous y prendra plus.

En ce qui concerne les remèdes propres à éliminer ou du moins à diminuer ce véritable fléau que sont les avortements clandestins, Fanny Deschamps nous paraît être sans comparaison plus nuancée que Mme Weill-Hallé et Simone de Beauvoir. Nous sommes d'ailleurs persuadés que celles-ci sont trop bien informées pour se figurer, ne fût-ce qu'un instant, qu'une réforme de la législation supprimerait le problème ; c'est cependant l'impression que le lecteur moyen risque de garder quand il aura lu *La grand-peur d'aimer* ; Mme de Beauvoir insinue, dans la préface, que les salaires trop bas et l'insuffisance des logements sont tout aussi bien en cause : mais cette remarque est pour ainsi dire noyée dans le réquisitoire contre des lois civiles et morales surannées, et dans le plaidoyer pour un planning familial. Avec raison, Fanny Deschamps rappelle qu'en Suède et au Danemark[1], où la prévention des naissances est largement autorisée, les avortements clandestins n'ont pas diminué mais ont augmenté parallèlement aux légaux ; de plus les statistiques indiquent la même dramatique stérilité postabortive, même après les avortements sur la table d'opérations. Quant aux contraceptifs habituels ils sont loin d'être absolument efficaces et la fameuse pilule elle-même ne résout pas tous les problèmes.

Cet ouvrage et cet article nous paraissaient fort bien représenter, sur le sujet qui nous occupe, la littérature destinée au grand public ; et c'est pourquoi nous avons voulu en donner une analyse quelque peu détaillée.

Quant à nous il nous semble que, devant cette question brûlante et qui engage tant de valeurs diverses, la première attitude devrait être d'écarter tout langage passionné et de garder le plus grand sang-froid. Les médecins le savent bien qui refusent de soigner les membres de leur propre famille, dès qu'il s'agit d'une maladie un peu grave : précisément parce que leur sensibilité est trop engagée.

Il y a d'abord les chiffres, qu'il faut prendre garde de ne pas gonfler. Simone de Beauvoir avance le chiffre de

---

1. Il est remarquable que ces pays jouissent d'une politique sociale et familiale très évoluée ; il semble donc que, si nécessaire qu'elle soit, une telle politique est insuffisante.

500 000 avortements clandestins par an pour la France. Selon Fanny Deschamps, ce serait 800 000, peut-être plus d'un million, et en tout cas pas moins de 6 à 700 000. Mais dans le numéro d'*Esprit* consacré à la Sexualité, A. Vieille-Michel propose 400 000 ; Hecht et Chasteland affirment que le chiffre de 5 à 600 000 paraît exagéré. « De même, ajoutent-ils, on ne peut imputer, comme il a été fait, de 30 à 60 000 décès par an à l'avortement, car la mortalité, pour toutes causes, de toutes les femmes en âge de procréer est bien inférieure à ce chiffre : les décès consécutifs à l'avortement ne doivent pas atteindre le millier. »

Fanny Deschamps dit, sans plus : « ...sur 58 femmes qui me sont proches, 55 ont avoué : Oui, au moins une fois. » Et encore : « Huit sur dix de mes clientes, m'a confié un gynécologue, la neuvième est stérile, la dixième a de la chance ou un mari très attentionné. » Ces chiffres sont peut-être exacts dans certains milieux, mais nous nous permettrons d'affirmer qu'ils ne représentent nullement ce qui se passe en d'autres milieux et qu'il est extrêmement dangereux de laisser croire que presque toutes les femmes non stériles passent un jour ou l'autre par là. Réduit à sa vraie réalité, le phénomène des avortements clandestins restera suffisamment grave pour exiger l'attention de tous ceux qui aiment l'humanité.

Il faudrait ensuite se demander où se situe le vrai problème. Car rien n'est moins clair. « Je reviens d'un voyage au centre de l'horreur, au fond de la tristesse, » écrit Fanny Deschamps. A nos yeux, ce qui est ici le plus grave, ce ne sont pas les souffrances physiques et morales, souvent atroces, que subissent ces femmes et ces foyers. Pour nous la souffrance n'est qu'un symptôme, le noyau du mal est autre part, et il est essentiel de le définir.

Le mal premier, nous le voyons dans une certaine attitude envers la vie, attitude que suppose le fait d'accepter un avortement. Celui qui admet l'idée de l'avortement, admet de détruire la vie ; ce n'est pas seulement la vie du futur bébé qui est en question, c'est aussi bien la vie profonde des époux ou des amants, qui s'engagent ainsi dans un cercle vicieux d'autodestruction.

Dès lors, et une fois admis le principe de l'avortement, il n'y a pas à s'étonner si la femme — après avoir vécu une expérience qui, semblerait-il, devrait à jamais la dégoûter de telles pratiques — y revient quand même, y revient indéfiniment au risque des pires souffrances. Et il n'y a pas à s'étonner si le partenaire masculin, en ces circonstances, fait montre d'égoïsme, d'indifférence et même d'hostilité.

Telle est la loi des cercles vicieux de l'autodestruction, qui prennent leur origine dans un gauchissement de l'agressivité. Ce qui devrait être amour s'est changé en instinct de mort.

Examinons un instant le premier exemple que donne Mme Weill-Hallé. Il s'agit d'une jeune fille de 25 ans, fine, d'une discrète élégance, le visage fermé ; elle appartient à la « bonne bourgeoisie française » ; elle est enceinte d'un Africain « noir », qu'elle n'aime même pas. Epouvantée à l'idée que sa famille puisse apprendre la situation, elle songe à l'avortement. Bien sûr, si l'on pratiquait en ce cas un avortement chirurgical, la jeune fille ne risquerait pas d'y laisser sa santé et sa fécondité ; mais quant à l'essentiel, le problème de cette jeune fille subsisterait intact, irrésolu. Elle repartirait dans la vie le visage toujours fermé, un peu plus fermé ; repliée sur elle-même. On sait ce que peuvent être, parfois, ces éducations dites de « bonne bourgeoisie » : l'adolescente se retrouve à 18 ans comme emmurée en elle-même, seule sur son île, avec l'image idéalisée d'un père trop sévère, avec l'image d'une mère trop lointaine qu'elle ne peut rejoindre. Une sorte de désespoir profond l'a poussée à cette liaison avec un Noir qu'elle n'aime pas, bien entendu, puisqu'elle n'a jamais aimé personne. Pour sortir de ce désespoir, pour s'arracher à l'envoûtement de l'enfance ou de l'adolescence, cette jeune fille devra bien un jour, si du moins elle veut vivre, affronter une situation qui de toute façon ne sera pas moins difficile que celle-là qui lui est offerte maintenant. La seule solution réaliste, en pareil cas, c'est d'aider cette jeune fille à aimer cet enfant qui peut la délivrer d'elle-même.

Il faut affirmer que pour cette jeune fille, maintenant qu'elle est enceinte, rejeter cette vie nouvelle ce serait se nier à nouveau elle-même, ce serait s'enfoncer un peu plus avant dans son isolement et dans ce désespoir secret qui l'a conduite, précisément, à cette « sottise ». Ce serait se préparer un avenir pire encore. Ce serait s'enliser dans cette situation même dont elle voudrait sortir.

Sans doute le « cas » que nous venons d'analyser schématiquement est relativement simple. Il y a bien d'autres situations qui semblent être de véritables impasses. Tel ce foyer dont parle encore Mme Weill-Hallé : il y a déjà trois enfants, le dernier n'a que six mois ; ils vivent à cinq dans une seule pièce si obscure qu'il faut allumer la lampe en plein midi ; et voici que la maman est de nouveau enceinte. Cependant, même en pareil cas, ce n'est pas du côté de l'avortement — même légal — qu'il faudrait chercher une solution. Et nous ne prétendons d'ailleurs nullement que telle serait la pensée de Mme Weill-Hallé ; elle affirme surtout que de telles situations tendraient à disparaître si les méthodes contraceptives étaient mieux connues.[1] Il est vrai aussi que la société devrait prendre en charge de telles situations. Mais, une fois encore, même un avortement chirurgical ne résoudra pas le problème et n'aidera pas réellement ce foyer : plus que tout autres, ces époux auraient besoin de beaucoup d'amour, ils auraient besoin d'un grand amour conjugal ; et l'avortement ne pourrait que miner et détruire cet amour. Mieux vaudrait chercher, par exemple, à faire adopter ce nouvel enfant ; non pas que ce soit là une solution idéale, mais ce serait sans comparaison moins nocif. Lors d'un avortement, c'est la vie la plus profonde de la femme et de son partenaire masculin qui avorte avant celle du bébé.

En un mot l'avortement — même quand il est légal et à plus forte raison s'il est clandestin — ne constituera jamais qu'une solution illusoire, si grave que puisse être la situation.

Quant à savoir s'il serait souhaitable que, en certains cas et pour éviter le pire, l'Etat prenne le risque de tolérer l'avortement chirurgical : c'est là un tout autre problème et que nous n'avons pas à aborder ici.

Une éthique de la sexualité pour notre temps

C. Jamont, Bruxelles

L'éthique traditionnelle comporte deux parties : d'abord une description des actes humains, ensuite un jugement porté sur ces comportements.

Il n'est pas dans notre propos de décrire l'évolution des mœurs sexuelles au cours des dernières décennies. Nous noterons simplement ce que l'on a appelé une sorte de « désocculation » de la sexualité. Aujourd'hui, non seulement il est permis, mais il est conseillé d'en parler. On le

---

1. En ce qui concerne l'utilisation des contraceptifs, le lecteur voudra bien se reporter aux études de cet ouvrage consacrées au problème.

recommande aux parents dans l'éducation de leurs enfants ; aux fiancés pour se préparer à la vie conjugale ; aux époux pour mieux prendre conscience de leur amour.

Cependant — et c'est ceci qui inquiète plusieurs — il y a bien plus que cette acceptation, qui se veut dédramatisée, de la sexualité. Chacun peut constater que le jugement porté sur des comportements jusqu'ici tout bonnement et uniment condamnés comme immoraux, que ce jugement se fait plus souple, plus nuancé.

LA MORALE SEXUELLE BOUGE, COMME TOUT LE RESTE

Même si l'on néglige les affirmations vraiment trop légères de ceux qui prônent une sexualité « libre », il est certain, par exemple, que l'attitude envers les homosexuels est sans comparaison moins sévère ; et l'on rappelle, d'ailleurs fort à propos, que les maladies et déformations psychiques ne sont pas moins réelles que les disgrâces physiques. On ne jette plus la pierre, a priori et sans plus, aux divorcés-remariés : on essaye de comprendre leur situation. En ce qui concerne les fiancés, on sait que leur amour n'est pas et ne peut pas être « platonique ». Tout en soulignant que le physique n'est pas tout dans la vie et qu'il serait désastreux de brûler les étapes, une revue bien pensante peut intituler un article « Place du charnel dans les fiançailles » : fait qui eût été inconcevable il y a quelque vingt ans. Quant à l'emploi des contraceptifs, il est... disons, discuté.

Sans doute, le coït interrompu ne date pas de notre époque, non plus que les relations pré-conjugales. Mais, au temps de nos grands-parents, cela était tout simplement considéré comme faiblesse humaine ; et de cette exploration des mœurs sexuelles, la Morale ressortait toujours intacte : un peu comme le soleil reste aussi brillant qu'il éclaire un déversoir d'ordures ou un champ de blé.

Aujourd'hui, de toute évidence, quelque chose a changé. Bien sûr, on continue d'affirmer que la Morale, en soi, reste indépendante de toute fluctuation sur le plan des mœurs. Henri Van Lier exécute à ce propos un bien joli tour de passe-passe (*L'Age Nouveau*, p. 255). Nous ne citons pas ce passage dans un esprit de polémique ; au contraire et malgré qu'il en ait, ce philosophe nous paraît avoir fort bien défini certaine tendance caractéristique de la morale, à notre époque.

Il écrit donc : « ...éthique. Le mot marque bien qu'il s'agit de manières d'être et d'agir spontanées plutôt que de décisions fondées sur l'absolu, comme celles que vise le moraliste. Aussi, en décrivant nos habitudes d'action, nous proposerons aussi peu une morale que, plus haut, en décrivant nos habitudes de pensée, nous ne dictions une épistémologie[1]. » Mais un peu plus loin il poursuit : « La liberté ne se définit plus comme une simple capacité de choix, ni non plus comme une invention gratuite... Ce qui distingue l'homme accompli, (c'est) le génie de faire surgir dans une situation pourrie ou médiocre l'idée qui la réorganisera, pour en faire éventuellement sourdre *un* bien. Le courage importe moins que l'initiative et l'imagination. » Il indique ensuite les *critères de décision* (singulièrement différents des critères traditionnels) : 1) Le sens existentiel du comportement : telle conduite est-elle une impasse ou bien nous mène-t-elle plus loin dans l'existence ? 2) Une certaine efficacité, car la bonne intention ne suffit pas. 3) L'exigence d'autrui.

Même le plus solide bastion de la Morale avec une majuscule (l'Eglise catholique) semble quelque peu ébranlé — dans le sens de se mettre en branle, en mouvement. Ici encore, bien entendu, nous retrouvons tout d'abord l'affirmation que la Morale reste et restera ce qu'elle a toujours été ; et toute tentative pour s'écarter des normes traditionnelles est aussitôt réprimée. Citons, par exemple, l'essai du théologien Doms pour présenter l'amour conjugal comme premier but du mariage, en rejetant au second plan la procréation ; puis encore diverses tentatives pour édifier ce qu'on a appelé une « morale de situation ». Il est vrai que ces deux essais furent plutôt malheureux et pour le moins ambigus. Quoi qu'il en soit, et malgré les réactions immédiates des autorités compétentes, les discussions se poursuivent parmi les catholiques. Il y a belle lurette que la masturbation est considérée comme un phénomène « normal » au temps de l'adolescence, et rares sont ceux qui lui attachent encore, a priori et nécessairement, l'étiquette de « péché mortel ». De plus en plus nombreux sont les catholiques qui prônent une morale dynamique et non plus statique (en prenant bien garde, toujours, de rappeler le mot de Péguy : que les morales souples sont plus exigeantes que les morales raides ; ce qui d'ailleurs est certain). Des moralistes de renom (le chanoine Janssens, le R. P. Riquet, par ex.) se montrent

—————————
1. Critique de la connaissance.

favorables aux progestogènes — la fameuse pilule du docteur Pincus —, quitte à souligner que leur usage ne signifie nullement « laisser-aller ». Enfin, pour mieux marquer jusqu'où vont ces recherches au sein de l'Eglise catholique, nous citerons quelques grands noms. L'évêque de Bois-le-Duc déclarait à la T. V. : « Il n'y a aucun mérite à avoir une grande famille ou une petite. » Puis, en ce qui concerne les méthodes de régulation des naissances : « Elle (l'Eglise) sait qu'un souci bien intentionné de la famille et de chacun des conjoints pour l'autre entraîne les couples sur des voies qu'elle ne peut pas approuver. Elle sait aussi que ce que tel couple est capable de réaliser sera pour d'autres impossible. Et dans ce cas, l'Eglise reconnaît qu'il y a place pour un progrès graduel, parfois lent et déficient, exactement comme cela se passe dans tous les domaines de la vie humaine... » Et monseigneur Roberts, archevêque de Bombay, avec un sourire : « Si je n'étais pas catholique, j'accepterais la position prise par la conférence de Lambeth, à savoir qu'il y a des cas où la prise de conscience par les parties intéressées autorise la pratique de la contraception. » Et enfin le pape Paul VI : « Elles (les normes dictées par Pie XII au sujet du double problème de la limitation des naissances et de la morale familiale) restent valables aussi longtemps qu'en conscience nous ne nous sentons pas obligé de les modifier. » Ce qui, nous semble-t-il, suppose que ces normes pourraient être modifiées. Mais il serait de la plus haute inconvenance de presser ces paroles et de faire dire au pape plus qu'il n'a voulu dire. Aussi bien nous citons cette phrase parce qu'elle nous paraît être un signe, qui converge avec bien d'autres.

Ainsi donc, sur le plan de la morale sexuelle, il semble bien que « quelque chose » soit en train de bouger. Une sève nouvelle envahit le vieil arbre, tente de faire craquer l'écorce.

LE POINT DE DEPART

Cet ébranlement de la Morale n'est pas sans avoir un rapport profond avec l'évolution que la science a connue. A son tour, la morale est occupée à accéder à l'indépendance, et par le fait même elle devient à la fois plus humble et plus efficace.

L'univers, aussi bien humain que matériel, est en expansion. L'image d'un homme idéal — étoile fixe dans le firmament immuable des essences — est devenue un concept inutilisable. Aussi bien l'objet de la morale, désormais, c'est l'homme tel qu'il se constitue lui-même par ses propres moyens dans l'histoire qui est la sienne. Et la morale se voit « réduite » à se mettre au service de cet homme qui s'invente lui-même au fur et à mesure de son histoire ; elle est au service de cette révélation de l'homme à lui-même, au service de cette création de soi par soi : pour la conquête d'une liberté toujours plus grande et décelant l'esprit là où il risque d'être oublié.

Fait inattendu : au contact de la science, la morale doit s'avouer moins « pure » qu'elle ne se l'était imaginé ; elle doit reconnaître qu'elle comporte toujours un danger très précis.

Pour réaliser son projet, et exactement comme la science, la morale est contrainte d'objectiver les données vécues, pour les figer en des termes qui s'opposent à la conscience et que celle-ci pourra dès lors manipuler à son gré. Or toute organisation rationnelle du monde humain, qu'elle soit morale ou scientifique, tend nécessairement vers un monde où tout deviendrait équivalent et interchangeable. La morale risque sans cesse d'oublier qu'une situation humaine comporte toujours « un côté inouï et incomparable ». C'est pourquoi, disait E. Mounier, la morale délire dès qu'elle veut jouer à la reine et se prévaloir de quelque intuition pure de l'esprit. Encore qu'elles soient inséparables, la vie spirituelle transcende la vie morale ; la morale ne peut être que l'humble servante de la spiritualité, « dont elle fait le ménage », disait encore Mounier.

La science moderne n'est plus la contemplation impassible des choses telles qu'elles sont ; elle se veut « technique », elle veut intervenir dans le monde ; elle veut que l'homme, au lieu de subir les conditions qui lui sont données, puisse modifier ces conditions au gré de ses besoins. De même la morale, et en particulier la morale sexuelle : elle n'est plus un simple jugement porté sur des faits ; elle veut aider la sexualité à trouver sa route. Si bien que les découvertes médicales ou psychologiques l'intéressent au plus haut point. La maîtrise de tout ce qui, sur les plans physiologique et psychologique, conditionne la sexualité, est devenue partie intégrante de la morale.

Et nous en arrivons ainsi aux techniques contraceptives.

LA MORALE SEXUELLE CONJUGALE

On ne peut songer à élucider, en quelques pages, un tel sujet ; nous nous bornerons donc à quelques remarques qui nous paraissent essentielles, et surtout apaisantes.

Impossible de douter que, à l'heure actuelle, la question

de la limitation des naissances ne polarise, et même ne grève et gauchisse la plupart des problèmes conjugaux. D'autre part, c'est l'aspect moral et juridique de la question qui constitue une des principales pierres d'achoppement.

Cependant, s'il est vrai que la morale a pour but « de faire surgir dans une situation pourrie ou médiocre l'idée qui la réorganise », n'est-il pas étonnant que le point de vue moral puisse venir aggraver des situations qui déjà apparaissent, à ceux qui les vivent, comme étant des impasses ?

Qu'avons-nous à faire d'une morale qui ne serait pas en même temps espérance ?

Nous n'oublions pas pour autant la leçon de R. M. Rilke, que « tout ce qui est grave est difficile » ; nous savons que l'homme est appelé à se dépasser, souvent dans l'héroïsme. Mais l'héroïsme est clair et net ; il n'a rien de commun avec l'angoisse, la panique, le désespoir.

Une morale qui n'apporte pas la paix, montre par-là même qu'elle est gravement déficiente.

Les structures de la famille ancienne et de la famille moderne sont profondément différentes.

La famille ancienne. Elle constituait une unité sociale fonctionnelle, quasi indépendante, et où les individus trouvaient à peu près tout ce dont ils avaient besoin. D'où la nécessité d'une famille large et fortement hiérarchisée. Le rôle de la sexualité dans une famille de ce type était surtout « le maintien de la famille dans le temps » ; puis encore, parce que l'homme y faisait la loi, la sexualité de la femme n'avait guère d'autre raison d'être que de permettre à l'homme d'exercer la sienne. Sur le plan moral, on se souciait donc avant tout de la propagation de l'espèce ; et c'est par ce biais que l'on s'efforçait de sauvegarder une sexualité humaine qui dépassât le pur instinct.

La famille moderne. Elle s'est réduite au couple, avec les enfants mineurs. Et de la sorte elle est devenue conjugale. La personnalité de la femme et des enfants ont pu enfin s'épanouir. Apparaissent dès lors les exigences du couple comme tel, et l'exigence d'une éducation « personnelle » de l'enfant. Le couple fonde son unité sur le dialogue. Aussi bien une nombreuse progéniture représente le plus souvent non plus une aide, mais une difficulté quasi insurmontable tant pour le couple lui-même, avec ses exigences nouvelles, que pour l'éducation des enfants eux-mêmes.

D'autre part, en devenant conjugale, la famille a mieux pris conscience qu'elle ne pouvait pas rester close et fermée sur elle-même : non pas seulement parce que le couple s'asphyxierait en restant à l'écart de la communauté, non pas seulement parce qu'une éducation en vase clos est vouée à l'échec, mais parce que le foyer comme tel est appelé à jouer un rôle dans le monde. Aussi bien est-ce la situation concrète de chaque foyer et sa volonté de s'insérer dans un contexte plus vaste qui va commander sa composition. Famille grande ou petite, élargie ou réduite : il y a là avant tout une question de « vocation ». C'est pourquoi toute comparaison serait vaine et ne ferait que poser un faux problème.

Faut-il le dire ? La famille reste notre réalité sociale première, la plus inéluctable. Ce n'est pas parce qu'il existe des familles closes et qui ainsi deviennent des « nœuds de vipères » qu'il faut prêcher la révolte contre la famille. Mais d'un autre côté, il y aurait naïveté ou hypocrisie à prétendre que la réalité familiale est, par elle-même, sainte et irréprochable. La famille est ce que nous sommes : elle a ses grandeurs et ses misères.

La famille ancienne était vraie dans le contexte sociologique d'autrefois, mais la famille moderne est également vraie. Ce sont d'ailleurs des faits auxquels nous ne pouvons rien. L'histoire est irréversible.

Dans cette perspective, la régulation ou la limitation des naissances a, aujourd'hui, un triple but : sauvegarder le dialogue indispensable à l'*existence* du couple, permettre une éducation qui corresponde aux besoins de chacun des enfants, mieux adapter le foyer au rôle social qu'il s'est choisi.

C'est la maîtrise des lois naturelles qui a permis l'éclosion de la famille moderne ; c'est encore cette même maîtrise qui nous donnera la possibilité de régulariser ou de limiter les naissances sans remettre en cause le but dernier que se propose cette régulation ou limitation.

Mais ici il faut bien reconnaître que les techniques contraceptives dont nous disposons sont encore, pour la plupart, singulièrement grossières et primitives. Ces techniques, on pourrait les classer en deux catégories suivant que les médecins, psychologues et moralistes leur sont ou non favorables. Il y aurait d'une part : le coït interrompu, la douche vaginale, les contraceptifs masculins ou féminins, la stérilisation chirurgicale définitive ou la « stérilisation » temporaire par voie buccale, sans oublier l'étreinte réservée. D'autre part, il y a la méthode des températures puis la pilule qui permettrait de régulariser les fonctions physiologiques de la conception sans pour autant les violenter.

Psychologues et médecins ont montré à satiété les graves inconvénients qu'entraînent les techniques de la première catégorie. Survient ensuite le moraliste qui en déduit, fort logiquement ma foi, que l'emploi de ces contraceptifs est « interdit ». Le Père de Lestapis nous paraît fort bien résumer ce point de vue quand il parle de « seuils d'objectivité devant lesquels l'amour ne passe plus ».

Si le problème pouvait être réduit à ce que nous venons de rappeler, nous croyons, nous aussi, que la réponse ne ferait pas de doute... que l'on soit ou non catholique. Il semble en effet, de prime abord, que seuls la recherche de la facilité ou un laisser-aller puisse induire un homme à adopter une conduite qui, d'avance, est vouée à l'« insignifiance », dans toute la force de ce mot.

Mais tout d'abord il faut remarquer que, dans une telle perspective, la morale a oublié son rôle essentiel : qui est, non pas de souligner ce qui est « permis » ou « défendu », mais d'accompagner le couple dans ses efforts, dans ses initiatives créatrices pour sauvegarder et approfondir le dialogue qui le maintient dans l'existence.

Déjà la morale retrouve son vrai rôle lorsqu'elle incite les chercheurs à trouver une technique qui ne violente pas les fonctions physiologiques. Et les spécialistes annoncent pour bientôt une solution qui serait acceptable pour tous.

Pour bientôt... mais en attendant ?

En attendant, quelle attitude vont adopter les médecins, infirmières et assistantes sociales qui travaillent dans les milieux socialement sous-développés ? Car c'est là que le problème se présente à l'état le plus aigu.

Vont-ils recommander la méthode des températures ? Mais — à supposer chez la femme un cycle suffisamment régulier — cette méthode exige une discipline personnelle que l'on ne peut pas attendre des couples qui sont en jeu. La pilule ?... Sans doute, elle est efficace, et d'excellents moralistes lui sont favorables. Mais elle exige une surveillance médicale ; puis surtout, devant l'impossibilité d'en prévoir les effets lointains, on ne peut guère envisager son utilisation à longueur d'années, pendant une ou plusieurs décennies. Pour le moment, il faut faire alterner la pilule avec une autre méthode. Si l'on choisit, comme méthode d'appoint, la méthode des températures, on n'a pas avancé d'un pas : car quatre mois suffisent largement pour obtenir la naissance redoutée.

Dans la pratique, comment la situation se présente-t-elle ? Tel couple — revenus financiers réduits, logement à l'avenant, santé problématique — constate après quelques années de mariage, qu'il serait grand temps d'espacer les naissances. On prend conseil auprès de camarades, on utilise des contraceptifs de fortune, si bien que les naissances se répètent à un rythme à peine moins rapide. Puis un jour, quand il y a quatre ou cinq enfants et que les parents n'ont guère plus de trente ans, c'est la panique. On en vient aux avortements. Ou bien se pose la question d'une stérilisation... de la femme, bien entendu. Ou enfin on « accepte » les enfants qui surviennent, mais comme un poids de plus en plus lourd, comme une fatalité de plus en plus écrasante.

Quant aux médecins, infirmières et assistantes sociales qui voudraient aider ces couples, leur position n'est certes pas facile... même s'ils pensent que l'emploi des contraceptifs s'explique en pareil cas. Du moins dans les pays latins. Car il y a une loi concernant la propagande et la vente des produits contraceptifs[1].

Abstraction faite de toute considération morale, et *si l'on veut vraiment obtenir une régulation des naissances*, il n'y a pas à l'heure actuelle pour les milieux sociaux dont il est question — d'autre solution que celle-ci ; que, dès les premiers temps du mariage, le couple envisage cette régulation en adoptant comme méthode la pilule (progestogènes), combinée avec le genre de contraceptifs (au sens courant du mot) qui lui convient le mieux... puisque la méthode des températures est, en pratique, impossible.

Ajoutons que, souvent, dans les milieux sociaux plus développés, la situation, pour être moins spectaculaire, n'en est pas moins tragique. Nous n'en voulons pour preuve que ces paroles du docteur A. Berge (catholique), Directeur du Centre psycho-pédagogique de l'Académie de Paris : « Avec ou sans continence, il demeure que le premier des devoirs conjugaux, c'est d'éviter que l'épouse tombe malade. Mais la santé physique n'est pas la seule en cause : ces mères submergées par le nombre ont un équilibre nerveux et psychique en péril. Et ce qui est le plus grave encore chez beaucoup d'entre elles, ce sont les effets de la peur panique

---

1. *Article 3.* — Sera puni d'un à six mois de prison et d'une amende de 100 à 5 000 F quiconque, dans un but de propagande anticonceptionnelle, aura, par l'un des moyens spécifiés aux articles 1 et 2, décrit ou divulgué ou offert de révéler les procédés propres à prévenir la grossesse, ou encore facilité l'usage de ces procédés. Les mêmes peines seront applicables à quiconque, par l'un des moyens énoncés à l'article 23 de la loi du 29 juillet 1881, se sera livré à une propagande anticonceptionnelle ou contre la natalité. *Article 4.* — Seront punies des mêmes peines les infractions aux articles 32 et 36 de la loi du 21 germinal de l'an II lorsque les remèdes secrets sont désignés par des étiquettes, les annonces ou tout autre moyen comme jouissant de vertus spécifiques préventives de la grossesse, alors même que l'indication de ces vertus ne serait que mensongère.

(et involontaire) qu'elles ont parfois d'une nouvelle grossesse même si elles ne sont pas physiquement mal portantes. Cette angoisse engendre parfois d'une façon d'ailleurs assez illogique, un autre mal qu'il n'est pas permis de négliger : la frigidité féminine... Si elle (la mère) a donné le jour à des garçons, elle risque avec eux de se montrer castratrice, par suite de sa peur de l'homme ; à ses yeux en effet, l'homme ne peut que faire souffrir la femme et par conséquent elle se gardera bien de donner à son fils une éducation virilisante... » Le docteur Berge fait ensuite le procès de la continence conjugale dont il a enregistré, au cours de sa carrière, les fâcheux effets plutôt que les bienfaits. Puis un peu plus loin : « Il n'est donc pas honnêtement possible d'échapper à la nécessité d'envisager la régulation des naissances de ce point de vue individuel et psychologique... c'est pour moi un devoir de verser aux débats les constatations que je suis amené à faire professionnellement presque chaque jour. J'ai affaire à trop de malheureux enfants à qui l'on fait payer cher, consciemment ou inconsciemment, le crime d'être venu au monde quand leurs parents n'en voulaient pas. » (Cité d'après Lagroua Weill-Hallé, *La grand-peur d'aimer;* pp. 142 et sq.)

Il serait triste que, devant de telles situations, un moraliste trouve simplement à répondre : « Je regrette, mes chers amis : mais la morale ne peut accepter que l'on supprime ces divers maux par cet autre mal que sont, à ses yeux, les pratiques et les ingrédients anticonceptionnels. » Il est plus décent que la morale « juridique » s'avoue tout simplement impuissante.

Une morale qui aime l'homme vivant, une morale qui veut l'aider à vivre et à rester libre, parlera — nous semble-t-il — autrement.

Les taudis, eux aussi, constituent « un seuil d'objectivité devant lequel une vie vraiment humaine ne passe plus ». En conséquence, il faudra tout mettre en œuvre pour obtenir des logements convenables. Et en attendant ? Il faudra chercher comment, à l'intérieur d'un taudis, il est « quand même » possible de mener une existence qui ne soit pas trop inhumaine, une existence qui sauvegarde l'essentiel.

Les contraceptifs que nous avons classés dans la première catégorie sont, pour l'amour conjugal, ce que sont les taudis sur un autre plan. Ou les bidons-villes. Faudra-t-il chasser tous ces malheureux de leurs tanières, raser et brûler leurs cabanes, puis les enfourner en prison ?... Ce serait, il est vrai, très tranquillisant pour ceux qui mènent une vie

confortable. La vraie morale, en ce qui concerne les taudis, et en attendant d'autres réformes sociales, c'est celle
que pratiqua Kagawa, un universitaire japonais, qui s'en
fut vivre avec ces parias de la société, partageant son lit
avec un assassin, contractant la gale avec un autre, grand
frère de toutes les prostituées.

La vraie morale, par rapport à ceux qui utilisent des
contraceptifs « inhumains », c'est tout d'abord de ne pas
présupposer qu'ils utilisent ces méthodes par amour de
la facilité, par laisser-aller ; il faudrait commencer par comprendre que ce sont le plus souvent des êtres en détresse,
et qui cherchent désespérément quel peut être le sens
d'une existence aussi dérisoire.

On se rappelle, dans *Les Racines du Ciel* de Romain
Gary, le personnage de Minna. C'était une fille qui avait
connu, après la prise de la capitale par les Russes, le sort
de beaucoup d'autres Berlinoises ; une jeune fille sur laquelle les soldats s'étaient jetés sans même desserrer leur
ceinturon. Elle ne se souvenait pas des visages : la seule
chose qui s'était à jamais imprégnée dans sa mémoire,
c'était la boucle des ceinturons. Ensuite elle avait « repris » la vie avec son oncle. Et puis un jour, poussée par
un besoin incoercible d'évasion, elle s'était débrouillée pour
partir très loin, en Afrique, où elle était devenue « strip-
teaseuse »... Mais voilà que peu à peu, ô miracle, à travers
toute cette misère, naît en elle une extraordinaire exigence
de dignité humaine, de liberté, de pureté.

Nous n'éprouvons aucune sympathie pour certaines théories littéraires suivant lesquelles il n'y aurait de vraie grandeur que celle qui se fait à travers le mal, et nous recon-
naissons volontiers que l'expérience de Minna est extraordinaire. Il n'empêche que bien des êtres humains ont ainsi
vécu d'autres situations tragiques, qui les ont marqués définitivement et sans que du dehors on puisse s'en douter.
C'est pourquoi, comme le dit Karl Jaspers dans le beau
texte sur la vie du foyer que reprend cet ouvrage : « on
ne peut se faire une idée du nombre d'hommes qui n'ont
pas en eux de quoi s'élever à la hauteur de leur tâche... »

On le voit : il ne s'agit, à aucun degré et d'aucune façon,
de vouloir justifier des comportements qui, en eux-mêmes,
sont contraires à l'amour. Il s'agit d'aimer les êtres humains,
tels qu'ils sont.

La morale aurait besoin de cette même révolution qui
est intervenue en pédagogie et que Claparède qualifiait de
« copernicienne ». Aujourd'hui, sur le plan de l'éducation

et du moins en théorie, il n'est plus question que le maître tente d'inculquer à ses élèves son « savoir » à lui ; mais le maître doit prendre l'élève là où il est, comme il est, afin de développer toutes ses possibilités et l'aider à devenir un adulte capable de remplir son rôle.

De même, en morale, c'est un non-sens que de vouloir inculquer au couple une conduite « idéale » ; il faut prendre ce couple là où il est, dans sa situation concrète, et l'aider à instaurer le mode de dialogue dont il est capable en ce moment.

Ne jouons pas sur les mots. De tout ce qui précède, ressort une apparente contradiction.

D'une part, toute justification théorique des contraceptifs inhumains est vouée à l'échec ; parce que ce comportement est contradictoire en soi et supprime toute moralité.

D'autre part, les nécessités de la vie appellent, en certains cas, l'emploi de ces mêmes contraceptifs ; du moins pour l'instant, et sans doute pour longtemps encore, quelles que soient les découvertes annoncées.

Il nous semble que, pour expliquer cette apparente contradiction (apparente car la vie précède la logique), on pourrait évoquer la dialectique du mensonge telle que l'expose Karl Jaspers. Voici le résumé qu'en donnent M. Dufrenne et P. Ricœur, dans *Karl Jaspers et la philosophie de l'existence*. « Nous avons le bonheur de trouver dans l'œuvre de Jaspers un exemple abondamment traité et qui illustre bien ce rapport instable de la loi universelle à la décision personnelle : l'exemple du mensonge. La loi comme telle ne peut assurément. souffrir d'exception : toute justification théorique du mensonge par l'intérêt ou par l'amour est scandaleuse. C'est avec raison que les philosophes ont opposé un refus radical au mensonge quel qu'il soit : il est en tant qu'action une contradiction en soi et supprime toute moralité... la véracité authentique jaillit de l'existence avec la simplicité et la limpidité des choses profondes : elle a pour mesure chaque fois neuve la qualité de communication dont elle se sent capable et responsable. Elle a le courage de ne pas mentir à soi et à l'ami ; par contre, pour l'ennemi, la véracité peut être de consentir à la ruse[1], et dans les relations superficielles et mondaines d'user de demi-vérités et de silences. La véracité authentique exige de reconnaître comme un fait que le mensonge est univer-

---

1. Par exemple, pendant la guerre, mentir à l'occupant pour sauver un soldat qui se cache.

sellement répandu. La véracité exige que l'on admette la possibilité que le mensonge puisse être dans certaines situations une action véridique, sans devenir pourtant la vérité en tant que loi objectivement valable. Mais il faut ajouter tout de suite que cette distinction des ennemis et des amis ne peut elle-même être érigée en règle cohérente et de tout repos... Nul ne peut décider a priori, c'est-à-dire en marge de toute situation concrète, si l'intransigeance, le compromis ou l'acte de guerre sont *hic et nunc* nécessaires, de cette nécessité qui a traversé la règle, mais a finalement jailli de source. » (p. 214 et sq.)

Ici encore nous aimerions citer les paroles du pape Paul VI, dans son discours à l'occasion du premier anniversaire de son couronnement. Ce sont des paroles d'une sagesse évidente. « C'est (le problème du contrôle des naissances) un problème extrêmement complexe et délicat. L'Eglise en reconnaît les multiples aspects, c'est-à-dire les multiples compétences, *parmi lesquelles prime celle des conjoints, celle de leur liberté, de leur conscience, de leur amour, de leur devoir.* Mais l'Eglise doit affirmer aussi sa propre compétence... etc. »

En résumé : il serait faux de vouloir justifier théoriquement l'utilisation des contraceptifs dits « inhumains ».

Mais en même temps, il est trop évident que la situation malheureuse de bien des ménages (en ce qui regarde le couple lui-même et les enfants), il est évident que le nombre immense des avortements (environ 400 000 pour 800 000 naissances chaque année en France) appellent un remède : et c'est un signe du dénûment auquel nous sommes astreints, que le seul remède possible réside — en partie — dans des contraceptifs qui sont de nature à dégrader la qualité de l'acte sexuel[1].

---

1. Dans cette étude, nous avons fait abstraction (en dépit de certaines citations) du point de vue catholique. Ce point de vue a été exposé à la fin du livre VI.

Livre VIII

GROSSESSE ET ACCOUCHEMENT

Quelle que soit l'importance des données physiologiques et psychologiques, on ne peut oublier que ces dimensions sont loin d'épuiser la réalité de la grossesse et de l'accouchement, en tant qu'événements vécus.

L'être humain vit sa vie dans son corps, et c'est pourquoi les phénomènes que nous abordons ici ne sont pas seulement une affaire biologique ou psychique, mais un problème de vie.

Un problème de vie ? Pour le rendre sensible, il suffit de remarquer comment une hygiène psychologique tendant à supprimer les angoisses qui grèvent souvent la grossesse, ou la méthode pour un accouchement sans douleur, n'ont pas comme but dernier le soulagement d'une souffrance humaine, qui n'est d'ailleurs que trop réelle ; ces techniques, en fin de compte, visent à rendre la femme capable de vivre ces événements dans toute leur profondeur.

En ce qui concerne la grossesse, un double danger apparaît : d'une part, un pseudo-instinct maternel, qui se rencontre le plus souvent chez la femme virile, peut susciter en elle le désir d'avoir beaucoup d'enfants, mais comme on désire avoir beaucoup de richesse, et non pas comme des êtres neufs, différents d'elle-même, qu'elle devra aider à devenir « autres » ; d'autre part, toute angoisse risque de lui faire ressentir l'enfant, en elle, comme un corps étranger.

Quant à l'accouchement, dans la mesure où il resterait une torture, comment la femme pourrait-elle y trouver une des expressions les plus profondes et les plus belles de sa féminité ? Comment, si elle souffre trop, pourrait-elle expérimenter physiquement, en mettant son enfant au monde, que le monde est capable d'amour, est fait pour l'amour ?

D'autre part, ce n'est pas la femme seule qui doit vivre ces événements, mais le couple comme tel. De plus en plus souvent, aujourd'hui, le mari désire assister à la naissance de son enfant ; mais les discussions qui se poursuivent à ce sujet montrent bien que le couple en est toujours à chercher sa voie en ce domaine, comme en bien d'autres.

Plusieurs témoignages indiquent que, si elles ont vécu leur grossesse dans une paix et une joie profondes, les mamans sentent intensément que « accoucher seule, cela a moins de sens ». Non pas, bien sûr, qu'elles souhaitent un « public » ; et ce n'est même pas une aide ou la seule présence du mari qu'elles voudraient alors. Mais cet enfant qu'elles mettent « au monde », ne serait-il pas normal que la communauté soit là pour le recevoir, pour lui souhaiter la bienvenue ? Ce qu'elles désirent, c'est que médecins et infirmières prennent mieux conscience de leur rôle : lequel n'est pas seulement d'apporter les soins nécessaires, mais aussi d'être là comme délégués de la communauté humaine.

Les symptômes de la grossesse

Dr G. Schulte, Waiblingen

Un grand nombre de femmes s'adressent à leur médecin pour savoir avec certitude si elles sont enceintes. Que de femmes, que de couples se sont posé la question : comment reconnaître une grossesse et quels sont les vrais symptômes qui permettent un diagnostic sûr ? On distingue habituellement entre les signes de présomption, les signes de probabilité et les signes de certitude.

Au début du second mois, les femmes enceintes se plaignent de nausées et de vomissements matinaux. Parfois elles n'éprouvent que de légères nausées ; l'estomac étant encore vide, elles ne restituent qu'un peu de liquide épais et visqueux. Il est curieux de constater qu'à part ce malaise matinal, l'appétit et l'état de santé général n'étant point troublés, la femme enceinte est comme pléthorique et ne maigrit pas. Si l'élément psychique agit comme facteur déterminant — aversion contre le milieu, contre l'enfant à naître, contre le père de l'enfant, agressivité des réactions hystériques comme de vouloir prouver à la belle-mère que « la vie est difficile » ou de demander agressivement au mari « s'il se rend compte maintenant de ce qu'il a fait » — si l'élément psychique agit comme facteur déterminant, il y a en même temps des troubles graves du métabolisme et du foie. Souvent les symptômes physiques et psychiques apparaissent simultanément ; dans certains cas, on ne peut apercevoir qu'un seul des deux symptômes. Il est surprenant de constater que les vomissements incoercibles de la grossesse peuvent disparaître comme par enchantement grâce à un changement de milieu — un voyage d'agrément ou l'admission dans une clinique par exemple — et que cette guérison est obtenue sans traitement spécial. Mais il est possible également qu'aucun traitement thérapeutique ne réussisse et que la malade continue à vomir dix, vingt et même quarante fois par jour ; incapable de garder aucune nourriture, elle maigrit et sombre dans un état de santé déplorable ; il faut l'alimenter artificiellement. Le médecin doit alors faire appel à toute sa science pour permettre à la mère et à « l'enfant en devenir » de surmonter ce passage difficile. Entre le quatrième et le sixième mois de gestation, les vomissements incoercibles disparaissent d'eux-mêmes. Mais il peut arriver qu'en dépit de tous les efforts scrupuleusement dépensés, l'enfant meure dans le ventre de la mère alors que l'état de santé de la femme s'améliore brusquement. Ce phénomène, confirme que le métabolisme fœtal a surchargé le circuit métabolique de la mère. Comme la plupart des processus métaboliques se situent dans le foie, on croit devoir attribuer les causes de cette grave perturbation à une affection hépatique. En effet, nombre de femmes sujettes aux vomissements incoercibles ont eu une maladie de foie qui s'est généralement manifestée par une jaunisse. Cependant, chez d'autres, il n'en est rien et la connexion entre le facteur psychique (l'attitude intérieure infléchie et faussée) et les troubles du métabolisme n'a pu encore être déterminée. Toutefois, on ne peut nier aujourd'hui que les affections du foie entraînent des modifications du psychisme.

Les nausées et les vomissements matinaux ne sont point de rigueur. L'état de santé général peut être excellent et beaucoup de femmes ne se sentent jamais aussi « en forme » que pendant les premiers mois de grossesse. Par contre, les anomalies de l'appétit — les « envies », comme par exemple celle de manger de la craie — sont fréquentes. Or, on n'ignore pas que le fœtus retire à la mère le calcium nécessaire à la structure de son système osseux. On sait aussi que l'absorption de calcium permet de surmonter la déficience de ce métal dans l'organisme, déficience qui se manifeste souvent par l'apparition de caries dentaires et par l'ostéomalacie (ramollissement des os) de la mère. Aussi est-il indiqué aux futures mères d'absorber du calcium et du phosphore pendant la grossesse, notamment sous forme de lait. Il est possible que les « envies » subites, irrésistibles, des aliments les plus extravagants, ou simplement dédaignés jusqu'alors, procèdent d'un comportement instinctif où l'organisme exige des aliments contenant des substances qu'il ne trouve pas dans la nourriture habituelle et qui sont maintenant nécessaires à l'enfant.

Le psychisme subit également des altérations. Nombre de femmes, habituellement calmes et équilibrées, deviennent nerveuses et ont facilement des crises de larmes, d'autres deviennent irritables, querelleuses, capricieuses et d'humeur changeante.

La femme enceinte subit de profondes transformations sur tous les plans. Outre l'élargissement de la taille, qui se signale au début à la symphyse du pubis, beaucoup de femmes acquièrent enfin une totale et pleine maturité. Le corps se féminise davantage, les hanches sont plus accusées et la poitrine plus pleine ; le visage, plus rempli et aussi plus accusé. La grossesse provoque comme un accroissement de la sève vitale circulant dans le corps : la peau est plus tendue et les tissus, sous l'épiderme, sont plus fermes. La science moderne voit l'origine de cette métamorphose dans un déplacement de protéines qui entraîne un accroissement du volume du sang et des humeurs organiques.

Pendant les premiers mois de grossesse, dans certains cas, la peau s'altère sur le ventre, dans la région lombaire, au fessier et sur les cuisses. On a l'impression qu'elle est distendue et comme prête à se rompre. Cependant, l'épiderme reste intact. Ces lésions dermiques internes de quelques centimètres de longueur et d'un quart de centimètre à un centimètre de largeur sont situées parallèlement et à deux à trois centimètres de distance. De couleur foncée rouge et bleuâtre, elles se distinguent nettement. On pensait autrefois que ces raies appelées vergetures étaient provoquées par l'extension de la peau sur le ventre de la femme enceinte du fait de l'activité intensive des humeurs organiques. Mais on sait aujourd'hui que là aussi les hormones jouent un rôle et que les raies peuvent apparaître bien avant que les causes extérieures — donc mécaniques — ne les provoquent. C'est ainsi que par l'injection d'hormones, on a pu produire des vergetures artificielles sur des animaux femelles, non fécondés.

Il ne faut pas confondre les vergetures de grossesse avec la ligne noire. Celle-ci s'étend comme une pigmentation foncée sur le milieu du ventre, du nombril au pubis. Cette altération de la pigmentation de la peau à laquelle les femmes enceintes sont plus ou moins disposées, se manifeste souvent par une coloration plus sombre de l'aréole du mamelon du sein ou par des taches de couleur brun foncé sur le front, les joues, le nez et le menton (masque de grossesse).

Tous les symptômes cités ci-dessus sont appelés « signes de grossesse présumée », puisqu'ils peuvent apparaître également pour d'autre raisons au cours de multiples maladies. Ainsi, des vergetures accompagnent l'obésité d'origine hypophysaire ; un teint pigmenté apparaît après l'exposition au soleil, et des nausées matinales peuvent indiquer également un ulcère de l'estomac.

Par contre, on soupçonne une grossesse, c'est-à-dire qu'on la croit probable, lorsque chez une femme normalement réglée, la menstruation fait défaut après des rapports sexuels. Cet indice, connu de tout le monde, est celui qui incite généralement les femmes à consulter le médecin. Toutefois, on sait que d'autres raisons que la grossesse peuvent provoquer l'absence des règles ; nous y reviendrons plus tard. D'autre part, il arrive quelquefois que lors des trois premiers mois de grossesse, à la date où la femme a généralement ses règles, il y ait une hémorragie, plus légère et plus brève (pseudomenstruation) provenant de l'utérus et qui ressemble aux règles. Il va de soi qu'il ne faut pas tenir compte de ces hémorragies pour le calcul de la date de l'accouchement. Si, au moment de la fécondation supposée, la patiente a eu des rapports sexuels, il faut admettre la probabilité d'une grossesse.

Un autre indice de la probabilité d'une grossesse est la coloration bleu rougeâtre (livide) du vagin et du bourrelet de l'urètre. En examinant, avec un spéculum, le col de l'utérus, la coloration « livide » est nettement visible. Les rayons ultraviolets la font aussi clairement apparaître.

L'examen gynécologique révèle l'augmentation du volume de l'utérus (qui dépend naturellement de l'âge de la grossesse). L'augmentation du volume est due à la naissance du fœtus d'une part, et à l'augmentation de l'épaisseur de la paroi de l'utérus d'autre part. Pendant la grossesse, cet organe offre une consistance plus molle. (Signe de Hegar.)

Les seins peuvent également révéler la grossesse. Souvent, pendant le second et le troisième mois de gestation, il est possible de faire sourdre du sein une sécrétion claire ou jaunâtre. Il s'agit d'un liquide qui ressemble au lait (colostrum), dont la composition est pourtant différente de celle du lait de femme, surtout en ce qui concerne la teneur en corps graisseux et en globules blancs.

Après cette énumération des signes de probabilité, penchons-nous sur les signes de certitude. Il y a d'abord la palpation, à travers le ventre de la mère, des membres de l'enfant. A partir du cinquième et sixième mois de grossesse environ, il est possible de palper le dos de l'enfant ainsi que les bras et les jambes ; ce qu'on appelle les « petites parties ». La plupart du temps, on reconnaît bien la tête (ou sommet) qu'il est possible de faire « basculer », en la poussant entre deux doigts. D'autre part, l'enfant ne se tenant nullement tranquille et au repos dans le ventre de la mère, un autre indice certain est fourni par ses mouvements, que l'on peut voir et mesurer. L'enfant se tourne, se retourne et déplace ses membres ; de ce fait le ventre de la mère est fortement « bosselé », surtout aux endroits sous lesquels sont situées les « petites parties ». Ces mouvements sont nettement visibles et ressentis par la main posée à plat sur le ventre. Les mouvements de l'enfant sont perçus en général pour la première fois entre la dix-huitième et la vingtième semaine de la grossesse, c'est-à-dire à la moitié de la période de gestation et la mère les ressent nettement. La constatation est importante dans les cas où la date de la dernière menstruation est inconnue, et dans les cas où, après un précédent accouchement, les règles n'étant pas encore réapparues, la date fait défaut pour le calcul du prochain accouchement.

Il tombe sous le sens que le gynécologue n'admet, comme certain, que les mouvements de l'enfant qu'il a constatés lui-même. Il y a des femmes qui prétendent avoir ressenti ces mouvements et qui font en réalité une grossesse nerveuse. Elles se croient enceintes, les règles ayant fait défaut ; le ventre est gros et à première vue, on pourrait conclure à une grossesse. Mais l'examen révèle une flatulence intestinale ; en réalité, il n'y a pas eu fécondation, et l'absence des menstrues (aménorrhée) a été provoquée par des troubles psychiques. Dans ce cas, les spasmes de l'intestin ont été interprétés comme une manifestation des mouvements de l'enfant. Cette sorte de « grossesse hystérique » peut avoir plusieurs causes. L'une est, sans doute, l'ardent désir d'avoir un enfant. Certaines femmes qui, pour une raison inconnue, sont demeurées stériles, imaginent l'état idéal de la maternité. Leur désir devient si puissant que les règles cessent et, si l'on peut dire, c'est leur espoir seul qui prend corps. Elles se préparent alors avec ferveur à la joie d'être mère. Tout ceci, naturellement, est inconscient et il ne s'agit nullement d'une simulation, on se trouve en face de ce que l'on appelle une « réaction hysté-

rique authentique », laquelle se manifeste par des altérations organiques qui n'existent habituellement que lors d'une
grossesse réelle. Le ventre se gonfle, les seins deviennent
fermes et sécrètent le colostrum. Cette situation peut se
prolonger au point que les femmes semblent vouloir aider
leur grossesse : elles portent des ceintures spéciales, elles
achètent la layette etc. Finalement, les douleurs commencent, la sage-femme est appelée, l'accouchement débute —
naturellement sans aboutir à quoi que ce soit.

La grossesse nerveuse peut avoir une cause opposée. La
peur d'une grossesse, après les rapports sexuels, peut provoquer l'absence des règles, et la femme croyant ses craintes confirmées, commence alors une grossesse nerveuse.

Le devoir d'un médecin est d'apprendre la vérité à cette
femme. Ce n'est pas facile, car elle n'ajoutera aucune foi aux
paroles du praticien, son désir ou sa crainte de maternité
étant profondément ancrés. Le médecin doit alors être prudent car une révélation trop brutale peut déclencher une
grave dépression. Il n'est pas rare d'ailleurs qu'une femme
quitte le cabinet médical en protestant énergiquement et en
déclarant qu'elle consultera un médecin « plus capable ».

Comme troisième signe certain d'une grossesse on citera
les battements du cœur de l'enfant. En effet, ceux-ci sont
nettement audibles à partir du sixième mois de grossesse environ, grâce à un stéthoscope appliqué sur le ventre de la
mère. On perçoit 120 à 160 doubles-pulsations par minute,
la première un peu plus forte que la seconde. Suivant l'épaisseur du ventre maternel et la position de l'enfant, elles
sont plus ou moins perceptibles.

Avec les pulsations du cœur et les mouvements de l'enfant — audibles, visibles ou palpables — on se trouve devant des indices certains. Mais ceux-ci ne pouvant être constatés qu'à partir de la moitié de la période de grossesse, on
a cherché ailleurs le moyen de reconnaître une grossesse à
son début. Tous les indices décrits jusqu'à présent se limitent à l'examen clinique de la femme. Néanmoins certaines
méthodes permettent d'obtenir un résultat à l'aide de l'examen des sécrétions organiques : c'est ainsi que l'on injecte
de l'urine de la femme à certains animaux. Des altérations
définies sont observées sur ces derniers et permettent de
conclure à la grossesse.

Ces tests biologiques sont très importants au point de vue
pratique. Voici quel est le mécanisme : dès le début de la
grossesse, l'hypophyse, d'une part, et ce qui deviendra plus
tard le placenta, d'autre part, sécrètent en abondance une
nouvelle hormone appelée gonadotrophine ; celle-ci est en

partie excrétée par les reins et apparaît dans l'urine. On peut l'y mettre en évidence en injectant cette urine à des animaux d'expérience, sur lesquels on observera l'effet des gonadotrophines.

Si on injecte l'urine d'une femme enceinte à un crapaud ou à une grenouille mâle, l'urine de ces derniers se remplit au bout de deux à huit heures de spermatozoïdes décelables à l'examen microscopique.

Si on l'injecte sous la peau de jeunes souris ou de lapins femelles (vivant à l'écart des mâles), on peut constater au bout de 36 à 48 heures, à l'occasion d'une laparotomie sous narcose, que les ovaires de ces animaux sont couverts de taches de sang correspondant à des follicules qui se sont développés sous l'influence des gonadotrophines (réaction d'Ascheim-Zondek). Si la femme n'est pas enceinte, on ne constate aucune transformation au niveau des ovaires.

Les tests de grossesse sont positifs très tôt (dès la cinquième ou sixième semaine) ; s'ils sont négatifs et en contradiction avec le reste de l'examen clinique, il y a lieu de les recommencer entre la huitième et la dixième semaine.

Les deux tests, de la grenouille, du crapaud et de la souris, sont appliqués non seulement pour diagnostiquer la grossesse, mais également pour contrôler si elle persiste, ce qui est essentiel dans certains cas de maladie de la mère.

Les particularités psychiques de la grossesse

Dr L. Garat, Paris

Un phénomène intéressant, troublant même et psychologiquement délicat et difficile à expliquer, est ce qu'on appelle les « envies » de la femme enceinte, lesquelles « envies » se manifestent par un appétit irrésistible pour certains aliments et certaines boissons. Souvent, la femme ressent l'envie violente de manger des plats auxquels, en temps normal, elle ne toucherait pas, ou bien elle éprouve une véritable passion pour ses plats préférés. Ces désirs peuvent même être si singuliers qu'une personne à l'état normal ne peut comprendre ni déceler ce qui anime ainsi la future mère. Il existe des cas pathologiques où des femmes enceintes avalent du sable, du charbon, de la cendre, des morceaux de métal, et même des substances répugnantes comme des excréments humains, des araignées, des grenouilles, etc. (Havelock Ellis), ceci étant toutefois, on s'en doute, une monstrueuse exception.

La plupart des femmes enceintes ont envie de sucreries, de fruits, de légumes acides. Parmi les fruits, les pommes et les cerises ont leur prédilection ; viennent ensuite les oranges et les citrons. Pour les légumes, cornichons et tomates battent tous les records. Pour la boisson, les envies sont multiples, et variées ; au premier chef, le vinaigre, puis le lait, le café, le thé et toutes sortes de liqueurs.

Souvent des aliments et des boissons, particulièrement appréciés avant la grossesse, inspirent à ce moment une véritable répulsion et non seulement la vue, mais la seule évocation de ceux-ci provoque la nausée.

Pour expliquer ces particularités bien spéciales, on a élaboré un grand nombre de théories et d'hypothèses très variées dont aucune n'est satisfaisante. La thèse qui veut qu'à la suite des altérations organiques provoquées par la grossesse, l'organisme exige des substances dont il n'avait pas besoin auparavant, semble la plus plausible. Par conséquent, les envies de la femme enceinte procéderaient d'un instinct sûr, dicté par les besoins de l'organisme maternel ou par celui de l'enfant. Mais cette théorie ne peut s'appliquer qu'aux conditions normales de la grossesse, et non aux envies et aux appétits anormaux dont il a été question plus haut. Dans ces derniers cas, il s'agit sans aucun doute d'un événement plus compliqué qui relève de la psychiatrie.

Une autre hypothèse, qui mérite considération, attribue les envies à la suggestion et l'autosuggestion. La femme sait que sa mère, ou une amie, ou une voisine, a témoigné de certaines « envies » pendant sa grossesse ; elle transfère cette expérience à son propre cas et l'adopte pour son propre compte : elle « attend » les envies. La superstition y contribue aussi : certaines femmes prétendant que c'est mauvais signe pour l'enfant à venir si la mère n'a point d'envies. Havelock Ellis a noté les faits chronologiques d'une crise de ce genre dont voici les principales étapes :

Il s'agit d'un récit fait par une grande dame et qui prouve que les soins, l'intervention anxieuse des parents et de l'époux peuvent contribuer à provoquer chez une femme enceinte des envies qu'elle n'aurait peut-être pas éprouvées sinon. Après avoir conté les péripéties de sa première grossesse au début de laquelle elle fut très affectée par les nausées et les vomissements sans ressentir aucune « envie » particulière, cette dame raconte que sa seconde grossesse était déjà bien avancée, lorsqu'un soir, au cours du dîner, sa mère lui demanda brutalement si elle avait des envies et, dans l'affirmative, sur quoi elles portaient. Elle répondit qu'elle n'en avait point, mais qu'elle ne se sentait pas bien. « Comment, nulle envie ? répondit la mère, ce n'est pas possible ! Il faut que j'en parle immédiatement à la mère de votre mari ». Les deux vieilles dames, après s'être concertées, déclarèrent alors gravement à la jeune femme que si elle n'avait pas d'envies ou si elle ne les satisfaisait point, elle accoucherait d'un enfant taré. D'autre part, à partir de ce moment, le jeune époux qui avait entendu ces propos, ne manqua pas de la questionner à ce sujet tous les jours ; enfin, toutes ses amies lui contèrent des histoires « vraies » concernant des enfants qui, à la suite d'envies maternelles non satisfaites, étaient venus au monde avec une tare. La jeune femme devint alors inquiète et s'interrogea anxieusement sans constater en elle aucun désir, aucune « envie » particulière. Or, un jour, elle mangea avec grand plaisir des friandises au goût d'ananas, fruit qu'elle n'avait encore jamais mangé. Elle crut éprouver alors un fort appétit, puis un immense désir de goûter ce fruit introuvable à cette époque de l'année. Son « envie » devint irrésistible, à ce point que son mari et les domestiques tentèrent par tous les moyens de se procurer un ananas. Ils finirent par en trouver un, tard dans la soirée. (La mère de la jeune femme, pendant une grossesse, avait eu des envies de cerises, introuvables au mois de janvier. L'enfant, né avec une tache en forme de cerise (naevus), sa mère fut convaincue que cet accident devait être attribué au fait qu'elle n'avait pu en manger, et la jeune femme se souvenait de ce détail). Cependant, l'ananas étant un fruit lourd à digérer, il fut décidé que l'intéressée ne le mangerait que le lendemain matin. Elle le garda donc près d'elle, toute la nuit. Mais lorsque le lendemain matin son mari découpa le fruit et lui en offrit une tranche, elle éprouva un tel dégoût qu'elle ne put y toucher. La seule odeur de l'ananas provoqua une nausée et, depuis cette époque, la jeune femme ne toucha plus jamais à ce fruit.

Si cette histoire démontre que la suggestion peut faire naître des envies au cours d'une grossesse — le cas n'est pas rare —, elle ne suffit pourtant pas à expliquer ce phénomène.

On a prétendu que la satisfaction des envies pouvait diminuer l'intensité des nausées et des vomissements matinaux ; mais l'affirmation est difficile à contrôler. Il faut avouer que jusqu'ici, on ignore les causes biologiques de ce phénomène et qu'il faut l'accepter comme un fait objectif, sans plus.

La croyance — très répandue — qu'une femme enceinte peut être influencée directement par la vue de choses laides ou belles, et ceci au point que le corps de l'enfant à naître puisse s'en trouver modifié, est fortement entachée de superstition. D'après cette croyance, les becs-de-lièvre, les oreilles mal formées, les taches et malformations congénitales de toutes sortes seraient imputables à l'impressionnabilité de la femme enceinte. A telle enseigne que des déformations des organes sexuels pourraient en découler. Il n'y a pas si longtemps, on souriait de cette superstition en démontrant que, d'une part, le fœtus, anatomiquement, n'était pas relié au système nerveux de la mère et que, d'autre part, les particularités psychiques et physiques de l'enfant étaient déterminées dès la fécondation. De nos jours, on ne se contente plus de sourire de ce genre de croyance superstitieuse, et l'on cherche à en percer les raisons profondes. L'origine des becs-de-lièvre, des taches de naissance est connue : elle est héréditaire. Toutefois, l'influence d'impressions créées par la vue d'objets ou d'évènements beaux ou laids, et leur retentissement éventuel sur le fœtus, ne peuvent pas être rejetés a priori.

S'il n'existe pas de liaison anatomique directe entre le système nerveux de la mère et l'enfant, on sait qu'un choc nerveux ou des angoisses ressenties par la mère peuvent exercer une influence sur l'évolution générale de l'enfant. On a pratiqué à ce sujet un certain nombre d'expériences, et depuis on suppose que des chocs psychiques reçus par la mère peuvent être transmis à l'enfant par voie circulatoire. Les excitations de tout ordre chez la mère sont accompagnées d'une production hormonale croissante qui arrive par la circulation sanguine jusque dans la circulation embryonnaire. Par conséquent si la mère est en proie à des perturbations nerveuses pendant la grossesse, celles-ci peuvent être transmises à l'enfant. Il n'est guère possible ici de démontrer l'existence de cette relation de cause à effet ; toutefois, même sans connaître la nature exacte du phénomène, il importe d'épargner à la mère des perturbations nerveuses dont elle pourrait transmettre les effets.

Cependant, si cette croyance repose sur un fond de vérité, la part de superstition qu'elle contient est fausse et souvent grotesque. On cite le cas d'une dame de la meilleure société anglaise qui passait des jours entiers à la National Gallery de Londres, afin que son enfant « ressemblât à un petit ange ». L'épilogue de l'histoire fut tragique : l'enfant né hydrocéphale, mourut à l'âge de deux jours.

En Amérique du Nord, on prétend que si une femme blanche regarde un Noir avec un peu trop de sympathie, elle accouchera d'un bébé noir. Or, quand une femme blanche donne naissance à un enfant noir, le fait est sans doute imputable à une cause beaucoup plus simple !

Pour conclure, nous dirons qu'il existe occasionnellement pendant la grossesse des perturbations psychiques et mentales. Elles peuvent apparaître pendant le premier mois de grossesse et se manifestent en général par des angoisses intenses, des tristesses et des mélancolies profondes. Souvent, ces troubles disparaissent brusquement dès que la femme perçoit les premiers mouvements de l'enfant ; d'habitude, elles se terminent avec l'accouchement et ne laissent aucune trace. Dans de rares cas seulement, un traitement neurologique s'impose après la naissance de l'enfant.

Une des singularités qui se manifestent pendant la gestation est la « kleptomanie de grossesse ». Heureusement, celle-ci ne s'étend habituellement qu'aux fruits et aux friandises (et non pas, comme la véritable kleptomanie, à tous les objets, même à ceux de valeur), et elle est, sans doute, motivée par des « envies » irrésistibles.

Mais les singularités graves, il faut le constater, sont rares et nous n'avons cité que des exemples types, ordinaires et simples, communs à toutes les femmes enceintes.

Le mécanisme de l'hérédité

F. Bolle, Murnau

Il est banal pour le savant, et extraordinaire pour le profane que trois œufs blancs de forme et de volume à peu près semblables donnent naissance à des oiseaux aussi différents les uns des autres que le pigeon, le hibou et le rollier.

De quelle nature sont les facteurs qui font se développer des êtres si divers dans des œufs d'aspect similaire ? Comment se fait-il qu'un œuf de poule donne toujours naissance à une poule et que les produits de la descendance ressemblent toujours aux parents par les traits essentiels, et même souvent par les détails les plus infimes de l'aspect extérieur ?

Le terme « hérédité », qui désigne la transmission aux descendants des caractères physiques ou moraux des parents, englobe l'essentiel du problème : il doit exister « quelque chose » qui se transmet du père et de la mère aux enfants, puis aux petits-enfants, et ainsi de suite, de génération en génération.

L'étude de l'hérédité n'a pas été simplifiée par la découverte, intervenue il y a un peu plus d'un siècle, que, tout comme l'oiseau, chaque être vivant commence par être un œuf. Certes, la mouche et le poisson semblent avoir des œufs plus petits qu'une poule ou un pigeon. En fait, on se méprend quant au volume réel de l'œuf de l'oiseau ; le germe, qui transmettra au poussin la vie et les caractères héréditaires, n'est qu'un point minuscule au milieu de la masse de l'œuf entourée de sa coquille. Le jaune et le blanc ne sont que des réserves alimentaires préparées pour assurer le développement du germe jusqu'au jour où l'oiselet ayant brisé la coquille pourra recevoir la becquée.

Les œufs de tous les êtres vivants, animaux ou végétaux, peu évolués ou très évolués, ne sont qu'une petite cellule, bien plus petite que la tête une épingle, constituée d'une masse colloïdale de protoplasme, au milieu de laquelle on peut distinguer au microscope une sphérule plus dense : le noyau cellulaire.

Chez l'homme, comme en principe chez beaucoup d'animaux et de plantes, il faut l'union d'un mâle et d'une femelle pour transmettre la vie. Pour que naisse une vie nouvelle, il faut que l'ovule soit fécondé par des gamètes mâles. Si tout cela est connu depuis plus d'un siècle, on a longtemps ignoré où se situait le support des caractères héréditaires.

Le premier savant qui s'est attaqué expérimentalement au problème de l'hérédité fut l'Autrichien Gregor Mendel. Le caractère original de ses expériences apparaît déjà dans la manière de poser le problème. Avant lui, les hypothèses formulées à propos de l'hérédité étaient plus originales et amusantes que vraisemblables. Contrairement à ses prédécesseurs, il ne choisit pas comme point de départ deux espèces différentes (comme le cheval et l'âne), mais deux races d'une seule espèce, notamment des petits pois ordinaires du potager. Il pensait en effet à juste titre qu'il était plus judicieux d'entreprendre l'observation à travers plusieurs générations, de quelques caractères déterminés et distincts (la forme de la cosse, les couleurs de la graine, etc.) Une autre innovation décisive fut l'introduction de l'observation statistique : Mendel travaillait sur un grand nombre de plantes, dans le but d'éliminer l'influence du hasard. C'est ainsi qu'il croisa des milliers de pois à fleur blanche avec des pois à fleur rouge violacé, etc.

Mendel publia ses premiers résultats en 1865. Ce travail passa complètement inaperçu ; il fallut attendre 1900 pour que l'on « redécouvrit » les trouvailles de Mendel ; mais on lui rendit justice, et les lois fondamentales de l'hérédité sont appelées lois de Mendel.

Première loi : si l'on croise deux races pures différentes, la première génération de descendant (F 1) est formée d'individus tous semblables entre eux. En ce qui concerne le ou les caractères distincts, les hybrides auront le « choix » entre deux attitudes possibles : soit une position intermédiaire entre les deux races (transmission intermédiaire), soit une position se rapprochant entièrement de celle d'un des parents (transmission dominante).

Deuxième loi : si l'on croise entre eux des hybrides de première génération (F 1), la deuxième génération (F 2) n'est pas semblable à la première, et se scinde selon des proportions numériques bien définies : un quart des descendants ressemble à un des grands-parents, un quart à l'autre grand-parent ; et la moitié restante est semblable aux hybrides de première génération.

En cas de transmission intermédiaire, tous les individus qui ressemblent à un des grands-parents, croisés entre eux, ont une descendance qui leur ressemble ; les hybrides en revanche ont une descendance mêlée.

Mais en cas de transmission dominante, les trois quarts de la génération (F 2) ressembleront à l'un des grands-parents, et le quatrième quart à l'autre ; parmi ces trois quarts qui ressemblent à un des grands-parents, un individu sur trois est homozygote, c'est-à-dire qu'il est de race pure ; croisé avec des individus semblables, il aura une descendance uniforme ; deux individus sur trois au contraire sont des hétérozygotes : ce sont des hybrides dont le croisement obéira à la seconde loi de Mendel.

Troisième loi : elle concerne le croisement d'individus qui se différencient par plus d'un caractère : chaque caractère individuellement se transmet selon la seconde loi de Mendel, et les caractères différents se répartissent indépendamment les uns des autres : il y a formation de combinaisons spontanées. (Cette troisième loi a certaines limites qui seront précisées plus loin.)

De l'ensemble de ces observations, Mendel a conclu que tout être vivant possédait pour chaque caractère des facteurs héréditaires allant par paire ; la deuxième loi de Mendel ne se comprend que si l'on admet que pour chacun des caractères qui s'est extériorisé, il existe deux dispositions, qui se sont unies lors de la conception de l'être étudié, et qui se scindent ultérieurement dans les générations suivantes, en obéissant aux lois du calcul proportionnel.

Pour trouver le support biologique des lois de Mendel, il fallait le rechercher là où les caractères du père et de la mère s'unissent effectivement : dans les gamètes mâle et femelle (spermatozoïde et ovule), qui, l'expérience l'a montré, transmettent tous deux au même degré les caractères héréditaires ; ceux-ci sont domiciliés dans le noyau, la seule structure que les gamètes possèdent en commun.

Le noyau se retrouve dans toute cellule du corps ; il est généralement sphérique, et séparé du protoplasme par une pellicule appelée membrane nucléaire. Celle-ci renferme un liquide au sein duquel on peut distinguer une masse aisément repérable grâce à son affinité pour certains colorants : la chromatine. Désire-t-on découvrir le rôle de la chromatine dans la vie cellulaire, il faut en observer la division au microscope, au moment où toute la cellule se divise. A chacune de ces divisions ou *mitoses*, la chromatine se résoud en une série de bâtonnets appelés chromosomes ; chacun de ces bâtonnets du noyau existe par paire, et au moment de la mitose, il se scinde en deux dans le sens de la longueur ; les parties scindées s'éloignent l'une de l'autre, et reforment en se groupant chacune de leur côté un nouveau noyau. Ce sont les chromosomes qui supportent les caractères héréditaires.

Le nombre des chromosomes est caractéristique de chaque espèce animale et végétale ; pour l'homme, il est de 46 (23 paires ; le chiffre longtemps considéré comme valable était, jusqu'il y a très peu de temps 48 ; on sait maintenant qu'il y a une paire de moins).

Une objection sérieuse vient tout de suite à l'esprit ; comment le nombre de chromosomes d'un individu n'est-il pas en multiplication continuelle ? Il devrait être de 92 (46 chromosomes du spermatozoïde + 46 chromosomes de l'ovule) à la première fécondation, de 184 à la génération suivante, et ainsi de suite.

En 1887, Weismann, de Fribourg, a fait remarquer que, puisque le nombre de chromosomes était constant, il fallait admettre qu'à un stade ou l'autre du développement des gamètes, doit se situer une réduction de l'assortiment chromosomial. Effectivement, on a pu détecter cette réduction ou *méiose* ; les paires chromosomiales du futur gamète viennent se rassembler comme au cours de la mitose ; mais les chromosomes ne se scindent pas en deux ; ils se séparent en se dissociant, ce qui fait qu'à partir de ce moment le gamète n'a plus 23 paires de chromosomes, mais 23 chromosomes simples. Ceux-ci s'uniront aux 23 chromosomes provenant de l'autre gamète au moment de la conception et l'assortiment de 46 chromosomes sera ainsi reconstitué.

Comme la troisième loi de Mendel l'avait fait prévoir, au moment de la méiose, chaque gamète emporte avec lui une partie de l'hérédité paternelle et une partie de l'hérédité maternelle dont sa cellule-mère était porteuse : cette répartition se fait selon les lois d'un pur hasard. Il y a toutefois à cela un léger correctif : les caractères héréditaires situés sur un même chromosome sont toujours transmis ensemble ; encore faut-il prévoir la possibilité entre les chromosomes d'échanges de matière amenant des bouleversements brutaux dans l'hérédité des sujets ; pareils échanges de matière s'appellent des *translocations*.

De nombreuses expériences, des observations à l'aide du microscope, et des raisonnements extrêmement précis ont permis de démontrer que les caractères héréditaires sont effectivement supportés par de petites particules distinctes appelées gènes ; pour certains animaux d'expérience, tels que les drosophiles, on possède de réelles cartes géographiques qui indiquent chez les différents chromosomes l'endroit où se trouve le gène correspondant à chaque caractère héréditaire.

Le génome, c'est-à-dire l'ensemble des gènes, détermine le développement et le degré d'intensité de chaque caractère physique ou psychologique d'un individu ; en corrélation avec le milieu extérieur, il forme le *phénotype* ou type apparent de l'organisme, généralement différent du *génotype,* qui correspond à l'ensemble des caractères héréditaires que possède l'individu, y compris les caractères dits régressifs, qui ne transparaissent pas par suite de la prédominance d'autres caractères. Il faut noter qu'en fait le mécanisme de l'hérédité est extrêmement compliqué, parce que chaque caractère ne dépend pas de l'action d'un seul gène, mais de l'activité de plusieurs d'entre eux, chaque gène « s'intéressant » d'ailleurs au développement de plusieurs caractères héréditaires différents. La *génétique*, ou science de l'hérédité, a pu établir que l'ensemble des caractères héréditaires chez l'homme résultait de l'interaction harmonieuse, d'une mosaïque de quelque 40 000 gènes.

On sait depuis longtemps que l'ensemble des caractères héréditaires d'une race n'est pas absolument stable : dans la descendance d'une plante à fleur blanche apparaît par exemple parfois brutalement une plante à fleur rouge dont les descendants, à leur tour, transmettront la caractéristique rouge. Ces variations brutales des caractéristiques héréditaires, expliquent pour certains la transformation insensible des espèces animales que l'on peut observer au cours des âges ; elles ont reçu le nom de *mutations* ; il est possible de provoquer cette mutation expérimentalement en utilisant des facteurs tels que les rayons X, la température, etc. Grâce à ces expériences, il a été possible de pénétrer la structure du germe, en se livrant sur certaines espèces animales à une authentique chirurgie des chromosomes (avec des amputations, des greffes, etc.) On sait que les gènes sont des molécules d'une protéine extrêmement compliquée, composée de très longues chaînes à maillons innombrables, ouvrant des possibilités illimitées aux variations de composition. Cette protéine s'appelle l'*acide désoxyribonucléique* (A. D. N.).

Les recherches les plus récentes ont permis de mieux comprendre l'activité des gènes ; c'est ainsi que l'on a pu constater que ceux-ci, soit séparément, soit alternativement, influencent le chimisme cellulaire en provoquant la sécrétion de ferments ou enzymes qui régissent les différentes étapes du métabolisme cellulaire si complexe.

Chez les animaux évolués, ce sont les chromosomes qui vont orienter la détermination du sexe. Des gènes définis, véritables inducteurs du sexe, décideront de la féminité ou de la masculinité de l'individu. Dans l'espèce humaine, l'homme et la femme ont en commun 22 paires de chromosomes appelés *autosomes*. C'est la 23e paire, différente chez l'homme et la femme, qui déterminera le sexe ; ce sont les hétérosomes ; les deux hétérosomes sont semblables chez la femme (X + X), ils sont dissemblables chez l'homme (X + Y) ; en ce qui concerne le sexe, la femme est donc homozygote (les deux facteurs correspondants sont semblables) l'homme, au contraire, est hétérozygote.

Au moment de la méiose, la cellule-mère de gamète femelle (44 + X + X) donnera naissance à des ovules 22 + X, sexuellement indéterminés. Chez l'homme, au contraire, il y aura des spermatozoïdes « garçons » (22 + Y) et « filles » (22 + X) ; c'est donc en fait le père qui, en principe, décide du sexe de ses enfants ce qui n'a pas empêché nombre de chefs de famille de répudier — en toute bonne foi — leur épouse « incapable » de leur donner un fils.

Notons que les hétérosomes sont porteurs de gènes qui jouent un rôle dans certains aspects non sexuels de l'hérédité, il y aura donc forcément une « hérédité liée au sexe » comme c'est le cas, par exemple, pour des maladies telles que le daltonisme ou l'hémophilie qui ne frappent que les hommes.

La *cytogénétique*, ou étude du mécanisme de l'hérédité chromosomiale, est une science en pleine évolution dont la connaissance s'accroît chaque jour. Nul doute qu'elle nous réservera dans les années à venir bon nombre de découvertes intéressantes.

Garçon ou fille

Dr J. Bonnet, Paris

L'enfant qui doit naître sera-t-il garçon ou fille ? Tous les parents, sans exception, s'intéressent avec passion à la question, qui est généralement la première posée par la mère dès la venue du nouveau-né. En général, les parents ont une préférence pour l'un ou l'autre sexe : un garçon qui perpétuera le nom, et sera l'héritier des biens familiaux ou une fille, qui, portrait vivant de la mère, sera tendrement choyée par le père.

Il est donc compréhensible que la question de la détermination du sexe de l'enfant en gestation ait été, depuis toujours, un sujet de préoccupation pour les spécialistes, et que, d'autre part, la superstition populaire s'en soit emparée. Les paysans normands, par exemple, croient que le moyen infaillible pour procréer un garçon est de garder ses chaussures aux pieds pendant l'acte sexuel. Dans le Midi de la France, et en Italie, la même croyance superstitieuse, un peu atténuée fait loi : c'est sous chapeau qu'il faut garder sur la tête. En Pologne, le paysan endosse son habit des dimanches pour être certain d'avoir un fils (H. Ellis).

Que sait-on des théories, des hypothèses scientifiques concernant le sexe de l'enfant ? On sait que les organes sexuels ne commencent à se former qu'à partir du troisième mois de la grossesse ; jusqu'à cette époque, le fœtus possède en puissance les dispositions nécessaires à la formation des deux organes sexuels. Ce n'est qu'après le troisième mois que se fait définitivement l'orientation sexuelle du fœtus, en même temps que disparaissent complètement les potentialités sexuelles correspondant au sexe opposé. Nombre de femmes sont convaincues qu'elles peuvent, grâce à une manière de vivre définie (alimentation, exercices physiques etc), influencer la formation du sexe de l'enfant qu'elles portent. Elles savent que les organes sexuels de l'enfant ne se forment qu'à partir de la dixième semaine de grossesse, et elles croient pouvoir influencer le processus naturel de la gestation. C'est ainsi qu'elles en arrivent à affirmer qu'une nourriture abondante, au début de la grossesse, favorisera l'avènement d'une fille et la sous-alimentation, celui d'un garçon. D'autres femmes sont convaincues du contraire.

En réalité, les statistiques prouvent que l'alimentation de la mère n'a aucune influence sur le sexe du fœtus. D'autre part, celui-ci étant déterminé dès le moment de la fécondation, l'appartenance sexuelle de l'enfant semble dépendre surtout de la structure des gamètes.

Une partie des 500 à 700 millions de spermatozoïdes lancés dans le vagin lors du coït, contient des facteurs héréditaires « inducteurs du sexe féminin » et l'autre partie contient des « inducteurs du sexe masculin ». Lors de la fécondation de l'ovule, le sexe de l'enfant dépend donc de l'inducteur correspondant. Or, comme il s'agit de 700 millions de spermatozoïdes, nul ne saurait prédire lequel, parmi eux, fécondera l'ovule ; il faut penser que le hasard aura ici le dernier mot.

Néanmoins, la science moderne a pu réaliser à ce sujet, un certain nombre d'observations remarquables. On a pu constater, notamment, que les spermatozoïdes « mâles » ont des mouvements plus puissants que les spermatozoïdes « femelles ». Cela ne signifie point que ceux-là avancent plus rapidement que ceux-ci ; mais leurs mouvements plus puissants leur permettent seulement de franchir plus aisément les obstacles éventuels. Supposons, par exemple que les spermatozoïdes soient affaiblis par l'absorption d'alcool par le futur père. Ce sont les spermatozoïdes les plus forts qui auront le plus de chances d'aboutir à l'ovule. Or, ceux-ci contenant les inducteurs du sexe mâle, il est probable qu'un homme qui se trouve, lors de l'acte sexuel sous l'influence de l'alcool ou de drogues, procréera un garçon. Un savant allemand, Blum, a effectué à ce sujet une série d'expériences intéressantes. Il a réuni des souris mâles, préalablement intoxiquées d'alcool, avec des femelles. Alors que, normalement, il naît 100 souris femelles, pour 79 souris mâles, les accouplements effectués sous l'influence de l'alcool produisirent 122 mâles pour 100 femelles. Cette expérience semble donc prouver que l'alcool favorise la procréation de mâles.

Les statistiques démontrent que la majorité des premiers-nés d'un couple sont du sexe masculin. Il est possible que l'absorption de boissons alcoolisées le jour des noces influence la fécondation dans le cas où elle a lieu pendant la nuit de noces. D'autre part, il faut considérer que la défloration incomplète qui laisse subsister des parcelles de l'hymen, ainsi que l'étroitesse du vagin de la vierge, sont des obstacles que les spermatozoïdes inducteurs du sexe masculin ont le plus de chance de vaincre.

Suivant une théorie fort répandue, la différence d'âge entre parents, quand elle est importante, exercerait une influence sur le sexe de l'enfant ; on prétend, que les hommes plus âgés que leurs épouses procréent plutôt des garçons que des filles, tandis que les couples dont les âges sont moins éloignés conçoivent plutôt des filles. Mais il n'existe aucune preuve à l'appui de cette thèse.

Des éleveurs ont observé que chez les animaux, les étalons sexuellement surmenés procréent plus fréquemment des mâles, tandis que, s'ils sont en pleine possession de leur puissance sexuelle, leur descendance est en majorité composée de femelles. Appliquer cette théorie, mutatis mutandis, à l'homme, ce serait admettre la possibilité de procréer de préférence un garçon lors du dernier coït d'une même nuit ; c'est-à-dire que les parents qui désirent un fils devraient n'utiliser que le dernier coït d'une même nuit et non les premiers. Il faut toutefois constater que cette observation s'appuie sur une théorie bien fragile et ne présente aucune garantie réelle.

L'ovule, selon toute probabilité, ne joue aucun rôle dans le déterminisme du sexe de l'individu. « Selon toute probabilité », car il faut constater que certaines femmes auront toujours une descendance féminine et que cette particularité semble se transmettre par les filles, comme c'est le cas, semble-t-il pour la maison royale de Hollande. La femme semble donc jouer un rôle par rapport au sexe de l'enfant qu'elle conçoit ; toutefois, si tel est effectivement le cas, ce rôle peut être conçu de plusieurs façons différentes. On a constaté, en effet, que les muqueuses vaginales sécrètent un acide ayant la propriété de tempérer l'activité du sperme et il est possible que ceci exerce une influence sur le sexe de la descendance. Du reste, la stérilité d'une femme découle souvent d'une trop forte acidité des sécrétions vaginales et des expériences ont démontré que la réduction artificielle de l'acidité peut permettre à une femme d'être fécondée. Or, dans la majorité de ces cas, les enfants sont du sexe féminin.

On a prétendu que l'un des ovaires produisait des ovules « mâles », l'autre des « femelles », ce qui est faux ; ou qu'il était possible de reconnaître la nature des ovulations par des observations sur l'iris de la femme. Cette thèse est dénuée de tout fondement.

Comme on peut le constater, la détermination du sexe de l'être humain, effectuée avant et lors de la fécondation, est fondée sur de simples suppositions et n'offre ni certitude ni garantie. Existe-t-il des méthodes permettant de déterminer le sexe de l'enfant pendant la grossesse ?

Comme on a pu l'apprendre par la lecture d'un papyrus, les Egyptiens, il y a 3 000 ans, s'occupaient déjà de la détermination prénatale du sexe. Ainsi l'on a pu apprendre qu'à cet effet, ils faisaient germer des grains de froment et d'orge dans l'urine de la femme enceinte. Si, après 14 jours de germination — effectuée dans ces conditions — les grains d'orge étaient plus développés que ceux de froment, on attendait une fille ; le froment germait-il plus que l'orge, on escomptait la naissance d'un garçon. L'expérience a été reprise et on a constaté que dans 80 % des cas, l'indication était exacte.

Les spécialistes ont alors tenté de déterminer le sexe de l'enfant à l'aide du dosage des hormones androgènes contenues dans l'urine maternelle. Les androgènes dépassaient-elles un certain niveau (20 mg/litre) : ils en concluaient qu'il s'agissait d'un garçon. D'autres savants tirèrent des conclusions à l'aide du dosage de la protéase dans l'urine : 87 % des résultats sont exacts. On peut injecter de l'urine de femme enceinte à de jeunes lapins ; si, deux jours après, des altérations de testicules chez l'animal sont visibles, l'enfant devrait être du sexe féminin ; s'il n'y a aucune altération, il devrait être un garçon. On a tenté la même réaction sur des poissons. L'urine épurée et préparée chimiquement est mélangée à l'eau de l'aquarium suivant une proportion définie. Y a-t-il un début d'œuvé chez la femelle, il s'agirait d'une fille ; si le mâle change de couleur et s'il revêt son « habit de noces », on s'attend à un garçon.

On s'est servi également du dosage de l'œstrone libre dans l'urine de la femme enceinte. Les spécialistes allemands ont obtenu, grâce à cette méthode, 87 % de résultats positifs exacts.

Toutes ces méthodes sont loin d'avoir une fidélité semblable à celle que connaît, par exemple, la réaction d'Ascheim-Zondek dans le diagnostic de la grossesse. Jusqu'à présent, les meilleurs résultats obtenus ont enregistré 90 % de succès à condition d'utiliser des procédés extrêmement compliqués et coûteux. Du point de vue biologique, le problème de la détermination du sexe offre le plus grand intérêt et il est certain que l'avenir récoltera les fruits des recherches actuelles. D'un point de vue clinique, par contre, le sexe de l'enfant importe peu puisqu'il est défini dès le début de la grossesse et ne peut être changé et que, d'autre part, il n'exerce aucune influence sur celle-ci. Dans les cas extrêmes où la grossesse doit être interrompue pour des raisons graves, notamment si la vie de la mère est en danger, ce n'est certes pas le sexe de l'enfant qui interviendra. Jusqu'à ce jour, la détermination prénatale de l'appartenance sexuelle n'offre qu'un intérêt purement théorique : la science, en effet, est incapable de satisfaire la curiosité des parents, ou, tout au moins, elle ne peut la satisfaire que sous toutes réserves. Layette rose ou layette bleue ? La question reste ouverte.

L'accouchement

Dr J. Bonnet, Paris

Au cours des quatre ou cinq dernières semaines de grossesse, la femme ressent dans l'utérus des contractions d'une durée de quelques secondes, qui ne sont pas très douloureuses. Elles sont un signe avant-coureur de l'accouchement. Dès le début des véritables douleurs de l'enfantement, les contractions augmentent en force jusqu'au moment où l'utérus expulse son contenu dans la direction de moindre résistance, c'est-à-dire dans l'orifice de l'utérus et du vagin.

La plus récente des nombreuses hypothèses tendant à expliquer l'origine du déclenchement des douleurs de l'accouchement, met en cause une hormone du lobe postérieur de l'hypophyse (ocytocine). Cette hormone ne devient généralement active qu'à la fin de la grossesse lorsque le placenta s'affaiblit et ne peut plus produire certaines substances (histaminase, cholestérase) dont l'activité fait contrepoids à celle de l'ocytocine. Dès que les substances antagonistes du placenta ont disparu, l'hormone du lobe postérieur de l'hypophyse s'attaque au muscle de l'utérus, et les douleurs commencent ; d'abord espacées (30 à 45 minutes), elles deviennent ensuite de plus en plus fréquentes.

Nombre de femmes sont saisies de crainte et d'inquiétude à l'approche de leur délivrance. Il est certain que leur angoisse, leur nervosité sont explicables par cette sorte d'état d'alerte, physique et psychique, propre à la gestation. L'impatience s'accroît à l'approche du terme, et la future mère a l'impression que l'événement tarde à venir. Or, ni pour elle, ni pour ses proches, ce n'est pas le moment de perdre patience, et les exhortations au calme sont plus utiles que les actes précipités. Les douleurs de l'enfantement, c'est-à-dire les contractions musculaires, se déclenchent automatiquement et la volonté ne peut en influencer le processus naturel ; en augmentant, les douleurs prennent la forme caractéristique du travail même de l'enfantement. Les douleurs fortes alternent avec des périodes de calme et d'apaisement relatif. Les douleurs, supportables au début, deviennent graduellement plus intenses et moins espacées. Le muscle utérin a commencé son travail, qui consiste à expulser le fœtus. Or, ce processus est délicat et difficile, et son déroulement est plus lent que ne le désirerait la parturiente.

D'après l'expérience clinique, les douleurs d'une primipare (c'est-à-dire d'une femme qui accouche pour la première fois) durent en moyenne environ de 18 à 24 heures. Pour les multipares, la durée de la parturition est de 6 à 9 heures, quelquefois moins.

Pendant les dernières semaines de la grossesse, le col de l'utérus atteint 3 ou 4 cm de longueur avec un diamètre égal à celui d'un crayon ordinaire. Or, la tête de l'enfant, dont le diamètre maximum atteint 13 à 14 cm, doit traverser ce passage étroit. On comprend alors aisément que la dilatation du col de l'utérus nécessite plusieurs heures. Lors de chaque contraction de l'utérus, le col se distend de 1 mm environ, et on comprend qu'il faut beaucoup de « millimètres » pour permettre le passage. Heureusement, la nature s'active ici afin de faciliter et de précipiter le pénible et douloureux processus.

Le processus de l'accouchement se compose de plusieurs étapes qu'il est impossible de décrire dans ce bref exposé. Quinze à vingt jours avant les couches, le fœtus descend : il s'engage. A partir de ce moment, la future mère ressent un léger soulagement, la pression interne sur les organes de la poitrine (poumons, cœur) diminue et la respiration devient plus facile. C'est en fait le véritable début de l'accouchement. La seconde phase commence avec les douleurs, les contractions utérines « automatiques », qui ouvrent l'utérus. La distension de l'orifice de l'utérus est accompagnée de l'expulsion d'un liquide visqueux et sanguinolent. Après un certain temps, l'amnios distendu sous l'action de l'ouverture de l'utérus et envahi à l'intérieur par le liquide, éclate. L'expulsion commence, et la parturiente pousse activement pendant les contractions. L'enfant commence de passer dans le vagin qui se met à se distendre progressivement. La tête de l'enfant apparaît au fond de la vulve. De nouvelles contractions font « passer » la tête, la contraction suivante expulse le reste du corps. Dès ce moment, la mère est soulagée. L'enfant n'est plus lié à elle que par le cordon ombilical qui sera coupé. Le nouveau-né est entré dans notre monde.

Cependant, l'accouchement n'est terminé qu'avec l'expulsion du placenta ou délivrance, qui s'effectue généralement dans la demi-heure qui suit la naissance de l'enfant. Le placenta se détache aussi grâce à une contraction. Et, cette dernière phase n'est pas sans risque d'hémorragie utérine, car la matrice se rétracte parfois insuffisamment (atonie). Ce n'est qu'après l'expulsion du placenta, entier et sans défectuosité, que l'accouchement est réellement terminé.

Pour la femme qui a déjà accouché une ou plusieurs fois, le processus reste sensiblement le même, à l'exception de la durée, qui est beaucoup plus brève. Le col de l'utérus et le vagin étant élargis grâce au premier accouchement, le passage de l'enfant est facilité et les douleurs moins intenses. Mais il y a des cas où les premières couches sont normales, tandis que les suivantes présentent des complications, par exemple lorsque le second ou le troisième enfant est beaucoup plus grand que le premier.

La position anormale du fœtus peut également compliquer l'accouchement, par exemple quand l'enfant ne se présente pas par la tête, mais par le siège. La position normale est celle où la tête se présente dans la direction de l'orifice du vagin. Si c'est le siège qui est situé vers l'orifice du vagin, ou si l'enfant se présente transversalement, c'est-à-dire si l'axe du corps de l'enfant dans l'utérus est horizontal au lieu d'être vertical, l'expulsion devient plus difficile ou impossible.

Quelques mots encore en ce qui concerne les jumeaux ; évidemment, ils ne naissent pas ensemble, mais l'un après l'autre. Ils sont, en général, plus petits que les fœtus uniques. Il y a les jumeaux du même œuf et les jumeaux d'œufs différents. Les premiers viennent d'un seul ovule, fécondé par un seul spermatozoïde, et qui se sépare en deux parties. Par conséquent, ces jumeaux ont un acquis héréditaire absolument semblable, ils sont alimentés par le même placenta et ils sont placés dans le même amnios. Mais, il est possible que les ovaires portent à maturité deux ovules à la fois, fécondés en même temps. Dans ce cas, il s'agit de jumeaux de deux œufs. Les ovules se nichent alors séparément dans l'utérus ; deux placentas évoluent, alimentant chacun un embryon, ainsi que deux amnios. Le sexe des jumeaux du même œuf est toujours semblable, tandis que ceux d'œufs différents peuvent être opposés. Il tombe sous le sens que les accouchements de jumeaux sont un peu plus compliqués. Mais les jumeaux sont relativement rares (environ 1×10^n, n étant le nombre de jumeaux contenus dans l'utérus).

Au cours de l'accouchement, et avant tout à cause du travail et des douleurs, l'organisme de la femme est soumis à un grand effort. L'activité du cœur, des poumons, du pouls et de la respiration est accélérée. Pendant les couches, la parturiente transpire abondamment, elle est déshydratée. L'immense effort aboutit souvent à un certain degré d'épuisement.

C'est ainsi que se déroule brièvement résumé le processus de l'accouchement (les détails sont du domaine de l'accoucheur). Notons rapidement les complications éventuelles. La position de l'enfant est susceptible d'aggraver l'accouchement. Le bassin trop étroit de la mère peut rendre les couches difficiles ou impossibles ; c'est parfois le cas pour des femmes de très petite taille ou chez celles qui ont été atteintes de rachitisme dans leur enfance (bassin rachitique, plat). Les rétrécissements du col de l'utérus et du vagin, les tumeurs, les cicatrices peuvent également gêner l'accouchement normal. Dans les cas graves, où l'expulsion ne peut se faire par voie normale, le gynécologue pratique l'intervention connue sous le nom de « césarienne ».

Cette opération connue depuis l'Antiquité, consiste à inciser le ventre et l'utérus, ce qui permet d'extraire l'enfant. On dit, sans doute à tort, que le nom de « césarienne » vient de Jules César, qui serait né de cette manière. Autrefois, lorsque les mesures prophylactiques d'hygiène étaient encore rudimentaires, cette intervention était parmi les plus dangereuses et l'issue fréquemment mortelle. De nos jours, elle n'est pas plus dangereuse qu'une opération de l'estomac et les accidents sont rares.

Pour terminer, quelques mots en ce qui concerne les soins d'hygiène lors de l'accouchement s'il a lieu à domicile. En premier lieu, il faut éviter l'infection. Un lavage de l'intestin et un bain d'eau tiède sont de rigueur, dès le début des douleurs. Les poils du pubis doivent être rasés et les organes génitaux lavés avec un savon doux et un liquide antiseptique. Il ne faut plus toucher ni à la vulve, ni au vagin. Les personnes qui ne sont pas indispensables à l'accouchement doivent quitter la pièce.

Après l'expulsion, l'enfant doit rester couché entre les jambes de la mère jusqu'à ce que les pulsations du cordon ombilical aient cessé et que l'enfant commence à crier et à rosir. C'est le signe que le nouveau-né aborde sa vie indépendante. C'est alors qu'il faut couper le cordon. L'enfant est ensuite baigné dans de l'eau à 38°, puis son corps enduit de graisse. Après l'expulsion du placenta, le médecin vérifiera si la mère n'a pas eu de blessures, de déchirures lors de l'accouchement. On administrera ensuite à la mère une boisson chaude et on lui placera une bouillotte sous les pieds.

Il ne faut pas obliger la mère à absorber de nourriture. Le lait chaud, le café ou le thé doivent suffire. Pour étancher sa soif : du thé froid ou de l'eau ; l'alcool est déconseillé.

L'accouchement sans douleur

Dr V. Chevalier, Bruxelles

Les Anglo-Saxons parlent d'accouchement naturel (*natural childbirth*), et cette expression est plus appropriée. Accoucher est pour beaucoup de femmes un événement terrible. Il y a un siècle et demi à peine, être enceinte signifiait pour la femme traverser de grands périls ; en sortaitelle vivante, que deux fois sur dix, son enfant, pour qui elle avait consenti à courir tous les dangers, lui était ravi par la mort avant même d'avoir un an.

Les progrès accomplis dans différents domaines de la science médicale ont contribué petit à petit à améliorer les choses. Les découvertes de Semmelweiss, Lister et Pasteur ont permis de développer l'antisepsie et l'asepsie, et de prévenir l'apparition de la fièvre puerpérale ; petit à petit, de plus saines notions de puériculture se répandaient parmi la population ; les conditions de distribution du lait s'amélioraient : la mortalité infantile diminuait graduellement (on peut même parler à ce propos d'effondrement) ; bref, l'accouchement cessait d'être une aventure dangereuse pour un but hasardeux ; mais il n'en gardait pas moins sa réputation d'épreuve terrible et inhumaine. C'est alors que Read, en Angleterre, les élèves de Pavlov, en Union soviétique, et d'autres, ailleurs, entamèrent une série de travaux parallèles qui aboutirent à la mise en pratique de l'accouchement sans douleur, ou, ce qui est plus exact, de la préparation psychoprophylactique à l'accouchement.

Il nous paraît hors de propos de tenter de déterminer ici la part qui, dans ces recherches, revient aux uns et aux autres. A nos yeux, ce qui importe vraiment, c'est de savoir qu'il s'agit d'une découverte d'application universelle.

Pour la plupart des femmes, objectivement parlant, accoucher représente un réel exploit physique dont peu sont pleinement capables, tout au moins au départ ; il s'agit en outre de quelque chose dont elles ont peur ; une bonne préparation à l'accouchement doit donc les rendre capables d'affronter l'épreuve avec un entraînement suffisant, tout en les débarrassant de leurs vaines craintes. Cette préparation se fait sur trois plans simultanés.

La première partie consiste en des exercices de gymnastique médicale ; même la jeune femme sportive n'a que très rarement une musculature du bas-ventre et du périnée suffisamment entraînée pour pouvoir s'acquitter des tâches obstétricales ; des mouvements simples, qui s'intégreront aisément dans la routine ménagère combleront cette lacune.

La deuxième partie est basée sur le principe qui veut qu'un danger soit d'autant plus redouté qu'il est inconnu ; en quelques leçons, la femme est initiée aux mystères de ses fonctions sexuelles : on lui détaille l'anatomie et le fonctionnement de ses organes génitaux ; règles, conception, grossesse et accouchement, tout lui est expliqué dans les grandes lignes, de façon abrégée, certes, mais suffisamment explicite pour qu'elle puisse suivre et vérifier *sur elle-même* les différentes étapes de l'aventure qu'elle vit.

La troisième partie consiste en l'apprentissage de la détente : tout individu qui souffre se contracte et ses douleurs augmentent immédiatement ; ce spasme intempestif peut rendre pénibles des contractions utérines d'intensité normale, rendant du même coup la femme à sa terreur et à son martyre ; il est donc nécessaire d'apprendre à la future maman à se relâcher, à se décontracter sur demande afin d'éliminer tout risque d'incident pendant le travail. Le confort moral ressenti par la jeune femme qui « vit » littéralement sa grossesse, et la présence de son mari à ses côtés, aussi longtemps que possible, contribuent d'habitude puissamment à provoquer cette détente, dont la plus ou moins grande réussite conditionnera la plus ou moins grande satisfaction de la parturiente.

Actuellement, c'est chose très banale que d'accoucher sans douleur, et il existe un centre de préparation psychoprophylactique annexé à toutes les grandes maternités. La grande presse s'est emparée de l'affaire et a puissamment contribué à la faire progresser.

Les débuts n'ont pas toujours été faciles. Les premières patientes étaient sceptiques, et les médecins qui essayaient la méthode, souvent fort peu convaincus. Assez curieusement, les anesthésistes commencèrent par publier des rapports dont on ne peut pas dire qu'ils étaient favorables ; en vérité, ces mauvais résultats des premières heures étaient dus non pas au procédé, mais au manque d'enthousiasme de ceux qui l'appliquaient — de façon souvent inadéquate, d'ailleurs. Mais l'âge héroïque de l'accouchement sans douleur est depuis longtemps révolu. Et la méthode, bien au point, connaît actuellement un succès mérité.

Fausse couche, accouchement prématuré ou tardif

Dr G. Schulte, Waiblingen

Pour comprendre l'exposé qui suit, il faut bien s'entendre sur le sens des mots et leur valeur, tant galvaudés par le public non prévenu. Rappelons donc qu'il y a fausse couche (avortement) si le fœtus est expulsé avant la 28e semaine de grossesse ; qu'il y a accouchement avant terme ou prématuré quand les couches ont lieu entre la 28e semaine et le milieu du 10e mois de la grossesse, et qu'il y a accouchement après terme ou tardif lorsque la date normale est dépassée d'au moins deux semaines.

La caractéristique de la fausse couche est l'hémorragie accompagnée de douleurs spasmodiques, contrastant avec les premières douleurs d'un accouchement normal qui ne s'accompagnent d'aucune perte de sang.

Citons un exemple type de la fausse couche. Madame B., âgée de 23 ans, sans enfant, a glissé la veille dans un escalier, faisant une chute qui a provoqué quelques contusions. Ses dernières règles avaient eu lieu exactement trois mois auparavant. Dans la nuit, elle est subitement réveillée par une hémorragie vaginale, pas plus abondante que les règles, mais qui graduellement se fait plus intense. Elle ressent des douleurs lancinantes dans les reins, pareilles à celles qui précèdent quelquefois la menstruation, mais qui augmentent bientôt et ressemblent aux douleurs de l'accouchement. L'époux appelle le médecin ; et quand celui-ci arrive, la jeune femme a déjà expulsé un fœtus d'environ 9 cm de longueur, relié au cordon ombilical. Le placenta n'est pas encore expulsé.

Dans ce cas, il s'agit d'une fausse couche incomplète, le fœtus étant expulsé sans être suivi du placenta. Lors de la fausse couche complète, le placenta entier est évacué avec le fœtus. La fausse couche complète est rare pendant les 2e et 3e mois de grossesse, mais elle est plus fréquente dans la période s'étendant au 1er et au 2e mois, l'amnios est alors expulsé en totalité sans laisser de résidu dans l'utérus.

On distingue, lors d'une fausse couche, les phases suivantes : 1° la menace de la fausse couche, avec hémorragie, mais sans dilatation de l'utérus ; 2° le début de la fausse couche : il y a hémorragie et le col de l'utérus est plus ou moins ouvert ; 3° la fausse couche complète ou incomplète décrite plus haut.

Le médecin doit tout mettre en œuvre pour sauvegarder le fœtus. Toutefois si le médecin a pu constater que celui-ci est mort ou qu'il n'est plus possible d'arrêter l'hémorragie, il doit intervenir. Si le fœtus et le placenta n'ont pas été complètement expulsés, il faut procéder à un curetage.

L'avortement complet est donc rare après le troisième mois. S'il a lieu, l'hémorragie cesse d'elle-même, et le traitement devient inutile. Si la grossesse est plus avancée, un curetage est toujours nécessaire, même si l'avortement semble total et complet, car dans ce cas on retrouve toujours une quantité surprenante de résidus à l'intérieur de l'utérus. Faute de curetage, il y a risque d'hémorragies abondantes qui entraîneraient une anémie secondaire, un affaiblissement de l'état général et des inflammations chroniques de l'utérus qui peuvent aboutir à la stérilité totale.

Toute femme, même si elle est célibataire, doit donc éviter de dissimuler une fausse couche à son médecin, d'autant plus que ce dernier est tenu au secret professionnel le plus strict.

Les causes de la fausse couche sont multiples. Elle peut provenir d'une rétroflexion de l'utérus, ou encore être provoquée par une tumeur du muscle utérin *(myome)* qui empêche le développement du fœtus. La fausse couche peut également provenir d'une maladie de la mère, par exemple la syphilis. Souvent c'est une incompatibilité entre les sangs des parents qui est en cause. Il s'agit du facteur « Rhésus » que l'enfant a hérité du père et que la mère ne possède pas. Le sang de la mère produit alors des anticorps contre le fœtus Rhésus positif qui meurt et est expulsé. Dans ce cas, les fausses couches peuvent se répéter à chaque grossesse. Ce phénomène est appelé avortement habituel. D'autres maladies, et avant tout les maladies infectieuses, peuvent provoquer la fausse couche. En ce qui concerne l'avortement d'origine « traumatique », provoqué par une cause extérieure — une chute, un coup violent, etc. — on se reportera à l'exemple cité plus haut.

Il n'est pas toujours possible de déterminer la cause d'une fausse couche. Beaucoup d'œufs altérés, malformés et affaiblis, meurent probablement d'eux-mêmes.

Plus la grossesse est avancée, plus l'expulsion prématurée ressemble à un accouchement. Toutefois, les enfants sont rarement viables avant la fin du septième mois. A ce moment, la longueur du fœtus atteint 33 à 41 cm, le poids, environ 1 200 g. Dans les cas où il y a un espoir de garder en vie un enfant prématuré, il faut le transporter de toute urgence dans des hôpitaux ou des cliniques disposant de couveuses où règne une température de 36 à 37°, et où des infirmières spécialisées en puériculture prennent soin de l'enfant qui doit être nourri artificiellement. Dès l'accouchement, il faut placer l'enfant dans un berceau garni de bouillottes (en prenant soin d'éviter les brûlures), et le transporter à l'hôpital. Car, c'est précisément la perte de chaleur qui est le grand danger pour le prématuré ; la thermorégulation dont il n'a point besoin dans le ventre de la mère, ne fonctionne efficacement qu'à partir du sixième mois de gestation.

Les enfants nés après la 28e semaine de grossesse, portent des stigmates de prématurité, parmi lesquels figurent entre autres, le poids et la taille insuffisants. A quoi reconnaît-on un enfant normalement développé et venu à terme ? D'une part, au poids normal (environ 3 500 g) et à la taille normale (environ 50 cm). Les ongles des mains et des orteils doivent être bien formés et dépasser légèrement l'arrondi des doigts. Le crâne est plus ou moins couvert de cheveux ; pour le garçon, on peut normalement palper les testicules dans le sac scrotal ; les cartilages de l'oreille doivent exister, c'est-à-dire que l'oreille ne doit point être flasque. La fine pilosité *(lanugo)* répandue sur toute la surface du corps, qui s'est développée entre le cinquième et le sixième mois de la grossesse a disparu, à l'exception d'une petite partie sur le haut des bras et des épaules. La tête de l'enfant doit être harmonieusement arrondie, les joues remplies et potelées. Le rapport entre la longueur de la tête et le corps est très important, d'environ 1 à 4.

L'enfant né avant terme est beaucoup plus petit. La tête aux joues creuses paraît trop grande par rapport au corps maigre et aux membres grêles ; la pilosité du corps n'a pas encore disparu et les caractéristiques spécifiques de l'enfant normalement évolué font plus ou moins défaut. Ces enfants sont menacés de nombreux dangers : arrêt de la respiration, refroidissement et difficultés d'alimentation ; ils sont encore incapables de têter le sein de la mère ou de sucer le biberon parce que nombre de centres nerveux vitaux, comme, par exemple, les centres de la respiration, de la succion, de la chaleur, etc. ne sont pas suffisamment développés.

Quelles sont les caractéristiques d'un accouchement tardif ? On sait qu'il faut compter 280 jours, à partir du début des dernières règles, pour obtenir la date de l'accouchement. Les recherches scientifiques modernes ont démontré que la majorité des fécondations ont lieu 14 jours avant la date des règles attendues. Pour obtenir la durée réelle de la gestation, il faut soustraire ces 14 jours du total de 280 jours. Toutefois, la dernière menstruation est en général exactement contrôlable tandis que la date de la conception est difficile à déterminer d'une manière précise ; on prendra donc pour base de calcul le repère habituel, à savoir la date du début des dernières règles. Il est évident que la date de l'accouchement ne peut être prévue qu'approximativement. Le nombre 280 est une moyenne numérique obtenue grâce à l'observation de nombreuses grossesses. L'accouchement a-t-il lieu 10 jours plus tôt, ou plus tard, le processus reste normal, c'est-à-dire que si l'accouchement a lieu entre le 270e et le 290e jour, il n'est ni prématuré ni tardif.

On a tendance à croire qu'un enfant né d'une gestation prolongée au-delà de la durée normale est particulièrement fort et naîtra plus développé et mieux adapté à la vie. Or, c'est exactement le contraire. Les rapports des Grandes Maternités démontrent clairement que les enfants nés le 280e jour après les dernières règles, ou un jour approchant de celui-ci, fournissent une statistique de moindre mortalité. Plus la gestation est prolongée après cette date, plus le nombre des enfants mort-nés, ou morts peu après la naissance, augmente. Il s'agit évidemment d'accouchements tardifs, nettement caractérisés. Il faut se garder de diagnostiquer une gestation prolongée à partir d'un calcul qui pourrait être erroné. Il n'est, du reste, pas rare que la mère donne consciemment une fausse indication par rapport à ses dernières règles ou à la date des rapports sexuels ayant abouti à la conception.

Comment reconnaître une gestation prolongée et de quelle manière peut-on parer aux dangers qui menacent l'enfant ? En général, une femme consultera, au début de sa grossesse, son médecin et les services spécialisés d'une maternité où, en plus de l'examen de l'état général, on aura vérifié la tension artérielle et fait l'analyse de l'urine pour rechercher le taux de l'albumine et où on aura procédé à la mensuration du bassin. C'est alors que le spécialiste calculera la date de l'accouchement. Si cette date est dépassée sans que les douleurs de l'enfantement aient apparu, la femme enceinte devra consulter son médecin, même si elle n'ignore pas qu'une grossesse peut sans risques, durer dix jours de plus que le temps habituellement prévu. Dans ce cas, il est nécessaire que le médecin mesure à nouveau le tour de la taille. Celui-ci a-t-il encore augmenté de quelques centimètres, on peut supposer que la date de l'accouchement n'est pas encore dépassée. Mais dans le cas contraire, il y a gestation prolongée ; dans ce cas, le corps de la mère commence à résorber graduellement les eaux de l'amnios et cet assèchement menace l'enfant. Celui-ci perd du poids, sa peau se « ratatine », elle forme des plis, des ampoules et se détache finalement en lambeaux. Par conséquent, si le volume du ventre de la future mère diminue de quelques centimètres en l'espace de quelques jours, il faut conclure à une gestation excessivement prolongée.

Si le praticien diagnostique une gestation prolongée, il tentera de provoquer artificiellement l'accouchement. Afin de déclencher les douleurs, on met d'abord en pratique les moyens les plus bénins. C'est ainsi qu'on a réussi récemment à employer avec succès des médicaments à base de vitamines. Un procédé plus efficace et plus prompt est la mise en place d'une perfusion intraveineuse contenant de l'ocytocine. Cette manœuvre déclenche presque infailliblement l'accouchement. On peut aussi rompre artificiellement la poche des eaux. En général, cette intervention déclenche les douleurs et l'accouchement se déroule alors normalement. Ce n'est que dans de très rares cas, et en raison de circonstances particulières, que l'on pratique la césarienne.

Si, au cours de la gestation, des hémorragies apparaissent ou si les douleurs commencent avant l'accouchement, la future mère doit consulter le médecin qui seul est habilité à prendre la responsabilité des décisions et des traitements qui s'imposent.

Livre IX

VIEILLESSE ET SEXUALITE

La gérontologie est la science qui étudie la vieillesse. La gériatrie s'occupe des maladies propres à cet âge. La sénescence ou vieillissement est le processus irréversible qui, de l'état adulte, fait passer un être humain à l'état de vieillesse.

Par rapport à l'âge adulte, la vieillesse et l'enfance comportent un double aspect.

D'une part, ce sont des états déficients : l'enfant n'est pas encore tout à fait « au monde » ; le vieillard se coupe, se retire peu à peu du monde. On observe chez tous deux une modification (mais inverse) du couple espace-temps. A l'enfant, tout apparaît plus grand que nature ; tandis que le vieillard a une tendance vers la micropsie (il voit les choses plus petites qu'elles ne sont). Quant au « temps vécu », il se fait plus court à mesure que l'on vieillit.

Mais d'autre part, cette « absence du monde » n'est pas seulement négative. Nous savons aujourd'hui que le monde de l'enfant est un univers à part, qui a sa valeur propre, distincte de la valeur du monde adulte. Nous avons découvert l'enfant avec son langage propre, sa logique propre ; il nous resterait à découvrir le vieillard ; mais il faut reconnaître que les études à ce sujet restent très fragmentaires.

Tout ce que l'on peut dire c'est, en résumé, que « tout se passe comme si le sujet rassemblait son énergie pour la prolongation de son propre dynamisme. » (Dr Dublineau). La vieillesse, c'est la vie qui s'intériorise.

Aussi bien même si l'on découvrait l'élixir de longue vie, même si un jour la science parvenait à empêcher ces altérations morphologiques, viscérales et biologiques qui, à l'heure actuelle, font que la vieillesse est une dégénérescence ; même si l'on en arrivait à prolonger indéfiniment la vie, si bien que l'homme en viendrait à mourir parce qu'il accepterait et désirerait la mort ; même alors le pro-

blème de la vieillesse subsisterait intact. Car les méthodes de rajeunissement n'ont pas pour but de permettre au vieillard de retrouver une jeunesse illusoire ; le but de ces méthodes est, supprimant ou atténuant les processus de dégénérescence, de permettre au vieillard de vivre lucidement la vie qui est propre à cet âge. Et que la vieillesse ait une vie propre : le nombre de grands vieillards que nous présente l'Histoire suffit à le démontrer.

La sexualité du vieillard, dans cette optique, n'est pas appelée à disparaître, mais elle prend un sens nouveau. Il n'est pas rare de trouver, après la ménopause, une nouvelle ardeur chez la femme... ardeur dont elle a souvent quelque honte ; et le désir sexuel reste souvent très vivace chez l'homme âgé. Il n'y a là rien que de normal. La vieillesse peut être radieuse jusque dans la sexualité.

Quant aux déviations sexuelles et à une sorte d'hypertrophie libidineuse que l'on rencontre chez certains vieillards (que l'on se rappelle les contes de La Fontaine), il semble bien qu'il faille voir dans cet intérêt excessif et nouveau pour la génitalité, une réaction, un mécanisme de sécurité contre l'angoisse de l'abandon.

A chaque fois que nous passons à un âge nouveau (puberté, âge adulte, vieillesse), resurgissent les problèmes que, dans le passé, nous n'avons pas ou que nous avons mal résolus. Les difficultés de la première enfance, si elles ont été mal vécues, réapparaissent (sous une forme un peu différente) lors de la puberté. Au seuil de l'âge adulte, le grand adolescent devra affronter de nouveau les menaces passées devant lesquelles il a reculé.

C'est pourquoi on peut dire que la vieillesse est la dernière chance qui nous est offerte pour « devenir un homme » ; et ceci est vrai autant sur le plan sexuel que sur tous les autres plans.

Le vieillissement

Dr G. Gilbert, Paris

Il n'y a pas encore si longtemps, attaquer le début de la quarantaine signifiait pour l'homme pénétrer dans l'« antichambre de la mort ». C'était l'époque où il fallait apprendre à renoncer, c'était l'approche de l'âge, de son cortège de souffrances, de maladies, et de la mort. Il est vrai que les conditions de vie, dans ce passé pas très lointain, semblaient justifier l'appréhension de nos ancêtres. Les causes étaient diverses et résidaient notamment dans l'absence d'hygiène, le niveau de vie inférieur, et les efforts pénibles et excessifs qu'exigeait la vie quotidienne. Au début de la Première Guerre mondiale, en Angleterre, les médecins militaires avaient observé que la majorité des ouvriers témoignaient dès l'âge de 35 ans de symptômes de vieillissement. Au point de vue de l'aptitude au service militaire, la majeure partie des ouvriers de l'industrie du Lancashire âgés de 38 ans étaient des « vieux ». De nos jours encore, les hommes astreints à de durs travaux physiques (mineurs, débardeurs, etc.) vieillissent tôt, car leurs forces physiques sont soumises à de gros efforts et à une grande usure.

Ce que l'on appelle le « vieillissement » est donc une notion très relative que le nombre des années « vécues » ne peut définir exactement. Certes, il existe des êtres qui sont vieux avant d'avoir atteint 40 ans, mais il y en a d'autres qui, à cette période de leur existence sont loin d'être « âgés », physiquement et mentalement.

Quelle est la définition clinique du phénomène du vieillissement ? Le processus du vieillissement est très inégal et la réponse à cette question est délicate. Certains organes du corps s'usent plus vite que d'autres, qui ne vieillissent pas graduellement, mais par « paliers ». Il est également difficile de préciser à quelle époque de la vie le vieillissement commence et de quelle manière il procède. Il est possible d'affirmer que le processus débute dans un organe à partir du moment où celui-ci atteste des *symptômes de dégénérescence*. Or, de tels symptômes apparaissent dans la plupart des organes dès la deuxième année suivant la fin de la période de croissance. On possède peu d'observations exactes à propos du vieillissement précoce des organes, car la science du vieillissement, la *gérontologie*, effectue ses recherches presque exclusivement sur des sujets ayant dépassé 45 ans. On apprend par les communications des médecins militaires que l'acuité visuelle et auditive est à son maximum entre 19 et 21 ans ; par conséquent, l'aviation de guerre — où ces deux sens sont particulièrement importants — accepte les jeunes gens jusqu'à 21 ans inclus. A partir de cet âge, la vue et l'ouïe commencent à faiblir, c'est-à-dire que les organes correspondants dégénèrent.

A partir de cet âge, la force et la souplesse des muscles régressent également : leur point maximum est atteint au moment où la croissance est terminée. Si les champions sportifs dépassent ces limites, leur performance est due à l'entraînement plus qu'à la force musculaire. On sait également que certains processus biochimiques conditionnant la fatigue se déroulent d'une manière plus souple pendant la jeunesse qu'après l'épanouissement de la croissance. En ce qui concerne la puissance sexuelle des jeunes, Kinsey a rapporté des statistiques précises démontrant que la puissance est à son apogée entre 15 et 17 ans, à la fin de la puberté, et qu'à partir de cette époque, elle diminue lentement mais de manière continue. On peut donc affirmer que le processus du vieillissement débute immédiatement après la pleine maturité et la formation des organes. La plupart des organes étant formés entre 20 et 21 ans, on peut donc en déduire que certains doivent présenter des symptômes de vieillissement dès l'âge de 21 ans.

Or, vieillir ne signifie point « être vieux ». L'homme n'est vieux qu'à partir du moment où les organes vitaux importants ont dégénéré au point qu'ils n'accomplissent leurs fonctions que d'une manière extrêmement réduite. Essayons d'observer ce processus.

Le phénomène de la vie consiste en une continuelle destruction et un continuel renouvellement de toutes les parties du corps et, avant tout, de l'élément le plus infime, la cellule vivante. Vivre signifie produire des substances nécessaires à la nourriture des cellules qui, de leur côté, éliminent les déchets dont elles n'ont point besoin. La cellule a la tâche délicate de séparer l'« utile » de l'« inutile ». Or, tout organe astreint à un travail constant doit subir l'usure et, à partir d'un certain moment, la cellule commence à s'atrophier. On a pu établir que ce processus se manifeste par une transformation de l'équilibre chimico-colloïdal de la cellule. La quantité d'eau cellulaire diminue avec le temps ; elle se dessèche. Le corps de l'adulte est composé de 60 % d'eau, de 16 % de protéines, de 19 % de graisses et de 5 % de résidus. Le corps d'un nouveau-né, par contre, est composé de 71,2 % d'eau, de 11,4 % de protéines, de 13,4 % de graisses, de 2,4 % de résidus et de 1,6 % d'autres substances.

L'altération des cellules ne représente qu'une face du vieillissement. Toute croissance a une limite ; est-elle atteinte, la dégénérescence commence, la cellule se dessèche, elle s'atrophie et meurt. L'organisme atteint la phase où il n'y a plus que les phénomènes de dégénération. Le processus n'est point subit et brutal, il est graduel, irrégulier, comme « furtif », et procède souvent par étapes.

L'atrophie irrégulière des cellules se fait ainsi que les cellules hautement différenciées ont une usure plus tardive que les cellules moins différenciées. Les cellules sexuelles sont hautement différenciées, leur usure est tardive. Le fait doit être souligné, ne serait-ce que pour réfuter l'opinion si répandue qui veut que le vieillissement commence par une diminution des fonctions sexuelles. Ce sont au contraire les fonctions des cellules sexuelles qui subsistent le plus longtemps.

Le vieillissement débute dans les cellules les moins différenciées du tissu conjonctif, qui emplissent les cavités du corps ; elles « rembourrent » pour ainsi dire la peau, elles établissent la connexion entre les diverses parties du corps et forment le support pour les os et les articulations. Partout où les tissus conjonctifs se sclérosent, la peau devient flasque, et forme des plis et des rides. Les parties où les tissus conjonctifs se dessèchent seront remplies par une couche de graisse trop molle pour assurer l'élasticité de la peau, et le corps perd son aspect de jeunesse.

Le savant russe Bogomoletz a accordé un intérêt particulier à l'importance des cellules des tissus conjonctifs en fonction du vieillissement. Il supposait que le rajeunissement de ces cellules pourrait provoquer un rajeunissement de l'organisme entier. L'Institut Pasteur a repris et continué ses recherches. Il en sera traité ailleurs.

Le vieillissement des tissus du système nerveux, puis des tissus musculaires, est consécutif au vieillissement des tissus conjonctifs. Les cellules épithéliales, qui composent entre autres les muqueuses, ont la vie plus longue. Leur structure ressemble à celle des cellules sexuelles. En ce qui concerne la peau, les couches les plus profondes vieillissent le plus rapidement. Les cellules de l'épiderme se renouvellent toute la vie.

Parmi les organes, les artères et le cœur fournissent un effort particulièrement dur ; grâce à leur action le sang est pompé dans toutes les parties du corps. Les artères d'un homme de 60 ans se sont contractées plus de deux milliards de fois. Par conséquent, il n'est pas étonnant que l'élasticité des vaisseaux sanguins diminue très tôt. Après la quarantième année, les artères sont souvent durcies et l'activité du cœur est rendue plus pénible. Afin de s'adapter aux artères, le cœur doit se dilater et cette dilatation est mesurable. A 20 ou 21 ans, la croissance terminée, le cœur pèse environ 200 à 250 g. A 40 ans, il pèse environ 280 g ; à 60 ans, 310 g ; et à 70 ans, 320 g.

L'artériosclérose (durcissement des artères) est fréquente chez les gens âgés. Des substances nocives qui, auparavant, étaient facilement éliminées grâce à l'élasticité des vaisseaux, se déposent dans les parois. L'artériosclérose peut

avoir des origines autres que l'âge : le surmenage physique
ou intellectuel, une alimentation trop riche. Elle provoque
un rétrécissement du calibre et le durcissement des artères,
ce qui gêne le passage du sang. L'artériosclérose peut se
manifester dans les artères coronaires, les vaisseaux du
cerveau, et gêner l'alimentation des tissus. Le processus
n'apparaît point fatalement chez tous les êtres humains,
il existe nombre de personnes chez lesquelles, même à un
âge très avancé, il n'y a aucune manifestation d'artériosclérose. Par contre, certains souffrent de ce phénomène
dès l'âge de 30 ou 40 ans.

Nous n'avons pas pour dessein d'étudier ici le vieillissement des organes ; mais, pour finir, nous dirons quelques
mots encore à propos des organes sexuels. Les glandes
sexuelles restent donc actives longtemps. A un âge avancé,
les organes sexuels mâles produisent encore des spermatozoïdes aptes à la fécondation. Les autres parties des tissus
de l'appareil génital s'atrophient en même temps que les
organes du corps. Les corps caverneux, composés de cellules musculaires, se dessèchent les derniers. C'est ainsi qu'à
un âge avancé, l'érection reste possible alors que les cellules des tissus conjonctifs sont déjà atrophiées.

La puissance masculine dans la vieillesse

Dr A. Henri, Paris

Hirschfeld, Pearl et d'autres avaient déjà estimé que la
puissance sexuelle de l'homme atteignait son plus haut degré
pendant les années de la puberté. Cette hypothèse a été confirmée par les recherches statistiques de Kinsey. Les résultats
et les conclusions du sexologue américain avaient surpris
nombre de personnes convaincues que la puissance masculine
était à son apogée à l'âge où l'homme est en « pleine vigueur », c'est-à-dire vers 30 ans. De nos jours, il semble admis
que la puissance de l'homme est à son apogée entre 16 et 19
ans, qu'elle diminue ensuite lentement mais régulièrement.
Cette diminution est nettement sensible vers la trentaine, à
plus forte raison entre 45 et 55 ans. Plus l'homme avance
en âge, plus cette tendance régressive se fait sentir ; toutefois, il y a des vieillards de 75 ou de 80 ans qui ne sont
pas encore impuissants.

Si les informations de Kinsey sont dignes de foi, 20 % environ des hommes sont impuissants à 60 ans. Pour les vieillards de 80 ans, le chiffre s'élève à 75 %. Mais, la lecture de ces indications soulève deux objections sérieuses. Premièrement — et Kinsey ne l'ignore point — le matériau avec lequel les observations relatives à la puissance ou à l'impuissance de l'homme de 60 ans ont été effectuées est réduit : les recherches concernaient au total 85 hommes ayant dépassé la soixantaine. Il est risqué de procéder à des généralisations à partir d'une série aussi réduite puisqu'il est impossible d'exclure le hasard et les impondérables.

Kinsey insiste aussi sur le fait qu'en dehors de l'âge, neuf autres facteurs au moins sont à même d'exercer une influence sur la puissance sexuelle : la race, l'âge d'apparition de la puberté, l'éducation, les origines sociales, la profession du père, le milieu (campagne ou ville), la religion et l'intensité de la croyance. Or, les échantillons réduits dont Kinsey s'est servi pour ses investigations permettent au hasard d'intervenir dans une proportion élevée ; parmi les personnes observées, la proportion de célibataires ou de personnes à convictions religieuses très accusées peut dépasser la moyenne. Il est donc possible que les informations concernant la puissance des hommes de 60 ans ne soient pas conformes à la réalité. On ne retiendra donc des résultats de Kinsey que le fait que parmi les sexagénaires, il y en ait relativement peu qui soient totalement impuissants et que parmi les octogénaires, beaucoup gardent encore une certaine puissance.

A vrai dire, on peut affirmer que la puissance sexuelle masculine, et avant tout celle de l'homme ayant dépassé la cinquantaine, est un phénomène si complexe et si individuel qu'il est pratiquement impossible de le synthétiser par des statistiques. Et c'est ici qu'il faut élever la seconde objection. Les investigations de Kinsey concernent les actes sexuels *effectivement* pratiqués au cours d'une semaine, ce qui, ne pourrait représenter au mieux, que le seuil inférieur de la puissance, car l'homme vieillissant ne fait pas totalement usage de ses capacités sexuelles. Les causes de cet état de fait sont multiples : l'homme vieillissant a moins souvent l'occasion de pratiquer le coït que l'homme jeune. Généralement, il est marié et, il ne recherche plus la diversité qui, c'est connu, stimulerait sa puissance (beaucoup de médecins agissent erronément quand ils croient pouvoir conseiller à leurs patients quinquagénaires de changer de partenaire pour raviver leur activité sexuelle : cette voie est sans issue pour l'homme vieillissant).

D'autre part, des facteurs psychiques entravent parfois la puissance sexuelle dans les rapports conjugaux ; ce phénomène est appelé l'« impuissance conjugale ». Il s'agit ici d'une sorte d'indifférence, de manque d'intérêt, dont les causes varient. Parmi d'autres, ces circonstances contribuent au fait que, l'homme vieillissant n'utilise point totalement sa puissance sexuelle, et de ce fait, sa libido subit une déperdition générale.

L'ensemble de ces circonstances laisse supposer que l'acte sexuel effectivement pratiqué n'est qu'un repère parmi d'autres en ce qui concerne la puissance de l'homme vieillissant, et que le potentiel réel est plus important que ne le démontrent les chiffres de Kinsey. Différent en cela de l'homme oriental, l'homme vieillissant de notre civilisation occidentale ne semble jamais mesurer sa puissance maxima, et ceci peut-être en raison de certains facteurs psychiques, de circonstances sociales, etc. Les résultats des sondages statistiques en ce domaine ne paraissent pas complètement valables.

Toutefois, il est certain que la puissance de l'homme vieillissant n'est pas uniquement réduite en raison des facteurs psychiques ; les causes physiologiques jouant sans aucun doute un rôle prépondérant. Enfin, il faut insister sur le fait qu'une vie sexuelle intensive pendant la jeunesse n'aboutit pas — comme on a généralement tendance à le croire — à une dégénérescence, à un vieillissement prématurés de la puissance sexuelle. Cette observation est confirmée par les chiffres de Kinsey. Ces indications prouvent que la puissance des hommes ayant été pubères à 12 ou 13 ans est plus intense que celle des hommes ayant été pubères à 14 ou 15 ans. A la cinquantaine, cette différence disparaît. Il est évident que les hommes ayant eu une vie sexuelle active pendant leur jeunesse ne deviennent impuissants ni plus tôt ni plus rapidement que les autres.

Le problème du vieillissement

Dr Léon Keiffer, Luxembourg ; et Armand Mergen
professeur à la Faculté de droit de Mayence

En étudiant l'aspect clinique et médical de la question, on constate que depuis un certain temps la longévité moyenne de l'homme a progressivement augmenté. De nos jours, la mortalité des nourrissons a fortement régressé et, d'une manière générale, les individus meurent moins jeunes. Dans le monde occidental, la longévité moyenne augmente tous les ans. En France, elle est actuellement de 68 ans, aux U. S. A. de 65 ans. Ceci pose un problème social angoissant. En Nouvelle-Zélande, le « pays le plus sain de la terre », la longévité moyenne atteignait 59 ans en 1935, tandis qu'aux Indes, elle n'était que de 22 ans. Ceci est dû au sous-développement, à l'absence d'hygiène de ce pays et pourtant, sur le plan économique, la moyenne de 22 ans, constitue déjà un problème pour l'Inde.

C'est le domaine médical qui, grâce à la biologie, a permis à l'humanité d'atteindre une moyenne aussi élevée. Il lui incombe à présent une seconde tâche, d'ordre plutôt social, qui consiste à maintenir la population vieillissante dans un état de santé lui permettant de ne point être à la charge de la Communauté c'est-à-dire des générations plus jeunes. Il ne s'agit pas ici de prolonger la durée de la vie en général, mais de rendre les individus aptes à conserver leur santé et leur capacité de travail jusqu'à un âge avancé. Dès que ce but sera atteint les Administrations et les Autorités devront créer une nouvelle législation permettant aux gens âgés d'assurer leur subsistance grâce à un travail conforme à leurs capacités et à leurs facultés.

Or, si difficile que puisse paraître le problème social, la science médicale ne peut ni ne doit rétrograder dans ses conquêtes, pour une raison extérieure à ses préoccupations et à sa tâche. Tout comme quand elle traite une maladie, elle doit obéir à la première loi de la médecine : c'est la Science qui créera le devoir moral d'agir en secourant.

La longévité moyenne de l'humanité s'est prolongée non pas tellement parce que l'individu vit beaucoup plus longtemps que dans le passé, mais parce que moins d'individus meurent jeunes. Il s'agit donc de placer les générations plus âgées en état de maintenir leur joie de vivre et — au moins partiellement — leur capacité de travail. Par conséquent, il faut retarder le processus de vieillissement de l'organisme. Il est possible que de cette manière, la limite d'âge individuelle soit également déplacée.

Nombre de spécialistes affirment que l'âge le plus avancé jusqu'ici chez l'homme ne correspond pas à l'âge qu'il devrait normalement atteindre et qui serait beaucoup plus élevé. A ce sujet, une hypothèse fondée sur l'analogie correspondante des vertébrés supérieurs, fixe l'âge limite de l'homme à un chiffre qui multiplie onze fois la période qui va de la naissance à la puberté ; une autre hypothèse (celle de Buffon) multiplie de cinq à six fois la période de la croissance, c'est-à-dire jusqu'à la consolidation des os, pour obtenir l'âge limite. D'après les deux théories, l'âge maximum de l'homme serait donc de 120 à 150 ans. De nos jours, il existe des centenaires dans tous les pays ; toutefois, leur nombre est supérieur dans les régions où la civilisation n'a pas encore transformé sensiblement le rythme de vie simple et proche de la nature, et où le mode d'alimentation dépend directement du terroir.

En général, les femmes atteignent une longévité moyenne plus élevée que les hommes. A l'heure actuelle, il est encore impossible de savoir si les calculs à propos de la longévité correspondent à une possibilité réalisable. Ils ne sont pour l'instant qu'une simple hypothèse. Seules des recherches et des observations systématiques prolongées permettront de l'apprendre un jour. Certains indices le font supposer. L'Histoire enseigne, du reste, qu'à toutes les époques, il y eu des centenaires et parmi eux, des personnages célèbres.

Toutefois, soulignons-le, de nos jours encore, la mort de l'être humain est rarement due à la seule usure de l'âge. L'individu meurt en général d'une « maladie » et la plupart du temps d'une atteinte aux organes de l'appareil circulatoire. Afin de permettre à l'humanité d'accroître sa longévité moyenne, il faudrait donc que l'individu meure plus tardivement de « maladie ». Et c'est en premier lieu, la tâche de la Science médicale de reculer la fin de chaque individu, c'est-à-dire de le protéger le plus longtemps possible des maladies mortelles, de freiner leurs virulences quant aux issues fatales.

Or, vivre signifie vieillir et la mort est la destinée inévitable de l'homme. Tous les organismes multicellulaires sont voués à la mort. Il en est autrement pour l'organisme unicellulaire qui est « immortel ». Seul un cataclysme, ou le fait d'être « mangé », peut le faire périr. La plupart des organismes unicellulaires supportent même le déssèchement pendant de très longues périodes sans en souffrir. Mais la réunion de plusieurs cellules formant un organisme supérieur provoque des phénomènes aboutissant lentement mais inévitablement à la mort. Or, ce qui est valable pour l'animal à cellules multiples, l'est aussi pour les éléments des tissus.

Alexis Carrel a étudié les phénomènes du vieillissement à l'aide de ses cultures de tissus. « Le système le plus simple où le phénomène du vieillissement soit observable se compose d'un groupe de cellules des tissus cultivées dans un faible volume de milieu nutritif. Dans un tel système, le milieu se modifie progressivement sous l'influence des produits de la nutrition, et à son tour modifie les cellules. Alors apparaissent la vieillesse et la mort. Le rythme du temps physiologique dépend du mode de relations des tissus et de leur milieu. Il varie suivant le volume, l'activité métabolique et la nature de la colonie cellulaire, et suivant la quantité et la composition chimique des milieux liquide et gazeux. La technique employée dans la préparation d'une culture détermine les caractères de la durée de cette culture. Si la composition du milieu est maintenue constante, les colonies cellulaires restent indéfiniment dans le même état d'activité. Si on veille à ce que leur volume n'augmente pas, elles ne vieillissent jamais. En fait, elles sont immortelles. » (*L'Homme, cet Inconnu*).

C'est grâce à son expérience célèbre d'une colonie cellulaire provenant d'un fragment de cœur extirpé d'un embryon de poulet que Carrel a été amené à cette conception. En 1912, il établissait à l'aide de ce fragment une culture cellulaire qui put croître activement jusqu'en 1939. Une inattention consécutive à la déclaration de la Seconde Guerre mondiale provoqua l'extermination de cette culture. A cette date, elle avait déjà dépassé plusieurs fois la durée de vie normale d'un poulet adulte.

Cette expérience a permis de formuler nombre de conclusions et d'établir des méthodes qui pouvaient et devaient empêcher le vieillissement prématuré et même le vieillissement normal. La surproduction et la rétention des résidus dans le corps et l'intoxication des sociétés de cellules (organes) qui en résulte, doivent être évitées grâce à des méthodes adéquates.

Les phénomènes de vieillissement du corps humain commencent tôt. D'après Minet, la capacité de la multiplication des cellules diminuerait dès le 6e mois du développement fœtal. La théorie de A. Bogomoletz vise à expliquer le processus du vieillissement et à envisager en même temps une méthode permettant de rajeunir les tissus conjonctifs.

Si les tissus conjonctifs sont le siège du processus de vieillissement et si celui-ci est susceptible d'être freiné ou même renversé en partant de ce principe, quelle serait alors la nature du processus ? On ne le sait pas exactement. Carrel croyait qu'il y avait dans les tissus certaines substances, les *tréphones* qui agissaient sur le processus du vieillissement et d'autres, les *antitréphones*, qui *réagissaient* contre le processus du vieillissement. On ignore la nature de ces substances. Les hormones sexuelles n'agissent que d'une manière indirecte sur la vitalité des tissus. L'observation des centenaires vivants a fourni quelques indications mais pas de résultats pratiques. Raison de plus pour que l'homme évite ou répare à temps toute lésion pouvant provoquer une accélération anormale du vieillissement. Avant la cinquantaine déjà, les mesures d'urgence et de sécurité s'imposent. Car, il ne faut jamais oublier que le processus du vieillissement est, en principe, irréversible.

Les méthodes de rajeunissement

Dr Léon Keiffer, Luxembourg ; Armand Mergen,
Mayence ; Dr G. Bunge, Francfort-sur-le-Main ;
Dr Henri Desoille,
professeur à la Faculté de médecine de Paris

LES METHODES NATURELLES

Les méthodes naturelles de rajeunissement ne sont pas des mesures curatives, destinées à guérir les symptômes de vieillesse mais plutôt des mesures préventives et prophylactiques destinées à prévenir leur apparition. Parmi ces méthodes, certaines ont pour mission de seconder les défenses naturelles de l'organisme ; sans agir directement contre le processus de l'usure, elles facilitent l'accomplissement des fonctions biologiques de l'organisme et la résistance contre les agressions.

Ces mesures sont basées, en premier lieu, sur les règles de l'hygiène, dans le sens le plus large du terme ; il s'agit notamment du régime alimentaire, établi de manière à éviter la production des substances nocives pour l'organisme. Constatons que les recommandations et les avertissements consignés dans ce chapitre ne sont point appréciés de manière unanime par les spécialistes, pour ne mentionner par exemple que l'habitude de consommer du vin qui est considérée en France tout autrement qu'ailleurs.

Pratiquement, personne ne meurt de la seule vieillesse, mais bien d'une affection organique, généralement circulatoire. L'individu réussit-il à se préserver de telles maladies : il vivra plus longtemps, c'est-à-dire il sera indirectement rajeuni. Car, on peut affirmer à juste titre qu'un organisme qui, à un âge avancé, fonctionne d'une manière saine et normale, est encore relativement jeune au point de vue physiologique. Et c'est ce qui importe en fin de compte.

1o L'alimentation

Pour les gens âgés, il importe d'éviter une consommation excessive d'hydrates de carbone et de graisses, surtout animales. Ils peuvent consommer du beurre et de la crème en quantité raisonnable, mais éviter les excès de graisses animales.

Dès que le poids de l'homme dépasse la normale définie par rapport à la taille, sa chance de longévité diminue. L'individu, dont le poids reste 15 % au-dessous de la moyenne, peut compter vivre 15 % de plus que ses semblables. Nous devons ce calcul aux Assurances-Vie américaines. Il vaut mieux jeûner que trop manger. Il existe depuis longtemps, et chez tous les peuples, des proverbes basés sur cette sage pratique. Il serait excellent d'observer un jour de jeûne par semaine, ou trois à quatre jours par mois. L'homme vieillissant fait moins de mouvements, et se meut plus lentement que l'être jeune ; ses combustions sont moins intenses, il utilise moins d'hydrates de carbone et de graisses. Par conséquent, tout excès alimentaire le fait engraisser, ce qui signifie une surcharge pour la circulation et pour le cœur. De l'organisme vieillissant et de ses organes, il ne faut exiger aucun surmenage. C'est pour cette raison que l'alcool est nocif ; en supprimant la dépense d'énergie, il provoque l'apparition de la graisse superflue.

La première vertu d'une bonne alimentation réside dans son équilibre, qui doit être réglé selon l'âge de l'individu. Cette règle est-elle respectée, l'organisme ne manquera pas des substances nécessaires à son bon fonctionnement. Il existe en premier lieu, trois substances qui ne doivent pas faire défaut : les matières azotées, le calcium et les vitamines B.

On prétend, en général, que les personnes âgées doivent manger peu de viande, d'œufs, de poisson et d'autres aliments contenant des protéines. Or, cette assertion traditionnelle est fausse, et nuisible. C'est, avant tout, à la recherche scientifique américaine que nous devons les précieuses observations et les précisions récentes concernant la gérontologie. Aux Etats-Unis, de petites brochures de vulgarisation, basées sur les observations de spécialistes éminents, initient le public aux questions intéressant le vieillissement et les régimes alimentaires à observer. Crampton affirme avec insistance que la plupart des vieilles gens, mal informées et mal soignées, meurent véritablement de faim faute de certaines substances vitales, éliminées de leur nourriture. Ceci est vrai surtout en ce qui concerne les protéines, notamment d'origine animale (viande, poisson, œufs, lait et

laitages). Il n'y a aucune raison pour qu'un quinquagénaire
puisse en absorber moins qu'un homme plus jeune, puisque
les processus métaboliques se déroulant dans son corps sont
les mêmes. A chaque seconde, dix millions de globules rouges meurent et doivent être remplacés. Si les éléments indispensables à la composition font défaut, il en résulte une
anémie de l'espèce qu'on rencontre fréquemment chez les
personnes âgées ; conséquences d'une alimentation défectueuse, ces anémies n'ont aucune raison d'être. Il faut un
gramme de protéine par jour et par kilo en fonction du
poids de l'individu ; pour les jeunes gens de moins de 21
ans, il en faut davatange, puisque, en raison de la croissance,
leur organisme doit encore édifier de nouvelles substances
organiques. En outre, il ne faut pas empêcher le corps de
rajeunir ses organes et de refabriquer les cellules. Sinon, il
vieillit prématurément. La théorie de Metchnikoff, plaçant
dans la fermentation intestinale (intensifiée d'après Metchnikoff par l'absorption de viande) la raison et la cause du
vieillissement prématuré, est réfutée depuis longtemps. On
peut en retenir qu'il est préférable de choisir comme source
de protéines des laitages qui produisent moins de fermen-
tations intestinales (dont le rôle est ou reste moins important qu'on le croit en général). Il est totalement erroné
de vouloir remplacer les matières azotées par un excès
d'hydrates de carbone qui peuvent provoquer des fermenta-
tions intestinales anormales. Il faut ajouter qu'il est impossible, sous nos latitudes, de procurer à l'organisme suffisamment de protéines complètes sous forme végétale. Nous
n'avons ni le soja, ni l'héliotrope ni la noisette de terre.
Si l'on tentait néanmoins de nourrir l'organisme exclusivement, ou en majeure partie, par un régime exclusivement
végétarien, ce serait au prix d'une surcharge du système
digestif que les vieillards ne pourraient supporter. Contrairement aux conceptions des végétariens, les recherches diététi-
ques scientifiques ont pu démontrer (les savants des divers pays sont unanimes à ce sujet) que ce genre de nourriture ne peut être profitable à l'organisme à la longue.
Une partie des matières azotées de la nourriture doit être
nécessairement d'origine animale pour fournir les acides
aminés indispensables.

La seconde carence, fréquente chez les vieilles gens et
qu'il faut absolument éviter, est le déficit en calcium. L'ossature n'est point une structure morte ; elle est continuellement renouvelée bien qu'elle le soit selon un rythme plus
lent que les autres organes et l'échange métabolique du
calcium et du phosphore des os ne s'arrête jamais. Les

expériences à l'aide de radio-isotopes en font foi. Si les personnes âgées sont particulièrement sujettes aux fractures, cela est dû en grande partie à leur nourriture, dans laquelle le calcium fait défaut. Tout être humain a besoin d'un gramme de calcium environ par jour (exactement 800 à 1 200 mg). Il faut prendre garde à ce que le calcium soit résorbé puis assimilé dans l'intestin, ce qui signifie que le calcium pur ne suffit point ; il doit être accompagné de phosphore et de vitamines D. La nourriture doit donc contenir des corps gras, les vitamines D s'y trouvant dissoutes.

D'une manière générale, aucune des vitamines ne doit faire défaut de façon prolongée dans la nourriture. Il vaut mieux absorber trop de protéines que trop de graisses. Toutefois, celles-ci sont indispensables notamment pour permettre à l'organisme de résorber les vitamines solubles, le calcium et le phosphore ; il s'agit des graisses contenant des acides gras non saturés.

Le cholestérol ne joue pas un rôle aussi important qu'on l'a cru. Il n'est pas non plus à la base de l'artériosclérose bien qu'on le découvre dans la paroi des vaisseaux. Les recherches récentes ont pu démontrer qu'il constitue une matière de base pour divers dérivés importants : notamment la vitamine D et les hormones sexuelles. L'excès de cholestérol dans l'organisme indique simplement que sa mise en circulation est insuffisante, c'est-à-dire qu'il est la conséquence et non la cause des phénomènes de vieillissement. L'augmentation du cholestérol dans le sérum sanguin est un des symptômes précancéreux. Les vitamines B font-elles défaut : le métabolisme du cholestérol s'effectue difficilement.

2° Quelques importantes règles d'hygiène

L'exercice physique est de rigueur tout particulièrement pour les personnes âgées. Toutefois, il ne doit point aboutir à la fatigue excessive. A l'état de fatigue, le corps a besoin de repos. Ni le travailleur de force, ni l'intellectuel surmené, et qui croit pouvoir se dispenser du repos nécessaire, n'atteindront un âge avancé. Seule l'alternance d'une fatigue raisonnable et d'un repos bien dosé permet la longévité. Point de sport « violent », trop fatigant. La bicyclette, la natation, font partie des exercices physiques permettant à tous les muscles du corps d'entrer en activité. Ils doivent être pratiqués avec modération. A bicyclette, il faut éviter les grandes vitesses et les montées trop dures.

Il est capital de dormir suffisamment. On dit généralement que le vieillard a besoin de moins de sommeil que le jeune homme. Ceci est peut-être valable pour la période de croissance, le corps ne grandissant qu'au repos. Si l'individu vieillissant dort moins longtemps, cela ne prouve nullement qu'il n'a pas besoin de sommeil. Sans doute, l'individu âgé a-t-il un certain nombre de préoccupations qui le tiennent éveillé aux heures calmes de la nuit. Il appartient au médecin traitant d'écarter l'insomnie s'il est nécessaire par des somnifères et même par l'hypnose, bien que cela soit difficile chez le vieillard. L'organisme vieillissant ne supporte pas les dépressions. Seul l'individu qui vit sainement et qui possède un organisme en bon état peut espérer vivre longtemps. Et l'hygiène mentale est au moins aussi importante que l'hygiène physique. On n'y pense pas toujours, ce qui fait que le vieillissement prématuré, sans causes organiques s'explique souvent de cette manière.

Quelques mots en ce qui concerne le tabac. Sous n'importe quelle forme, à tout âge, et en n'importe quelle quantité, quoiqu'on puisse écrire ou penser pour excuser ce vice, le tabac est nocif. Il a été démontré par les savants américains, que le carcinome des bronches est pour ainsi dire exclusivement provoqué par l'usage de la cigarette (1963). La stimulation attribuée à la nicotine n'est qu'une autosuggestion. Exactement comme après l'absorption d'alcool, sous l'influence de la nicotine l'activité devient plus lente et défectueuse, et de nombreux tests l'ont nettement démontré. Certes, il existe des gens âgés qui fument (mais combien y a-t-il de fumeurs qui sont morts avant l'âge ?). Habituellement, le grand fumeur meurt d'une affection circulatoire ; s'il s'était abstenu, il aurait vécu plus longtemps. Aucun estomac ne supporte l'excès de tabac. Celui-ci provoque des troubles digestifs qui aboutissent à des troubles de l'assimilation, à la résorption défectueuse des aliments et des vitamines. Selon les statistiques, sur 100 individus, 70 non-fumeurs et 46 fumeurs seulement atteignent l'âge de 60 ans.

3º La méthode psychogène

Rien ne fait plus vieillir que le surmenage physique, l'excès de tension nerveuse. Nul ne paraît plus vieux que celui qui se sent vieux. La jeunesse d'après certains, est tout autant une attitude mentale qu'un état physique ; c'est pourquoi celui qui veut éviter de vieillir devra apprendre à se débarrasser de ses soucis quand il se trouve en période de détente (congé, vacances, ou même le soir ou la nuit) ; rien n'est plus propice à la méditation morose que l'oisiveté ; tous ceux qui parcourent leur existence en rêvant de parve-

nir à l'âge de la pension risquent, s'ils n'y prennent garde,
de vieillir précocement.

Tout ce qui permet, à celui qui vieillit, de garder sa jeunesse d'esprit s'inscrit dans l'optique de la méthode psycho-
gène ; on vise ici notamment les soins de beauté et même
la chirurgie esthétique auxquels il n'est absolument pas ridicule d'avoir recours à l'occasion.

LES METHODES ARTIFICIELLES

1° Les méthodes hormonales

Depuis longtemps, on avait eu l'idée que la sénilité était
due à la diminution de fonctionnement des glandes à sécrétions internes, notamment des glandes génitales. Et on
s'ingénia à trouver des méthodes palliatives.

a) *les greffes et extraits*

Le premier à les employer fut Brown-Sequard qui en
1889, âgé de 70 ans s'injecta à lui-même un extrait de
testicule de bélier ; il corrigea sa sénilité et le retentissement de l'affaire fut immense (Conan Doyle y fait allusion
dans une aventure de Sherlock Holmes).

D'autres auteurs conseillèrent des injections d'hormones
extraites de l'urine de jument gravide, ou du sang prélevé
à la veine du testicule d'un taureau ou d'un étalon.

Vint alors S. Voronoff, qui, après de longs travaux expérimentaux sur l'animal, procéda chez l'homme à des greffes
de testicules de lapin d'abord (sous la peau du ventre),
puis de singe (dans le scrotum) ; la méthode donna, paraît-
il, des résultats efficaces, mais le prix de revient en était
tellement élevé qu'il fallut l'abandonner ; néanmoins les succès obtenus par Voronoff, incitèrent les chercheurs à se
tourner dès lors vers les hormones synthétiques, faciles à
trouver, et d'un prix de revient peu élevé.

b) *le testostérone*

Homme ou femme, l'individu vieillissant a toujours été
prêt, et l'est encore de nos jours, à faire confiance à toutes
les « médecines » lui promettant le rajeunissement. Les
mystérieux breuvages de l'Antiquité, les élixirs et les philtres
préparés par les alchimistes, bref, tout ce qui revêt l'apparence du renouvellement de la jeunesse, procure à l'homme
l'espoir de regagner la santé et l'énergie de ses jeunes années. A l'heure actuelle, les grands quotidiens, les reportages
des périodiques scientifiques informent les lecteurs des méthodes « infaillibles » permettant d'accroître l'activité, de

regagner la vigueur, et de retrouver la fraîcheur et l'aspect de la jeunesse. Nous vivons à l'époque de la vulgarisation médicale et il est temps, il est nécessaire de se pencher sur le problème du *rajeunissement* tel qu'il est vu par la Science, c'est-à-dire par les chercheurs objectifs et intègres, qui se placent au-dessus de tout désir de « sensation » visant à impressionner le public.

De nombreuses recherches ont été effectuées dans ce domaine depuis le début du siècle. Tous les travaux sérieux se concentrent nettement sur une voie précise, sur une substance qui paraît être la source d'une grande énergie vitale. Il s'agit d'une substance active que l'organisme produit dans les glandes sexuelles. L'hormone sexuelle *mâle*, dont nombre de savants ont cherché à connaître la nature exacte, a été d'abord extraite des testicules de certains animaux. Les effets et l'efficacité de ces hormones, à peine purifiées chimiquement, n'avaient pu être testées que sur l'animal. Les résultats de ces recherches permirent les plus grands espoirs. Un vieux chien de chasse par exemple, peu de temps après avoir reçu des injections de cette hormone avait le poil lustré et bien fourni, les yeux brillants et paraissait rajeuni de plusieurs années.

Les premières expériences sur l'homme débutèrent par la transplantation de segments testiculaires d'animaux. Mais, ces premières greffes n'obtinrent point de résultats satisfaisants. Les tissus de gonades greffés « reprirent » difficilement ; ils furent en général détruits et l'expérience échoua ; quelques réussites minimes ne durèrent qu'un temps très bref.

D'autres tentatives, à l'aide d'extraits plus concentrés de testicules, échouèrent en raison des frais énormes entraînés par leur application. Pour obtenir quelques milligrammes de l'hormone, il était nécessaire de préparer plusieurs tonnes d'organes d'animaux. Le prix Nobel Butenandt, qui avait réussi à dégager cette hormone à l'aide de l'urine, était incapable de rendre l'extraction de l'hormone plus rentable. Or, avec la découverte d'un procédé d'isolement de l'hormone, la voie aboutissant à la synthèse chimique était ouverte et on la réussit quelques années plus tard en laboratoire. Par la suite, les chimistes simplifièrent leur technique et finalement, l'hormone pure fut disponible à volonté et à bon marché. Il fut alors possible d'observer ses propriétés, son activité et ses effets. On l'a baptisée *testostérone*.

Nous savons que le testicule produit cette hormone indispensable, qui est responsable des caractères sexuels secondaires de l'homme. Les facultés reproductrices de celui-ci de même que l'épanouissement de ses qualités physiques et mentales dépendent de quelques milligrammes de testostérone qui circulent dans l'organisme ; la moindre déficience en ce domaine peut produire chez le patient d'énormes altérations. La pilosité de la face et du corps, le timbre de la voix et l'instinct sexuel, les « caractères mâles », tout est lié à cette hormone. L'évolution mentale dépend également en partie du testostérone. Le castrat, par exemple, perd peu à peu tout intérêt pour le monde ambiant, devient indifférent et sans aucun esprit d'initiative.

Ce sont précisément les phénomènes morbides, résultant de l'absence de l'hormone, qui ont permis à la recherche scientifique de découvrir le champ d'activité et les possibilités thérapeutiques du testostérone. Mais, ce qui paraît relativement simple dans le monde animal — un coq châtré reçoit une injection du médicament et aussitôt, sa crête « se gonfle » — est bien plus complexe chez l'homme. Pour être efficace, la thérapeutique à base de testostérone doit être précédée d'un diagnostic clair et indiscutable. Il est simple de traiter des cas de déficience du développement, à condition de doser l'hormone avec la plus grande exactitude. En dehors de ces cas et d'autres affections où le déficit de la production d'hormone nécessite une compensation venant de l'extérieur, il est intéressant de savoir dans quelle mesure le testostérone est susceptible de redonner la jeunesse, la vigueur et la santé à un individu vieillissant.

Ce qu'on appelle « l'état général » s'affaiblit habituellement chez l'individu vieillissant, tant physiquement que psychiquement ; la vigueur, l'énergie et les facultés d'action diminuent. La peau, les cheveux, l'ossature et les nerfs se transforment. Les facultés de concentration intellectuelle faiblissent, des dépressions peuvent naître et, finalement, la puissance sexuelle diminue ; l'existence entière, la capacité de suivre les événements, les échanges avec le monde sont influencés. L'administration de testostérone est alors susceptible de procurer un accroissement de l'énergie, des capacités et de l'élan vital bienfaisant pour l'individu. Le traitement agit comme stimulant et peut également faire disparaître des troubles psychiques. Même pour la femme vieillissante, de faibles doses de testostérone peuvent améliorer certains phénomènes de la ménopause.

D'une manière générale, les succès les plus spectaculaires de cette thérapeutique sont obtenus dans les perturbations inhérentes au domaine sexuel ; cependant le testostérone n'est point un remède idéal pour la stimulation de la libido. Son influence tonique est plutôt générale, il est excellent pour nombre de maladies de la vieillesse, l'angine de poitrine, les affections des coronaires. L'affection si fréquente chez les hommes vieillissants, l'hypertrophie de la prostate, est son domaine indiqué par excellence. Il existe, en outre, toutes sortes de troubles qu'il peut contribuer à guérir.

Mais il ne faut jamais oublier que le testostérone est une substance active, qui ne doit être utilisée que sur le conseil du médecin et en cas de maladie effective. Sa seule utilisation en vue de « rajeunir » présente des dangers que le profane ignore. « Il n'y a point de rajeunissement véritable provoquant un renouvellement réel des tissus ; l'on ne peut obtenir qu'une « érotisation » toute passagère » (Burger). Manipulé par un praticien expérimenté, le testostérone peut opérer des améliorations frisant le miracle ; et l'augmentation des facultés physiques et mentales, le retour d'un bienêtre juvénile peuvent souvent communiquer la sensation d'un véritable rajeunissement. Mais le testostérone ne peut donner une « seconde jeunesse » à un organisme usé, car l'homme et l'animal ne vieillissent pas parce que les glandes sexuelles s'atrophient, mais parce que l'organisme en son ensemble est soumis à l'inévitable processus du vieillissement.

2° Les inclusions de tissus : la méthode de Bogomoletz

A. Bogomoletz (1881-1946) est un savant russe qui, après avoir travaillé à l'Institut Pasteur de Paris, fut titulaire de la Chaire de Pathologie générale de Saratov, puis organisa en 1930 l'Institut de Biologie et de Pathologie expérimentale de Kiev. On a beaucoup parlé du sérum qu'il mit au point ; le grand public voulut y voir un élixir de longue vie quasi miraculeux. C'était outrepasser la pensée de l'auteur. Les travaux de A. Bogomoletz présentent une importance réelle et méritent d'être connus, sans qu'il soit besoin de les déformer.

Le vieillissement de l'organisme

Dans sa lutte contre l'usure, l'organisme peut tout d'abord *remplacer les cellules mortes par de nouvelles.* C'est ainsi que les globules rouges du sang se renouvellent environ tous les deux mois et que la peau perd continuellement des cellules superficielles qui desquament. Mais il ne faudrait pas croire, comme on l'a prétendu, qu'un homme se renouvelle entièrement tous les sept ans. En réalité, toutes les cellules de l'organisme humain n'ont pas la même facilité de multiplication ; en particulier les cellules principales du système nerveux central ne se renouvellent guère.

Pour que l'organisme demeure en vie, le phénomène le plus important est donc *l'aptitude des cellules à une régénération biochimique continue qui conserve intactes les propriétés de leur protoplasme*. Ce processus dépend notamment du degré de dispersion des particules colloïdales ou micelles, c'est-à-dire de leur dimension : plus elles sont petites, c'est-à-dire dispersées, plus elles sont actives.

Pour expliquer le vieillissement, Bogomoletz évoque une encre qui vieillit et dans laquelle les particules se réunissent en flocons, ne peuvent plus rester en suspension, et déposent, tandis que le liquide pâlit. Le processus de vieillissement d'une suspension colloïdale vivante est sans doute infiniment plus compliqué ; il n'en demeure pas moins que l'on observe une coagulation et une condensation des colloïdes cellulaires, une diminution de leur dispersion, un abaissement de leur teneur, ainsi que de leur activité physico-chimique et biologique.

Les cellules meurent ; à l'atrophie des éléments nobles des tissus se joint une dégénérescence des tissus de soutien avec durcissement, dessèchement, *sclérose* du tissu conjonctif, qui devient fibreux et perd lui aussi ses possibilités fonctionnelles. « L'organisme sénile se dessèche, les rides font leur apparition, la peau devient mince, flasque et sèche... »

Ce phénomène n'est pas dû à une insuffisance d'apport d'eau ou de nourriture, mais à une diminution de l'aptitude des cellules à l'assimilation.

Physiologie du tissu conjonctif

Parmi les tissus de l'organisme, Bogomoletz insiste sur l'importance du tissu conjonctif. Le tissu *parenchymateux* (c'est-à-dire les cellules nobles des organes tels que le foie, ou les reins) n'est pas directement en contact avec le sang. Il en est séparé par les parois des vaisseaux capillaires qui sont formées d'une mince couche de cellules *endothéliales* et qui l'enveloppent d'un fin réseau, à travers lequel se font les échanges. Aschoff déjà avait montré le rôle capital de ce système qu'il avait nommé *réticulo-endothélial* ; et Bogomoletz en souligna encore l'importance. La *physiologie du tissu conjonctif* est non seulement à la base des échanges nutritifs, mais encore intervient comme l'avait indiqué Metchnikov dans la défense de l'organisme contre l'infection, en élaborant les antitoxines. Il joue un rôle dans la cicatrisation des blessures. Il s'oppose à la progression des cancers, « les cellules conjonctives détruisent les cellules tumorales soit par phagocytose, soit en les dissolvant avec leurs ferments ».

Aussi, pour Bogomoletz, le *vieillissement du tissu réticulo-endothélial est-il particulièrement à considérer* dans le vieillissement de l'organisme. Sa sclérose empêche les échanges nutritifs, conduit à la famine et à l'auto-intoxication des cellules, empêche la défense contre les infections, facilite le développement du cancer, etc. La vieille formule des médecins français : « on a l'âge de ses artères » devrait pour Bogomoletz être remplacée par la suivante : « on a l'âge de son tissu conjonctif ».

Le sérum de Bogomoletz

Convaincu de l'importance du système réticulo-endothélial dans toutes sortes de processus vitaux de défense, Bogomoletz a donc mis au point un sérum préparé en partant de la rate et de la moelle osseuse, deux organes particulièrement riches en tissu réticulo-endothélial : c'est le S. A. C. (sérum antiréticulocytotoxique) qui, *à petites doses*, stimule les fonctions de ce tissu chez l'homme. Il est préparé à partir de tissus d'hommes sains décédés accidentellement.

Malheureusement le sérum perd rapidement ses propriétés et se périme très vite.

En ce qui concerne le *vieillissement*, Bogomoletz a écrit que pour confirmer l'efficacité pratique du S. A. C., il faudra se livrer encore à des expériences prolongées sur des animaux d'abord, sur des hommes ensuite.

Conclusion

Bogomoletz n'a *jamais* prétendu avoir découvert l'élixir de longue vie. Il a poursuivi des travaux intéressants sur le vieillissement et donné des raisons sérieuses d'espérer que la durée de la vie humaine pouvait être prolongée bien au-delà de la limite habituellement admise.

Pour vivre vieux, il faut vivre sainement. L'hygiène collective et l'hygiène individuelle, exerçant leurs effets dès la conception de l'individu, sont capitales, ainsi qu'un traitement rationnel des maladies.

Bogomoletz, enfin, a apporté un médicament nouveau qui augmente notre arsenal thérapeutique et qui, indépendamment de son action sur des maladies définies, a peut-être une certaine efficacité pour retarder la sclérose qui caractérise le vieillissement.

Le retour d'âge masculin et féminin

Dr A. Henri, Paris

La notion de « ménopause » ou de « retour d'âge » ne s'applique en principe qu'à la femme. Or, on a posé la question : n'y a-t-il pas pour l'homme également une période critique, une sorte de retour d'âge intimement lié à d'importantes altérations physiques et psychiques ?

En ce qui concerne la « ménopause masculine » (andropause), il existe des hypothèses intéressantes, mais on ne dispose que d'un petit nombre d'observations et de recherches concrètes. C'est Mendel qui, le premier, avait affirmé l'existence d'un *climacterium virile*. A partir d'un certain âge, des hommes, que le savant avait observés, se plaignaient de troubles nerveux, d'angoisses périodiques ainsi que de crises subites de faiblesse, d'irritabilité, d'anxiété, d'hyperémotivité et de sensiblerie. « J'ai l'impression d'être devenu sentimental comme une femme : la moindre émotion fait déborder mes larmes », lui confia un de ses malades. Un autre avoua qu'il ne pouvait plus ouvrir un journal : le moindre assassinat, le moindre accident, lui faisaient battre le cœur ; un troisième, qu'il n'osait plus fréquenter ses amis, de peur de s'exposer au ridicule en raison de cette espèce de sentimentalité incongrue.

La similitude entre ces cas et beaucoup d'autres, démontre qu'il ne s'agit pas de phénomènes exceptionnels mais de symptômes fréquents à un certain âge. Mendel observe que les hommes en question ne témoignaient pas de caractères « efféminés » mais d'une virilité normale et n'avaient point été soumis auparavant à ce genre de troubles.

En dehors de cette irritabilité psychique, semblable à celle de la ménopause féminine, le savant nota également des rougeurs subites, des vertiges, des battements de cœur, des transpirations, une fatigue générale, des maux de tête et des insomnies. Il observa en outre des pertes de mémoire, de l'indifférence par rapport au monde ambiant, un égoïsme maladif et des tendances aux idées neurasthéniques et hypocondriaques. Devenus misanthropes, insociables, ces patients se plaignirent également d'un affaiblissement de leur puissance et de leur appétit sexuels. Dans quelques cas, ceux-ci s'éteignirent totalement ; dans d'autres, elle revint après la disparition des symptômes cités plus haut. D'après Mendel, l'andropause peut durer de neuf mois à quatre ans.

D'autres savants constatèrent des phénomènes analogues. Hollaender a énuméré les principaux symptômes : fatigue, irritabilité, absence de confiance en soi (et dans les autres), manque d'énergie et diminution des facultés intellectuelles. Sur le plan physique, il constata surtout des maux de tête et de l'insomnie. D'autres auteurs, comme par exemple le psychiatre allemand Hoche, confirmèrent ces diagnostics, mais constatèrent qu'il était difficile de dissocier les symptômes du début de la vieillesse de ceux de l'andropause. Ces spécialistes observèrent également que pendant la ménopause, les femmes développent fréquemment un peu de virilité caractérielle, cependant qu'il n'existe point de phénomènes analogues chez l'homme. L'artériosclérose de l'homme n'est pas une conséquence du retour d'âge, mais d'un excès d'alcool et de nicotine. En outre, on n'observe jamais chez l'homme, ni le symptôme caractéristique de la ménopause féminine, à savoir des réactions d'hystérie, ni les troubles circulatoires.

Il est certain que le problème du *climacterium virile* est complexe et difficile à saisir. Existe-t-il vraiment, et quelle est sa nature ? La question reste ouverte. Il semble toutefois qu'il y ait, dans l'existence de l'homme, une période qui ressemble à maint égard au retour d'âge de la femme. D'après Ellis, elle commence à 38 ans ; d'après Kenneth Walker elle se situe entre 55 et 60 ans. On pense que cette altération de la vie sexuelle de l'homme est due à des phénomènes de sécrétion interne, mais là aussi, les opinions des spécialistes diffèrent. Mendel crut apercevoir la cause de cette altération dans une diminution des fonctions testiculaires ; d'autres savants affirment que la prostate ou les centres nerveux en sont responsables.

Quoi qu'il en soit, il importe de savoir que divers symptômes, qui peuvent apparaître dès l'âge de 40 ans, entraînent une transformation de la personnalité de l'homme. Des individus actifs, optimistes et entreprenants, peuvent sombrer dans le pessimisme et craindre tout effort soutenu. Cette altération est notamment frappante chez les hommes sensibles, d'esprit ouvert, qui paraissent subitement comme indifférents et d'humeur morose. Pour quelques-uns, la source même de la sexualité subit une mutation ; brusquement, des tendances homosexuelles peuvent apparaître chez un homme auparavant normal, ou un homosexuel peut devenir hétérosexuel. Dans sa nouvelle *La Mort à Venise*, Thomas Mann a magistralement analysé cette transformation. Hoche publie, dans son ouvrage sur l'andropause, la lettre d'un malade en butte à ce genre de conflit : *« Il est certain que je n'ai pas toujours été capable de satisfaire ma femme (épousée à 26 ans) ; pleine de* tact, elle ne me l'a jamais fait sentir. Vers la cinquantaine, je me suis aperçu d'un grand changement en moi, je m'aperçus avec effroi que les femmes ne m'attiraient plus et que mon imagination s'était tournée vers les jeunes hommes. Timidement, mais avec un plaisir évident, mes yeux « évaluèrent » un jeune passant, j'imaginai la forme nue de son corps et la volupté de le caresser. Je fus toujours capable de résister à cette tentation et je suis certain que je demeurerai ferme dans l'avenir. Mais j'avoue qu'une chose nouvelle a fait irruption dans ma vie ; et cette chose est plus qu'un désir passager. Une jeune fille me laisse totalement indifférent... »* D'autres hommes constatent qu'à cette période de leur existence, ils avaient accusé des tendances au sadisme ou au masochisme, qui disparurent plus tard sans laisser de traces.

La ménopause de la femme est liée à des transformations morphologiques précises. Les fonctions ovariennes, et par conséquent la fécondité cessent. Comme à l'époque de la puberté où l'organisme se prépare progressivement à la fécondité, le passage de la maturité de la femme vers l'infécondité totale est graduel. Si le début des fonctions des organes sexuels est marqué par les premières règles, le début de la ménopause se signale par leur arrêt subit ou graduel. Comme toutes les comparaisons, celle-ci est boiteuse car, pour être plus précis, la cessation des menstruations marque le sommet de la ménopause. Elle est précédée de symptômes caractéristiques qui se distinguent de ceux qui apparaissent plus tard.

La durée de cette période de transition est variable. Habituellement, deux années suffisent pour rétablir l'équilibre physique. Mais il est fréquent, que la période de transition se prolonge plus longtemps. La ménopause et le vieillissement vont habituellement de pair. Donc, pour la femme, il est également difficile d'en dissocier les symptômes. D'après des statistiques basées sur des observations cliniques, l'âge moyen du début de la ménopause est de 47 ans 1/4. D'après cette statistique, les premiers symptômes du retour d'âge apparaissent à des périodes s'établissant comme suit :

A 40 ans	dans 3,65 % des cas
Entre 40 et 44 ans 3/4	dans 20,5 % des cas
Entre 45 et 49 ans 3/4	dans 44,19 % des cas
Entre 50 et 54 ans 3/4	dans 30,01 % des cas
Entre 55 et 57 ans 3/4	dans 1,64 % des cas

Dans l'ensemble, les diverses statistiques aboutissent aux

mêmes chiffres. Certaines différences sont constatées, à mettre en rapport avec le climat, la race, les dispositions héréditaires, le genre de vie, etc.

En ce qui concerne les influences climatiques sur la ménopause, les opinions des spécialistes divergent. Montegazza soutint qu'un climat chaud retardait le début du retour d'âge. Bruce et Oppenheim prétendirent le contraire ; il semble, en effet, que la puberté est plus précoce dans les pays chauds où, par contre, les individus vieillissent plus tôt même s'ils vivent à l'âge adulte dans des pays nordiques. Les filles de sang méridional, élevées dans des pays plus froids, ont une puberté et une ménopause plus précoces. Ceci démontre que les facteurs raciaux (et héréditaires) jouent un rôle plus important que les conditions climatiques. Le fait est connu du reste depuis longtemps. Les règles de la femme chinoise cessent généralement à 40 ans. La Japonaise commence la ménopause à 40 ans, les Indiennes de l'Amérique du Nord vers 50 ans seulement. Les femmes de race noire ont leur retour d'âge entre 35 et 40 ans, les femmes tunguse et ostiak entre 30 et 35 ans.

Il semble que le genre de vie joue également un rôle. On a pu observer que dans les classes ouvrières la cessation des règles est souvent prématurée. Une statistique rapporte qu'à Berlin, la ménopause des femmes de milieux bourgeois débute en moyenne à 47,14 ans ; celle des femmes de la classe ouvrière à 46,98 ans. On n'ignore pas que les conditions d'existence sont — ou ont été — plus difficiles pour la classe ouvrière, notamment en ce qui concerne l'alimentation. Toutefois, il existe des cas où la ménopause des ouvrières débute très tard.

Les chiffres ne fournissent donc que des indications assez générales. En outre, les statistiques ne peuvent saisir les cas individuels où les événements et les secousses physiques et psychiques peuvent influencer le retour d'âge ; l'angoisse, la peur, les conflits divers qui agissent sur les règles doivent nécessairement retentir sur la période du retour d'âge.

Tout comme l'âge de début, le déroulement de la ménopause varie avec les individus. Chez nombre de femmes, les règles deviennent moins abondantes jusqu'à cesser totalement. Chez d'autres, les règles font défaut pendant quelques mois pour réapparaître ensuite avec régularité ; cet état n'est pas forcément morbide : seul le médecin peut trancher. Il est fréquent que les règles cessent d'une manière si brutale et définitive que les femmes se croient enceintes.

Si la cessation des règles est le symptôme le plus marquant de la ménopause, il n'est pourtant pas le seul. Avec l'arrêt des fonctions ovariennes, l'appareil génital s'atrophie également. L'orifice du vagin se rétrécit et devient plus flasque, les lèvres se rétrécissent. Les glandes sébacées s'atrophient presque totalement, les muqueuses se déshydratent, les muscles s'affaiblissent. Graduellement, la vulve se rétrécit, devient plus courte et moins élastique. Au début de la ménopause, l'utérus est habituellement congestionné et dilaté. Puis il s'atrophie ; plus court et plus mince, il prend une apparence plate. Quant aux ovaires, ils ne produisent plus de follicules et se couvrent d'une coque conjonctive.

Avec les altérations de l'appareil génital apparaissent celles de l'aspect extérieur de la femme vieillissante, qui se dessinent bien après la cessation des fonctions ovariennes. Si la période du vieillissement « extérieur » varie avec les individus, elle est toujours d'une durée prolongée. Chez les femmes rondelettes, de petite taille (le type pycnique, d'après Kretschmer), les phénomènes visibles du retour d'âge peuvent être insignifiants ; si les amas adipeux augmentent, ils préservent la face des rides. Chez nombre de femmes, les parties adipeuses fondent, la peau devient ridée et fripée, surtout au visage, au cou, à la poitrine, au ventre et aux hanches. Chez d'autres femmes, des caractères virils apparaissent, les traits du visage deviennent plus marqués, le système pileux du corps s'étend, la voix devient plus rauque.

La cessation des fonctions ovariennes a des répercussions sur les autres glandes, et au début, elle perturbe l'équilibre des fonctions glandulaires. Lorsque les règles cessent brusquement, cette absence des fonctions ovariennes se manifeste plus brutalement que lorsqu'elles disparaissent graduellement. Après la cessation des fonctions ovariennes, un nouvel équilibre des fonctions s'établit lentement et les troubles provoqués par la ménopause finissent par disparaître.

En ce qui concerne les troubles qui varient d'un individu à l'autre, il est pour ainsi dire impossible de séparer les phénomènes normaux de ce qui ne l'est pas. Pour chaque femme, le cas se présente sous un aspect différent. Il n'est pas toujours facile non plus de découvrir la nature des perturbations qui peuvent être d'origine organique ou psychique, et plus probablement psychosomatique. Les « bouffées de chaleur » sont parmi les phénomènes les plus caractéristiques de la ménopause ; elles provoquent des sueurs profuses. Elles découlent de troubles circulatoires et vaso-

moteurs, et la majorité des femmes en souffrent beaucoup.
Il importe de faciliter et d'écourter cette période critique.
L'administration d'hormones sexuelles féminines (pratiquée
dans le passé) étant dangereuse, on a obtenu récemment
de meilleurs résultats avec de faibles quantités d'hormones
mâles qui abrègent la durée de la ménopause et ont l'avantage d'être inoffensives.

Nombre de femmes se plaignent de troubles de l'ouïe,
d'oppression respiratoire, d'accélération du pouls, etc. Habituellement, il n'est pas possible de trouver une cause organique à ces troubles qui semblent être étroitement dépen-
dantes de la sphère émotionnelle, au même titre que les
insomnies, très fréquentes. Ces perturbations sont la conséquence de l'inquiétude, de la tension, de la sensation de
déséquilibre interne, de l'irritabilité. Entre ces états banaux
et les authentiques dépressions que le retour d'âge peut
provoquer, il y a certainement des relations intimes.

A propos des dépressions dues à la ménopause, il faut
constater que ce sont de véritables maladies au sujet desquelles il faut consulter le neurologue, avant qu'elles ne
soient devenues insupportables pour la patiente et pour ses
proches. Ces dépressions, généralement accompagnées d'idées
de suicide, de mélancolie persistante et de crises de larmes,
s'expliquent peut-être par le fait que la femme est inconsciemment attristée de vieillir, surtout lorsqu'elle n'a pas
eu d'enfant. Elle a souvent des complexes d'infériorité parce
qu'elle croit que sa vie sexuelle se termine et qu'elle n'est
plus vraiment « femme ». Ces idées sont fausses ; mais lorsqu'il s'agit de dépressions, c'est-à-dire de psychoses plus ou
moins graves, le raisonnement logique ne suffit pas à convaincre et à guérir le sujet. Ces symptômes semblent apparaître brusquement, spontanément, sans cause extérieure
apparente ; ils disparaissent sans laisser de trace. Tout au
plus, cette dépression, que le vieillissement aurait déclenchée de toute manière, peut apparaître prématurément avec
le retour d'âge. Cela est net dans les cas cliniques exceptionnels.

Il est certain qu'il ne faut pas tenter d'expliquer « psychologiquement » ces états de dépression accompagnant le
retour d'âge. L'expérience a démontré que les proches parents ne se doutent pas de la gravité du cas, parce qu'ils
croient « comprendre » les causes des « larmoiements » ;
ils estiment qu'il suffit de rassurer l'épouse, ou la mère en
butte aux idées de suicide, de lui dire que ses craintes sont
injustifiées et que tout cela est de « l'imagination ». Bien
souvent, ces tentatives pour « raisonner » la malade (au

lieu de consulter le spécialiste) aboutissent à la catastrophe, et la femme se suicide, ou tente de se suicider. Il est faux de croire que les personnes qui, à l'occasion de leur ménopause, parlent de suicide ne mettent jamais leur projet à exécution ; il existe nombre de cas où la menace est suivie d'effet.

En général, la cessation des règles ne déclenche pas de dépressions graves. Ces réactions apparaissent-elles : l'exercice et les occupations physiques et intellectuelles raisonnablement dosées peuvent en venir à bout. En principe, un *traitement* médical n'est point nécessaire pendant la ménopause ; toutefois, une *surveillance* médicale et éventuellement un traitement actif sont indispensables.

Pour finir, examinons la question des rapports sexuels pendant le retour d'âge. Avec la cessation des fonctions ovariennes, se produisent des altérations anatomiques qui affectent l'ensemble de l'appareil génital. En conséquence, le coït peut devenir pénible ou douloureux. Si le tact et la délicatesse sont de rigueur en général dans le domaine sexuel, ils s'imposent doublement à cette période critique. Mais, il serait erroné de renoncer alors aux rapports conjugaux car la tension sexuelle est souvent très intense chez la femme pendant cette période. Les fréquentes et brèves poussées de la libido dépendent des transformations de l'activité hormonale et surtout de l'augmentation progressive des hormones androgènes qui va de pair avec la cessation des fonctions ovariennes. De même qu'il est parfois possible d'activer la libido de la femme en pleine maturité sexuelle par un apport d'hormones androgènes, le nouvel équilibre des fonctions hormonales qui se produit pendant la ménopause peut augmenter l'appétit sexuel de la patiente.

En opposition à l'intensification de la libido de la femme, les désirs sexuels de l'homme diminuent souvent simultanément. L'époux, habituellement plus âgé que l'épouse, est moins puissant précisément au moment où la libido de sa femme augmente. Des tensions dangereuses pour l'harmonie conjugale en résultent notamment si la femme — et c'est parfois le cas — parvient au plein orgasme lors des rapports sexuels. Si à cette époque de leur existence, les femmes deviennent très sensuelles et cherchent leurs satisfactions sexuelles en dehors du mariage, c'est dû, dans la majorité des cas, à cette sorte de tension.

Par ailleurs, l'irrégularité des ovulations multiplie le risque de grossesse intempestive, ce qui est une nouvelle source de tension.

Heureusement, ces cas sont exceptionnels. Il va de soi

qu'une femme mariée, ayant des enfants, a des occupations et des préoccupations qui la préservent des soucis et des inquiétudes de la ménopause. En général, le retour d'âge se passe d'une manière simple et naturelle et, entre les conjoints, se développe et s'installe un équilibre harmonieux qui est le véritable support de la vie familiale.

Psychologie de la ménopause

Dr Heinrich Meng

professeur à la Faculté de médecine de Bâle

Autrefois, et jusqu'au début du XXᵉ siècle, les femmes de 40 ans et plus se croyaient « vieilles » et se considéraient presque comme des matrones. On peut en observer le type à travers la littérature des siècles passés. De nos jours, beaucoup de femmes de cet âge ont une conscience plus nette de leur état et témoignent d'un bel équilibre physique et mental. L'attitude intérieure de la femme envers la ménopause menaçante, en cours, ou terminée peut effectivement façonner les années qui suivront, qui verront l'épanouissement de la personnalité à sa pleine maturité.

D'autre part, nombre de cliniciens affirment qu'à notre époque, les troubles de la ménopause sont plus variés, plus intenses et plus difficiles à combattre que dans le passé. D'après eux, le rythme accéléré du genre de vie et du travail modernes provoque des troubles du système nerveux végétatif et par conséquent, perturbe l'équilibre hormonal de l'organisme.

Il est certain que peu de femmes traversent la ménopause sans le moindre trouble. On ignore pourquoi. La conformation physique, ainsi que l'influence du passé, c'est-à-dire les joies et les souffrances de la patiente, jouent un rôle primordial dans cette période critique. Il semble du reste logique que la cessation des fonctions ovariennes, même graduelle, provoque des troubles psychosomatiques qui pourraient être comparés à l'effet d'une sorte de « castration ».

Avant le retour d'âge, l'équilibre de la femme est conditionné par un rythme végétatif et endocrinien : le cerveau, l'hypophyse, les ovaires et les cortico-surrénales se régularisent mutuellement. Avec le début de la ménopause, en raison de la production déficiente en œstrogènes, l'action régulatrice de ces hormones sur l'activité du lobe antérieur de l'hypophyse diminue de plus en plus. Pour beaucoup de femmes, ceci se produit alors que les règles ne cessent pas brusquement mais reviennent encore pendant un certain temps, ne serait-ce que de façon irrégulière.

L'observation clinique et psychanalytique de nombreux cas a démontré que l'événement subjectif de la ménopause dépend également du type morphologique. Il semble que les femmes du type pycnique acceptent et assimilent plus facilement les tensions psychiques de la ménopause que les femmes du type asthénique ou intersexué. Le contexte psychique dépend essentiellement de la manière selon laquelle la patiente, avant la ménopause, a éprouvé et vécu l'amour : activement ou passivement, avec ou sans plénitude, avec bonheur ou souffrance. Des « reliquats de sentiments », latents, ou manifestes et consciemment ressentis comme des déceptions, de la pitié ou du dégoût envers le partenaire, peuvent susciter des crises graves entre les conjoints. La patiente qui, avant la ménopause, a souffert d'amour aura tendance à souffrir pendant l'âge critique. Apparemment, les femmes du type pycnique ont moins de disposition à cette destinée que les autres. Le facteur fécondité joue également : si une femme est un peu ou pas du tout satisfaite dans le mariage, mais heureuse grâce à ses enfants, son attitude envers la ménopause sera habituellement plus conciliante que celle d'une femme restée stérile.

La femme profondément blessée par la cessation de ses règles est en danger de perdre son équilibre psychique. Elle l'est d'autant plus si elle n'a pas goûté la plénitude de sa féminité et de la maternité, réelle ou symbolique. S'il existe par surcroît des anomalies psychiques, comme par exemple des dispositions latentes ou manifestes à la névrose, il faut compter avec une intensification de la crise psychique. La ménopause n'est pas uniquement un processus biophysiologique. Il est évident qu'elle déclenche des vibrations, des échos, des résonances psychiques, dans le conscient comme dans le subconscient. Occasionnellement, des rêves et des idées imaginaires révèlent à quel point l'activité psychique impressionne le subconscient. Le dynamisme de l'existence et du devenir psychosomatique *avant* la ménopause façonne activement la façon dont celle-ci sera abordée.

Pappenheim (de Vienne) a communiqué le fruit de ses observations sur quelques centaines de femmes qui, avant la ménopause, avaient souffert « d'affections nerveuses organiques diverses » (scléroses, tabès, etc.). Ayant souffert d'une détérioration considérable de leur entité psychosomatique — comparables en importance à une castration —

ces femmes semblaient être immunisées contre le choc de la ménopause. Il n'y avait parmi elles que de très rares cas de troubles caractéristiques de la ménopause.

Il est certain que l'étude du bouleversement anatomique et physiologique des organes et des fonctions sexuels ne fournit pas de mesure de comparaison objective ni pour les troubles, ni pour le mode de l'érotisme individuels.

Abstraction faite des troubles susceptibles de survenir à cette période critique, l'état psychique de la femme dépend essentiellement de sa disposition à l'amour[1]. Son attitude envers la ménopause est modifiée par la manière dont elle a ressenti et vécu l'amour pendant son enfance, et sa puberté, puis dans le mariage. Très souvent, la femme « somatise » consciemment ou subconsciemment son état d'âme et son attitude de protestation contre l'époux, la société, la morale. Les rêves de la patiente illustrent clairement l'intensité de la lutte qui se livre entre la conscience et l'instinct, et la force avec laquelle les conflits non résolus du passé s'extériorisent dans les troubles qui prédisposent les glandes internes et le système végétatif aux réactions pathologiques.

Les organes sexuels, considérés comme « inférieurs et défectueux » par certaines femmes, voient leur anatomie encore dévaluée lors de la ménopause, ce qui déclenche une intensification des complexes d'infériorité surtout dans une société et un système économique patriarcal. Lors de la ménopause, la femme ressent biologiquement — et plus intensément que l'homme — le côté « périssable » de la vie humaine. En analysant l'étiologie des complexes d'infériorité des deux sexes, nous avons observé que l'antagonisme entre l'aspiration à l'immortalité du Moi et la conscience de l'inéluctable destruction du corps peut provoquer une tension puissante. Assez fréquemment, lors de la ménopause, la femme convertit cet antagonisme en névrose, consciemment, semi-consciemment ou subconsciemment. En d'autres termes : la différence d'attitude entre le « oui envers la vie », et le « oui envers la mort » revêt parfois des formes dangereuses. Les observations psychothérapeutiques de femmes névrosées en retour d'âge démontrent que ce facteur joue

---

1. La configuration psychosomatique d'un grand nombre de femmes entre la 40e et la 60e année, consiste en une combinaison de ménopause débutante et de troubles psychosomatiques, comme l'artériosclérose, les troubles de la circulation, les névrites, les migraines. Souvent, ces troubles sont ou latents ou apparents, dès avant la ménopause ; quelquefois, ils éclatent à la suite d'une crise psychique et hormonale due à la ménopause. Lors du diagnostic objectif et subjectif, le praticien doit essayer de déterminer dans quelle mesure des affections organiques modifient le décours normal ou pathologique de la ménopause.

un rôle important dans les fatigues, *dyspnées* et insomnies.

Malgré tous les succès de la thérapeutique hormonale dans le traitement de la ménopause — elle s'avère excellente dans les cas de troubles métaboliques, d'hypertension et d'affections articulaires — la rééquilibration psychosomatique de certaines femmes ne peut survenir qu'après la guérison de leur névrose par la psychothérapie. Pour l'évaluation des troubles de la ménopause, toute anamnèse doit porter aussi sur les antécédents psychiques. Pendant la période critique, en dehors des conflits inhérents à l'union conjugale, d'autres facteurs de conflits émotionnels peuvent contribuer à déclencher des crises (par exemple le mariage des enfants). Le rôle de belle-mère, des pensées jalouses, des soucis matériels par rapport au lendemain, des doutes portant sur l'avenir sentimental, la mort d'êtres chers : tous ces facteurs peuvent contribuer à provoquer des troubles du métabolisme, de la circulation et de l'équilibre émotionnel.

Vu les progrès actuels de la psychothérapie, et les bons résultats obtenus par les psychiatres et les gynécologues qui ont utilisé les découvertes en psychologie des profondeurs comme moyen de diagnostic ou comme mode de traitement, il serait indispensable que le praticien en connaisse les possibilités, autant qu'il connaît celles des thérapeutiques endocriniennes et chirurgicales.

L'hygiène mentale de la ménopause est en partie semblable à celle de la prépuberté et de la puberté. (Anna Freud, Federn.) Pour les anomalies du caractère et les névroses au sujet desquelles les femmes consultent le médecin (depuis l'époque de la puberté jusqu'à la ménopause), la guérison des troubles du Moi et de l'instinct présente une certaine garantie contre les troubles névrotiques de la ménopause. Pour le praticien, et avant tout pour le médecin de famille, l'orientation psychosexuelle des femmes mariées, pendant les différentes phases de l'âge mûr devrait être chose courante. Ils contribueraient ainsi à affermir les bases fondamentales du bonheur individuel et de la responsabilité sociale, si souvent menacées au moment de la ménopause. Il est certain que c'est une tâche dont la solution réclame de la part du médecin un grand savoir, de la compréhension et beaucoup de charité.

L'une des inconnues les plus intéressantes de la psychosomatique moderne est la raison pour laquelle la thérapeutique hormonale enregistre des insuccès dans certains cas. Habituellement, on s'aperçoit que le diagnostic était erroné ; dans d'autres cas, l'application de la thérapeutique était défectueuse par suite d'une posologie inadéquate.

L'évaluation de l'efficacité du traitement est souvent délicate. Nos connaissances à propos du rôle des hormones, sont encore insuffisantes. Il existe d'innombrables ouvrages concernant l'endocrinologie, et les thèses qu'on y défend sont quelquefois contradictoires, ce qui ne facilite point la tâche du praticien.

Le médecin, plus souvent familiarisé avec la gynécologie ou la chirurgie qu'avec la psychothérapie, enregistre occasionnellement des échecs dans la pratique de celle-ci. Et surtout s'il s'agit de l'homme. Pour différentes raisons, le problème ne se pose pas de la même manière que pour la femme. Les instincts sexuels de l'homme, tout au moins dans la majorité des cas, sont plus étroitement dépendants de la physiologie des glandes sexuelles. Pour l'homme, l'aspect psychologique de l'amour ne joue pas un rôle aussi prédominant que chez la femme. Notre connaissance du *climacterium virile* est encore relative et incomplète. Si l'on procède par analogie avec la ménopause de la femme, assurément mieux connue, on peut formuler pour l'homme la question de la manière suivante :

Assez souvent, le médecin reçoit à sa consultation, des hommes entre 40 et 60 ans, se plaignant de troubles dont le diagnostic objectif ne correspond pas aux caractéristiques du *climacterium virile*. Chez certains, les symptômes ressemblent beaucoup au syndrome de la ménopause et notamment aux troubles vasomoteurs : bouffées de chaleur, sueurs profuses, vertiges, états dépressifs, intensification passagère de la libido et parfois des troubles de la puissance.

Les spécialistes des fonctions endocriniennes et les psychothérapeutes ont une opinion différente à propos de l'évaluation clinique et thérapeutique de ces symptômes. On peut alors se demander si, dans chaque cas individuel, il n'y a pas apparition d'une féminité jusqu'alors latente. Nos observations personnelles ne nous ont rien appris en ce domaine.

Le fait est que nombre d'hommes, passent entre 40 et 60 ans par une phase psychosomatique critique qui peut ne durer que quelques mois ou se prolonger pendant un à quatre ans. Ils témoignent d'un ou de plusieurs symptômes caractéristiques, comme par exemple de troubles du comportement sexuel, d'anomalies de l'instinct (masturbation, tendances homosexuelles ou incestueuses), de complexes de frustration ou d'infériorité, de dépressions graves, de phases mélancoliques ou paranoïaques. Assez souvent — nos observations s'étendent sur une période de trente ans — des complexes d'Œdipe envers le père, vivant ou décédé, se réveillent à cette période. Ils se manifestent en premier lieu par des réactions de culpabilité envers les fils adultes. Habituellement, il est possible de formuler un diagnostic psychologique solide. Les chances de succès d'une psychothérapie efficace sont relativement bonnes. Il est important d'approfondir les questions qui concernent le diagnostic, la prophylaxie et la thérapeutique car, dans les cas de délits commis par des hommes de 40 à 60 ans, notamment dans le domaine sexuel, le médecin consulté doit trancher s'il y a responsabilité ou non, et jusqu'à quel point.

A notre avis, le diagnostic de *climacterium virile*, ne peut être posé que lorsque tout autre diagnostic doit être rejeté sur le plan clinique. S'il était possible de mettre en évidence des facteurs spécifiques permettant de formuler un tableau clinique typique, il serait également possible alors d'assurer un diagnostic certain. Or, cela est impossible.

Tout symptôme d'andropause peut résulter d'une autre affection et apparaître à tout âge, de la crise pubertaire à l'âge adulte. Ceci est avant tout valable pour ce qui concerne les troubles de la puissance ou les états dépressifs. Il suffit de penser au rôle joué par le tempérament sexuel relativement à la puissance, et à son importance pour les sentiments de valeur de l'individu.

Il est généralement admis que l'éducation, le déroulement de la puberté, les facteurs sociaux et religieux, les particularités de la partenaire et la maturité ou l'immaturité de l'individu influencent fortement les facultés de donner et de recevoir l'amour et par conséquent, la puissance sexuelle. Il est certain que pour la majorité des hommes, la période s'étendant entre la 40e et la 60e année est une phase d'ébranlement psychosomatique qui affecte la personnalité entière. N'est-il point naturel que la puissance sexuelle en soit également affectée ?

Un certain nombre d'hommes, sans doute grâce à leur constitution et à leur tournure d'esprit favorable *avant* l'andropause, ne sont peu ou pas du tout affectés dans leur puissance érectile, orgastique ou génératrice. Ces hommes ont échappé aux influences nocives multiples sur leur vie sexuelle et amoureuse, ou ils les ont supportées sans souffrir du moins en apparence de suites désavantageuses.

Y a-t-il un critère *objectif* capable de démontrer qu'il existe des troubles du système sexuel endocrine ? A l'exception de traumatisme rendant les fonctions sexuelles anatomiquement impossibles, il n'existe à notre connaissance aucun processus endogène capable d'empêcher la faculté d'érection, qui peut survivre chez des castrats.

Il est vrai que le vieillissement provoque chez certains hommes des modifications organiques du système sexuel telles que l'artériosclérose. L'homme psychiquement équilibré accepte cette modification objective dans la même mesure qu'il accepte le fait d'être périssable. Comme le disent les Chinois, l'homme est comme « une bougie dans le vent ». Les ouvrages spécialisés n'offrent point d'indices pour un diagnostic valable. Marcuse a raison d'affirmer que « le diagnostic doit s'étayer avant tout sur le tableau clinique et non point sur des facteurs étiologiques, encore si peu connus ».

Hermann Zondek a demontré que l'élimination des 17 cétostéroïdes dans l'urine reste invariable lors du *climacterium virile*. Il est certain que le praticien en formulant un diagnostic très exact, doit tenir compte entre autres, des possibilités d'affections suivantes :

1° affections cardio-circulatoires ;

2° affections basées sur des réactions psychonévrotiques ou psychopathiques ou masquées par elles ;

3° dépressions d'étiologie diverses, y compris les troubles conjugaux si fréquents à notre époque ;

4° troubles de la puissance à base organique ou névrotique ;

5° artériosclérose ;

6° affections de la prostate avec ou sans symptômes hypocondriaques.

La thérapeutique de *climacterium virile* et des troubles similaires doit se conformer au diagnostic et à la constitution psychosomatique du malade. D'après notre expérience, la psychothérapie à base psychanalytique a rarement une importance primordiale. Même dans les rares cas où on applique la thérapeutique hormonale, sa valeur paraît plus symptomatique que spécifique. Son effet est avant tout « corroborant ». Il serait intéressant de dégager les raisons pour lesquelles la psychothérapie et la thérapeutique hormonale ont échoué dans certains cas ; et lorsqu'il y a eu guérison, d'en connaître la durée. En ce qui concerne les « guérisons », il faut tenir compte des tendances curatrices naturelles de l'organisme, lesquelles visent spontanément à compenser la défection d'une glande hormonale en augmentant les fonctions d'une autre glande.

Les recherches et les progrès de la thérapeutique hormonale et de la psychothérapie devraient provoquer des résultats profitables à la médecine générale, grâce à la collaboration des endocrinologues, des psychothérapeutes et des omnipraticiens.

Livre X

Troubles organiques
de la sexualité

C'est grâce à notre corps, en lui, que, sur le plan érotique, l'autre sexe se met à exister pour nous. Aussi bien toute altération des organes génitaux tend à modifier profondément la structure du monde érotique. Un exemple peut aider à le comprendre : si je me casse la cheville, la distance entre mon bureau et la porte prend une tout autre signification.

Aussi bien on n'a pas encore compris ce qu'est la stérilité, quand on a déterminé ses origines physiologiques et quand on a mis en lumière ses conséquences sur les divers plans personnel, familial et social. Car la stérilité, qu'on en ait conscience ou non, atteint l'être humain dans son existence même. Pour un foyer stérile, le monde ne saurait plus avoir la même physionomie.

Les troubles de la menstruation blessent la femme en cela même qui la constitue femme, dans ce qu'on appelle sa « féminité » ; ici encore il y a bien plus qu'un problème psychophysiologique.

Quant aux maladies vénériennes, ce serait une vue bien courte de n'y découvrir qu'une affection grave des organes génitaux. Car nos organes ne sont pas des instruments au travers desquels notre âme agirait. La main n'est pas qu'un instrument ; cela on le voit bien lorsqu'un ouvrier a, selon l'expression courante, attrapé le tour de main : dès lors, en toute vérité, son savoir est dans sa main.

C'est pourquoi aussi, en proposant ces brefs aperçus sur l'éonisme et l'intersexualité, notre intention n'est nullement de présenter au lecteur une curiosité biologique : ce serait aussi malsain que ne l'est l'appât des monstruosités anatomiques sur les champs de foire.

Notre but, c'est d'aider le lecteur à prendre mieux conscience des valeurs profondes qui sont mises en jeu par ces troubles « organiques » de la sexualité. Le bâton de

l'aveugle n'est plus, comme dit Merleau-Ponty, un objet :
son extrémité s'est transformée en zone sensible ; s'il s'agit
d'un osier trop flexible, c'est un monde tout entier qui va
basculer et devenir marécageux, inconsistant.

En un mot, dans les troubles organiques de la sexua-
lité, c'est toute une manière d'être-au-monde, c'est notre
être le plus profond qui est remis en question.

La stérilité

Dr P. Whitaker, New York et
Dr Hans Giese, Hambourg

La stérilité peut avoir des causes multiples ; l'une des plus
fréquentes réside, non pas en une anomalie de l'un des partenaires, mais dans la nature même de leurs relations
sexuelles. La raison effective de la stérilité est alors d'ordre psychique, puisqu'elle ne peut être imputée à une
cause organique ou anatomique. On a coutume de dire qu'il
y a « incompatibilité des tempéraments » et que, pour
cette raison, la conception ne peut s'accomplir ; ou encore
on prétend que l'amour fait défaut. Une aversion entre
l'homme et la femme ne constitue pas, en principe, une
cause de stérilité, et les unions conjugales dépourvues
d'amour ne sont pas, hélas, les moins fécondes. Néanmoins,
il est possible qu'après de longues années de rapports conjugaux normaux mais stériles, la femme se trouve enceinte
à la suite de rapports adultérins : on verra plus loin quel
peut être le motif de ce fait.

On sait que la conception est parfaitement possible (et
même fréquente) sans qu'il y ait orgasme. Cependant, les
psychanalystes, gynécologues et anatomistes sont d'avis
que, dans certains cas précis, l'orgasme semble constituer
un élément indispensable à la conception. On a supposé
que, en raison des contractions utérines pendant l'orgasme,
le bouchon muqueux de l'orifice utérin pouvait être expulsé
et que les spermatozoïdes étaient ensuite, pour ainsi dire,
« aspirés » dans la cavité utérine.

Parmi les troubles psychiques de la vie sexuelle capables de provoquer la stérilité, il faut citer en premier lieu
le vaginisme, type classique de la perturbation psychique
à répercussions organiques. Le traitement du vaginisme
est du domaine de la psychothérapie, puis de la gynécologie

laquelle, en provoquant la dilatation des muscles constricteurs du vagin, peut seconder les mesures psychothérapeutiques. En tout cas, si des spasmes vaginaux apparaissent, les conjoints ne devraient pas hésiter à consulter immédiatement un spécialiste, avant qu'il ne soit devenu trop difficile d'intervenir.

Ni un pénis trop court, ni un vagin trop long ne sont, en principe, une cause de stérilité. Car une pratique habile du coït peut facilement remédier à cet obstacle et aboutir à la conception.

Le coït interrompu peut, éventuellement et en fin de compte, provoquer la stérilité de la femme. L'interruption brusque de l'acte, au moment où la femme approche de l'orgasme, lequel ne peut alors se déclencher, peut aboutir à l'hyperémie des organes sexuels féminins, en particulier des ovaires et finalement à une affection permanente. Ceci n'est pas admis par tous les spécialistes. Certains gynécologues croient que les fibromes utérins (myomes), qui empêchent souvent la fécondation ou la grossesse normale, sont provoqués par le coït interrompu. Le fait n'est pas prouvé.

Les préservatifs féminins (pessaires, etc.) peuvent provoquer des infections aboutissant à la stérilité ; (même pour les douches vaginales, il faut veiller à la propreté de l'instrument pour éviter les infections.) Par bonheur, le vagin résiste parfaitement à l'infection, sinon il faudrait le désinfecter après chaque introduction du pénis, nombre d'hommes n'observant pas l'hygiène physique la plus élémentaire. L'expérience a prouvé que des femmes ayant des rapports réguliers et même fréquents, avaient rarement des accidents d'infection du bas-ventre. Cela s'explique peut-être par le fait que le sperme de l'homme contient des substances anti-infectieuses, à moitié aussi efficaces ou à peu près que la pénicilline.

La reprise trop rapide et trop brutale des rapports sexuels, après l'accouchement, peut être la cause de troubles qui, indirectement, conduisent parfois à la stérilité chez la femme. A ce moment, les organes génitaux féminins sont particulièrement vulnérables et se défendent mal contre toutes sortes d'infections.

Encore qu'elle soit discutée, il semble qu'une cause assez singulière de stérilité conjugale existe réellement. Quelquefois, après un premier enfant, il n'en naît plus d'autre, bien qu'aucun des conjoints ne soit apparemment stérile. On suppose alors qu'il y a, entre les spermatozoïdes et les ovules, une sorte d'antagonisme provoquant une espèce d'immunité analogue à celle obtenue par les vaccins ; les spermatozoïdes sont détruits au fur et à mesure par des anticorps que la femme a développés.

Examinons les cas de stérilité fonctionnelle ou organique chez la femme, et chez l'homme. En ce qui concerne la femme, il faut distinguer entre deux possibilités : elle peut être stérile, ou bien pour des raisons purement anatomiques empêchant la fécondation, ou bien elle peut concevoir mais non garder le fœtus jusqu'à terme. Le second cas est assez fréquent. Ce sont alors des fausses couches successives, séquelles d'une quelconque affection (syphilis par exemple). La fausse couche se produit-elle à un stade avancé de la grossesse : le médecin peut en détecter la cause. Mais, nombre de femmes souffrent d'avortements précoces, sans même s'en rendre compte. Les menstrues plus abondantes, et venues avec quelques jours de retard, ne sont pas toujours dues aux règles, mais à l'expulsion d'un ovule fécondé que l'utérus, pour l'une ou l'autre raison, ne peut garder. Une anomalie, assez répandue, et toujours passagère, est connue sous le nom évocateur d'*infantilisme génital*. Cette forme de la stérilité disparaît toute seule, l'utérus achevant généralement son développement au cours du mariage.

Lorsque, en dépit de tous les efforts, une très jeune femme (16, 17, 20 ans même), n'est pas fécondée, il ne faut pas croire qu'elle est stérile. A cet âge, des règles normales ne constituent pas encore un symptôme sûr de maturité des organes sexuels, tout au moins sous nos latitudes.

Le mode de vie, et, en premier lieu, l'alimentation, sont très importants pour la femme. On commet de nombreuses erreurs dans ce domaine, bien que personne n'ignore qu'un régime équilibré exerce une influence capitale sur l'organisme et, naturellement, sur les fonctions génitales. La carence en vitamines est nuisible à la fécondité, parce qu'elle peut provoquer des perturbations dans le cycle ovarien. Si la nourriture n'est pas assez variée, l'organisme ne reçoit pas en quantité suffisante les vitamines indispensables aux échanges nutritifs. Outre les vitamines B et C, l'organisme a besoin de vitamines E (la vitamine de la fécondité). Il est possible de remédier à la stérilité de carence en choisissant un régime approprié et en y ajoutant des germes de froment pur. La sous-alimentation défavorise la fécondité, car la faim est nocive pour les organes sexuels. Stefko (en Russie), et Stieve (en Allemagne), ont examiné les conséquences de la famine sur les organes sexuels internes. La sous-alimentation agit sur le follicule de De Graaf : les ovules dégénèrent et du tissu conjonctif se développe à leur place. Pendant les deux dernières guerres, la plupart des pays ont eu de sérieuses difficultés de ravitaillement, et nombre de femmes ont souffert d'une absence de règles (aménorrhée).

Il ne faut pas, toutefois, tomber dans l'excès contraire : l'excès de nourriture est également nuisible. Les expériences sur l'animal ont prouvé que la suralimentation peut affecter l'activité des organes sexuels, au point d'entraîner la stérilité. Retire-t-on de la nourriture certaines vitamines : l'époque du rut est retardée tandis que la surabondance de ces mêmes vitamines provoque la stérilité.

On peut affirmer, en toute certitude, que tout ce qui est nocif pour la santé de la femme est également nuisible à sa fécondité. Nous avons déjà constaté par ailleurs, que l'atmosphère des grandes cités n'est favorable ni pour la santé générale, ni pour la fécondité de la femme. Les conditions de travail, destructrices des nerfs, l'insalubrité des habitations, l'insuffisance d'exercices physiques ou l'excès d'activité sportive, le déséquilibre du genre de vie, l'hygiène insuffisante, les excès sexuels, tout cela mine la santé et, en même temps, la fécondité.

Certaines anomalies anatomiques des organes internes peuvent provoquer la stérilité, en empêchant la pénétration du sperme dans l'utérus ; par exemple, les déviations ou les vices de conformation de l'utérus, et l'occlusion des trompes. Il est possible de remédier à plusieurs de ces affections par des massages, l'introduction de pessaires utérins spéciaux et, dans les cas plus compliqués, par une intervention chirurgicale.

La stérilité peut être provoquée par des troubles glandulaires et, notamment, par le fonctionnement défectueux de la thyroïde, des ovaires ou de la cortico-surrénale. Ces perturbations peuvent être corrigées par des traitements médicaux (hormones). Les sécrétions du vagin peuvent contenir un excès d'acide qui tue les spermatozoïdes. Le médecin a-t-il diagnostiqué cette cause : il peut, à l'aide de solutions alcalines, ramener l'acidité à la normale.

Le cas est beaucoup plus grave lorsqu'il s'agit d'inflammations des organes sexuels, utérus (métrites), trompes ou ovaires. Les avortements criminels provoquent fréquemment l'inflammation des muqueuses de ces organes. Il suffit de penser aux méthodes douteuses des faiseuses d'ange pour comprendre les catastrophes que ces manipulations entraînent. Elles n'observent, le plus souvent, ni antisepsie, ni asepsie. Les muqueuses étant particulièrement sensibles pendant une grossesse, l'infection peut se déclarer facilement. Le danger est relativement grand si des rapports sexuels ont lieu immédiatement avant ou après la fausse couche. Il va de soi que le danger d'infection est infiniment plus sérieux lors d'un avortement pratiqué à l'aide d'instruments non stérilisés. Plus d'une fois, des maladies vénériennes ont été transmises de cette manière.

Si les inflammations sont décelées à temps, il est possible de les traiter par les antibiotiques, sulfamidés et corticoïdes, ainsi que par la chaleur, le froid, les rayons, les cures thermales, etc. Mais les foyers sont souvent si réduits et si bénins qu'ils n'occasionnent pas de grands troubles chez la femme ; si bien que l'infection passe inaperçue, mais provoque la stérilité. L'inflammation a-t-elle progressé : il est parfois nécessaire de procéder à l'ablation de l'organe malade. Lorsque cet organe est indispensable à la fécondité (ovaires, trompes, etc.), l'ablation, si elle est bilatérale, rend fatalement la femme stérile. Heureusement, la technique opératoire est si perfectionnée de nos jours que le chirurgien réussit souvent à sauver une partie de l'organe malade, notamment de l'ovaire.

Une intervention chirurgicale peut être efficace dans d'autres causes de stérilité, comme par exemple pour les kystes et les fibromes. Au cours des dernières années, on a essayé, dans les cas où la stérilité était due à un fonctionnement défectueux des ovaires, d'appliquer des rayons X. Mais, la sensibilité de ces organes aux rayons étant variable, le dosage est très délicat. Ce qui est excellent pour une malade déterminée, peut être contre-indiqué pour une autre. Les rayons X peuvent léser gravement les ovules, les rendre inaptes à la fécondation ou favoriser le développement d'enfants difformes (ce qui peut ne se manifester que dans les générations suivantes). Il faut donc proscrire cette méthode.

Si la cause de la stérilité est connue, il est souvent possible d'y remédier. Le traitement est plus difficile lorsque c'est l'homme qui est responsable de la stérilité. Quand un ménage demeure sans enfant, on croit habituellement a priori, que c'est la femme qui est stérile. Or, ceci est parfaitement inexact, car il existe chez l'homme un certain nombre de troubles capables d'empêcher la procréation.

En premier lieu, les troubles graves de la puissance masculine. L'acte sexuel ne peut alors être pratiqué que difficilement et les chances de procréation diminuent en proportion. Dans ces cas, les organes procréateurs sont anatomiquement et physiologiquement intacts et les perturbations sont dues à leur fonctionnement défectueux. D'autre part, l'existence de la puissance sexuelle ne prouve pas que la faculté procréatrice soit intacte. Les examens de sperme ont révélé que la stérilité masculine n'est pas rare même lorsque la puissance reste intacte.

L'étude du sperme a progressé depuis ces dernières années. Dès son obtention, l'éjaculation est examinée sous le rapport de la quantité, de la couleur, de la consistance, du nombre de germes, de leurs mouvements, etc. On prépare également un frottis coloré d'une manière spéciale, afin de permettre l'examen minutieux des éléments cellulaires et de la constitution des spermatozoïdes. C'est ainsi qu'on s'est aperçu de nombreuses anomalies. On peut également procéder à une analyse en prélevant par une ponction un fragment de tissus testiculaires. Des analyses d'urine très complexes permettent d'étudier certaines fonctions des glandes à sécrétion interne : elles sont nécessaires dans les cas de troubles de la fertilité.

La stérilité masculine découle de deux facteurs principaux : les obstacles, empêchant l'éjaculation *(aspermatisme)* et les anomalies de la composition du sperme ou d'autres éléments de la procréation : absence totale de spermatozoïdes *(aspermie)*. Si le sperme ne contient que des spermatozoïdes morts ou trop faibles pour la fécondation, on appelle ce phénomène *azoospermie* ou *asthénospermie*.

L'un et l'autre groupe de ces anomalies sont, en principe, le résultat d'une maladie générale ou d'une perturbation du fonctionnement des glandes à sécrétion interne, (hypophyse, surrénales et glandes sexuelles). Les fonctions et les tâches des hormones ayant déjà été étudiées, nous n'avons pas à revenir sur ce sujet. Parmi les maladies causant ces perturbations, il convient de citer des affections organiques du cerveau et de la moelle épinière. Il suffit de penser à la structure anatomique du centre nerveux de l'érection et de l'éjaculation, et à la physiologie de l'acte sexuel pour comprendre l'influence de ces maladies sur les fonctions de la procréation. Les affections syphilitiques ont ici une importance capitale. Les troubles et les affections qui atteignent les fonctions du cerveau, et surtout du cortex c'est-à-dire de la conscience, font partie de ce groupe de maladies. La frayeur, la peur, les excitations prolongées peuvent provoquer des altérations anatomiques au niveau des organes sexuels. Par conséquent, un examen neurologique approfondi s'impose dans tous les cas de stérilité masculine.

Il est évident, que les affections locales, ou les anomalies des organes génitaux masculins, peuvent être responsables des perturbations de la procréation. Chez les hommes atteints de phimosis, on trouve de grandes quantités de sperme dans l'urine. Par un processus purement mécanique, le sperme, lors de l'éjaculation, n'atteint pas l'orifice urétral externe mais s'écoule dans la vessie. En général, ces rétrécissements ne deviennent un obstacle qu'au moment de l'érection. Quand la verge est détendue, ils ne gênent ni n'empêchent l'évacuation de l'urine.

Il existe une malformation appelée *hypospadias*, dans laquelle l'urètre ne va pas jusqu'au bout de la verge. Dans ces conditions, le sperme éjaculé tombe souvent en dehors du vagin et la fécondation est impossible.

Parmi les affections locales, il en est un certain nombre qui peuvent provoquer la stérilité : les tumeurs, les affections de la prostate, l'inflammation des vésicules séminales, les épididymites, les inflammations, la tuberculose ou la syphilis des testicules, etc. Une des maladies les plus connues est celle que l'on nomme l'*orchite ourlienne*, inflammation des testicules dont certains adultes souffrent à la suite des oreillons.

Pour détecter les causes de la stérilité masculine, il faut donc explorer minutieusement les antécédents, dépister les maladies générales et, évidemment, les maladies vénériennes, sans oublier les conflits psychiques. Il faut ensuite procéder à un examen approfondi des organes internes et du système nerveux, éventuellement procéder à des dosages d'hormones, etc. Pour terminer, il faut examiner le produit de l'éjaculation, et ceci à plusieurs reprises, ou pratiquer des biopsies testiculaires. Ce n'est qu'à partir de ce moment qu'il sera possible de prescrire un traitement.

Les chances de succès de ce traitement sont variables ; à côté de résultats excellents, on enregistre des échecs. Il y a des traitements particuliers : hormones, vitamines, interventions chirurgicales. Les traitements généraux, eux, consistent à fortifier l'état général (cures thermales, régimes, suppression de l'alcool et du tabac, repos, etc.). Quelquefois, des traitements psychothérapeutiques s'imposent. On ne prescrit hormones et vitamines que si elles sont nettement indiquées. Il est absurde de procéder par principe — comme il arrive trop souvent — à des injections d'hormones en cas de stérilité.

Par contre, l'hypoplasie testiculaire (avec ou sans cryptorchidie) indique une affection qui peut réagir favorablement à un traitement hormonal bien conduit ; les troubles généralisés des fonctions hormonales sont moins faciles à corriger. La carence en vitamines (surtout en vitamine E) est la conséquence de la sous-alimentation ; mais si au bout d'un certain laps de temps après le rétablissement des doses normales dans le sérum sanguin, la stérilité n'a point cédé, les chances de succès du traitement sont minimes. Les interventions chirurgicales peuvent être envisagées dans les cas de malformation, par exemple pour le *phimosis* et l'*hypospadias*. Il est évident que tous les vices de conformation ne peuvent être corrigés par une opération et, en ce qui concerne l'occlusion des canaux déférents (congénitale ou acquise), il faut après une opération réussie, compter avec la réaction de l'organisme capable de refaire une cicatrice.

Dans les cas — et ils sont très nombreux — où toutes les thérapeutiques ont échoué, on aperçoit alors nettement l'importance du facteur psychique dans la stérilité. Lorsqu'un couple désire ardemment des enfants, la stérilité est tragique. Cependant si une union reste sans enfant, elle garde, néanmoins, une signification qui lui est propre. C'est la tâche des conjoints de la découvrir, en nouant entre eux des liens de plus en plus solides. Ils peuvent également adopter des enfants.

Les maladies vénériennes

Dr C. M. Hasselmann
chef de service à la Clinique dermatologique de la Faculté de médecine d'Erlangen

Après avoir, grâce aux médicaments nouveaux, presque disparu au cours des années qui ont suivi la Seconde Guerre mondiale, elles font actuellement une réapparition alarmante.

On a classé les maladies vénériennes dans l'ordre suivant :

1° La blennorragie (gonorrhée).
2° Le chancre mou, ou chancrelle.
3° La syphilis.
4° La « lymphogranulomatose inguinale bénigne » (maladie de Nicolas-Favre).
5° Le granulome vénérien.

Ces cinq maladies sont, principalement (mais non exclusivement), transmises par le coït ou lors des manipulations et des caresses sexuelles. Ce sont donc des maladies infectieuses, directement contagieuses, sans hôte intermédiaire (comme par exemple le moustique de la malaria).

A cette liste, on peut ajouter, avec juste raison, deux autres maladies affectant surtout l'urètre de l'homme et qui peuvent être contractées par l'acte sexuel, c'est-à-dire par l'introduction du membre dans le vagin, et sa position pendant le coït ; il s'agit des affections suivantes :

6° La maladie de Fiessinger et Leroy, ou urètrite non gonococcique, due à un virus.

7° Le trichomonase, dont l'agent causal est le « trichomonas vaginalis ».

Etant donné le mode de transmission et de contagion, la notion de « maladies vénériennes » (maladies des parties génitales) ne s'applique pas uniquement au coït, mais comprend évidemment toutes les manipulations et attouchements faisant partie de l'activité sexuelle. L'activité sexuelle a comme but la recherche de la sensation voluptueuse si caractéristique, et du plaisir obtenu grâce à la présence (et au contact) du partenaire, sans qu'il y ait nécessairement orgasme. En tenant compte de la valeur toute relative et individuelle des zones érogènes (situées en dehors des organes sexuels), une transmission « extragénitale », mais néanmoins « vénérienne », peut avoir lieu (au niveau des lèvres, des mamelons, des oreilles et de la peau avoisinante, des parties supérieures du cou, des paupières et des narines, de la face interne des cuisses et des genoux, etc.). Ceci est également valable pour toute autre technique se substituant à l'acte sexuel, comme par exemple la masturbation, l'introduction du pénis dans l'anus, aussi que le baiser génital masculin ou féminin.

Pour compléter, en tenant compte de la biologie comparée, rappelons que les maladies vénériennes existent aussi dans le monde animal et végétal.

La blennorragie (gonorrhée)

La blennorragie est provoquée par le gonocoque, découvert et décrit en 1879 par A. Neisser. Grâce à des caractéristiques précises (il se développe en milieu défini, se colore d'une manière spéciale à l'aide de certains réactifs etc.), le gonocoque peut être séparé et isolé d'autres bactéries similaires, comme par exemple le pneumocoque (de la pneumonie) ou le méningocoque (de la méningite cérébro-spinale).

Au point de vue biologique, le gonocoque est typiquement un parasite de la muqueuse, c'est-à-dire qu'il ne vit et ne se développe que sur certaines muqueuses et jamais sur la peau. Ses foyers apparaissent par prédilection au niveau des muqueuses urétrales et rectales dans les deux sexes, au niveau du col utérin, des glandes de Skene et de Bartholin chez la femme, de la prostate, des vésicules séminales, et plus rarement des glandes de Cowper ainsi que des canaux déférents chez l'homme. La conjonctive, ou la cornée de l'œil, peut être atteinte surtout chez le nouveau-né (ophtalmie purulente qui peut laisser des cicatrices et par conséquent provoquer un fort affaiblissement de la vue ou même la cécité). Il existe également des inflammations des muqueuses de la trompe (salpingite), des articulations *(arthrite gonococcique)*.

La période d'incubation (c'est-à-dire le temps qui s'écoule entre la contagion et l'apparition des premiers symptômes) est généralement pour l'homme, de deux à cinq jours ; elle est plus longue pour la femme.

Autrefois, avant la découverte de la pénicilline et des autres antibiotiques, la blennorragie remontait facilement de la muqueuse de l'urètre antérieur vers la partie postérieure, puis de là vers la prostate, les vésicules séminales, les glandes de Cowper et quelquefois l'épididyme ; de nos jours, grâce au traitement efficace, ces cas sont devenus rares.

La blennorragie, guérie, peut laisser comme séquelle le rétrécissement bien connu de l'urètre, avec ses difficultés d'uriner ; ceci est plus fréquent chez l'homme, dont l'urètre est plus long que celui de la femme. Chez la femme, l'oblitération inflammatoire des trompes peut aboutir à une obstruction définitive, avec inflammation prolongée du petit bassin ce qui peut provoquer la stérilité. C'est éventuellement la même chose chez l'homme lorsque la blennorragie a attaqué l'épididyme. C'est précisément dans sa phase chronique tardive que la blennorragie est dangereuse, notamment sur le plan social, et sur le plan individuel de l'union conjugale où, de son fait, l'un des partenaires restera stérile. (Il va de soi que la stérilité n'est pas toujours due à une blennorragie ancienne d'un des conjoints !)

Les analyses spéciales correspondantes, le diagnostic exact de la blennorragie et la mise en évidence de l'agent causal sont du domaine du spécialiste, tout comme la prescription du traitement approprié et la vérification autorisée de la guérison. Tandis que celle-ci est relativement facile pour l'homme, il est extrêmement difficile de constater la guérison réelle d'une blennorragie de la femme car l'anatomie des organes sexuels féminins permet au gonocoque de nombreuses possibilités de survie.

De nos jours, le traitement le plus efficace est l'utilisation précoce de la pénicilline ; il a été démontré que le traitement avec les divers sulfamidés n'aboutit plus aux mêmes résultats satisfaisants qu'au début de l'« ère des sulfamidés », parce que des « souches de gonocoques sulfamido résistants » se sont développées par sélection. Par contre, depuis dix ans d'utilisation de la pénicilline, aucune résistance contre elle ne s'est révélée parmi les gonocoques. Les autres antibiotiques, comme l'auréomycine, la terramycine etc., ne semblent point jusqu'ici supérieurs à la pénicilline.

L'extrême efficacité thérapeutique de la pénicilline a malheureusement eu pour résultat que nombre de blennorragiques ne prennent plus leur maladie au sérieux parce que, même lors d'une réinfection, le traitement à la pénicilline peut l'enrayer totalement en un temps très bref.

Sur le plan de l'épidémiologie et de l'hygiène sociale, il ne faut pas oublier que les femmes peuvent être atteintes de blennorragie pratiquement sans en souffrir, ou même sans le savoir. Chez elles, il est extrêmement difficile de déceler les gonocoques (cela sera parfois possible pendant les premiers jours des règles). Néanmoins, elles peuvent contaminer le partenaire lors des rapports sexuels.

En guise de prophylaxie individuelle, il faut recommander d'éviter l'attouchement des muqueuses de l'urètre, du col de l'utérus, du rectum qui, éventuellement, contiennent ou sont infectés par les gonocoques, ou d'employer des préservatifs. S'il y a lieu de craindre sérieusement la contagion, on peut tenter d'arrêter l'infection à l'aide d'injections de pénicilline ou d'absorption de préparations de sulfamidés efficaces. La méthode ancienne d'injections de solution mercurielle dans l'urètre, pratiquée à temps, constitue une excellente méthode prophylactique, tout au moins pour l'homme.

Pour prévenir l'ophtalmie des nouveau-nés, il est indispensable, et quasi légalement prescrit, d'instiller dans les conjonctives, immédiatement après la naissance, quelques gouttes d'une solution de nitrate d'argent à 1 %.

La syphilis

La syphilis (vulgairement la vérole) est une maladie infectieuse contagieuse, dont la transmission s'effectue lors des rapports sexuels ou par contact *direct* de muqueuse à muqueuse ou de peau à peau. Schaudinn et E. Hoffmann en ont découvert l'agent causal, le *treponema pallidum*, un spirochète extrêmement mobile. Pour le diagnostic de certitude, il est indispensable de déceler sans contestation possible l'existence du tréponème à l'aide de méthodes précises et adéquates, et ceci notamment lors de la période primaire (chancre) ou secondaire (accidents des muqueuses, condylomes).

Après une période d'incubation qui dure généralement de deux à trois semaines, la maladie débute généralement avec une lésion locale évoluant vers une ulcération à bords indurés, le chancre dur. En même temps, les ganglions lymphatiques voisins, d'habitude ceux de l'aine, sont gonflés et forment une tumeur dure et indolore appelée bubon. Le cordon lymphatique, situé au revers du pénis, peut également s'épaissir et s'enflammer. Contrairement aux infections dues aux streptobacilles de Ducrey (chancre mou), les adénites syphilitiques sont presque toujours indolores. Il est possible également qu'une infection simultanée provoquée par des streptobacilles, se révèle excessivement douloureuse ; dans ce cas, la coexistence de la syphilis, c'est-à-dire l'infection double, ne peut être démontrée que par des analyses cliniques détaillées ; il s'agit alors ou de découvrir l'agent causal, ou de l'identifier, à l'aide de tests biologiques appropriés. Cette première phase de la syphilis est appelée période *primaire*.

Après un laps de temps s'étendant sur plusieurs semaines, des éruptions peuvent apparaître sur la peau et les muqueuses sous forme de taches ou de papules, quelquefois pustuleuses. Pendant cette période, on ne constate guère de troubles généraux. C'est la période *secondaire* des lésions généralisées, et où la contagiosité est la plus grande.

La période secondaire de la syphilis peut éventuellement se prolonger pendant plusieurs années et se caractériser par des éruptions répétées sur la peau et les muqueuses. Pendant cette phase, les organes internes présentent des altérations syphilitiques, notamment les poumons, le foie, la rate, les reins, le cœur et le système vasculaire. Il est par contre étonnant de constater que les accidents syphilitiques n'atteignent ni le pancréas ni l'utérus.

Pendant la période suivante ou période *tertiaire*, apparaissent surtout les syphilides de la peau, quelquefois ulcéreuses (syphilides tuberculo-croûteuse, ulcéreuse, serpigineuse) ; on observe également des ulcérations plus profondes, nommées gommes, qui peuvent attaquer les tissus cellulaires très profonds de la peau, les muscles, les os, les testicules, les poumons, l'estomac et d'autres organes internes.

La période *quaternaire* est caractérisée par l'atteinte du

système nerveux central, sous forme de paralysie générale et de tabès dorsal. Suivant les régions atteintes, apparaissent des symptômes caractéristiques (troubles de l'équilibre, démence, etc.).

Le diagnostic sérologique, qui recourt à des réactions précises et spécifiques (réaction de Bordet-Gengou-Wassermann, de Meinicke, de Kahn, de Vernes entre autres), est utilisable au plus tôt six à huit semaines après la contagion. Même après guérison clinique totale, ces réactions peuvent demeurer faiblement positives pendant une période assez longue. Ceci est également valable en ce qui concerne le liquide céphalo-rachidien qui, quelquefois, peut donner une réaction positive, avant le sang.

De nos jours, la thérapeutique généralement employée est la pénicilline, à laquelle on associe parfois le bismuth.

Une sérologie positive peut se rencontrer dans d'autres maladies que la syphilis. Le Bordet-Wassermann par exemple, est positif en cas d'atteinte aiguë de malaria. Devant un test positif inattendu, il faudra donc procéder à des recoupements avec les autres tests avant de pouvoir parler de syphilis.

Le traitement de la dernière période de la syphilis, des accidents quaternaires, la paralysie progressive et le tabès (myélite syphilitique), se fait en général à l'aide de la pénicilline. Dans certains cas, on associe une thérapeutique qui consiste à provoquer artificiellement une forte fièvre (injection d'agent de la malaria, de la fièvre récurrente, de protéines étrangères, ou application de diathermie). Disons néanmoins que les statistiques américaines, effectuées sur une grande échelle, prouvent que le traitement à la pénicilline est aussi efficace à lui seul.

Au point de vue épidémiologique, il est important de répéter que l'infection syphilitique est susceptible de rester *totalement* inconnue du sujet atteint, parce que les lésions primaires passent inaperçues et que les lésions secondaires peuvent être fugaces, bien qu'elles soient terriblement contagieuse. La femme, par exemple peut développer son chancre au niveau du col utérin, où seul un dépistage systématique pourra le retrouver.

La syphilis congénitale se distingue de la syphilis acquise à n'importe quel âge de la vie par la manière dont la transmission s'effectue, c'est-à-dire en fait, par voie transplacentaire. La contamination du fœtus par le placenta est possible à partir de la seizième semaine de la grossesse ; l'enfant peut également contracter la maladie au moment de l'accouchement. Le fœtus ne possédant apparemment aucun moyen de résistance naturel contre les infections en général, et contre le tréponème en particulier, l'évolution par phases successives semblables à celle de la syphilis acquise fait défaut, et l'enfant est, au contraire, le siège d'une invasion plus ou moins brutale dans le sang et dans les tissus. Cela explique la fréquence de la fausse couche, lors de la seconde moitié de la grossesse. S'il y a accouchement d'un enfant vivant, il est généralement atteint des symptômes syphilitiques les plus graves, comme par exemple des syphilides papulo-squameuses, quelquefois même pustuleuses sur la peau (ou les muqueuses), des lésions des os, d'inflammations et d'hypertrophie grave de la rate ou du foie, ainsi que d'accidents des centres nerveux. Le coryza précoce est également typique. Les ostéochondrites syphilitiques (inflammations douloureuses des os) peuvent aboutir à la pseudo-paralysie des bras et des jambes (maladie de Parrot) et provoquer des déformations. Il y a ensuite les accidents plus tardifs, comme par exemple la kératite interstitielle (Hutchinson) pouvant aboutir à la cécité, la surdité par atteinte du labyrinthe et les déformations de la denture, au niveau des incisives supérieures. En outre, et ceci est important, la syphilis congénitale provoque souvent une infériorité physique et mentale permanente ainsi que des troubles de l'évolution.

Parmi les mesures prophylactiques à prendre contre la syphilis congénitale, la plus importante est évidemment le traitement précoce à la pénicilline de la mère pendant la grossesse. Il permet la naissance d'un enfant absolument sain et bien portant. Les enfants atteints de syphilis congénitale doivent être traités à la pénicilline exclusivement par un spécialiste.

Pour le diagnostic de syphilis congénitale, ce sont les symptômes cliniques qui comptent, les exanthèmes, les déformations osseuses, etc. ; par contre, *la seule sérologie positive ne suffit pas à étayer le diagnostic de syphilis congénitale*. En effet, il y a des cas, où la mère, guérie d'une syphilis ancienne, recèle encore dans le sérum sanguin des anticorps syphilitiques. Ceux-ci se transmettent au sang du fœtus et du nouveau-né, mais disparaissent au cours des premiers mois. Par conséquent, la réaction sanguine a-t-elle été positive pour le nouveau-né, il est indispensable de la contrôler pendant plusieurs semaines ou plusieurs mois. Ce n'est que lorsque celle-ci demeure positive d'une manière constante, qu'il est permis de diagnostiquer la syphilis congénitale.

Le chancre mou ou chancrelle

Le chancre mou (chancrelle) est une ulcération spécifique locale des parties génitales ; avec ses contours irréguliers et décollés, il est souvent accompagné d'un gonflement et d'une inflammation douloureuse des glandes lymphatiques limitrophes (bubon). Dans certains cas de chancre mou, l'ulcération des parties génitales externes fait défaut et il n'y a que le bubon.

Unna et Ducrey ont découvert et décrit l'agent causal de la chancrelle, un streptobacille Gram-négatif ; il se caractérise par sa coloration et par sa disposition en chaînettes. La période d'incubation est brève et l'ulcération localisée apparaît deux ou trois jours après la contamination.

Le siège préféré du chancre mou se situe aux endroits où s'exerce l'excitation mécanique lors de l'acte sexuel ; chez l'homme, ce sera surtout sur le gland et au niveau du sillon balano-preputical du scrotum, ou du frein ; chez la femme, aux grandes et aux petites lèvres, sur la vulve (vers la fourchette), à l'orifice de l'utérus, quelquefois à l'anus et au canal anal. Le chancre mou ne provoque pas d'immunité, c'est-à-dire qu'il ne garantit pas contre une nouvelle contagion.

La guérison du chancre mou est obtenue par les sulfamidés, l'auréomycine et la streptomycine. La pénicilline est pratiquement sans effet.

Il est surprenant de constater que, dans certaines provinces et dans certaines localités, le chancre mou est relativement répandu, tandis qu'il est extrêmement rare dans des régions avoisinantes ; ce phénomène qu'on constate également pour la lèpre ou la lymphogranulomatose inguinale n'a pas encore été expliqué.

L'infection simultanée par le chancre mou et la syphilis est possible (chancre mixte) ; par conséquent, dans tous les cas d'ulcération génitale, il faut compter avec l'éventualité d'une infection double.

La lymphogranulomatose inguinale

La lymphogranulomatose inguinale (maladie de Nicolas-Favre), est une inflammation avec ulcération des ganglions lymphatiques, surtout inguinaux qui, si elle dure, peut atteindre les ganglions profonds et provoquer des fistules et des cicatrices (syndrome génito-ano-rectal). L'agent causal est un virus de taille moyenne (environ 110 à 170 mμ). La période d'incubation est en moyenne de dix à vingt-cinq jours ; toutefois, d'après les indications des malades, la période semble pouvoir être beaucoup plus longue.

L'examen bactériologique visant à découvrir l'agent causal, dans un échantillon de pus, n'est pas toujours facile ; la réaction de Frei permet plus facilement le diagnostic : on procède à l'injection dans le derme d'un antigène préparé à partir de ganglions lymphatiques prélevés sur des sujets atteints par la maladie. Si, au bout de 48 à 72 heures, il y a apparition d'une réaction inflammatoire locale, le diagnostic peut être considéré comme établi.

On observe parfois des complications, notamment dans les pays tropicaux ; des déformations marquées (éléphantiasis dont la cause n'est pas la filariose) de la région génitale, surtout chez les femmes, ainsi que des rétrécissements du rectum provoqués par des cicatrices. Comme pour la syphilis et le chancre mou, une « infection extragénitale » est possible, accompagnée d'inflammations des ganglions limitrophes correspondants, par exemple au niveau de la langue et des ganglions lymphatiques du cou, etc.

Quant au traitement, les sulfamidés, notamment la sulfadiazine, et l'auréomycine sont efficaces.

Le granulome vénérien

Il s'agit ici de nodules de la peau et des tissus plus profonds ayant tendance à s'ulcérer, et siégeant au niveau des parties génitales externes ; provoquée par le *klebsiella granulomatis* découvert par Donovan, la maladie se déclare deux à huit jours après la contamination. Sur les parties atteintes apparaîtront bientôt les lésions ulcéreuses plus ou moins larges. Les lésions atteignent surtout les replis chauds et humides de la peau, notamment au niveau du scrotum, de l'aine, des grandes lèvres. La mise en évidence de l'agent causal permet de distinguer cette affection de la lymphogranulomatose inguinale, ainsi que de la syphilis et du chancre mou.

Cette maladie s'observe surtout en Amérique du Sud, aux Indes, dans le nord de l'Australie, dans les îles du Pacifique, plus rarement vers la côte ouest de l'Afrique et dans la Chine du Sud.

La maladie de Fiessinger et Leroy

Dans les cas classiques, la maladie dite de Fiessinger et Leroy est une triple inflammation : inflammation des muqueuses de l'urètre, conjonctivite et arthrite. D'autres symptômes peuvent apparaître simultanément : taches rouges sur la peau (érythème), inflammation de l'iris (iritis) ou de la cornée (kératite), ainsi que cystite et entérite. Des lésions de la peau (hyperkératoses) sont plus rares.

On suppose que l'agent causal est un virus, le *chlamy-dozon oculo-génital*. Il faut noter que nombre d'individus atteints ont eu précisément ou une dysenterie, ou une blennorragie.

La maladie de Fiessinger et Leroy atteint surtout les hommes et plus particulièrement les militaires ; elle est rare chez les femmes et pratiquement inconnue chez les enfants. La guérison de la maladie de Fiessinger et Leroy est extrêmement lente. Les antibiotiques les plus récents, comme par exemple la terramycine et quelquefois l'auréomycine, paraissent les plus efficaces.

La trichomonase

Dans les vaginites (pertes blanches) non blennorragiques, l'agent causal est souvent le *trichomonas vaginalis*. C'est un protozoaire unicellulaire appartenant aux flagellates qui, dans certains cas, s'introduit également dans les muqueuses de l'urètre masculin où il provoque des inflammations catarrhales bénignes. La trichomonase vaginale de la femme est très répandue, mais il semble que les hommes sont rarement infectés ou, tout au moins, que les accidents sont chez eux peu fréquents.

Sur le plan biologique, il faut distinguer le *trichomonas vaginalis* du *trichomonas intestinalis*, parasite banal de l'intestin.

Bien que cette maladie, chez la femme comme chez l'homme, se limite aux muqueuses de l'urètre, du vagin et du col de l'utérus, elle est parfois pénible. Le traitement est local : on introduit des produits antiseptiques spécifiques dans le vagin ou dans l'urètre (sous forme d'ovules, de bougies, ou de solution).

Les troubles de la menstruation

Dr Hugo Dahn
*professeur à la Clinique d'obstétrique
de la Faculté de médecine de Francfort-sur-le-Main*

Toute absence de règles et tout écoulement prématuré de sang doivent être comptés parmi les troubles de la menstruation. D'autre part, pour définir les troubles de la menstruation, il faut faire abstraction des hémorragies anormales qui ne proviennent pas d'une perturbation des fonctions ovariennes. D'ailleurs, les perturbations ovariennes ne sont pas la cause directe de ces maladies : dans la plupart des cas, cette cause réside dans une régulation défectueuse de l'hypophyse, laquelle est sous l'influence du mésocéphale. La science médicale moderne a démontré que le mésocéphale, par l'intermédiaire du système nerveux végétatif, peut agir sur presque tous les organes et les processus vitaux de l'organisme humain. Il semble en outre qu'il traduise, en impulsions nerveuses-végétatives, les processus psychiques. Le mésocéphale serait donc le maillon principal de la chaîne qui relie les troubles psychiques et les affections organiques psychogénétiques.

On peut donc affirmer que les troubles de la menstruation, quand ils sont d'origine hormonale, découlent d'une régulation défectueuse du mésocéphale (sans que celle-ci soit obligatoirement la cause première). On pourrait dire qu'en cas de troubles psychiques et d'affections organiques, le mésocéphale transmet et dirige les troubles vers les organes génitaux.

Les recherches scientifiques les plus récentes indiquent qu'il faut interpréter la majorité des troubles hormonaux de la menstruation comme étant des affections d'origine psychique ; mais nous ignorons encore comment s'établit cette corrélation. Toutefois la majorité des médecins ne doutent plus que la plupart des troubles de la menstruation soient dus à un processus psychique. Certes les prédispositions individuelles jouent un rôle important. Si ces dispositions sont faibles, il faudra, pour provoquer des troubles, qu'intervienne un traumatisme grave. Par contre, une femme fortement prédisposée accusera des troubles à l'occasion du moindre conflit. Les guerres suscitent des fatigues et des charges supplémentaires auxquelles les sujets à prédisposition moyenne ne peuvent pas toujours faire face. C'est ainsi qu'il y a un accroissement considérable des cas d'*aménorrhée* (absence des règles) pendant les guerres, et qui ont donné naissance à des notions telles que « aménorrhée de guerre », « aménorrhée de camp de concentration », « aménorrhée de ghetto », « aménorrhée de prison », etc. Par contre, l'aménorrhée est devenue si rare de nos jours que sa fréquence est, peut-être, un excellent « baromètre » pour suivre les fluctuations de la situation politique, économique et sociale.

Les femmes qui, dans des conditions normales, souffrent

d'aménorrhée, seront donc, en général, profondément affectées par la moindre perturbation de leur sphère personnelle, le plus infime changement de leur genre de vie. Pour ces êtres, il suffit d'une modification de l'existence, telle que l'entrée au pensionnat, l'internat dans un collège, le séjour dans une colonie de vacances, pour provoquer une aménorrhée. La cause peut être aussi d'ordre professionnel et je pense ici au cas d'une femme qui avait accepté le poste de secrétaire de syndicat. Dès le premier mois de ses nouvelles fonctions, les règles firent défaut et ce n'est qu'un an plus tard, lorsque la femme fut tout à fait habituée à son travail, que les règles réapparurent. Il est possible que l'événement causal ne concerne pas directement la malade dont l'aménorrhée est alors provoquée indirectement par le dégoût que l'événement lui a inspiré. Citons le cas d'une femme qui vit dans des conditions sociales normales et parfaitement stabilisées ; elle n'a aucun souci personnel. Dans l'appartement voisin habitent deux sœurs célibataires d'âge mûr. Tous les jours, des disputes violentes, accompagnées de cris, de bruit, de coups et de vaisselle brisée, éclatent entre les deux vieilles filles. La jeune femme souffre d'aménorrhée. Dès son emménagement dans un autre appartement, l'aménorrhée disparaît. Toutefois, la régularisation ne suit pas toujours automatiquement la disparition du traumatisme causal ; les troubles peuvent durer pendant de longues années et, éventuellement, pendant une existence entière, comme en témoigne l'exemple suivant. Une femme de 34 ans, jouissant d'une situation sociale normale, ne pouvait se plaindre d'aucun souci, ni personnel, ni professionnel. Ses règles avaient jusqu'alors été normales. Au mois de mai de l'année 1945, elle fut violée. Depuis cette époque, elle souffre d'aménorrhée. Une fois par an seulement, au mois de mai, elle perd des menstrues pendant une durée de cinq jours. Aucun traitement n'a pu venir à bout de ces troubles. Il est intéressant d'observer ici la manière dont l'évolution de la maladie reflète tous les ans au mois de mai son origine causale. Cette hémorragie semble démontrer que le traumatisme, dont l'effet direct a disparu depuis longtemps, est encore actuel et agissant.

Il existe une forme d'aménorrhée qui, depuis toujours, a été reconnue comme étant d'origine psychique : la grossesse nerveuse. Dans les anciens ouvrages spécialisés, elle est décrite comme une forme d'aménorrhée qui se prolonge pendant huit mois, accompagnée de tous les symptômes de la grossesse, y compris l'augmentation du volume de la taille. En général, la grossesse nerveuse est provoquée par le désir d'avoir un enfant. De nos jours, la maladie n'apparaît plus sous cette forme, la femme moderne est trop consciente des réalités de l'existence pour croire à une grossesse fictive. Mais, une forme atténuée de la grossesse nerveuse existe encore fréquemment chez des jeunes filles sans expérience. Ici, il s'agit d'une absence des règles provoquée par la peur d'être enceinte. Dans ce cas, les règles font défaut pendant deux ou trois semaines pour réapparaître ensuite d'une manière régulière.

Les causes organiques jouent un rôle important lorsque l'absence de règles accompagne des maladies graves, telles que la tuberculose, le typhus, la scepticémie et la pneumonie ; l'aménorrhée est fréquente quand il y a une hyperfonction de la thyroïde (maladie de Basedow). C'est, pour chaque cas, qu'il faut décider s'il s'agit d'une perturbation organique secondaire ou d'un trouble coordonné à base psychique commune. Il est évident que dans les aménorrhées consécutives aux guerres, à l'emprisonnement, aux fuites devant le danger, etc., le surmenage, les efforts et l'alimentation comptent parmi les causes effectives. La conception n'est possible dans aucun de ces cas. Observe-t-on une grossesse succédant à une aménorrhée : il est permis de supposer que la perturbation avait disparu au moment de la conception et que, sans la fécondation, les règles eussent réapparu.

Les formes d'aménorrhée décrites ci-dessus sont appelées *aménorrhées secondaires* parce qu'elles succèdent à des menstruations auparavant normales. Il y aura, par contre, *aménorrhée primitive* lorsque, à l'âge normal (12 à 14 ans), les règles n'apparaissent pas. La conformation physique joue ici un rôle important. On n'ignore pas que le début de la menstruation dépend de la race. Chez les petites filles des pays tropicaux, l'apparition des règles peut avoir lieu vers la dixième année. Les jeunes filles souffrant d'aménorrhée primitive ont, en général, un esprit, un psychisme enfantin ; elles sont plus faciles à élever que les jeunes filles à maturité précoce. Les mères attendent souvent que leur fille ait atteint la dix-septième ou la dix-huitième année avant de la présenter à un médecin. Il est certain que, dans cette forme primitive d'aménorrhée, le facteur psychique exerce également une influence capitale.

Prenons par exemple le cas d'une fillette de 12 ans que la mère prépare à l'approche des premières règles. La fillette réagit d'avance par un violent dégoût. Or, rien n'apparaît et ce n'est qu'à 17 ans que la jeune fille commence à être réglée à intervalles irréguliers, distants de plusieurs mois. Elle avoue éprouver un violent dégoût pour tout ce qui touche au domaine génital et notamment à la menstruation. Mais, en même temps, le désir d'être une femme normale apparaît et évolue ; à l'âge de 20 ans, la perturbation s'est normalisée d'elle-même. Cet exemple est très caractéristique en ce qui concerne l'aménorrhée primitive. L'attitude, la disposition des enfants par rapport à la sphère génitale, n'est pas seulement déterminée par l'initiation sexuelle qu'ils reçoivent, mais aussi par l'attitude que les parents adoptent envers ce domaine ; ce qui signifie que l'évaluation première des divers phénomènes de la vie par les enfants est façonnée par les parents. L'influence des parents se manifeste également dans le choix des vêtements, des lectures, des relations sociales de la jeune fille qui approche de sa puberté. Selon la manière dont on la traite, c'est-à-dire comme une petite fille ou comme une jeune fille, l'apparition des premières règles peut être plus ou moins tardive.

En dehors de toutes les influences spécifiques activant la puberté, les facteurs de l'aménorrhée secondaire peuvent évidemment agir sur l'aménorrhée primitive. Ceci est vrai aussi pour les causes organiques. Le surmenage, une mauvaise alimentation, des affections chroniques graves (tuberculose, typhus, diabète et autres maladies constitutionnelles) peuvent avoir une importance capitale.

Semblable à l'aménorrhée primitive, qui se manifeste à l'âge de la puberté, il existe une perturbation spéciale de la ménopause au cours de laquelle des pertes prolongées (ménorragies) alternent avec des aménorrhées. Comme la plupart des processus de la nature, la cessation des fonctions ovariennes (et des fonctions qui les dirigent) intervient d'une manière graduelle. Pendant la période du retour d'âge, il y a souvent une irrégularité de sécrétion des hormones qui ne correspondent plus au cycle menstruel. La conséquence en est une croissance tantôt trop forte, tantôt trop faible de la muqueuse de l'utérus. Conformément à ce phénomène, les pertes sont tantôt intenses et tantôt inexistantes. Nombre de femmes ne souffrent pas d'une augmentation des règles ; chez elles, celles-ci deviennent de plus en plus rares et faibles avant de cesser totalement. Maints spécialistes considèrent que l'abondance, puis l'absence des règles pendant la ménopause ne dépendent pas d'un processus physiologique, mais au moins en partie, du psychisme. Dans ces cas, l'hémorragie est parfois si abondante qu'elle provoque une anémie grave, nécessitant une intervention médicale immédiate.

Il est possible que le facteur psychique qui est à l'origine de cette perturbation réside dans une révolte inconsciente contre la vieillesse et contre la perte des fonctions génératrices, car beaucoup de personnes croient qu'avec la cessation des règles, la libido et l'orgasme disparaîtront en même temps. C'est pour cette raison que les troubles du retour d'âge sont plus fréquents chez les femmes auxquelles l'existence a refusé l'accomplissement de leur rôle féminin, que ce soit sous forme de célibat, de stérilité ou d'une existence passée à côté d'un époux qu'elles n'aimèrent point. Chez ces malades, le praticien observe souvent une vanité excessive ; elles témoignent d'exigences disproportionnées ou d'une grande « impatience de vivre ». Les troubles sont souvent accompagnés d'un prurit de la vulve, organiquement inexplicable, et que les spécialistes de la psychosomatique considèrent comme étant l'expression d'un désir subconscient de réalisation et d'accomplissement physiques. Les femmes atteintes de troubles de la ménopause souffrent habituellement (depuis longtemps) de nervosisme et accusent des symptômes isolés, caractéristiques de la dystonie végétative, trahissant leurs prédispositions à la névrose. Au point de vue pratique, et à propos des troubles de la ménopause, on tient rarement compte de l'origine psychique. L'âge normal est-il atteint et les ovaires commencent-ils à cesser leurs fonctions : il est impossible, en théorie ou en pratique, d'arrêter le processus naturel du vieillissement. Pour cette raison, la thérapeutique vise à priori à arrêter l'hémorragie ou à accélérer le processus de la ménopause, c'est-à-dire à en hâter la fin à l'aide d'applications de rayons X. Les hémorragies de la ménopause ne semblent pas dépendre des circonstances extérieures. Toutefois, il est possible que les exigences accrues inhérentes à la civilisation actuelle contribuent à intensifier les troubles.

Ces facteurs semblent jouer un rôle également dans le trouble, fréquent à notre époque, qui se manifeste par des règles très rapprochées et très abondantes. Ce phénomène dépend, en premier lieu, d'un surmenage physique, c'est-à-dire de l'état de santé, toujours déficient chez les malades. Dans de nombreux cas, la situation sociale est médiocre et le surmenage, inévitable. Or, le surmenage physique et la misère matérielle provoquent facilement une détresse psychique qui contribue à faire naître les troubles organiques de la menstruation.

Chez les femmes au psychisme complexe, les troubles sont souvent accompagnés d'une hypersécrétion de la glande thyroïde et des glandes surrénales, ce qui permet de comprendre la psychogenèse de l'augmentation des pertes. Les sécrétions de la thyroïde et des surrénales provoquent une intensification générale des processus vitaux, et ce mécanisme se déclenche automatiquement chez tous ceux qui se trouvent dans un état de déficience. Or, parce que l'homme s'habitue et s'adapte aux situations dangereuses (tel le combattant pendant la guerre), il transforme en général, après un certain temps, les fonctions d'« alarme » en fonctions normales. Chez les femmes malades, cette reprise des fonctions normales et régulières n'a pas lieu. Suivant les cas, ceci est dû soit à un effort de volonté constant, soit à une prédisposition à la névrose. Or, il ne faut pas oublier que, dans le cadre d'une intensification générale des processus vitaux, les fonctions ovariennes cycliques sont également accélérées et intensifiées. Il est certain que le surmenage continu des organes ainsi que les pertes de sang abondantes provoquent de leur côté un affaiblissement de l'organisme. Ici, l'interdépendance, et l'enchaînement des causes physiques et psychiques, dans une activité commune, apparaît nettement.

Les règles trop abondantes peuvent être en relation étroite avec un choc dû à la frayeur ; dans ce cas, celle-ci provoque une réaction fonctionnelle de courte durée pendant laquelle apparaît une hémorragie brève, d'origine nerveuse. La même cause peut, du reste, avoir l'effet contraire, c'est-à-dire que la peur peut provoquer l'arrêt de règles en cours.

L'exposé précédent n'est évidemment valable que pour les anomalies menstruelles d'origine nerveuse, ou qui sont provoquées par un trouble des sécrétions internes. Il y a, en outre, une série de déformations organiques capables de provoquer des hémorragies abondantes. Parmi les plus importantes, il faut citer le fonctionnement défectueux de l'utérus dont la faible contractilité est insuffisante pour arrêter l'écoulement du sang. Les résidus placentaires après un accouchement ou un avortement, ainsi que les tumeurs de l'utérus, constituent un obstacle à la contraction et forment un foyer d'infection provoquant, de cette manière, des règles trop abondantes. D'autres inflammations des parties génitales peuvent également susciter des pertes violentes. Lors de « l'hypertonie essentielle », le système vasculaire est soumis à une hypertension et, par conséquent, les règles sont intensifiées.

Lorsqu'il y a écoulement de sang en dehors des règles (métrorragie), la cause en est souvent une affection grave. Dans les cas les plus bénins, ces irrégularités sont dues à une lésion du vagin provoquée par un coït, ou encore à un polype de l'utérus. Il est souvent facile de se guérir d'une inflammation des muqueuses de l'utérus et de se débarrasser d'un fragment de placenta non expulsé après un accouchement ou un avortement. Mais, lorsqu'il s'agit d'une tumeur, il faut généralement recourir à une intervention chirurgicale ou à un traitement par rayons X. De nos jours, le pronostic, en ce qui concerne les tumeurs malignes de l'utérus, est très bon si le traitement est précoce. Il est rare que la cause de la métrorragie soit l'hémogénie générale. Est-il nécessaire d'insister sur le fait que toute femme souffrant de métrorragie doit immédiatement consulter le spécialiste ?

Lorsque les troubles de la menstruation sont dus à des malformations locales, anatomiquement circonscrites et sans gravité, le traitement médicamenteux obtient de bons résultats. Les autres anomalies sont plus difficiles à traiter, ce qui n'est point étonnant si l'on considère qu'elles sont d'origine plus ou moins névrotique. Il semble que nombre de ces névroses soient en rapport direct avec les exigences et les difficultés inhérentes à notre époque. L'hyperthyroïdie notamment est une perturbation très caractéristique qui doit sa fréquente apparition à l'émancipation des femmes, notamment aux exigences nouvelles auxquelles la femme moderne est soumise. Des syncopes spontanées, survenant à la moindre occasion, caractérisaient les femmes des époques précédentes. Il semble bien que chaque époque possède ses modes d'expression névrotiques spécifiques.

L'intersexualité

Dr Christian Hamburger
chef de service à l'Institut de sexologie de
la Faculté de médecine de Copenhague.

Chacun connaît l'histoire de la petite fille qui, après avoir joué sur la plage, répond à la question de sa mère : « Est-ce que tes camarades étaient des garçons ou des filles ? » — « Je ne sais pas, maman ; ils n'étaient pas habillés ». Si l'anecdote est vraie, elle est l'exception qui confirme la règle, car la majorité des êtres saisissent rapidement et clairement les différences entre les deux sexes. Point n'est besoin non plus de posséder un sens aigu de l'observation pour constater que tous les hommes ne sont pas virils au même degré, et que toutes les femmes ne sont pas fémi- nines dans la même mesure, mais qu'il existe des formes de transition. Il arrive d'ailleurs que l'on rencontre dans la rue une personne dont l'aspect ne permet pas de se ren- dre compte s'il s'agit d'un homme ou d'une femme.

En examinant de près un grand nombre d'individus des deux sexes, on découvre parmi eux un mélange des carac- tères physiques considérés comme typiquement masculins (musculature fortement développée, épaules larges, han- ches étroites, pilosité de la poitrine et du bas-ventre, voix grave, etc.) et des caractères typiquement féminins (for- mes arrondies, hanches larges, poitrine développée, pilosité du corps et des membres rare, voix aiguë, etc). Chez tel homme, les caractères virils sont plus nombreux que les ca- ractères féminins ; chez un autre, c'est le contraire. L'hom- me « cent pour cent viril », et la femme « cent pour cent féminine », n'existent pas en réalité ; les deux sexes possè- dent des organes rudimentaires (les mamelons chez l'hom- me, le clitoris chez la femme) indiquant que, primitivement, il y a eu disposition aux deux sexes. Si l'on tentait de grou- per la population du globe selon le degré de masculinité ou de féminité des individus, cette répartition aurait à peu près l'aspect du schéma reproduit ci-après.

Il va de soi qu'un tel diagramme ne peut être qu'une représentation approximative car il n'est guère possible d'exprimer la virilité ou la féminité par des chiffres. Le diagramme vise à indiquer les transitions habituelles s'ef- fectuant à partir des femmes (ou des hommes) normales en passant par les femmes virilisées (ou les hommes effémi- nés) vers les *intersexués,* c'est-à-dire des individus chez les- quels le mélange entre les caractères mâles et femelles est si intime qu'il est difficile de décider du sexe auquel ils appartiennent. On évalue la fréquence de l'intersexualité à un sur mille (Young, 1937). Si l'estimation est exacte, il existe au monde deux millions d'intersexués.

Dès lors, comment est-il possible que certains êtres soient les représentants types de leur sexe tandis que d'autres se rapprochent plus ou moins du sexe opposé ? En fin de compte, on pourrait se demander pourquoi il existe deux sexes différents. Le sexe est-il invariable ou, au contraire, une transformation, une métamorphose serait-elle éventuel- lement possible ? Ces questions seront examinées au cours de cet exposé et des suivants.

Les hormones sexuelles jouent un rôle capital dans le problème qui nous occupe. Le testostérone est l'hormone

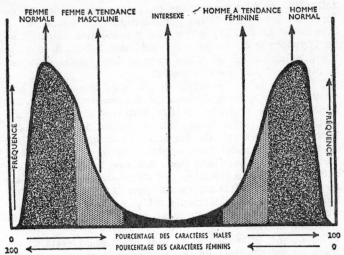

FEMME NORMALE   FEMME A TENDANCE MASCULINE   INTERSEXE   HOMME A TENDANCE FÉMININE   HOMME NORMAL

FRÉQUENCE

FRÉQUENCE

0 → POURCENTAGE DES CARACTÈRES MALES ← 100
100 → POURCENTAGE DES CARACTÈRES FÉMININS ← 0

sexuelle mâle. Produite par les cellules de Leydig dans le testicule, elle a pour tâche de stimuler et d'entretenir le développement et la fonction des organes sexuels mâles secondaires. Le testostérone conditionne la pilosité de la face et du corps, la gravité de la voix, le développement des vésicules séminales et de la prostate, la puissance sexuelle (érection, éjaculation, libido). La castration d'un petit garçon empêche l'évolution de sa puberté, mais un traitement palliatif au testostérone peut la rétablir. La castration a-t-elle lieu après la puberté : ses effets sur les caractères sexuels sont moins apparents ; la vésicule séminale et la prostate s'atrophient, la pilosité de la face diminue, la puissance sexuelle disparaît graduellement et la libido s'affaiblit ou disparaît totalement.

La véritable hormone sexuelle féminine, la folliculine, régularise, en collaboration avec l'hormone du corps jaune le cycle menstruel. Si, avant la puberté, on procède à l'ablation des ovaires chez une fillette, la menstruation n'apparaît pas, les seins ne se développent pas, l'utérus et les organes sexuels externes restent sous-développés, la pilosité des parties génitales est faible. La castration d'une femme adulte provoque la cessation des règles, les seins s'amollissent et rapetissent. Mais les conséquences de la castration peuvent être corrigées par un traitement combiné de folliculine et de progestérone (l'hormone du corps jaune).

La fabrication du testostérone dans les testicules, et de la folliculine et du progestérone dans les ovaires, dépend de certaines hormones (dites gonadotropes) produites par le lobe antérieur de l'hypophyse. S'il y a ablation chirurgicale de l'hypophyse ou si celle-ci a subi des lésions à la suite d'une inflammation ou d'une tumeur, les glandes sexuelles ne produisent plus leurs hormones.

C'est dans la cortico-surrénale que sont sécrétées les hormones vitales qui régularisent le métabolisme du sel, des minéraux, des protéines et des hydrates de carbone. La cortisone, et diverses substances analogues, font partie des hormones de la surrénale. En outre, le cortex de cette glande produit des substances apparentées ou identiques aux hormones sexuelles. Dans des conditions normales, la production d'hormones sexuelles des surrénales est faible. Mais au cours d'une affection, comme une tumeur de la surrénale, la production d'hormones mâles ou femelles peut augmenter au point qu'elle surpasse de loin la production des glandes sexuelles.

Les hormones sexuelles, ou plus exactement certains déchets du métabolisme de ces hormones sont normalement déversés dans l'urine où ils peuvent être analysés par voie biologique ou chimique. Les œstrogènes sont les produits dérivés des hormones sexuelles féminines ; les androgènes, ceux du testostérone. Les quantités d'œstrogènes et d'androgènes contenues dans l'urine reflètent la production des ovaires et des testicules. Normalement, l'homme, comme la femme, sécrètent aussi bien des œstrogènes que des androgènes. Les œstrogènes dans l'urine de l'homme proviennent de l'hormone féminine que produisent les cellules de Sertoli du testicule et celles de la cortico-surrénale. Les androgènes, dans l'urine de la femme, sont produits par la cortico-surrénale et par une partie précise des ovaires. Lorsqu'il sera question par la suite, des « 17 cétostéroïdes » de l'urine, cette appellation chimique désignera les substances androgènes provenant des surrénales et des glandes sexuelles.

Ce bref aperçu concernant les hormones sexuelles, montre qu'à cet égard il existe peu de différence entre l'homme et la femme. Normalement, l'homme possède une quantité supérieure d'hormones mâles, et la femme, une quantité supérieure d'hormones femelles. Mais les deux hormones coexistent dans les deux sexes. Les glandes sexuelles et les surrénales produisent également les deux hormones sexuelles.

Une modification de l'équilibre des hormones mâles et femelles agit sur les caractères physico-psychiques de l'individu. L'implantation de testostérone ou la surproduction anormale de cette hormone chez la femme provoquera l'apparition de caractères virils et, comme en même temps la production des hormones femelles sera freinée, les caractères typiquement féminins seront atténués. L'inverse est vrai en cas d'implantation ou de surproduction d'hormones femelles chez l'homme. Plus le bouleversement dans l'équilibre des hormones est précoce, plus ses effets sur les caractères sexuels seront sensibles. Par conséquent, les caractères sexuels sont non seulement dissemblables entre les individus, mais constamment variables chez un seul et même individu.

En ce qui concerne le problème de l'intersexualité, les intersexués (hermaphrodites) sont produits soit par des troubles dans l'économie hormonale, soit par des troubles dans la répartition des chromosomes, soit encore par des irrégularités dans le processus de développement du germe. Toutefois on n'a pas encore pu découvrir les différentes causes de l'intersexualité. On est obligé de se contenter d'hypothèses plus ou moins fondées. Il n'existe pas de conclusions définitives et unanimes à leur sujet.

On sait que le sexe est un caractère héréditaire. Dès l'instant de la fécondation, c'est-à-dire de l'union du spermatozoïde et de l'ovule, le sexe du nouvel être vivant est déterminé. Par conséquent le sexe, comme tous les caractères héréditaires, dépend des gènes contenus dans les chromosomes. Mais il faut insister sur le fait que ce ne sont pas les chromosomes sexuels qui déterminent le sexe, mais bien les gènes qu'ils contiennent ; d'autre part, les gènes des autosomes peuvent également influencer la différenciation des sexes. Si donc, dès l'instant de la fécondation, le sexe du nouvel être vivant est déterminé, la réalisation de cette détermination, c'est-à-dire l'épanouissement d'un être vivant harmonieux (mâle ou femelle), dépend encore d'un grand nombre d'autres facteurs, comme par exemple, le nombre total des gènes (chez les animaux inférieurs), la température, etc.

Le début du développement du germe est presque semblable pour le fœtus mâle ou femelle. Ce n'est qu'à partir de la sixième et de la septième semaine de la grossesse que la différenciation commence à s'effectuer en direction de testicules ou d'ovaires. Les organes sexuels définitifs évoluent, à partir d'ébauches qu'on appelle les canaux de Wolff et de Muller, dont le premier représente la base des organes mâles, et le second, la base des organes femelles. Dans l'embryon de sexe mâle, l'évolution du canal

de Wolff s'accomplit simultanément avec l'atrophie du canal de Muller qui, à la fin, subsiste en tant que débris rudi-
mentaire. Dans l'embryon femelle, l'évolution procède à l'inverse. On a émis l'hypothèse que l'évolution des organes
sexuels définitifs est stimulée par des hormones sexuelles
mâles et femelles, produites dans la glande sexuelle embryonnaire. Nombre de chercheurs ont prouvé que les hormones sexuelles sont déjà actives lors de cette phase évo-
lutive, mais il n'est pas certain qu'elles régularisent toujours le mécanisme évolutif. A cet égard, il est intéressant
de mentionner les expériences effectuées sur l'opossum,
la sarigue de l'Amérique du Nord (Moore, 1947). Chez cet animal, les petits sont placés dans la poche marsupiale, avant
que la différenciation du sexe n'ait eu lieu, ce qui permet
de les traiter aux hormones sexuelles ou d'effectuer une
intervention chirurgicale. A la suite de ces expériences,
Moore a conclu, à juste titre, que les glandes sexuelles
embryonnaires ne produisent pas d'hormones sexuelles et
que l'évolution des caractères sexuels secondaires ne dépend
pas des glandes sexuelles embryonnaires, mais d'autres facteurs génétiques sexuels.

De là, on peut déduire que les déviations de la différenciation sexuelle harmonieuse doivent être attribuées à des
troubles évolutifs héréditaires d'ordre génétique provoquant
différents degrés d'intersexualité. Chez l'homme, il n'est pas
douteux qu'une surproduction anormale d'hormones sexuelles des cortico-surrénales peut aboutir à l'intersexualité.

Goldschmidt (1931) a fourni des arguments à l'appui de
la thèse qui veut que l'intersexualité héréditaire dans l'espèce humaine existe exclusivement, ou tout au moins généralement, chez les individus qui, au point de vue génétique, sont féminins (2 chromosomes X). D'après Goldschmidt, le degré d'intersexualité dépendrait de l'époque à
laquelle, dans la vie embryonnaire, les facteurs perturba-
teurs du développement apparaissent (« pivotage »). Ce moment est-il tardif dans la vie embryonnaire : l'intersexualité est moins développée. Mais, le « pivotage » peut être
si précoce que, non seulement l'évolution des organes sexuels
définitifs est virilisée, mais que les glandes sexuelles deviennent des testicules alors que, d'après les chromosomes
sexuels, elles auraient dû évoluer en ovaires. En pareil
cas, l'individu aurait donc l'aspect d'un homme, tout en possédant, dans toutes ses cellules, des chromosomes femelles,
c'est-à-dire, que pour parler comme Goldschmidt, il serait
un « mâle par transmutation ».

Mais il n'existe pas encore de preuve absolue confirmant

l'existence d'un trouble aussi décisif pour l'homme[1]. La chose est possible et on sait que le « mâle par transmutation » existe chez les animaux peu évolués.

Suivant d'autres thèses, les ovaires et les testicules pourraient exister séparément ou réunis en un seul organe (ovotestis) chez un être génétiquement féminin. D'autres savants, parmi lesquels Witschi (1939), pensent que l'intersexualité d'ordre génétique est également possible chez des individus possédant la composition de chromosomes X=Y. Dans l'espèce humaine, les avis semblent s'accorder pour admettre qu'en dehors de l'intersexualité génétique, il existe également une intersexualité à base hormonale, c'est-à-dire provoquée par une tumeur des surrénales de l'embryon (Syndrome de Debré-Fibiger).

Comme on peut le constater, il est difficile de déterminer les causes de l'intersexualité, et ceci, en premier lieu parce qu'il est extrêmement délicat et compliqué de définir exactement la composition des chromosomes de l'homme. Cette définition ne peut être obtenue qu'au moment de la mitose, et, même alors, les conditions doivent être des plus favorables si l'on veut obtenir un résultat précis et sûr. L'existence de testicules (ou d'ovaires) ne prouve pas que l'individu soit génétiquement homme ou femme. Les recherches récentes, à propos de ce qu'on appelle le « sexe chromosomial » de l'être humain, recherches effectuées par l'anatomiste canadien Barr et ses collaborateurs (Moore, Graham, Barr 1953), ont, pour cette raison, une importance capitale. Dans la majorité des cellules de la femme, on a pu déceler, sur la membrane du noyau cellulaire, un petit amas de chromatine qui n'existe qu'en faible quantité dans les cellules de l'homme. Il est vraisemblable que la chromatine sexuelle puisse être ramenée à 2 chromosomes X.

En ce qui concerne la terminologie, il est absolument certain que les notions d'« intersexué » et d'« intersexualité » sont, à tous égards, plus exactes que les notions correspondantes d'« hermaphrodite » et d'« hermaphrodisme », bien que ces dernières soient plus usitées. Lorsqu'il y a, chez un individu, des testicules et des organes génitaux externes d'un aspect plus ou moins féminin, on emploie le terme d'*hermaphrodisme masculin*. Un individu possède-t-il des ovaires, mais également des organes génitaux externes d'aspect masculin : on emploie le terme d'*hermaphrodisme féminin* ; les deux glandes sexuelles existent-elles simulta-

---

1. Depuis la rédaction de ce texte, des faits troublants, qui semblent prouver l'intersexualité par transmutation ont été décrits. Toutefois, cette découverte devrait encore être confirmée.

nément : c'est *l'hermaphrodisme véritable* ; mais cette dernière dénomination n'est pas heureuse parce que cette forme de l'intersexualité n'est pas plus « véritable » que les deux autres.

Puisés dans l'abondante littérature consacrée à l'intersexualité de l'être humain, nous présenterons ci-dessous quelques cas de maladie qui éclairent, d'une part, les causes des troubles et qui précisent, d'autre part, les difficultés très complexes, inhérentes à la définition du sexe du malade.

En 1905, Fibiger a communiqué trois cas de pseudo-hermaphrodisme féminin. Le second de ces cas est particulièrement riche en enseignements. Un homme de 47 ans, atteint d'une affection maligne de la peau, mourut après un traitement de deux mois. Marié, il laissait trois enfants. Après son décès, l'épouse fit savoir qu'aucun des enfants n'était de lui. En bonne santé jusqu'à l'époque de sa fatale maladie, cet homme était d'un naturel gai et enjoué. En raison de sa petite taille (151 cm) il avait été exempt du service militaire. Sa libido avait été intense et nettement orientée vers les femmes. Les rapports sexuels avec son épouse étaient fréquents et il affirmait entretenir des relations sexuelles avec d'autres femmes. Le malade, de sveltes proportions, était pourtant bâti d'une manière virile. Les cheveux coupés courts, il portait la barbe, mais la pilosité pubienne était typiquement féminine. La poitrine était masculine, les organes sexuels externes avaient l'aspect masculin mais étaient faiblement développés. Les résultats de l'autopsie peuvent être résumés comme suit : le pénis mesurait 4 cm sur la face externe, le gland et le prépuce étaient bien développés. Il y avait un *hypospadias* (vice de conformation consistant dans l'ouverture de l'urètre au-dessous du pénis et non à son extrémité) : l'ouverture de l'urètre était à 2 cm 1/2 au-dessous de la pointe du pénis. On trouvait deux corps spongieux, et un corps caverneux urétral, traversé par l'urètre, et muni d'un bulbe bien développé. En dessous du pénis, la peau formait un pli ayant l'aspect d'une petite bourse dont la face supérieure était marquée, sur sa longueur, d'un sillon. L'urètre mesurait 14 cm ; la prostate avait un diamètre de 3 cm. Au niveau du passage de la partie membraneuse à la partie caverneuse de l'urètre, se trouve une fente de 12 mm de longueur dans laquelle aboutissait un vagin de petite longueur, mais bien développé et large. Ce vagin communiquait avec un utérus de petite taille, mais de conformation normale. Il y avait, en outre, deux ovaires et deux trompes, normalement situés.

L'analyse microscopique de 500 fragments d'ovaires permit de constater que l'état des tissus était semblable à celui qui existe chez les femmes vieillissantes : des corps fibreux, des follicules atrophiés et un follicule développé. En dehors de la prostate, on ne put observer aucun autre organe sexuel interne mâle. Les surrénales étaient extrêmement grandes (8/53 cm) et chaque surrénale pesait (après fixation) de 29 à 30 g. L'analyse microscopique ne révéla aucune anomalie des surrénales. A l'époque, l'hyperplasie des surrénales ne put être expliquée et souleva de vives discussions.

Dans ce cas, des recherches ultérieures ont démontré que l'hyperplasie des surrénales et la surproduction anormale d'hormones androgènes avaient eu lieu si tôt, dans la vie embryonnaire, que les troubles de la différenciation des parties périphériques de l'urètre et des organes sexuels externes apparurent et que la prostate se développa, comme chez un homme. La production anormale d'hormones androgènes aurait provoqué la virilisation des caractères sexuels secondaires mâles, dans une mesure telle que, seule, l'autopsie avait permis de constater que le malade avait été une femme.

Comme second exemple de pseudo-hermaphrodisme féminin provoqué par l'hyperplasie de la membrane des surrénales, reproduisons un des cas intéressants publiés par Melicow et Cahill (1950). Le patient était un enfant âgé de 7 ans que, depuis sa naissance, on avait pris pour un garçon atteint d'un vice de conformation du pénis (hypospadias) et d'une cryptorchidie (absence d'un testicule dans les bourses). Après plusieurs opérations, on réussit à corriger la malformation de manière que l'urètre traversât le pénis. Lors de son admission à l'hôpital, l'enfant avait un aspect viril : forte pilosité sur le corps et sur les membres, pénis bien développé, voix mâle. Mais, il fut impossible de palper ni les testicules, ni la prostate. L'urine contenait une forte quantité de 17-cétostéroïdes. Au cours de l'opération, on découvrit un utérus, des trompes, des ovaires (dont la nature fut confirmée par l'analyse microscopique) et, en outre une hyperplasie double des surrénales. On pratiqua une ablation partielle des surrénales, de l'utérus, des trompes et des ovaires.

La virilisation était si accusée qu'en dépit du fait que cet enfant était en réalité une fille, on décida l'ablation des organes féminins afin de permettre à cet être de vivre en tant qu'homme.

Comme exemple d'une autre forme d'intersexualité, citons un autre cas mentionné dans le même ouvrage : il s'agit d'une « jeune fille » de 17 ans, admise dans la section gynécologique de l'hôpital pour un vice de conformation des organes sexuels externes. Lors de sa puberté, les seins ne s'étaient pas développés et la menstruation faisait défaut. Par contre, le clitoris évoluait en une sorte d'organe ressemblant à un pénis à l'extrémité duquel aboutissait l'urètre. Sur le plan émotif, la jeune fille était virile; « garçonne », elle fréquentait des jeunes gens, en camarade, sans aucune réaction érotique. L'examen médical permit de découvrir un pénis d'une longueur de 7 à 8 cm et une hypospadias. A l'intérieur de la lèvre gauche, on palpa une dureté. Il y avait trace d'un vagin. Au cours de l'opération, on constata un singulier mélange d'organes sexuels masculins et féminins. Outre un utérus et des trompes bien développés, il y avait une prostate, des vésicules séminales, des canaux déférents et des épididymes. Les surrénales étaient normales. L'existence des testicules semblait prouver que le « véritable » sexe de la malade était masculin et les chirurgiens décidèrent « d'en faire un homme dans la mesure du possible » par l'ablation des organes féminins et avec le secours de la psychothérapie. Le sexe chromosomial ne put pas être déterminé.

Dans ce cas, il n'y avait aucune trace de troubles des fonctions endocriniennes et il est vraisemblable que l'intersexualité était d'ordre génétique.

Le dernier exemple est un cas singulier, publié en 1942 par Witschi et Mengert. C'est celui d'une jeune femme de 26 ans, divorcée, et désirant se remarier. Ses proportions anatomiques et physiques étaient typiquement féminines, mais son aspect ressemblait à celui d'un eunuque. Les seins étaient bien développés, sphériques, le système pileux et la voix étaient très féminins. Sa libido ne s'adressait qu'aux hommes. Mais ses organes génitaux externes étaient plutôt masculins. On constata l'existence d'un pénis bien formé, de 5,5 cm de longueur ; mais l'ouverture de l'urètre se situait dans un creux, à 2 cm sous l'extrémité du pénis. Il y avait un scrotum, bien développé et divisé et, dans chaque moitié, un organe de forme ovale évoquant un testicule. Le vagin et la prostate faisaient défaut. Il n'y avait pas trace d'organes féminins (utérus, trompes ou ovaires) mais, par contre, on découvrit un canal déférent normalement situé. Les coupes des organes ressemblant à des testicules révélaient des tissus testiculaires faiblement évolués. On put y déceler une faible quantité de spermatozoïdes anormaux. Consultée, la malade refusa catégoriquement l'intervention chirurgicale visant à corriger l'hypospadias ainsi que la transformation du sexe. On pratiqua alors une castration et l'ablation du pénis. En même temps, on fabriqua un vagin artificiel. Bien que ce vagin dût s'obstruer plus tard, la patiente épousa un homme plus âgé qu'elle et l'union fut heureuse.

Les analyses hormonales de l'urine, avant la castration, permirent de constater de grandes quantités d'hormones sexuelles féminines qui disparurent après la castration. La dimension du testicule droit dépassait la normale (49 g). L'analyse microscopique des testicules aboutit au résultat suivant : les canaux déférents avaient une dimension au-dessous de la normale ; dans la plupart des petits canaux, il y avait des spermatogonies (cellules des canaux séminifères), peu de spermatocytes de premier ordre et encore moins de spermatocytes de deuxième ordre (spermatozoïdes non venus à maturité). On découvrit un très grand nombre de cellules de Sertoli très actives, puis des milliers de petits follicules dont la structure était semblable à celle des follicules de De Graaf, tandis que les cellules de Sertoli, groupées comme des cellules de la granulosa contenaient une cellule ressemblant à un ovule. A l'analyse cytologique, on ne put découvrir aucune paire de chromosomes X = Y ; mais les méthodes d'examen étaient peu perfectionnées à cette époque.

Ce cas était d'autant plus intéressant que la patiente avait une sœur cadette affligée d'une anomalie semblable. (Chez elle, les tissus testiculaires ne furent pas examinés). Cette sœur d'abord mariée, avait divorcé. Après la mise en place d'un vagin artificiel, elle se remaria. Les deux frères de ces jeunes femmes ne témoignaient d'aucune anomalie. Mais, la même anomalie existant chez les deux sœurs, il est permis de supposer que l'intersexualité était héréditaire, et les deux auteurs de l'ouvrage sont d'avis que le sexe véritable des sœurs était féminin. Cependant il semble que l'on puisse envisager ici une hypothèse différente, à savoir qu'au point de vue génétique, ces deux individus étaient des hommes ; l'anomalie des testicules, caractérisée par le grand nombre de cellules de Sertoli, était héréditaire et la production des substances œstrogènes avait débuté si tôt dans la vie embryonnaire, que l'évolution de la prostate en fut freinée et remplacée par l'hypospadias. Au cours de l'évolution, les hormones œstrogènes avaient provoqué le développement du corps et des seins, puis du système pileux, de la voix et de la libido féminins. Si cette interprétation est exacte, elle signifie, en même temps, que deux individus de sexe mâle furent mariés deux fois avec des hommes et que le second mariage fut contracté après une castration, une ablation du pénis et la mise en place d'un vagin artificiel.

Ces exemples d'intersexualité congénitale, ou héréditaire, ou acquise pendant la vie embryonnaire, montrent la diversité de ces troubles ; ils expliquent également la situation délicate et complexe du malade et du médecin face au choix de l'attitude thérapeutique. Car, la société n'admet que deux sexes, et les registres de l'état civil ne comportent pas de rubrique réservée aux intersexués.

Virilisation et féminisation acquises

Dr Christian Hamburger, Copenhague

Il est possible que des modifications, des altérations des caractères sexuels se manifestent un jour chez des sujets adultes (hommes ou femmes) qui, auparavant, n'ont présenté aucun symptôme de troubles endocriniens, et ont connu, en outre, une vie sexuelle normale. L'apparition de caractères masculins chez la femme est appelée « virilisation », le processus correspondant chez l'homme, « féminisation ». Ces modifications ne sont jamais limitées au domaine organique mais elles retentissent également sur le psychisme. Elles peuvent évoluer lentement, s'étaler sur plusieurs années, mais on a observé des cas où les altérations sont apparues brusquement en quelques jours. Pour la femme, les premiers symptômes accusés sont généralement des troubles de la menstruation : les règles diminuent, deviennent rares, puis cessent totalement. La voix devient grave, le système pileux se développe, notamment sur la face, et les cheveux ont tendance à tomber. Les seins se ramollissent, diminuent de volume, le clitoris, par contre, s'allonge. La libido diminue d'intensité ou évolue vers l'homosexualité. Chez l'homme, le premier symptôme qui se révèle habituellement est un développement de la poitrine qui atteindra le volume du buste d'une jeune femme et dont les mamelons deviendront sensibles (Ce symptôme s'appelle gynécomastie). L'homme devient sexuellement impuissant et, souvent, les testicules accusent une atrophie assez marquée.

Dans ces cas, les symptômes sont provoqués en premier lieu par des troubles de la production des hormones sexuelles ; pour la femme, augmentation de la production d'hormones mâles, pour l'homme, augmentation de la production d'hormones femelles, avec diminution simultanée de la formation des hormones spécifiques du sexe. Dans certains cas, on constate des modifications pathologiques des glandes sexuelles et des surrénales. Il existe des cas où la cause des perturbations peut être expliquée par des désordres du métabolisme endocrinien.

Divers indices qui paraissent sûrs semblent indiquer que les cellules interstitielles (cellules de Leydig) des testicules produisent l'hormone mâle et les cellules de Sertoli, l'hormone femelle. Une tumeur des testicules est-elle constituée de cellules interstitielles : son évolution est accompagnée d'une superproduction d'hormones androgènes ; les tumeurs des cellules de Sertoli suscitent de leur côté une augmentation de la production des hormones œstrogènes. Des tumeurs semblables peuvent être provoquées par la persistance dans les ovaires de fragments embryonnaires de tissus testiculaires. Les analyses d'urine de malades atteints de telles tumeurs d'une part, et la disparition des symptômes après l'ablation chirurgicale de la tumeur d'autre part, démontrent nettement que, dans ces cas, la virilisation (ou la féminisation) découle d'une tumeur des glandes sexuelles.

Le cas suivant est un bon exemple de virilisation provoquée par une tumeur des ovaires (Pedersen et Hamburger, 1953). Lors de son admission à l'hôpital, la malade en question était âgée de 65 ans. Jusqu'à l'âge de 32 ans, sa santé avait été excellente. A cette époque, les règles cessèrent et, au cours des années suivantes, des poils drus apparurent sur le menton, une forte pilosité marqua la poitrine et le bas-ventre, la voix devint grave et le crâne un peu dénudé. L'examen révéla une virilisation accentuée. Les muscles aussi étaient forts, les veines sillonnaient la surface de la peau. Le clitoris mesurait 2,5 cm. On pouvait palper une tumeur dans le bas-ventre, et, lors de l'opération, on découvrit plusieurs fibromes de l'utérus et une tumeur de l'ovaire pesant 43 g qui, à l'analyse, fut reconnue comme une tumeur des cellules de Leydig. Les nombreuses analyses d'hormones pratiquées, avant et après l'intervention, aboutirent au résultat suivant : avant l'opération il y avait hypersécrétion de substances androgènes (jusqu'à 145 I.E. par 24 heures) ; la sécrétion des 17 cétostéroïdes était en moyenne de 16,6 mg par 24 heures avant l'opération, et de 2,4 mg par 24 heures après l'opération (5 tests). Après l'ablation de la tumeur, le poids de la malade augmenta légèrement, ses formes s'arrondirent, la pilosité de la face et du corps diminua et les cheveux repoussèrent. Les dimensions du clitoris et le timbre de la voix varièrent à peine.

Dans ce cas, il s'agissait d'une tumeur ovarienne bénigne qui, au cours d'une évolution étalée sur trente-trois années, avait provoqué un excès d'hormones mâles et, par conséquent, une virilisation des caractères sexuels. Les tumeurs ovariennes virilisantes sont rares. Les tumeurs testiculaires, provoquant la féminisation, semblent plus rares encore.

Citons un autre cas, décrit par Ostergaard (1947). Depuis un certain nombre d'années, un homme de 28 ans avait observé un lent développement de sa poitrine. En même temps, un de ses testicules avait augmenté de volume, tandis que l'autre s'atrophiait. Or, sa puissance sexuelle était restée stable. L'examen confirma le développement de la poitrine ; le testicule droit était légèrement atrophié, celui de gauche, plus développé que normalement. Après l'ablation chirurgicale de ce dernier, on découvrit une tumeur de la taille d'une noisette qui, histologiquement, n'était pas maligne. Peu de temps avant l'opération, l'analyse d'urine accusait une hypersécrétion de substances œstrogènes (200 M.E.I. par 24 heures). Deux ans après l'intervention chirurgicale, la gynécomastie avait pratiquement disparu et le testicule demeuré en place avait repris une taille normale.

Teilum (1946) a rapporté le cas similaire d'un homme de 53 ans souffrant, non seulement de gynécomastie et d'une atrophie du testicule, mais encore de troubles de la puissance sexuelle. Pendant trente ans, le malade avait ressenti une sensation de tension croissante dans le côté gauche du scrotum. Au cours de l'année précédant l'examen médical, il avait observé le développement de sa poitrine, ainsi qu'une sensibilité et des douleurs aiguës dans les mamelons. Depuis trois ans, la libido avait été très faible et la puissance sexuelle, nulle. L'examen aboutit au résultat suivant : sa poitrine était en effet fortement développée et les mamelons étaient constitués comme ceux d'une femme. Si la pilosité des parties génitales était virile, celle de la poitrine était nulle. Le testicule droit était atrophié et mou. Dans le testicule gauche, il y avait une tumeur de la grosseur d'un œuf qui, à la coupe, était d'un jaune vif. Histologiquement, la tumeur fut identifiée comme une tumeur des cellules de Sertoli. Deux mois après l'ablation du testicule gauche, la gynécomastie avait fortement diminué ; mais neuf mois après l'opération, la poitrine n'avait pas encore repris son volume normal.

Dans les conditions normales, les hormones cortico-surré-naliennes jouent vraisemblablement un rôle secondaire. Mais lorsqu'il existe des atteintes graves des surrénales (hyper-plasie ou tumeur), la production des hormones sexuelles peut augmenter au point de provoquer une modification des caractères sexuels de l'individu. Les symptômes dépen-dent, en premier lieu, du sexe du malade et de la nature de l'hormone sécrétée en excès (mâle ou femelle). Pour l'homme adulte, la surproduction d'hormones mâles n'exer-cera pas d'influence sensible sur les caractères sexuels, tan-dis que chez la femme adulte, l'apparition d'une tumeur produisant un excès d'œstrogène se traduira cliniquement par certains symptômes (notamment des hémorragies vagi-nales abondantes). Les symptômes deviennent apparents chez l'homme, lorsque les cortico-surrénales produisent de gran-des quantités d'hormones œstrogènes, et chez la femme lors-que de grandes quantités d'hormones androgènes sont sécré-tées. Les tumeurs féminisantes des surrénales chez l'homme sont extrêmement rares et depuis le cas de Bittorf en 1919, une vingtaine de ces cas seulement ont été publiés.

Voici deux exemples caractéristiques, le premier rappor-té par Simpson et Joll (1938), le second par Roholm et Teilum (1942). Le premier cas concerne un homme attei-gnant la trentaine, et jusqu'alors en bonne santé. Médecin, il était marié et avait un enfant.

Le premier symptôme de perturbation consista en le développement de la poitrine accompagné par la diminution puis la cessation de toute puissance sexuelle et par une atrophie des testicules. Des douleurs apparurent sous l'omo-plate gauche. Deux ans après le début de la maladie, on pratiqua l'ablation d'une grosse tumeur (656 g) de la surré-nale gauche. La poitrine redevint normale, les testicules se transformèrent et la puissance sexuelle réapparut. Un an plus tard, tous les symptômes surgirent à nouveau, et au cours de l'intervention chirurgicale, on découvrit dans le foie des métastases. Le malade mourut un an plus tard. Les ana-lyses d'urine avaient démontré, après l'opération, une sécré-tion excessive d'hormones œstrogènes qui, au moment de la réapparition des symptômes, s'était encore élevée (jusqu'à plus de 3 000 M.E. I. dans l'urine).

Il s'agit, dans le second cas, d'un homme de 44 ans, marié, en excellente santé, et père de quatre enfants. Sa vie sexuel-le avait été normale. Trois ans avant son admission à l'hô-pital, les mamelons devinrent sensibles et des seins se dé-veloppèrent pour atteindre le volume d'une demi-orange. La libido et la puissance sexuelle semblaient normales. On constata, lors de l'examen, que le pénis était de petite taille, les testicules, mous, et le gauche, atrophié. L'examen radiologique fit apparaître une tumeur de la surrénale gauche et des métastases dans les poumons. Les analyses d'urine décelaient une sécrétion légèrement augmentée de substances androgènes, et une sécrétion fortement augmentée de substances œstrogènes (environ 5 000 M.E. l. par 24 heures, soit plus de cent fois la dose normale chez l'homme adulte). Au cours des mois suivants, le malade se plaignit d'une fatigue excessive, de difficultés respiratoires et de douleurs dans le bas-ventre. Avec l'évolution de l'atrophie des testicules, la puissance sexuelle disparut. Le volume de la poitrine resta stable, mais les mamelons se développèrent. Le malade mourut quinze mois après son admission à l'hôpital. A l'autopsie, on constata une tumeur de la surrénale de 2 650 g et des métastases dans le foie et dans les poumons. L'analyse histologique de la tumeur-mère et des métastases montra un carcinome de la surrénale avec conservation partielle de la structure de la cortico-surrénale.

Plus fréquente que la féminisation de l'homme, la virilisation de la femme est généralement plus accusée et, par conséquent, les effets postopératoires sont plus spectaculaires, notamment lorsqu'il s'agit d'hyperplasie ou de tumeurs bénignes. Le rétablissement, même dans des cas très graves, peut être si complet que les patientes peuvent avoir des grossesses normales. Cahill et ses collaborateurs ont rapporté un cas très caractéristique (1942). Chez une jeune fille de 18 ans, saine et parfaitement normale, réglée depuis sa treizième année, apparurent pendant un an et demi des modifications sensationnelles : cessation des règles, croissance du système pileux sur la face, sur le corps et sur les membres, développement du clitoris, virilisation de l'aspect extérieur, changement du timbre de la voix. Deux mois après l'ablation chirurgicale d'une tumeur sur la surrénale gauche, les règles réapparurent, la voix redevint aiguë, la pilosité diminua, la poitrine se forma. Mais les symptômes de la virilisation réapparurent lentement. On diagnostiqua alors une tumeur de la surrénale droite. Après l'ablation de celle-ci, les symptômes disparurent définitivement.

Il a été possible de mettre en évidence un rapport entre le degré de la virilisation et l'excrétion des hormones sexuelles mâles dans l'urine. Lorsqu'il s'agit de tumeurs malignes, les quantités d'hormones sont extrêmement élevées (jusqu'à 1 g de 17 cétostéroïdes en 24 heures ; la quantité normale est d'environ 10 mg en 24 heures).

Lorsqu'il s'agit de tumeurs des glandes sexuelles et des

surrénales, les causes de la virilisation et de la féminisation peuvent être découvertes. Il s'agit, en fait, d'une production anormalement élevée d'hormones du sexe opposé. Mais, il existe des cas de gynécomastie non accompagnés de tumeurs testiculaires sous quelque forme que ce soit, parfois associés à l'hypogénitalisme (diminution de la puissance sexuelle).

On a pu observer des cas de gynécomastie chez des hommes ayant souffert d'une cirrhose du foie, ainsi que chez des hommes sous-alimentés, (comme conséquence éventuelle d'une carence en vitamine B). On explique le fait de la manière suivante : les hormones œstrogènes (et par conséquent les hormones œstrogènes normalement produites dans l'organisme de l'homme) sont neutralisées par le foie ; lorsqu'il y a carence en vitamine B ou maladie du foie, le processus de neutralisation des œstrogènes est entravé, et la quantité qui en subsiste dans le sang dépasse la normale. Cette hypothèse est confirmée par les dosages d'hormones et par ce que l'on appelle « les épreuves de charges » en œstrogènes, chez des malades atteints de cirrhose du foie.

L'existence de cas de virilisation et de féminisation, surgissant chez des individus adultes, dont l'évolution sexuelle a atteint sa maturité, prouve que les caractères sexuels sont toujours modifiables et qu'une altération physique et psychique en direction du sexe opposé peut se manifester à tout âge. Il va de soi qu'il ne s'agit pas alors d'un « changement de sexe ».

L'éonisme et la métamorphose sexuelle induite

Dr Christian Hamburger, Copenhague ;
Dr Georg Störup, Herstedvester et
Dr E. Dahl-Iversen
*professeur à la Faculté de médecine
de Copenhague*

LE TRAVESTI (L'ÉONISME)

Le terme « éonisme » désigne la tendance que manifestent certains êtres à revêtir les habits du sexe opposé au leur. Comme pour les termes « sadisme » et « masochisme », le mot éonisme puise son origine dans un personnage historique, en l'occurrence le Chevalier d'Eon, agent politique de Louis XV (1728-1810). D'autres personnages célèbres sont connus pour leur goût du travestissement, et la littérature scientifique spécialisée a décrit et analysé un grand nombre de ces cas pathologiques.

Dans l'acception la plus large du terme, le travesti doit être considéré comme un symptôme susceptible de se manifester à travers de multiples circonstances. Seul un examen clinique approfondi permet de distinguer les différentes variétés du phénomène. Citons les fétichistes qui, à la suite d'un trouble névrotique, concentrent leur attention sur une ou plusieurs pièces d'habillement et développent, de cette manière, une tendance au « travesti » partiel ou total. Chez les homosexuels du type passif, le penchant au travestissement féminin, à l'utilisation de parfums et de bijoux n'est pas rare. Sous ces deux formes, l'éonisme est essentiellement d'origine sexuelle et son importance est secondaire. Ni ce genre de cas, ni le travestissement en femme qui lui est secondaire ne font l'objet de notre étude. Il sera question ici de l'éonisme tel qu'il se rencontre chez des hommes chez lesquels l'impulsion au travesti est si puissante qu'elle mérite d'être appelée « éonisme » véritable ou « hermaphrodisme psychique ».

Les hommes qui cultivent le travesti sont possédés par la conviction profonde d'être victimes d'une tragique méprise, c'est-à-dire d'avoir une individualité féminine dans un corps masculin. Le désir, le besoin, l'impulsion qui les portent à revêtir des habits de femmes sont intenses. Toutefois, cette impulsion ne représente qu'un seul des nombreux moyens par lesquels l'individu cherche à s'identifier avec le sexe féminin, à être considéré comme une femme, à être appelé par des noms de femme et à s'occuper de travaux féminins. Pour ces êtres, les costumes d'homme sont comme un déguisement, et les travaux pénibles et durs leur paraissent insupportables. Pour eux, vivre et agir en homme, sans possibilité aucune de suivre l'inclination spontanée de leur Moi, constitue un état ou un acte contre-nature. Cette dépression psychique provoque des conflits névrotiques plus ou moins graves, souvent accompagnés d'idées de suicide. Ces hommes portent-ils des vêtements féminins et apparaissent-ils en société habillés en femme : ils éprouvent aussitôt un immense soulagement psychique, ils se sentent équilibrés et heureux de vivre.

Dans ces cas, le port des vêtements féminins n'est pas provoqué par l'idée de rapports sexuels quels qu'ils soient, et il est caractéristique que la tenue soit toujours décente et nullement provocante. La vie sexuelle, en géné- ral, y joue un rôle secondaire. Le penchant envers un hom- me hétérosexuel n'est pas rare ; au contraire le véritable travesti éprouve de la répulsion pour les relations avec un homosexuel. L'inclination envers le sexe féminin se situe habituellement sur un plan supérieur, et ce penchant est rarement, sinon jamais, d'ordre érotique. Le trait dominant de ces individus est d'atteindre « l'idéal parfait » et c'est ce qui motive parfois leur désir de mariage ; dans cer- tains cas ce désir est accompagné de l'espoir de surmonter, grâce au mariage, leur penchant à l'éonisme. La majorité des unions conjugales entre des femmes normales et des travestis dégénèrent et aboutissent à la séparation ; cependant il est arrivé plus d'une fois que la femme accepte la ten- dance au travesti de l'époux, et si des enfants naissent, l'époux éprouve généralement une affection et un amour profonds pour sa progéniture. Mais les rapports conjugaux sont rares et, lors de l'acte, l'homme agit en partenaire pas- sif. Fréquemment, sa sensation « d'être réellement une fem- me » aboutit à l'aversion, au dégoût, à une véritable haine contre ses propres organes génitaux, et au désir de castra- tion. Les tentatives de mutilation ne sont pas rares.

Dans la majorité des cas, l'éonisme peut être retrouvé jusque dans la prime enfance : c'est le désir intense d'être une fille, le goût de jouer avec des poupées, l'effort, mêlé d'envie, de ressembler aux petites filles et la satisfaction de porter des vêtements féminins. La puberté, sans pro- voquer une modification de l'inclination, fait comprendre au jeune être qu'il est « autre », et il devient alors conscient d'être anormal. Séparé de ses amis et de ses camarades, le jeune homme se sent comme déraciné, déchiré et seul. Le manque de compréhension qu'il rencontre provoque l'isole- ment, développe en lui l'esprit de dissimulation, et il entre- prend une lutte inutile contre ses tendances. C'est à ce mo- ment que l'existence de cet individu sera dominée par l'idée d'être une femme condamnée à se comporter en homme. Jeune, il essaiera souvent de surmonter son anomalie grâce à un travail acharné ou par des rapports sexuels réguliers et, peut-être, par le mariage. Enfin, un certain nombre de ces hommes demanderont — en vain — le secours médical. Cependant l'impulsion deviendra irrésistible et toute lutte s'avérera inutile. Certains patients se résignent à leur sort et satisfont leur penchant au travesti en secret, cachés aux yeux de leur prochain ; et il est permis de supposer qu'il a existé et qu'il existe nombre d'hommes atteints de cette anomalie et que personne n'a jamais soupçonnés. Cependant, parmi eux, certains entrent en lutte contre la société et veulent obliger leur entourage à leur reconnaître le droit de vivre en femme. Il n'est pas possible d'affirmer avec certitude jusqu'à quel âge cette tendance demeure vivace ; toutefois, il y a des sexagénaires pour lesquels ce problème garde toute son acuité. Ils sont prêts à tous les sacrifices pour pouvoir vivre, ne fût-ce que pendant quelques années, en femme, même en « vieille femme ».

Sans doute, l'éonisme peut avoir une genèse psychique. Mais nombre de spécialistes en sexologie et en psychiatrie, qui connaissent ces cas et qui ne manquent pas de les distinguer de l'homosexualité avec tendance au travestissement, y voient un état congénital (Hirschfeld). A notre connaissance, aucun psychiatre, aucun psychanalyste n'a réussi jusqu'à présent à donner une explication satisfaisante de ce phénomène. Il est possible que des facteurs physiques jouent un rôle prépondérant. Mais il peut se faire aussi que la constitution physique soit parfaitement et normalement masculine. Il est par ailleurs vraisemblable que les troubles sexuels (impuissance, tendance à l'homosexualité et tendance au travestissement) sont d'autant plus forts que les caractères féminins dominent dans l'homme. Enfin, les analyses d'urine que l'on serait tenté de faire pour démontrer que des troubles endocriniens sont à la base de l'éonisme, seraient d'une valeur infime, ces analyses n'étant pas encore assez perfectionnées pour démontrer des perturbations aussi réduites que celles que l'on pourrait déceler dans la production hormonale.

La sensation qu'éprouve le travesti d'être une femme est si profonde, et le sentiment en est si irrésistible, que l'on est tenté de rechercher des causes organiques cachées. Nous avons envisagé l'hypothèse que certains de ces individus pouvaient être des « intersexués » (hermaphrodites) du degré supérieur (suivant les théories des étapes intermédiaires de Goldschmidt). Il a été démontré que les femmes sont homogamètes et les hommes hétérogamètes et que les chromosomes sexuels ne sont pas les seuls facteurs du sexe ; d'après Goldschmidt, toutes, ou tout au moins la plupart des étapes intermédiaires de l'homme sont, en fonction des gamètes féminins, c'est-à-dire qu'ils possèdent dans les cellules organiques deux chromosomes X. On a supposé que le degré de l'étape intermédiaire dépend du moment où la détermination du sexe a lieu (pivotage). Le pivotage a-t-il lieu à une époque précoce dans l'évolution embryonnaire, les gonades deviendraient des testicules et les orga-

nes sexuels définitifs deviendraient mâles. Chez les individus qui, d'après leurs chromosomes, sont féminins, les organes mâles doivent être considérés comme un vice de conformation. En aucun cas, il ne faut rejeter l'éventualité de
l'existence de telles étapes intermédiaires, différenciées,
chez l'homme. Dans un avenir proche, les examens et les
analyses de la génétique et de la composition des chromosomes, en fonction de l'éonisme, décideront de la validité
de cette thèse[1].

Jusqu'ici, toutes les tentatives de traitement ont échoué
dans les cas de travesti véritable, notamment lorsque la
thérapeutique visait à la guérison. Quant à la psychothérapie, les résultats ne furent pas meilleurs. Lorsque l'éonis-
te était nettement caractérisé, il n'a pas été possible d'éveiller en lui le désir de transformer ses dispositions afin de
les mettre en accord avec son aspect physique. Les expériences de traitement à l'aide d'hormones sexuelles mâles
(testostérone) ont été peu nombreuses. Quand ce traitement
fut employé, le succès escompté fit défaut. Nombre de patients refusèrent catégoriquement de telles tentatives ; ils
n'avaient aucun désir d'être « guéris » de leur état. Pour
eux, le travesti correspondait à leur véritable « Moi » et
ils désiraient, au contraire, être libérés de leurs attributs
masculins abhorrés. Toute tentative pour intensifier leur
masculinité leur apparaissait comme une atteinte aux lois
de la nature.

Par conséquent, le praticien doit viser à faire naître les
conditions indispensables à l'équilibre psychique du patient
et à lui procurer une sorte de « philosophie de l'existence ».
Quelques éonistes résolvent le problème en s'habillant en
femme lorsqu'ils sont seuls. D'autres éprouvent le désir de
porter des vêtements féminins en public. Dans certains pays,
la législation permet ce comportement lorsqu'il existe un
certificat médical attestant qu'il est vital pour l'état physique et psychique du malade. Un grand nombre de patients
de Hirschfeld jouissaient de cette prérogative. Au Danemark et en Suède, des autorisations furent accordées, dans
de rares cas, au cours des dernières années. Deux Anglais
nous ont appris que les autorités compétentes avaient fait
preuve à leur égard d'une large compréhension et que, mal-

---

1. Peu après la parution de cet exposé, le Professeur M.-L. Barr (Canada),
a eu l'obligeance d'effectuer les biopsies de fragments de peau de quelques
éonistes masculins. Les analyses ont démontré que les chromosomes étaient du
type mâle. Par conséquent, il est probable que les sexes chromosomiaux des
cas examinés étaient masculins. Dans ce cas, la thèse de Goldschmidt serait
fausse.

gré leurs attributs masculins, ils avaient été enregistrés à l'Etat Civil comme appartenant au sexe féminin.

En ce qui concerne les personnes témoignant d'une aversion profonde contre leurs organes sexuels, les possibilités d'une castration sont extrêmement limitées par les lois en vigueur dans la plupart des pays. A moins qu'une affection des glandes sexuelles ne rende l'intervention chirurgicale indispensable, la castration ne peut être pratiquée sans autorisation légale. Dans certains pays, comme par exemple le Danemark, la Norvège, la Suède, les autorités permettent la castration volontaire lorsque le malade, en raison de ses instincts, est comme poussé au crime, c'est-à-dire lorsqu'il constitue un danger pour la société ou qu'il souffre d'un dérangement mental grave, et la législation en vigueur permet de pratiquer l'ablation des organes responsables des troubles mentaux du malade.

Bien qu'il soit plus fréquent qu'on ne le croie en général, l'éonisme est un phénomène relativement rare. Il est pratiquement impossible de citer des chiffres exacts. Le phénomène semble exister dans toutes les races, dans toutes les couches de la société et même chez des personnalités d'un niveau moral culturel et social supérieur. Pour une population de près de 4 millions d'âmes, nous connaissons personnellement, au Danemark, cinq personnes cultivant le travesti.

LA MÉTAMORPHOSE SEXUELLE INDUITE

Nombre de personnes, qui éprouvent une forte tendance au travesti, demandent au médecin si une transformation sexuelle induite est chose possible. Or, des journaux et des illustrés ont publié des cas de métamorphose sexuelle (où il s'agit parfois d'éonistes) et il est intéressant d'examiner le problème de la métamorphose sexuelle induite. Toutefois, afin d'éviter des répétitions inutiles, nous prierons le lecteur de se reporter d'abord aux exposés traitant des intersexués, de la virilisation et de la féminisation.

A l'aide d'implant d'hormones sexuelles, il est, en effet, possible de provoquer artificiellement une modification des caractères sexuels d'un individu. Ce résultat peut être obtenu de façon involontaire (par surdosage), mais il peut l'être consciemment et volontairement. Nous traiterons ici des métamorphoses sexuelles volontairement effectuées et délibérément acceptées.

En dehors des cas d'intersexualité dont l'origine se situe dans une malformation anatomique, les interventions médicales de ce genre sont extrêmement rares. La majorité des êtres humains est satisfaite de son appartenance sexuelle et il est peu courant de rencontrer un individu qui, après mûre réflexion, désire changer de sexe, ce désir n'étant, du reste, qu'une utopie. Une métamorphose sexuelle, au sens strictement donné à ce terme, dépasse les limites du possible. Si efficaces, si étendues que soient les thérapeutiques hormonales et les interventions chirurgicales (ou les traitements psychothérapeutiques), la personne intéressée conservera, sa vie durant, son « véritable » sexe.

Chacune des millions de cellules du corps témoigne, par la constitution de ses chromosomes, du sexe génétique ou chromosomial de l'individu. Seule une solution de compromis est possible et, pour cette raison, le spécialiste n'accède que rarement au désir du malade de pratiquer une intervention chirurgicale, pour aboutir à une métamorphose sexuelle induite. En outre, une telle intervention ne dépend pas uniquement d'une convention entre le médecin et le malade, et dans le cas où la transformation est réalisable, le traitement médical ne peut s'effectuer qu'après l'accord des autorités compétentes, c'est-à-dire, de l'État. Dans une société constituée et ordonnée, il n'est guère possible a priori, de permettre à un individu appartenant légalement au sexe masculin d'apparaître au milieu de ses semblables comme une femme. Il est évident qu'une situation aussi ambiguë doit inévitablement provoquer des conflits sérieux. Les droits et les devoirs envers la société (service militaire, mariage, héritage, etc.) exigent qu'une « métamorphose sexuelle biologique » soit accompagnée d'une métamorphose civile légale.

Bien que les problèmes juridiques soient ardus et complexes, ils ne sont pas insolubles. Dans les cas d'intersexualité où il a été démontré qu'une erreur avait été commise à la naissance quant au sexe « véritable », le changement de sexe à l'état civil est parfaitement possible. Dans ces cas, l'union conjugale, éventuellement existante, est déclarée nulle et non avenue, et l'autorisation est accordée de conclure un mariage conforme au sexe légal. Il faut constater ici que le sexe « véritable » n'est pas toujours identique au sexe « génétique », ce dernier n'ayant pas pu être déterminé avec certitude. Dans les cas douteux, les rapports médicaux quant au sexe légal le plus conforme aux dispositions de l'individu, servent de base à la décision définitive.

Comme les analyses de Barr concernant la « chromatine sexuelle » permettent actuellement la détermination future exacte du « sexe chromosomial », il faut alors se deman-

dér si l'on doit considérer l'appartenance sexuelle génétique comme base absolue de l'appartenance sexuelle légale.
Si, au premier abord, l'on est tenté de répondre par l'affirmative, on hésitera malgré tout après mûre réflexion. Il
est facile de se représenter le cas où les dispositions sexuelles d'un individu sont en opposition si totale avec sa composition chromosomiale que le principe rigide de l'« appartenance sexuelle conditionnée par le sexe génétique », ne
serait pas conforme à la nature humaine.

On comprend alors aisément que la métamorphose sexuelle soit rarement envisagée. Elle est impliquée dans un si
grand nombre de problèmes que la moindre tentative doit
être examinée minutieusement. Quant à savoir dans quelle
mesure il est possible de transformer les caractères sexuels
d'un être, tout dépend de son appartenance sexuelle, de
son âge et de ses organes sexuels. En général, il s'agit
d'un traitement combiné fait d'implantation d'hormones suivi d'intervention chirurgicale, sous observation psychiatrique.

En ce qui concerne le traitement hormonal, il faut souligner tout d'abord qu'il est incapable de provoquer une
transformation des organes sexuels. L'implant d'hormones
ne transformera pas un ovaire en un testicule ; l'utérus restera utérus, et les vésicules séminales demeureront des
vésicules séminales. Mais il est possible de provoquer des
modifications de volume d'un organe, et on peut l'atrophier
ou le rendre inactif ; il est possible de stimuler la croissance
des organes sexuels rudimentaires (par exemple du clitoris, des glandes urétrales de la femme et de la poitrine
de l'homme). On peut agir sur la pilosité, le timbre de la
voix et provoquer des modifications psychiques. En un mot,
on peut reproduire en plus marqué la virilisation ou la féminisation qui surgissent chez des êtres atteints de tumeurs
des glandes sexuelles ou des cortico-surrénales. Plus l'individu en question sera jeune, plus ses caractères sexuels seront neutres et plus l'effet de l'implant d'hormones du sexe
opposé sera marqué. Le traitement provoque une modification de la production hormonale de l'hypophyse et, entre autres, une diminution de la production de gonadotrophine,
amenant l'atrophie et l'inactivité de la glande sexuelle,
c'est-à-dire la castration hormonale. L'implant d'hormones
risque d'influencer le métabolisme du sel et de l'eau et,
pour cette raison, le malade doit être placé sous surveillance médicale constante. D'autre part, les modifications
provoquées par le traitement hormonal sont réversibles,
c'est-à-dire qu'une fois le traitement terminé, elles disparais-

sent après un certain temps, à moins qu'il s'agisse de transformations entretenues depuis de longues années ou extrêmement prononcées.

Quant aux interventions chirurgicales, les possibilités en
sont limitées, pour la simple raison que les transplantations
de testicules sur la femme ou d'ovaires sur l'homme, ne
peuvent aboutir. Les organes greffés ne « prennent » pas, et
ils sont résorbés après un certain laps de temps. Chez l'homme, outre la castration chirurgicale, il est possible de procéder à l'amputation du pénis ou à un remodelage esthétique
du scrotum, c'est-à-dire que l'on peut donner un aspect féminin aux parties génitales externes. Il est possible également de créer un vagin artificiel. Les cas où l'on a procédé à l'ablation des organes sexuels internes (prostate et
vésicules séminales) sont très rares. Pour la femme, il est
possible de procéder à l'ablation des seins. Mais on comprend aisément que l'ablation de l'utérus ou des ovaires
et qu'une modification esthétique des grandes lèvres ne
soient d'aucun secours pour la malade, puisqu'il est impossible de greffer à la femme une verge capable d'érections.

Une observation psychiatrique approfondie est indispensable avant toute intervention hormonale ou chirurgicale,
du genre de celles qu'on vient de décrire. De par la nature
du phénomène, la psychothérapie seule est inefficace dans
ce genre de cas, puisque les interventions visant à une métamorphose sexuelle ne sont envisagées que lorsqu'on estime
impossible ou irréalisable d'éliminer l'« obsession de changer de sexe ». Dans l'intérêt de l'équilibre physique et moral du malade, un traitement chirurgico-hormonal peut être
indiqué afin de créer une meilleure adaptation entre l'état
psychique et la conformation physique.

Entre le rêve de l'homme soucieux de changer de sexe et
les possibilités de réaliser cette ambition, il existe donc un
écart considérable. Le désir de transformer l'appartenance
sexuelle a pour origine l'insatisfaction qu'éprouve l'individu dont la destinée est contraire à l'instinct profond. Cette
insatisfaction peut être d'origine sexuelle. On pourrait supposer que la plupart des homosexuels désireraient appartenir au sexe opposé ; or, il n'en est rien. Beaucoup d'homosexuels considèrent leur sexualité comme naturelle et ne
sauraient envisager un changement de sexe. Ce principe est,
avant tout, valable pour les pédérastes du type actif et pour
les lesbiennes du type passif. Toutefois, même dans les
cas d'homosexualité où le désir d'une métamorphose sexuelle est exprimé, seule une « transformation totale », permettant l'épanouissement de tous les instincts sexuels, serait

d'une utilité réelle. Une solution de compromis, la seule que la science médicale puisse offrir, est incapable de résoudre les conflits de l'homosexuel.

Dans les rares cas où les médecins ont tenté — dans la mesure du possible — d'accéder à un désir de changement de sexe, il ne s'agissait pas d'homosexuels, mais de travestis. La pathogénie et la symptomatique de l'éonisme ayant été étudiées plus haut, on se contentera ici de considérer quelques cas d'éonisme chez des hommes sur lesquels des tentatives plus ou moins poussées de transformation sexuelle ont été pratiquées.

En 1933, Binder rapporte l'analyse minutieuse de quatre patients, témoignant du désir de métamorphose sexuelle, dont l'un avait été partiellement exaucé à l'aide d'une castration. Le cas observé (cas D), était originaire de Suisse. D'hérédité chargée, le patient avait été élevé dans une institution de l'Assistance Publique où, jusqu'à l'âge scolaire, il fut habillé en fille et porta des cheveux longs, sa mère ayant remis l'enfant à la Directrice sous un prénom féminin. Elle avait désiré une fille. Les rapports de l'enfant avec le père étaient détestables ; celui-ci le réprimandait en l'appelant « fille manquée ». Lorsque, plus tard, on habilla l'enfant en garçon et qu'on lui coupa les cheveux pour l'envoyer à l'école, il fut profondément malheureux. Dès sa quinzième année et jusqu'à l'âge de dix-sept ans, il travailla dans une ferme ; il revêtit à nouveau des vêtements féminins et on l'appelait par un nom de femme. Au point de vue physique, il était sous-développé et à l'âge de vingt ans, on le prenait pour un jeune collégien. Les testicules et le pénis étaient petits. Il n'avait pas de barbe, la pilosité du corps et du bas-ventre était faible. Sexuellement ignorant et sans maturité, il urinait en s'accroupissant, comme une femme.

Après la vingtième année, les caractères sexuels secondaires évoluèrent rapidement et, à 24 ans, il était à peu près normalement développé. A cet âge, il eut ses premières érections et ses premières pollutions. Il se livra à la masturbation, mais il abhorrait ses organes sexuels. Entre la 25e et la 30e année, on observa l'évolution d'une gynécomastie (développement de la poitrine chez l'homme) qui disparut par la suite. Pendant son service militaire, il eut des hémorragies menstruelles (de l'urètre) qui disparurent aussi à leur tour.

Au point de vue sexuel, il était attiré par les hommes hétérosexuels ; les hommes efféminés lui inspiraient une profonde aversion.

A plusieurs reprises, il tomba amoureux d'un homme, sans avoir de rapports sexuels. Il se considérait « intérieurement » comme femme, mais il craignait de s'exposer au ridicule. On le plaça en apprentissage chez un forgeron, puis il passa quelques années dans sa famille. Il acheta alors une garde-robe féminine complète ; il tomba amoureux d'un camarade, qu'il poursuivit de sa jalousie à cause des relations féminines de celui-ci.

A l'âge de 41 ans, il consulta un psychiatre. Il exprima le désir d'obtenir l'autorisation de vivre habillé en femme, de porter un prénom et tous les attributs féminins. Il voulut choisir le métier d'infirmière ou de nurse. Pendant cette période de sa vie, il vécut seul et sa haine envers ses organes génitaux s'amplifia au point qu'il tenta de se châtrer à l'aide d'une ligature.

L'examen clinique révéla des proportions masculines, une pilosité faible mais de type masculin. Les organes sexuels externes étaient normaux, la prostate était petite ; on pouvait palper les vésicules séminales. On pratiqua la castration (le malade avait 42 ans). A l'état civil, son prénom fut changé en un prénom de femme. Dix-neuf ans plus tard, on apprit que le patient était « travailleur, menait une vie humainement satisfaisante, sinon exempte de risques moraux ». L'indication psychiatrique était basée à la fois sur la crainte de voir se renouveler les tentatives de mutilation et sur l'espoir de voir le malade, grâce à la suppression des organes détestés, mener une vie plus satisfaisante.

Le second cas a été observé en Allemagne, par Burger-Prinz (1953). Depuis sa plus tendre enfance, le patient en question s'était intéressé à des jeux de fillette ; à l'âge de 8 ans, il exprimait tout haut le vœu d'être une fille. A 16 ans, il eut des pollutions et à 18 ans, ses premiers rapports hétérosexuels. Par la suite, il eut des rapports homosexuels où il joua le rôle passif. Ses tendances au travestissement se développèrent alors ; habillé en femme, il sortait en public, accompagné d'une amie et se laissait inviter au cinéma par des marins. Au cours des années suivantes, les préoccupations sexuelles et le penchant au travesti restèrent en veilleuse. A l'âge de 26 ans, il se maria et, au début, l'union fut heureuse. Deux garçons naquirent. Alité pendant un certain temps à cause d'une affection rhumatismale, il vit sa puissance sexuelle s'affaiblir, puis cesser totalement. Le malade éprouvait un grand dégoût pour les rapports sexuels. Les testicules s'atrophièrent, le pénis diminua de volume. En même temps, les tendances homosexuelles s'amplifièrent et le malade constata les premiers symptômes d'une transformation sexuelle. Il souffrit de dépressions graves. Le malade avait 34 ans, quand Hirschfeld conseilla la castration. L'état du malade s'améliora, mais il exigea une féminisation plus complète. On entreprit alors l'ablation du pénis, puis on opéra la mise en place d'un vagin artificiel. Les formalités légales quant au changement de nom furent ardues ; à 37 ans, il obtint enfin le droit de porter un nom de femme et des vêtements de femme et, après la dissolution de son mariage, son « changement de sexe » fut légalisé.

Dans sa thèse de doctorat, Aubert (Suisse) a décrit et analysé trois cas d'« obsession de métamorphose sexuelle » (1947). Dans le second de ces cas, il s'agit d'un « travesti » de conformation intersexuelle, souffrant d'une psychopathie congénitale. La mère avait désiré une fille et pendant les cinq premières années de son existence, le malade avait été habillé en fille. A l'âge de 10 ans, il commença à se vêtir des robes de ses cousines. La puberté débuta lors de la quinzième année, accompagnée de pollutions qui inspirèrent au jeune homme la plus vive répulsion. A 17 ans, il eut une liaison hétérosexuelle avec une femme de 16 ans son aînée. A 25 ans alors qu'il s'était fiancé à une jeune fille de son âge, les rapports sexuels lui déplurent tellement que les fiançailles furent rompues. Par la suite, il eut des relations homosexuelles et une liaison « lesbienne » avec une femme homosexuelle. Sur le plan psychique, il était infantile, égocentrique, sans pudeur, exhibitionniste et très superficiellement croyant. A deux reprises, il fut condamné à des peines de prison de courte durée, pour fraude et pour complicité dans une affaire d'espionnage.

A l'âge de 26 ans, l'idée d'être « vraiment une femme » s'empara de son esprit et il commença à absorber des préparations à base d'hormones qu'il avait choisies lui-même. Après une longue période d'observation psychiatrique, on pratiqua (le malade était alors âgé de 29 ans) l'ablation du pénis, la castration, l'intervention d'esthétique vaginale et, un an plus tard, on plaça un vagin artificiel. Le patient laissa alors pousser ses cheveux et vécut en femme. Il entretint des relations homosexuelles (sans toutefois se servir du vagin artificiel). Il obtint l'autorisation de changer légalement de sexe, mais il ne fut pas autorisé à contracter mariage. A l'époque, le cas fit sensation, car les hebdomadaires suisses divulgèrent son cas et publièrent l'histoire de sa vie.

Le dernier cas (Danemark) a été communiqué en 1953 par Hamburger, Störup et Dahl-Iversen. Depuis sa prime en-

fance, un malade qui « se sentait fille », avait eu un irrésistible penchant pour les occupations et les vêtements féminins. Avec la puberté, la tendance s'intensifia et le patient fut incapable de vivre « en homme ». Dès qu'il se
trouvait seul, il se vêtait d'habits de femme et se sentait
alors psychiquement soulagé. Quand il s'aperçut qu'il était
attiré sexuellement par des hommes de son âge, tout en
ressentant une aversion profonde pour les relations homosexuelles, il s'adressa à un médecin de son pays d'origine.
Ne disposant pas de moyens matériels suffisants pour payer
un traitement psychothérapeutique de longue durée, il essaya seul un traitement hormonal qui se révéla inefficace.
A l'âge de 24 ans, il arriva au Danemark. A cette époque,
il était atteint d'une grave dépression car il lui semblait
impossible de vivre en homme. Ses idées de suicide n'étaient
pas simulées. Physiquement, le patient ne témoignait d'aucune anomalie, mais il était de proportions un peu féminines, ses organes sexuels étaient au-dessous de la taille
normale, enfin la pilosité du corps et des membres était
faible.

Toutes les tentatives de traitement psychothérapeutique
ayant échoué, on se décida à envisager la castration hormonale réversible effectuée à l'aide d'implant de substances
œstrogènes. Au cours du traitement, une gynécomastie
moyenne, puis une atrophie et une inactivité des testicules
se marquèrent. Cet état se stabilisa pendant de longs mois
et fut contrôlé par des analyses d'urine quotidiennes. L'amélioration de l'état psychique était si apparente qu'on se crut
autorisé à faire suivre la castration hormonale par une
castration chirurgicale. L'expert de médecine légale ayant
donné un avis favorable, le ministère de la Justice accorda
l'autorisation nécessaire. L'intervention chirurgicale eut lieu
14 mois environ après le début du traitement hormonal. Un
an plus tard, le malade ayant reçu de la Légation de son
pays d'origine les autorisations nécessaires au changement
de son état civil, on entreprit l'ablation du pénis et la chirurgie esthétique du scrotum. Les résultats psychologiques
de cette féminisation chirurgico-hormonale furent publiés
— contre la volonté du patient — dans la presse du monde
entier.

Il est évident que le médecin hésite longtemps avant de
conseiller une mesure aussi grave et aussi irrévocable que
la castration. Dans le cas ci-dessus, il fut possible de mettre
le patient en observation pendant une longue période et, de
cette manière, on put constater que la castration hormonale restait stabilisée. Les avantages de ce procédé sont évi-

dents et, à l'avenir, on ne devrait autoriser la castration chirurgicale qu'après avoir examiné les résultats de la castration hormonale.

Après cet exposé, on comprendra aisément que tous les articles à sensation concernant les « métamorphoses sexuelles » que la grande presse se plaît à publier de temps à autre, sont basés sur une fausse interprétation des faits. L'homme ne peut « changer » de sexe, puisque le sexe génétique et chromosomial est déterminé et invariable dès la fécondation. Mais l'aspect sexuel c'est-à-dire le sexe phénotypique est, non seulement distinct, mais variable. Entre la femme la plus féminine et l'homme le plus viril, les nuances sont multiples : il y a des femmes viriles, des hommes efféminés, et des intersexués à propos desquels il est difficile de décider si un individu déterminé doit être classé parmi les femmes ou parmi les hommes ou s'il s'agit d'un individu génétiquement intersexuel. La variabilité du phénotype explique qu'une femme qui, dans le présent, est considérée comme une femme « normale », soit susceptible d'avoir, quelques mois plus tard, un aspect ou un psychisme typiquement mâle. Et même l'homme viril par excellence ignore s'il n'aura pas un jour une poitrine de femme et des organes génitaux atrophiés et inutilisables. Directement ou indirectement, les relations des cas de déviations sexuelles sont communiquées à la presse et interprétées comme des changements de sexe. Or, dans la majorité des exemples venus à la connaissance du public, il s'agit d'intersexués dont le sexe « véritable » n'a été reconnu qu'à l'âge adulte parfois même après le mariage. Il est certain que la destinée de ces êtres, incapables de s'accommoder du sexe auquel extérieurement ils semblent appartenir, est tragique.

L'humanité ne possède pas encore la maturité nécessaire pour estimer à leur juste valeur tous les problèmes de la vie sexuelle. Il semble encore difficile, en effet, d'éviter les excès tels que la recherche du sensationnel ou la condamnation a priori. Nombre de destins tragiques seraient allégés si l'homme avait la maturité mentale nécessaire pour observer, dans un esprit de tolérance, les multiples phénomènes de la vie sexuelle.

Livre XI

DEVIATIONS FONCTIONNELLES DE LA SEXUALITE

Etait-il nécessaire, dans un ouvrage destiné au grand public, d'évoquer ou même de décrire les diverses aberrations sexuelles, telles que le voyeurisme ou ce que l'on appelle, avec discrétion, le vampirisme ?

Mais, tout d'abord, il n'est certainement pas inutile de démythiser, de dédramatiser ces faits, dont la réalité est loin de correspondre à l'idée que la plupart des profanes s'en font. Dans Médecine et Sexualité, ouvrage publié par le Groupe Lyonnais (catholique) d'Etudes Médicales, le spécialiste Hesnard écrivait : « Par exemple le Vampirisme, dont je connais bien un cas, interné à l'asile de Pierrefeu (Var) : minus habens, peu dangereux, d'ailleurs privé congénitalement d'odorat, qui violait les cadavres frais de jeunes femmes, qu'il cajolait comme de bonnes amies complaisantes. De même la Zoophilie érotique est souvent moins tragiquement lubrique qu'on ne pourrait le croire, quand elle s'observe, comme j'ai eu l'occasion de le faire, chez des jeunes bergers, simples d'esprit et pas méchants, vivant au contact de leurs chèvres ou de leurs juments. J'insisterai davantage sur le Fétichisme, intéressant au point de vue psychologique en ce qu'il exprime le renoncement à tout partenaire vivant (sauf lorsqu'il choisit une partie du corps humain telle que : seins, fesses, cheveux, pieds, etc., mais dont le propriétaire lui est indifférent). Il s'agit de nerveux dont la perversion, souvent assez innocente, chérit certains objets devenus pour eux sacrés et suprêmement excitants : pas toujours des objets rappelant l'intimité corporelle (linge intime, bonnets, dentelles, etc.), mais parfois des objets plus ou moins entièrement neutres. Par exemple, les bottines, comme chez Restif de la Bretonne qui en a célébré les charmes dans de longs récits, ou, comme chez un de mes clients, la canule à lavement et la pèlerine en caoutchouc. »

On le voit, il s'agit surtout d'une pauvreté humaine qui mérite bien plus une pitié compréhensive que la réprobation.

Mais surtout : le grand psychiatre français, Ernest Dupré, enseignait que l'étude des anomalies est utile non seulement aux spécialistes mais à tous ceux qui désirent se connaître ; en effet, ces anomalies ne sont que le grossissement de tendances que l'on peut retrouver chez tous les hommes.

Qu'on le veuille ou non, les bourreaux d'Auschwitz étaient des hommes, au même titre que nous ; mais leurs actes nous paraissent tellement m nstrueux que nous préférons les classer sous des dénominations qui rejettent de telles conduites dans un monde qui n'est plus le nôtre. Il nous paraît insupportable qu'un « fou » ou un « pervers » soient vraiment nos frères.

On remarquera que nous avons classé dans un même chapitre des troubles en apparence très différents : ainsi la frigidité féminine voisine avec les plus graves déviations du comportement sexuel. C'est que nous avons affaire de part et d'autre à une pertubation du plan rationnel. Certes les données physiologiques ne laissent pas d'avoir une grande importance ; mais, d'ordinaire, l'origine de ces perturbations se situe dans une anxiété qui modifie l'intensité et la direction de la pulsion sexuelle. Parfois la pulsion est plus ou moins bloquée : et c'est l'impuissance ou la frigidité. Parfois, c'est la direction de la pulsion qui se trouve gauchie : et l'on en arrive à l'homosexualité ; ou encore d'autres buts (désir de voir ou d'être vu, fétichisme, etc.) viennent se substituer au but normal qui est redouté.

Une telle classification sous une même rubrique — d'une part des troubles sexuels qui sont considérés par le grand public comme des « maladies », et d'autre part des troubles auxquels on accole l'étiquette de « perversion », avec toute la réprobation que ce terme inclut — nous semble doublement libératrice.

Tout d'abord, nous sommes ainsi invités à plus de compréhension envers ceux qui sont en proie à ces distorsions sexuelles. Non pas que l'on veuille par là éliminer toute responsabilité. Mais si nous nous demandons où se situe, en pareils cas, la vraie responsabilité, la réponse va nous engager tous, et plus profondément qu'il n'y paraît a priori.

Rudolph Hoess, le commandant d'Auschwitz, était un homme ponctuel, on pourrait presque dire consciencieux ; mais il avait abandonné toute conscience personnelle pour se mettre au service d'une autorité ; et il accomplissait ce qu'il croyait être son « devoir » : son devoir de bourreau, puis encore son devoir d'accusé passant aux.aveux. C'était un homme devenu une « chose », qui ne vivait plus par lui-même, qui refusait d'être lui-même. Et, des prisonniers placés sous ses ordres, il faisait des « sous-choses ». Hélas ! combien de sous-directeurs qui tyrannisent leurs employés, ressemblent — en petit — à Hoess ! Pour en revenir à la sexualité, combien de libertins sont devenus aussi des « choses », des cœurs de pierre. Les flirts légers, les paroles cajoleuses peuvent faire illusion : en fait, ils considèrent leurs partenaires comme des « objets », non plus comme des personnes. Igor A. Caruso, à qui nous empruntons ces exemples, a bien raison de souligner que, dès le moment où l'on traite un être humain comme un objet, on prépare déjà « l'univers concentrationnaire des chambres à gaz et des champs de mort ». C'est une question de plus ou de moins... Dès lors, et si grave que soit la déviation, on doit redire la fameuse parole : « Que celui qui est sans péché jette la première pierre. »

Enfin, pour ne mépriser ni les autres ni nous-mêmes, il faut bien voir que ces aberrations sont encore des essais — terriblement faussés, certes, mais des essais quand même — pour nouer un dialogue avec cet Autre qui nous est indispensable et sans lequel il nous est impossible de vivre. Même le sadique, occupé à torturer sa victime, voudrait nouer un dialogue ; et c'est le désespoir qui le fait agir de la sorte... Il est vrai, la société doit se protéger contre de tels excès. Mais quand on ne pense qu'à condamner et à punir (au lieu d'aider, tout en protégeant les autres), on renouvelle l'erreur que l'on prétend condamner. Ce misérable bourreau, c'est encore un homme, un homme vivant ; ne penser qu'à le punir, c'est ne plus croire en lui, ne plus l'aimer ; c'est le traiter comme une chose et non pas comme une personne ; c'est, très exactement, agir comme lui-même a agi.

Les troubles
de la puissance masculine

Dr N. Haire, Londres

Jusqu'à un certain âge, la puissance sexuelle de l'homme reste stable. Si, grâce à un genre de vie raisonnable et modéré, il est possible d'en prolonger la durée, le processus biologique de l'usure est par contre inévitable et la puissance sexuelle diminuera à partir d'un moment donné. Toutefois, les troubles de la puissance consécutifs au vieillissement ne constituent pas l'objet principal de cet exposé où il sera question surtout des troubles qui peuvent se déclencher à n'importe quel âge.

Précisons que la plupart des perturbations sont d'origine psychologique plutôt qu'organique. Si le praticien questionne adroitement les malades qui s'en plaignent, il apprendra la plupart du temps que chez eux, la libido, c'est-à-dire leur instinct sexuel, n'a jamais été très prononcée et que, sans qu'ils s'en soient doutés, l'acte sexuel ne leur a pas procuré un plaisir aussi grand qu'à la moyenne des autres hommes. D'autre part, ces malades ne semblent pas avoir attribué à l'acte sexuel une importance déterminante, et ceci indépendamment du nombre de coïts pratiqués. Le praticien apprend alors également de la majorité de ces malades qu'ils ont eu une vie sexuelle «mouvementée», qu'ils n'y ont pas été poussés par une impulsion irrésistible, mais qu'ils ont accompli sur le plan sexuel leur rôle d'homme parce que cela leur semblait chose « normale » et que « tout le monde » a coutume de faire ce geste. L'un a eu des rapports sexuels nombreux pour satisfaire sa vanité, l'autre pour compenser ses complexes d'infériorité. Ces hommes, personnages moyens ou médiocres dans leur vie professionnelle, désiraient au moins « conquérir » le sexe faible. Passant d'une femme à l'autre, ils ne furent jamais réellement satisfaits, l'amour sexuel étant pour eux non pas un but, mais bien un moyen ; ils n'aimaient pas par besoin d'aimer, mais pour d'autres raisons.

Tous les rapports qui visent non pas l'accord total sur le plan psychosexuel, mais des buts différents, aboutissent tôt ou tard à des perturbations. Ces buts et ces raisons, qui ne sont ni élémentaires ni essentiels, passent lentement à l'arrière-plan, et la puissance sexuelle qui y était accrochée, faiblit à mesure. Ceci est notamment le cas des hommes mariés qui, vers la quarantaine, déplorent la diminution de leur puissance dans les rapports conjugaux. En étudiant le cas de plus près, le médecin s'aperçoit habituellement que, vis-à-vis de leur épouse, la libido de ces patients était depuis longtemps en veilleuse et qu'ils n'avaient maintenu leurs rapports que pour satisfaire ou les désirs de l'épouse ou leur vanité de mâle.

L'impuissance conjugale peut avoir une autre origine. Il y a des hommes qui, passé un certain âge, ne peuvent être

stimulés sexuellement que par des comportements anormaux que la pudeur ou d'autres raisons les empêchent de
pratiquer avec leur épouse. Chez eux, ils sont ou deviennent
impuissants, mais ils retrouvent leurs capacités dans les
bras d'une prostituée. Citons le cas d'un fonctionnaire qui,
en dépit d'un mariage par ailleurs heureux, témoignait vis-à-
vis de sa femme d'une déficience sexuelle continuelle mais
retrouvait sa puissance normale avec des prostituées. De
fait, il ne pouvait obtenir l'érection qu'en touchant de la
bouche ou de la langue les parties génitales féminines, pratique qu'il n'osait employer avec son épouse, « trop
pure et trop honnête pour cela ». Au début de son mariage,
l'imagination avait suppléé au geste, mais après avoir
une fois réalisé ses désirs avec une prostituée, l'imagination seule ne suffit plus en présence de son épouse.
Une seule conversation du médecin avec le couple a permis de rétablir entièrement la puissance conjugale.

Les sentiments de peur et de culpabilité peuvent également aboutir à l'impuissance. Il s'agit de la peur fréquente
chez les hommes qui avaient éprouvé des scrupules en se
masturbant au cours de leur adolescence. Convaincus que
la masturbation aboutit à l'impuissance, cette crainte profonde a pu les amener à l'impuissance réelle. On sait de
nos jours que la masturbation, pratiquée au moment de la
puberté, ne peut provoquer l'impuissance ; et ce n'est pas
la masturbation, mais la peur panique de ses conséquences
inculquée aux jeunes, qui a des conséquences néfastes.
Nombre d'événements apparemment insignifiants de l'enfance et de la puberté peuvent provoquer plus tard l'impuissance de l'adulte. Leur nombre est si élevé qu'il est
impossible de les étudier tous ici ; dans ces cas, seul un
neurologue expérimenté ou un pychothérapeute peut apporter un secours véritable.

Par ailleurs, des détails insignifiants déclenchent des troubles de la puissance. La malpropreté d'une chambre ou d'un
lit, ou d'autres impressions pénibles de ce genre, peuvent
rebuter un homme au point de le rendre impuissant. Ce
qui démontre, une fois de plus, que l'acte sexuel est conditionné par des facteurs psychiques (et esthétiques) au même
titre que par des facteurs physiques. Si la tension sexuelle
peut être troublée par des détails extérieurs très ordinaires
et prosaïques, combien ces mêmes détails doivent-ils influencer la puissance de l'homme qui n'aime pas réellement
sa partenaire ! La plus petite faute de goût, une odeur
désagréable, une parole déplacée suffisent à éteindre son
désir.

L'inquiétude morale constitue une autre variété d'obstacle psychique. Il advient que des hommes, normalement puissants dans le mariage, sont impuissants quand ils tentent un acte sexuel extra-conjugal. C'est alors la révolte inconsciente de l'homme contre un acte qu'il ressent comme immoral. Sur le point de commettre une infidélité, il se juge, et sa propre condamnation se manifeste par une déficience sexuelle. Ce même scrupule peut apparaître lorsqu'un homme a l'intention de séduire une jeune fille ; sa mauvaise conscience peut empêcher l'érection.

Les difficultés de l'éjaculation et de l'orgasme peuvent généralement être attribuées à des causes analogues à celles décrites plus haut. Dans certains cas, l'éjaculation a lieu dès que le pénis touche le vagin, avant même d'être introduit (éjaculation extra-vaginale). Dans d'autres cas l'éjaculation (précoce) se produit immédiatement après l'intromission.

Ces deux variétés d'éjaculation prématurée sont habituellement dues ou à la surexcitation ou à des troubles neurasthéniques. Mais ces cas peuvent aussi se présenter lorsqu'un homme a désiré une femme longtemps avant de la posséder enfin ; lors du premier contact, c'est alors presque inévitable. L'émotion psychique accompagnant l'excitation est si intense, que l'attouchement le plus léger déclenche l'orgasme. Il y a enfin la peur ou les drames de conscience ; on n'ignore pas que la pratique du coït interrompu peut provoquer des troubles allant jusqu'à l'impuissance.

La puissance sexuelle dépend donc, dans une large mesure, de facteurs psychiques. Les quelques exemples cités pourraient être multipliés à loisir. C'est une erreur de vouloir guérir ce genre de troubles sexuels à l'aide de traitements à base d'hormones. Il est regrettable, d'ailleurs, que la majorité des hommes sujets aux troubles de la puissance sexuelle n'osent consulter un médecin et croient pouvoir les guérir avec des « dragées » dont ils apprennent les qualités curatives dans la publicité des quotidiens ou des hebdomadaires.

On peut affirmer en toute certitude, qu'aucun médicament, que nul « stimulant sexuel », quelle qu'en soit la composition, ne peut vaincre les troubles de cette sorte ; dans le meilleur cas, ils sont tous sans effet. Les préparations à base d'hormones sont utiles en cas de trouble fonctionnel glandulaire. Mais le plus souvent les troubles de la puissance sexuelle ne dépendent nullement, tout au moins au début, d'un mauvais fonctionnement des glandes.

Il est fréquent que les hommes qui, à l'approche de la

quarantaine, consultent le médecin pour des troubles de la
puissance sexuelle, n'aient jamais possédé auparavant une
virilité intense. On pourrait alors se demander pourquoi
ils n'ont pas consulté plus tôt ? Généralement, c'est par
fausse honte, par pudeur et par « orgueil » masculin. (On
ne peut assez répéter combien il est ridicule de placer l'orgueil du mâle dans la puissance sexuelle). Avec l'âge, la
honte s'estompe et l'homme ose plus facilement demander
conseil au praticien. Or, il n'est pas toujours aisé de trouver le spécialiste possédant le tact et les connaissances nécessaires pour agir. Il s'agit de ne pas sous-estimer les indications du patient, et de le calmer avec de bonnes
paroles. Tout en évitant de le blesser, il faut le questionner adroitement ; il est facile de secourir le malade car,
souvent, initiation déjà signifie guérison. Avant tout, il faut
que le praticien sache lui-même à quel point les troubles
de la puissance peuvent perturber et paralyser l'activité et
le sens social de l'individu. (Un malade en traitement pour
ces troubles s'écriait : « J'aimerais gifler la Société entière ! »). il faut savoir en outre dans quelles circonstances
des médicaments et des injections peuvent être utiles ; en
définitive, le spécialiste doit être un neurologue doublé d'un
psychothérapeute compétent.

Le patient a-t-il dépassé la quarantaine, il faut lui faire
admettre que ses troubles de puissance, imaginaires ou
réels, n'ont rien à voir avec son âge, et que les rapports
sexuels n'ont d'autres raisons et d'autres buts que de satisfaire la libido, puisque le nombre de coïts ne détermine
point la valeur intrinsèque de l'individu. Si la libido existe
vraiment et ne peut être satisfaite en raison des troubles
de la puissance, il ne sert à rien d'avaler de quelconques
pilules. Ou bien les troubles découlent d'un conflit psychique, qui ne peut être guéri par un médicament-miracle, ou
bien ils découlent d'une affection organique, qui nécessite
un traitement médical.

Quant aux causes organiques des troubles de puissance,
on peut en principe les classer en deux groupes. Le premier comprend les phénomènes consécutifs à une quelconque
maladie générale, le second comprend les affections de
l'appareil génital. Le malade peut éventuellement souffrir
des séquelles d'une maladie vénérienne (syphilis) ; il peut
également accuser une affection diabétique, le diabète provoquant souvent des troubles secondaires de la puissance
sexuelle. Dans tous ces cas, le malade doit consulter un
spécialiste et seul un examen médical approfondi révélera
la maladie et sa cause première. Il y a évidemment nombre

d'autres affections capables de causer ces troubles : il n'est guère possible de les énumérer toutes.

Examinons quelques cas en rapport direct avec l'appareil génital. Par rapport aux perturbations qui peuvent survenir dans ce domaine, quelques explications complémentaires s'imposent. Si la libido, c'est-à-dire le désir, est la première condition de l'érection, l'absence de ce désir, l'absence de l'impulsion sexuelle, empêche pratiquement l'érection. De manière générale, l'homme en bonne santé n'est jamais dépourvu d'instinct sexuel. Pour certains, le désir des rapports sexuels peut être faible, secondaire et superficiel, il peut être refoulé par des obstacles psychiques, mais il est invraisemblable qu'il fasse totalement défaut. Par contre, il est fréquent que l'instinct sexuel soit diminué pendant une période plus ou moins longue, habituellement après un surmenage physique ou psychique ou une défaillance générale de l'équilibre psychosomatique.

Mais l'instinct, l'impulsion sexuelle, ne suffit pas à provoquer l'érection. En dehors des dispositions favorables, un état d'esprit adéquat ou, comme on l'appelle, une « tension sexuelle » doit accompagner l'impulsion. Il va de soi qu'un homme ayant des dispositions sexuelles normales n'aura pas d'érection quand son esprit sera préoccupé de la solution d'un problème de mathématiques.

En général, le désir sexuel s'éveille, grâce à une perception sensitive ou à des rêves éveillés, c'est-à-dire à une activité cérébrale. Certains nerfs transmettent l'influx à la partie inférieure de la moelle épinière, où se trouve le centre de l'érection. Ici, des nerfs en connexion avec les vaisseaux sanguins entrent en fonction. Les corps caverneux du pénis se gorgent de sang et l'érection s'accomplit.

Si, en raison de la défaillance de l'un ou de l'autre organe, ce processus est troublé, l'érection ne peut naturellement pas se produire. Si, par exemple, les impulsions cérébrales ne sont pas retransmises aux nerfs vaso-moteurs, l'érection fait défaut. Si les muscles qui doivent provoquer l'accumulation du sang dans les corps caverneux fonctionnent mal, l'érection ne peut se produire. Dans tous ces cas, il s'agit d'un trouble primaire, d'origine organique.

L'érection requiert donc l'activité coordonnée de quatre facteurs : une tension sexuelle, le cerveau, le centre érectile et un pénis normalement constitué. Ce résumé est une simplification à l'extrême d'un processus complexe, mais il est conforme au principe même du processus.

La tension sexuelle suscitée par des rêves éveillés, ou par la perception sensitive, ne peut mettre en mouvement le mécanisme érectile qu'à partir du moment où certaines glandes déversent des hormones dans le sang. Et si ces glandes — pour une raison ou pour une autre — ne produisent guère ou pas d'hormones, le mécanisme ne peut se déclencher. En ce cas, l'impuissance est la conséquence d'un trouble régulateur hormonal. Les hormones sexuelles font-elles défaut ou ne peuvent-elles être activées : l'appétit sexuel ne subit aucune stimulation, ou tout au moins, la stimulation, insuffisante, ne peut aboutir à l'érection. Il s'agit, dans ces cas rares, d'insuffisance de l'activité de la cortico-surrénale ou de l'hypophyse, ou encore des deux à la fois.

Les affections fonctionnelles des testicules découlent habituellement d'un traumatisme de cet organe, par exemple, d'une blessure de guerre ou d'une castration. Il existe des cas où les testicules sont absents à la naissance. Les inflammations dues à la blennorragie, aux oreillons, ou à la tuberculose peuvent jouer un rôle et provoquer la dégénérescence des testicules.

Les affections attaquant le centre de l'érection ou certaines parties du cerveau provoquent une autre forme d'impuissance d'origine organique. Les principales atteintes de ce genre sont d'origine syphilitique (tabès, paralysie générale). Au cours de leur premier stade, ces deux maladies provoquent un accroissement de la puissance, les centres érectiles étant continuellement excités. Au cours des phases suivantes, les centres nerveux sont détruits et l'impuissance est alors totale. (Toutes les affections nerveuses d'origine syphilitique peuvent être guéries à condition d'être traitées dès le début.)

Quant aux voies nerveuses, leurs fonctions peuvent être perturbées par une affection généralisée du système nerveux. Ainsi, l'alcool et la morphine, absorbés par petites doses, intensifient d'abord la libido pour paralyser ensuite totalement le mécanisme érectile. Même résultat avec la cocaïne et les autres stupéfiants. Les opinions divergent quant à la nicotine ; toutefois, il est certain qu'elle est nocive pour la fécondité.

L'impuissance d'origine organique peut enfin provenir d'un défaut de structure du pénis. Le cas est rare. Il est possible que le pénis fasse défaut ou que ses dimensions soient anormales. Précisons ici qu'il est fréquent que des hommes pensent que leur membre est trop grand (ou trop petit) et que cette idée fixe provoque des troubles de puissance. Grande ou petite, la dimension du pénis ne peut gêner réellement le coït.

Les malformations organiques, dont il a été question par ailleurs, sont extrêmement rares. Des anomalies bénignes comme le phimosis (prépuce trop étroit, rendant l'érection douloureuse) peuvent être corrigées par une légère intervention chirurgicale. En dehors des malformations congénitales, il y a celles qui sont produites par des traumatismes ou des maladies. Le pénis en érection peut être blessé ou mutilé par des violences lors du coït (causées par l'homme ou par la femme). Il existe des cas où, dans un accès de jalousie, le membre malmené a subi des lésions dans les corps caverneux, etc. Pour déchirer la verge à l'état de repos, il faut un effort de l'ordre de 125 à 145 kg ; à l'état d'érection, 40 à 60 kg sont suffisants. Il va de soi que de tels cas sont extrêmement rares. Sans que cela soit fréquent, il arrive toutefois que le membre ait été blessé par la morsure d'un animal.

Il est indispensable de mentionner ici les pratiques qui consistent à ligaturer le pénis pour augmenter l'excitation. Hirschfeld a rapporté le cas d'une femme qui, comme par jeu, avait enfilé sa bague sur le pénis de son époux et ne pouvait plus la retirer. L'orfèvre appelé pour scier la bague avait blessé en même temps l'organe. Pour éviter la masturbation, la pollution, l'incontinence d'urine, on ligature ou on bande parfois la verge. Ces manipulations (les parents ou les éducateurs se sont servis, dans certaines cas, de caoutchouc, de lacets, même de fil de fer et d'anneaux) provoquent non seulement des traumatismes souvent incurables, mais encore des chocs psychiques extrêmement graves.

Il est évident que les troubles sexuels d'origine organique doivent bénéficier d'un traitement causal. L'impuissance due au diabète ou à une affection rénale nécessite en premier lieu un traitement efficace de la maladie. La puissance se rétablit ensuite automatiquement. C'est vrai aussi pour les troubles consécutifs au surmenage physique ou mental. En ces cas, il suffit de procurer à l'organisme le repos nécessaire, (vacances, relaxation, alimentation régulière).

Pour terminer, n'oublions pas les troubles de puissance occasionnés par une alimentation défectueuse ou mal comprise (ce qui est fréquent en temps de guerre et d'après-guerre). Le régime de l'homme moderne est souvent mal composé, surtout en ce qui concerne les vitamines. Le riz naturel, le froment, le seigle, l'avoine complets sont riches en vitamines. Les choux-fleurs, les carottes, le céleri, les épinards, les tomates, les radis contiennent des vitamines E.

Le pain « complet » est nourrissant, ainsi que toutes les variétés de noix, d'amandes, etc.

Repétons pour conclure que les troubles de la puissance sexuelle, qu'ils soient d'origine organique ou psychique, peuvent être guéris dans la plupart des cas.

La frigidité de la femme

Dr W. Dogs, Hahnenklee

La notion de frigidité circonscrit divers phénomènes du comportement sexuel de la femme, difficiles à délimiter par rapport au comportement dit sain et normal. Selon ses dispositions et son tempérament individuel, chaque femme réagira, dans ses relations sexuelles, d'une manière différente et son comportement dépendra en outre du caractère et du tempérament du partenaire. Certaines formes de comportement et de réaction sont pourtant symptomatiques, en ce qui concerne la frigidité. Il y a, en premier lieu, l'attitude passive, comme tolérante de la femme par rapport à l'orgasme, lequel — si toutefois il existe — est faible ou tardif. Mais l'orgasme peut également être insignifiant chez des femmes sexuellement plus actives. Cet apogée de la communion sexuelle fait-il totalement défaut : on prononce le nom d'anorgasmie. En outre, de nombreux phénomènes tels que des spasme génitaux, susceptibles de s'intensifier jusqu'à l'hypersensibilité douloureuse et au vaginisme, font partie des symptômes de la frigidité.

Trop facilement, la femme frigide est convaincue qu'elle souffre d'une prédisposition anormale, définitive et irrémédiable. Au cours des pages suivantes, les corrélations et les origines psychiques, généralement responsables de ces difficultés et de ces désespoirs, seront expliquées ; la compréhension des causes et des corrélations réelles permettra éventuellement de trouver la solution « individuelle » d'un conflit embarrassant. La frigidité n'est ni une honte ni une déficience, mais la manifestation d'une détresse psychique et d'une disposition sexuelle défectueuse provoquées, avant tout, par l'influence de l'éducation et du milieu. Il faut inclure dans notre exposé l'hyperexcitabilité de la femme — c'est-à-dire un état dans lequel l'excitation érotique la plus infime, imaginaire même, aboutit à l'orgasme — car cette hyperexcitabilité est la manifestation d'une faculté d'amour non libérée, au même titre d'ailleurs que l'éjaculation précoce de l'homme. Mais, dans l'ensemble, nous limiterons notre étude aux diverses défaillances de la capacité à l'orgasme et aux troubles émotionnels.

La femme à qui l'accomplissement de l'amour physique est refusé, risque d'adopter vis-à-vis de son partenaire, une attitude de plus en plus crispée et butée ; mais plus elle cherchera à provoquer l'orgasme à l'aide d'une pure tension de sa volonté et même d'une grande variété de stratagèmes, moins elle sera capable d'approcher la plénitude de l'événement. La faculté de vivre l'événement est une réaction spontanée du monde émotionnel subconscient, et l'intervention de la volonté et de la raison provoque comme un recul de cette réaction immédiate et spontanée. En fait, la manière d'être de la femme frigide semble alors s'orienter vers une attitude sèche, souvent obstinée, farouche, et s'éloigner progressivement de la douceur et de la sensibilité féminines.

Dans cette détresse, la femme est généralement seule, car elle croit que personne ne peut la comprendre. Beaucoup de femmes cherchent à réprimer, à refouler cette connaissance intime, et aboutissent ainsi à un profond déchirement intérieur.

Si l'on veut découvrir l'origine de ces troubles émotionnels, il faut bien distinguer entre l'influence de la raison et l'influence du subconscient et de l'émotivité. Il est rare que l'insensibilité de la femme ait son origine dans des expériences qui ont surtout impressionné l'intelligence. Il va de soi que des déceptions graves (peur ou dégoût) peuvent être à la base de cette insensibilité. Cependant un examen approfondi révèle toujours que ces événements, ces sensations n'ont pas été un simple effet du hasard, mais que la femme y a été poussée en raison déjà de ses difficultés sexuelles ou d'une attitude sexuelle défaillante, embarrassée. L'origine de l'insensibilité féminine réside presque toujours dans certaines influences psycho-spirituelles qui, dès l'enfance, ont modelé et gauchi le caractère du sujet.

En raison de cette éducation faussée, la femme frigide évalue très mal la signification de l'événement sexuel ; elle lui donne une interprétation purement physique qui est contraire à l'essence même de l'amour. Cette interprétation unilatérale (qui voit dans l'acte sexuel un acte purement physique) est une conception erronée très répandue à notre époque. D'ailleurs, en ce qui regarde le domaine sexuel, les opinions de notre société moderne sont souvent absurdes.

D'une part, il est très rare que les parents (ou les conjoints entre eux) parlent librement et ouvertement des questions sexuelles. Par contre, les « histoires » scabreuses font partie des conversations quotidiennes, et les spectacles et la publicité se surpassent en obscénités érotiques. C'est ainsi que l'aspect physique de la sexualité et de l'amour est détaché, arraché de son indispensable contexte spirituel. Les jeunes grandissent dans cette atmosphère. S'ils ont l'avantage de recevoir quelque initiation, elle consiste en général dans une description des fonctions organiques, lesquelles, dans l'imagination de l'enfant, sont dénaturées jusqu'à l'aberration. L'imagination surexcitée de l'enfant s'adresse uniquement aux actes physiques, et ces représentations imaginaires, strictement aspirituelles, se traduisent bientôt par la masturbation. Ainsi se produit déjà, dans l'âme de l'enfant, une équivalence — généralement inconsciente — entre « amour » et « satisfaction ». Or il est certain qu'une relation sexuelle véritable ne peut s'épanouir que si elle est en même temps une vraie relation humaine.

Sans doute, beaucoup cherchent à atteindre la volupté grâce à la tendresse. Mais on oublie trop facilement que la tendresse suppose une disposition psychique et spirituelle infiniment plus ouverte et plus large que ce simple désir de volupté. Sentir et goûter la beauté d'un paysage ou d'une œuvre d'art est un acte de tendresse spirituelle. Et l'appauvrissement, de la faculté d'aimer éclate en l'homme tout aussi bien dans le fait qu'il poursuit sans arrêt des sensations toujours plus exaltantes et plus violentes, mais qu'il n'est plus capable de goûter pleinement la simple beauté d'une fleur.

Ces considérations nous amènent à l'une des causes essentielles de la frigidité : l'incapacité de « vivre l'événement ». Seul un être qui, psychiquement et physiquement, peut s'abandonner à l'expérience du « Toi » et qui peut, en toute liberté, vivre cet instant, seul cet être est capable d'une vie sans cesse jeune et nouvelle. Or, il en va de la vie sexuelle comme de tout événement : c'est notre attitude envers l'événement qui va décider de sa valeur et de sa signification. La survalorisation de la « satisfaction » aboutit à une diminution des facultés humaines : diminution qui ne peut manquer d'avoir des conséquences néfastes et qui provoquera nécessairement une sorte de crispation psychique.

Observons, par exemple, la genèse d'un trouble émotionnel chez la femme. Une jeune fille a été élevée dans un milieu social tel que nous l'avons décrit plus haut ; voici qu'elle ressent un jour pour la première fois l'éveil du désir. Automatiquement, les représentations implantées par le milieu dans l'imagination de la jeune fille, s'associent à ce désir et provoquent, à travers la survalorisation de l'acte physique, ce que l'on appelle « l'angoisse de l'attente ». Il est intéressant, et nullement surprenant, de constater que — à cause précisément de cette survalorisation de la satisfaction sexuelle — les lois spirituelles de la pudeur et de la retenue risquent de perdre toute importance pour cette jeune fille ; et bien souvent ses amitiés aboutiront à des rapports physiques totalement dénués des bases humaines et spirituelles qui seraient indispensables.

Cette « angoisse de l'attente » est accompagnée d'une attitude anormalement tendue envers le partenaire ; la femme est incapable d'abandon, alors que cet abandon est pourtant la base et le principe même du bonheur. Si, comme c'est généralement le cas, le partenaire est lui-même peu sûr de soi et plus ou moins sous l'emprise de l'appréhension, cette rencontre, cet événement si important et si significatif fera automatiquement surgir un conflit. En pareille occurrence, la jouissance pleine et naturelle devient impossible. Souvent la jeune femme cherchera à effacer sa déception, à s'en faire accroire, à s'auto-suggestionner, et à faire croire à son partenaire que l'accomplissement était réel et véritable. Mais déjà, lors de la seconde rencontre, la peur est présente : « Suis-je capable d'aimer et suis-je digne d'être aimée ? » Plus encore que pour l'homme la réponse à cette question va décider de l'attitude profonde de la femme. Si celle-ci se sent incapable d'aimer et d'être aimée, son bonheur dans l'amour est ébranlé. Et c'est ainsi que troubles et maladies se développent : à cause d'une fausse attitude intérieure, due à l'influence du milieu. Une optique rationaliste et volontariste bloque pour ainsi dire l'éclosion naturelle et spontanée de la joie sensuelle et de la tendresse émotionnelle et spirituelle. Les jeux amoureux deviennent un « but en soi », ils ne sont plus l'expression naturelle de l'amour ; et ces êtres, emprisonnés dans une survalorisation déplorable des formes et des apparences extérieures de l'amour, détruisent eux-mêmes un des plus beaux miracles de leur existence.

Extérieurement, les relations sexuelles peuvent paraître conformes à la nature. Mais il faut soigneusement distinguer deux formes de rapports sexuels, fondamentalement différents. La première forme de relations sexuelles n'est, en réalité, qu'un genre de masturbation : car le partenaire n'est qu'un moyen pour obtenir la satisfaction sensuelle, et la véritable relation humaine est pour ainsi dire absente.

Au contraire, dans l'amour véridique, c'est la « tendresse créatrice » qui donne naissance aux jeux de l'amour, et qui permet aux amants d'obtenir, l'un par l'autre, joie physique et épanouissement de l'être tout entier. Cette forme de relations sexuelles puise des forces toujours nouvelles dans une attention réciproque, dans le respect de la personnalité de l'Autre. Combien de conflits entre conjoints naissent de ce que les partenaires ont perdu leur estime mutuelle et qu'ils considèrent l'Autre comme une possession personnelle ou comme un moyen d'obtenir la satisfaction sensuelle !

A l'origine, la frigidité de la femme n'est souvent qu'un manque d'assurance à la suite duquel, au cours d'expériences incomplètes, se développe une sorte de maladie très spéciale. La notion de « frigidité », dont on a tant abusé, y joue ensuite son rôle qu'elle contribue à renforcer l'absence d'assurance et le complexe d'infériorité de la femme, suscitant ainsi l'idée d'une maladie incurable, alors qu'il ne s'agit en réalité que d'une fausse orientation. Certes, il y a des femmes qui n'ont jamais vécu l'orgasme et qui ignorent absolument comment on peut l'atteindre. Pour ces femmes, la vie sexuelle est plus ou moins agréable et excitante, mais elle produit inévitablement un état de tension intérieure qui, dans certains cas, peut être temporairement diminué et apaisé par des activités physiques ou des disciplines sportives mais qui, tôt ou tard, aboutira au dégoût de tout contact physique. Il est du reste étonnant de constater à quel point beaucoup de partenaires masculins négligent les réactions de la femme ; mais c'est une conséquence normale de cette attitude qui ne voit, dans le partenaire, qu'un objet permettant de se procurer une satisfaction égoïste. Et c'est ici que l'incapacité de parler ouvertement de certaines questions produit ses effets les plus dangereux.

Une des erreurs les plus profondes et les plus tragiques de notre société, est de croire que seule la puissance sexuelle permet de vivre l'amour. En réalité, les conditions physiques sexuelles se créent et se maintiennent grâce à une certaine attitude intérieure envers le partenaire. Or dès qu'un être humain aborde l'amour et la vie sexuelle avec crainte et appréhension, cette attitude intérieure est nécessairement faussée. Mais d'autre part ces appréhensions et ces peurs — qui sont à l'origine des troubles émotionnels de la femme — ne peuvent exister si la confiance de la femme prend sa source dans une profonde et totale compréhension mutuelle. Notre monde émotionnel est infiniment plus nuancé et d'un instinct plus sûr que le monde de notre conscience, de notre intelligence rationnelle. C'est pourquoi il existe toujours un écart considérable entre la raison et le sentiment. Et lorsque notre monde émotionnel ne fonctionne pas comme nous l'aurions espéré, nous devrions nous demander si nous ne nous racontons pas des « histoires » à nous-mêmes. Malheureusement, la plupart des femmes, lorsque survient quelque trouble émotionnel, s'efforcent de lutter contre ces déficiences par un contrôle accru et incessant de la raison. En agissant de la sorte, elles s'éloignent de plus en plus de leur monde émotionnel et elles sont prises dans une sorte de cercle vicieux qui, tôt ou tard, les entraînera à des conséquences néfastes. Il n'est pas rare que de telles femmes, poussées par une peur inconsciente, entretiennent des relations avec un homme qu'elles n'aiment pas ; ce sont des femmes qui doutent d'elles-mêmes, de leur féminité, et elles nouent et poursuivent ces relations uniquement (mais inconsciemment) pour se rassurer. Il est évident que, dans une telle relation, la loyauté et l'éveil du cœur, la capacité de donner et de s'abandonner, bref, tout ce qui est indispensable à une vie sexuelle authentique ne peut s'épanouir. Les troubles émotionnels et la frigidité seront les conséquences immédiates d'une telle situation ; et l'origine en est la peur qui subsiste dans les rapports entre l'homme et la femme.

La masturbation de l'enfant et de l'adolescent a ici de graves conséquences. En effet, dans la masturbation, l'orgasme est déclenché à l'aide de représentations cérébrales et imaginaires, en dehors de toute communication réelle. Par conséquent il ne s'agit là d'une pure excitation physique ; et les facteurs psychiques et spirituels, qui caractérisent toute relation sexuelle authentique avec un partenaire, sont méprisées. Il faut néanmoins souligner qu'il serait inutile et même nocif de vouloir punir la masturbation des enfants.

La gêne ou la honte intérieures, si répandues en ce qui concerne le domaine sexuel, contribuent à préparer un terrain propice à la genèse des troubles. Mais il existe d'autres facteurs, plus significatifs, qui peuvent fausser le développement de la jeune fille. Il n'est pas rare que la petite fille se sente en état d'infériorité vis-à-vis de ses frères ou de ses compagnons de jeu parce qu'elle s'est aperçue, lors de la toilette ou du bain, que leurs organes génitaux sont différents. Du reste les garçonnets se vantent volontiers de cette supériorité apparente. Il faut ajouter que dans de nombreuses familles (Mayer l'a démontré), les parents sont plus heureux de la naissance d'un garçon que de celle d'une fille ; et inconsciemment ils conservent cette sorte de psychose dans toutes les questions qui concernent l'éducation. Au lieu d'apprendre à la jeune fille les possibilités particulières de la féminité, au lieu d'aider la jeune fille à accomplir son destin et ses promesses essentiellement féminines, les parents lui disent trop souvent : « Tu n'es qu'une fille, tu ne peux faire ceci ou cela... » Une telle éducation ne peut que susciter un manque d'assurance et de confiance en soi ; et ce manque d'assurance, joint aux « tabous » dont on entoure habituellement les problèmes sexuels, risque fort de susciter des troubles émotionnels et de sérieux obstacles lorsque la jeune fille devra aborder sa vie amoureuse. Une telle jeune fille ne pourra être guidée par ses sentiments lors du choix d'un partenaire, puisqu'elle n'est pas sûre de ses sentiments. Et elle risque de compenser ce manque d'assurance, et de vouloir vérifier, en diverses expériences, ses capacités de femme. Ceci n'a rien à voir avec la véritable faculté d'aimer ; et l'attente de l'événement sexuel sera alors caractérisée par une tension extrême, qui sera en proportion directe de ce manque d'assurance.

Les sentiments d'infériorité et la survalorisation de la sexualité physique constituent donc les causes les plus fréquentes de la frigidité chez la femme. Seule la femme qui se sent sûre d'elle-même, sûre de sa féminité — physique et spirituelle — pourra véritablement s'abandonner et vivre l'amour. La vie sexuelle est un don à la fois psychique et physique ; et seul l'être qui peut se donner entièrement y trouvera un véritable enrichissement. Mais la femme qui ne se « possède » pas elle-même, qui n'est pas sûre de soi et qui a besoin d'une confirmation extérieure, cette femme est incapable de se donner.

Il ne faudrait pas croire, toutefois, que la femme frigide donne toujours l'impression d'une personne paralysée dans sa conduite et peu sûre de soi. Souvent en effet ce manque d'assurance, plus ou moins inconscient, est compensé par une assurance extérieure exagérée, une apparente supériorité ; car les tensions non libérées du monde émotionnel exigent toujours une compensation quelconque. Les êtres possédés par le besoin de se faire valoir masquent ainsi un évident manque de confiance en soi. Et les femmes qui témoignent d'un désir exagéré d'activité sexuelle sont souvent des femmes qui n'ont pas pu s'épanouir et qui sont incapables de vivre leur véritable destinée féminine. Nombre de prostituées sont incapables d'orgasme. Ainsi s'instaure chez la femme frigide une dualité profonde. D'une part c'est une vie de bonheur et d'accomplissement apparents et d'autre part une détresse cachée. Car la frigidité ne rend pas toujours la femme extérieurement attristée et chagrine. Mais une observation attentive décèlera l'opposition entre l'attitude extérieure et l'attitude émotionnelle inconsciente.

Si, après avoir exploré les prédispositions psychiques à la frigidité, nous étudions maintenant la structure organique de l'appareil génital féminin, nous comprendrons mieux encore à quel point l'attitude psychique peut devenir décisive en ce qui concerne la vie sexuelle de la femme.

Le siège principal de l'excitation génitale chez la femme, le clitoris, est situé à l'extérieur du vagin ; il est peu, ou pas touché lors du coït. Les muqueuses du vagin n'ont que peu de récepteurs nerveux qui transmettent les sensations. Malgré cela, la femme normale et saine est parfaitement apte à l'orgasme sans attouchement clitoridien, car la transmission au centre d'excitation se produit par voie réflexe. Or, c'est le psychisme qui rend ces réflexes possible. Nombre de femmes non conditionnées à ces réflexes, peuvent passagèrement y remédier en recourant pendant l'acte à certaines pratiques dont il a été question par ailleurs. Mais ces méthodes ne peuvent naturellement pas éliminer l'obstacle initial, et ces manipulations « techniques », simples procédés de secours, se rapprochent nettement du domaine de la masturbation ; en outre les représentations imaginaires parfois naïves, détruisent le contact avec le partenaire. Ces mesures sont, pour ainsi dire, des « ponts » artificiels jetés au-dessus du vide des réflexes absents.

Les troubles de la sensibilité sexuelle influencent non seulement l'émotivité psychique de la femme et son attitude envers le monde environnant, mais ils s'extériorisent à travers des réactions organiques les plus diverses et les plus graves. En premier lieu, il en résulte toujours une crispation de l'appareil génital, immédiatement visible et démontrable appelée *vaginisme*. Cette contraction se manifeste par des douleurs qui n'apparaissent pas seulement pendant l'acte mais qui peuvent apparaître en accès subits, à n'importe quel moment. On observe alors souvent des pertes, des troubles menstruels, des inflammations du bas-ventre accompagnés de maux de reins pénibles. La peur subconsciente de la possession et de la déception se traduit organiquement par cette sorte de maladie et provoque une crainte comme organique des rapports sexuels. Il suffit alors que l'homme s'approche même tendrement pour que les douleurs spasmodiques et même les pertes apparaissent. Eventuellement, la sensibilité des muqueuses peut être si intense qu'il est impossible d'introduire le pénis. Ici encore, on peut constater que l'état psychique peut provoquer des réactions organiques que la volonté consciente serait incapable de déclencher. Ce phénomène est parallèle à celui de l'hypnose où, par une influence purement psychique, il est possible d'encourager un individu à tenter des efforts qu'il serait incapable d'accomplir volontairement.

En dehors de ces manifestations pathologiques typiques, dont les relations avec les troubles émotionnels et la frigidité, sont difficiles à établir, on peut observer de nombreux troubles organiques dont les causes peuvent être reliées directement aux conflits psychiques. Parmi les cas pathologiques, il faut citer des troubles fonctionnels de l'estomac, allant jusqu'aux vomissements, puis des troubles circulatoires, qui sont une conséquence directe de la dystonie neurovégétative. Ces réactions organiques multiples prouvent une fois de plus à quel point le fonctionnement normal de la vie sexuelle est d'une importance primordiale.

On a souvent posé la question : la frigidité peut-elle être provoquée par des rapports sexuels trop fréquents ou par une abstinence prolongée ? Il faut constater qu'en principe, la fréquence des rapports ne joue aucun rôle direct. Comme nous l'avons précisé plus haut, l'impulsion sensuelle exagérée et l'abstinence sont toutes deux conséquence d'une disposition psychique défavorable. Pour une femme psychiquement saine et équilibrée, une grande fréquence des rapports n'entraînera point a priori de troubles et l'éventuelle nécessité de la continence, spirituellement et psychiquement comprise et assimilée, n'entraînera jamais de perturbations.

Il ne faut pas oublier que les diverses méthodes anticonceptionnelles jouent un rôle important. A elle seule, l'*intention* d'éviter la conception implique une activité cérébrale qui perturbe les dispositions psychiques et la faculté d'abandon. Parmi les méthodes anticonceptionnelles, celle du *coït interrompu* est parmi les plus pernicieuses, car la femme exerce un contrôle anxieux tel qu'il ne permet pas l'indispensable détente. Les préservatifs féminins semblent les moyens anticonceptionnels les moins défavorables à ce point de vue.

Les dispositions, l'attitude « humaine », l'espace spirituel, l'union du couple constituent, en fin de compte, la base fondamentale et décisive d'une vie sexuelle heureuse pour les deux partenaires. La survalorisation du sexuel détruit la tendresse et le respect ; et par là, cette survalorisation interdit à elle seule le miracle de l'abandon et de l'épanouissement mutuel. Les sens, uniquement préoccupés de leur satisfaction immédiate, ne permettent point l'éclosion des jeux amoureux, libres et naturels, dans la joie et la tendresse réciproques. Or, ce sont précisément ces « préludes » amoureux qui préparent et augmentent la sensualité et qui comptent, avant tout, pour les facultés sensitives de la femme.

La cause en est, évidemment, une négligence de l'homme qui, en général, (moins par manque d'imagination qu'en raison de ses propres complexes et ses propres dispositions défectueuses) croit que la satisfaction physique immédiate est le but essentiel des rapports sexuels. La majorité des accidents psychiques responsables de la frigidité féminine se produisent également chez l'homme et provoquent des conflits et des complexes. L'homme bien portant est pratiquement en état d'adapter le moment de son propre orgasme à celui de sa partenaire. Et la simultanéité de l'orgasme est importante pour la vie du couple.

Il est étonnant que nombre d'individus pensent que le rôle de la femme, dans les rapports sexuels, doit être passif et fait de dolent abandon. Ce comportement est absolument contraire à la nature. Si l'homme a normalement la direction, l'activité érotique, l'imagination et la tendresse des jeux amoureux sont d'égale importance pour les deux partenaires.

Comme on peut le constater, la frigidité féminine peut être provoquée par de nombreuses causes extérieures mais, en principe, elle découle d'une attitude défavorable envers la sexualité en tant que telle.

On a essayé de remédier à cette déficience à l'aide de culture physique, de conversations appropriées et d'activités sociales, mais sans grand résultat. Plus utile et plus efficace que ces tentatives plus ou moins extérieures, serait une meilleure éducation des êtres jeunes visant à leur procurer une conception saine vis-à-vis de la sexualité. Il faudrait que jeunes gens et jeunes filles soient convaincus que le but du couple ce n'est pas la satisfaction des instincts, mais l'union physico-psychique, et que seul, l'épanouissement de la tendresse émotive permettra la véritable joie physique. Soulignons, pour terminer, que les femmes souffrant de frigidité pour quelque raison que ce soit, ont besoin pour la plupart, de l'aide d'un médecin.

L'homosexuel

Dr Hans Giese, Hambourg et
C. Jamont, Bruxelles

L'homosexualité est une déviation de l'impulsion érotique,
caractérisée par l'attirance sexuelle — exclusive ou prépondérante — envers une personne de son propre sexe. Cette
notion est donc valable pour la femme aussi bien que pour
l'homme. Nous n'envisagerons ici que l'homosexualité masculine.

Les spécialistes ne sont pas d'accord sur l'indice de fréquence de l'homosexualité. D'après Kinsey, 50% de la population masculine adulte seraient exclusivement hétérosexuels,
4% seraient exclusivement homosexuels pendant toute leur
existence, et 46% seraient hétéro- et homosexuels à la fois.
Ces chiffres on été établis pour l'Amérique, et nous ne
possédons aucune statistique du même type pour l'Europe.
De toute façon : il est certain que le dernier pourcentage indiqué par Kinsey (46% d'hommes à la fois hétéro- et homosexuels) doit être manié avec la plus grande prudence ; car
la signification et la fréquence de ces conduites homosexuelles
sporadiques sont très variables. Cependant, même si les
4% donnés par Kinsey constituent un chiffre exagéré, il
n'en reste pas moins qu'il y a là un problème qui ne peut
laisser indifférent : le chiffre de 2%, certainement trop faible, donnerait encore un total de 70 000, pour une population
de dix millions d'habitants, en comptant que les adultes
masculins, de 20 à 65 ans, représentent un tiers de cette population.

En principe, la relation homosexuelle obéit aux mêmes
lois et au même rythme que l'union sexuelle entre partenaires du sexe opposé ; on y retrouve les mêmes éléments cons-
tituants, c'est-à-dire la sympathie et l'antipathie, l'amour,
le dégoût, la peur, la honte, l'amitié, l'habitude et même une
certaine notion du devoir. Le processus biologique est lui
aussi identique : désir, érection, éjaculation, orgasme. La
technique des rapports est évidemment adaptée à la conformation physique des partenaires ; mais tout ce qui caractérise les relations sexuelles normales reste en principe valable pour la cohabitation et l'union homosexuelles.

Cependant divers facteurs rendent presque nécessairement
une telle union « désespérée », en font une impasse. Il faut
d'abord noter que, le sexe étant identique, chacun trouve
dans le partenaire une « réplique de soi-même » ; et donc
sur ce point l'attrait homosexuel n'est pas totalement une

attirance vers un « autre ». Du point de vue purement anatomique, il n'y a aucune découverte physique ; tout est connu et familier à l'avance ; et l'accoutumance risque de s'installer plus rapidement.

Mais il y a surtout les obstacles que dresse la société.
L'homosexuel est contraint de dissimuler ses tendances et
de se comporter comme s'il était « normal ». Par conséquent,
dès le début de sa vie d'adulte, il doit recourir à la dissimulation et au mensonge ; pour cacher sa véritable nature, il
est obligé de tromper les autres, et, lentement, le subterfuge
constant tend à devenir une habitude profonde et comme une
seconde nature. Souvent, l'homosexuel se montre hypocrite,
malléable, inconsistant : un être sur lequel on ne peut compter ; mais il n'est guère douteux qu'il faille voir dans ces défauts, avant tout, un résultat de la pression sociale. De plus
cette absence de sincérité va, presque fatalement, jouer un
rôle capital dans les relations entre les partenaires homosexuels. En effet, il faudrait, pour surmonter cette habitude
du mensonge, un caractère au-dessus de la moyenne. L'homosexuel aura tendance à tromper son partenaire, pour s'en
aller vers des expériences et des plaisirs nouveaux.

L'instabilité des unions homosexuelles découle encore d'une
autre cause à laquelle on n'a accordé jusqu'ici qu'une importance limitée : la stérilité. Le double désir d'avoir un enfant et d'assumer ensemble un travail dans la société s'éveille
généralement au moment où les relations sexuelles sont en
voie de devenir une habitude, c'est-à-dire lorsqu'un certain
nombre d'impulsions, qui jusqu'alors soutenaient l'union, commencent à s'affaiblir dans l'accoutumance. Avec la naissance
de l'enfant, avec le désir de réaliser ensemble un travail
dont les deux partenaires puissent être fiers, ces impulsions
seront réorientées, et l'union conjugale trouvera une signification et un contenu nouveaux. Ce développement, essentiel
à la sexualité humaine, fait défaut dans les relations homosexuelles, et il n'est généralement remplacé par aucune valeur similaire ; d'où la précarité et l'instabilité a priori des
relations homosexuelles.

De là aussi ces cas tragiques plaidés devant les tribunaux
ou dont le praticien est appelé à connaître dans son cabinet :
de telles unions risquent toujours de rendre les partenaires
inquiets, exaspérés, insatisfaits ; parfois même d'en faire des
maniaques de l'acte sexuel, incapables de se maîtriser et de
se dominer. Ce sont ces êtres que l'on rencontre la nuit, postés près d'un lieu où le passant pénètre pour soulager un
besoin, et qui attendent le compagnon de fortune.

Il faut cependant reconnaître que, parfois, certains homo-

sexuels ont réussi à former une union solide. Dans les professions artistiques notamment, il arrive que certains d'entre
eux, unis par des intérêts professionnels complémentaires
et des goûts communs, vivant aussi dans un milieu plus tolé-
rant, retrouvent ainsi l'un de ces éléments de stabilité dont
nous avons parlé : la possibilité d'assumer ensemble une
tâche commune au sein de la société. Mais toujours, ces hommes qui vivent d'une manière permanente une « situation-
limite » sont contraints à une lutte constante qui peu à peu
mine leur résistance, et ces cas restent exceptionnels.

La science n'a encore pu déterminer ni la signification ni
l'origine de l'homosexualité. On ne peut que présenter une
série de faits, sans qu'il soit possible de les rassembler en
une seule théorie.

Celui-là seul peut être appelé homosexuel qui préfère
sexuellement un partenaire de son propre sexe. N'entrent donc
pas dans cette catégorie les cas, rares, où les caractères
sexuels anatomiques sont ambigus. Il n'est pas question non
plus de ces « invertis », vêtus en femme et maquillés, mais
qui sont simplement des êtres dépourvus de sens moral ; leur
homosexualité n'est qu'une sorte de comédie guidée par l'intérêt ou quelque autre motif du même type.

On peut distinguer deux sortes d'homosexuels véritables.
Les uns présentent une apparence vraiment virile ; non pas
seulement corporelle (taille, musculature, voix, etc.) mais
psychique : ils peuvent être décidés, énergiques. La plupart
des homosexuels ont au contraire une apparence efféminée.
Ici cependant, il faut prendre garde : un individu physiquement efféminé (timbre de voix, etc.) n'a pas pour autant
un goût sexuel inverti. D'ailleurs, très souvent, l'apparence
efféminée des homosexuels est bien plus d'ordre psychique
qu'anatomique ; ce sont les manières qui sont efféminées :
démarche, coquetterie, séduction.

Sur le plan psychologique, et surtout en ce qui concerne
cette dernière catégorie, il est relativement aisé de retrouver
l'origine de ces conduites homosexuelles. Presque toujours,
ce sont des êtres qui ont passé leur enfance dans un milieu
où la femme faisait loi. Peu à peu, à travers une sorte de
mécanisme qu'il serait trop long de décrire ici, l'enfant prend
conscience de son propre sexe comme d'une tare. En même
temps, la femme lui apparaît comme l'ennemi suprême, puisqu'elle est celle qui ne permet pas à l'enfant d'être ce qu'il
est. De là cette répulsion, ce dégoût de la femme que l'on
trouve chez la plupart des homosexuels. Car non seulement
la femme ne les attire pas, mais ils la trouvent repoussante,
tandis que le corps masculin leur apparaît comme porteur

de toutes les promesses. Les revues dites de « Culture Physique » sont parfois très instructives à cet égard.

Il semble qu'il puisse exister une « disposition congénitale » à l'homosexualité. En 1952, Kallmann a étudié 85 paires de jumeaux homosexuels, dont 40 du même œuf et qui avaient donc un acquis héréditaire identique : or, dans *presque* tous les cas où l'un des frères univitellins était homosexuel, son jumeau l'était également. En fait, la majorité des jumeaux avaient été élevés dans un milieu différent et cependant étaient devenus de part et d'autre homosexuels. Ces exemples semblent donc bien démontrer l'influence du facteur héréditaire, du moins en certains cas.

En outre, il est évident que diverses maladies peuvent être à la base du comportement homosexuel : comme, par exemple, certaines maladies mentales (lorsque l'homosexualité apparaît au cours d'une psychose, pour disparaître totalement lorsque celle-ci est guérie), les troubles des fonctions hormonales, les modifications caractérielles provoquées par une commotion cérébrale, etc. Il faut souligner aussi que l'homosexualité n'est parfois qu'une compensation provoquée par des circonstances extérieures, comme c'est le cas pour le marin à bord, pour le prisonnier. Ces cas d'homosexualité sont dits inauthentiques, d'une part parce qu'il est facile d'y remédier, et d'autre part parce que cette anomalie n'est que passagère et disparaît avec une modification de la situation.

H. G.

Nous nous en rendons parfaitement compte : ces considérations sont plus que schématiques. Elles permettront du moins au lecteur de se faire quelque idée de la question. Mais surtout cette étude appelle trois conclusions qui nous paraissent primordiales.

A) En définitive et quelle que soit sa genèse, l'homosexualité est une forme déviée de l'agressivité : cette agressivité qui se manifeste d'abord à travers l'acceptation de nos particularités sexuelles, et qui peu à peu devrait se transformer en agressivité constructive : dans une activité personnelle, familiale, sociale et même mondiale qui aura comme but non plus d'attaquer l'autre, mais de réaliser avec lui une grande œuvre. Si l'on songe que, à l'heure actuelle, l'humanité utilise le plus clair de ses énergies — science et ressources économiques — à la fabrication d'engins meurtriers, et s'il est vrai que le phénomène homosexuel n'est qu'une déviation de l'agressivité, comment ne pas voir que le problème traité ici n'est qu'une manifestation d'un problème sans comparaison plus large ?... Or, seul l'amour des parents, et spécialement l'amour maternel, à condition qu'il ne soit pas possessif, peut éviter que l'agressivité masculine ne devienne haine et culpabilité.

B) Une deuxième remarque à l'intention de ceux qui sont ou seront en contact avec des homosexuels. Il serait absurde de les juger du haut de notre Morale. Tout d'abord, qui que nous soyons, il ne serait pas difficile de détecter en chacun de nous — que cela nous fasse ou non plaisir — des tendances plus ou moins inconscientes vers des comportements qui ne sont pas plus « normaux » ; mais surtout, personne ne saurait estimer la qualité du drame spirituel qui, toujours, se joue à l'arrière-plan de ces conduites, si effarantes qu'elles puissent nous paraître. Cependant il ne serait guère plus vrai de traiter l'homosexualité comme une maladie ; du moins faudrait-il bien s'entendre sur le sens de ce mot. Dès que, dans le domaine du comportement, je considère un être humain comme un malade, je le fige dans une série de déterminismes, je l'identifie à ces phénomènes ; pratiquement je dénie à cet homme ce qui en fait un être singulier, irréductible, un être libre. Certes, le passé de cet homme et ses tendances pèsent sur lui ; mais en supposant que cet homme soit simplement un « malade », je le réduis à l'état d'objet, à l'état de chose. Certes, nous n'avons jamais le droit de juger qui que ce soit ; mais lorsque nous disons que c'est « sa faute », nous réservons du moins en lui la possibilité d'être un homme ; nous n'en faisons pas un être condamné à rester une sorte de robot, conduit par des forces obscures contre lesquelles il ne peut rien.

C) Quant aux homosexuels eux-mêmes, leurs réactions sont de deux sortes. Les uns disent : Pourquoi serait-ce une déviation ? De quel droit érigez-vous en norme votre propre conduite ? Platon n'a-t-il pas été une gloire de l'humanité ? Pourquoi le comportement homosexuel ne serait-il pas *une* forme normale, encore qu'elle soit rare dans notre civilisation, du comportement sexuel ?... Mais, tout d'abord, parce que les homosexuels sont en marge de la société et quel que soit le jugement que l'on porte sur de telles conduites, en soi, les homosexuels ont besoin plus que tout autre d'une force morale qui dépasse la moyenne. Plus que tout autre, ils ont besoin de liberté. Or cette liberté, nous ne pouvons nous la donner à nous-mêmes ; pour être libres, nous avons besoin des autres. Aussi bien aimerait-on recommander à cette première catégorie d'homosexuels de prendre contact avec quelque spécialiste qui les comprendrait et qui mettrait toute son amitié à leur service, afin de les aider à mieux voir leur situation, pour mieux l'assumer en toutes ses dimensions.

Les autres homosexuels — et ils sont de loin le plus grand nombre — non seulement se sentent rejetés par tous, mais en premier lieu se dégoûtent eux-mêmes ; ils sont écrasés par un immense sentiment de culpabilité. A ceux-ci, nous voudrions dire tout d'abord que la science est loin d'être impuissante en pareille occurrence. Le traitement proprement médical, à base d'hormones, n'est pas toujours à négliger. Mais il y a surtout la psychothérapie : et ici les résultats sont extrêmement encourageants. A une double condition : que le sujet collabore sincèrement, et qu'il ne s'attende pas à des miracles. La psychothérapie peut débarrasser un homosexuel du sentiment névrotique de culpabilité, mais c'est à lui qu'il revient ensuite de bâtir sa vie dans un sens qui soit constructif. D'autre part, une telle psychothérapie exige un temps assez long. Nous aimerions enfin suggérer qu'ils pourraient trouver la paix, une vraie paix, dans l'optique que propose ici le christianisme : non pas le moralisme de certains chrétiens, mais la véritable optique chrétienne, telle que par exemple Maxence Van der Meersch la présente à la fin de son roman *Masque de chair*, qui précisément met en scène un homosexuel incapable, malgré tous ses efforts, de modifier son comportement. « ...objet de nausée pour les autres et pour moi-même, il n'y avait plus que Dieu pour ne pas perdre courage... Il y avait encore Dieu. Dieu ne se dégoûtera pas de l'homme. Cet assassin, cet inverti, cette boue, cette loque, ce déchet, ce rebut dont vous, les hommes, ne voulez plus, qui ne veut plus de lui-même, donnez-le moi, dit l'Eternel. Donnez-le moi ! Et qu'il accepte seulement, humblement, de connaître sa misère, de la porter et de lutter. Et j'affermirai ses pas, et mettrai un cantique nouveau dans sa bouche... »

...Cet assassin, cet inverti, cette boue : ces mots ne signifient pas que l'homosexuel est d'un autre monde ; ces mots ne séparent pas les hommes en deux catégories : les bons et les mauvais. Au contraire, plus il est d'une haute moralité — c'est-à-dire plus il a eu la chance de vivre une enfance heureuse et plus il lui a été *donné* de s'ouvrir aux autres — s'il ne veut s'enfoncer dans un pharisaïsme et un orgueil qui serait la plus grave de toutes les déviations, tout homme doit se sentir le frère de ceux qui, ainsi, se cherchent péniblement, douloureusement.

C. J.

La lesbienne

Dr E. Siebecke, Offenbach

Le nom de « lesbienne », qui désigne la femme homosexuelle, a pris son origine dans l'île de Lesbos en Grèce où, 600 ans avant J.-C., vécut la célèbre poétesse Sapho. Dans ses œuvres, Sapho a chanté, avec la profondeur de sentiment d'un homme amoureux, la beauté de la jeune fille. Elle dirigeait une sorte d'école où elle enseignait les Beaux-Arts. On dit que Sapho avait un caractère viril ; elle est la première « lesbienne » dont l'histoire fasse mention.

L'amour homosexuel entre femmes a été pratiqué au même titre que celui entre hommes, depuis les temps les plus reculés. Mais, la femme n'ayant jamais occupé dans la société le même rang et la même situation sociale que l'homme, l'amour lesbien n'a pas attiré l'attention publique dans la même mesure que l'homosexualité masculine. Rarement l'amour lesbien a été stigmatisé et poursuivi par le droit criminel comme ce fut le cas (ce l'est encore dans certains pays) pour l'homosexualité masculine. Il est possible que ce soit une conséquence du fait que les disciples des Lesbos n'ont pas — comme les homosexuels — tendance à constituer des groupes, de petites sociétés qui, à l'intérieur d'un État, forment une sorte de caste, avec ses propres lois et ses mœurs, un véritable corps étranger. Les lesbiennes forment rarement des groupes ; leurs unions ne dépassent pas le nombre de trois. Elles s'isolent et se cachent ; non conformistes, elles ne cherchent pas à singulariser leur existence par des us et coutumes tels qu'on en observe chez les homosexuels. Le heurt avec la société « normale » est généralement évité. D'autre part, la lesbienne n'est pas considérée comme une menace pour l'existence de la « famille ». Il faut ajouter qu'il n'est pas rare que ces femmes fondent un foyer, avant de s'apercevoir de leur anomalie.

Pour ces raisons (et quelques autres), les femmes homosexuelles ne sont pas exposées aux poursuites légales ; aux yeux de la Loi, elles ne sont pas considérées comme criminelles. Le fait est d'importance. D'autre part la cote de la criminalité chez les femmes homosexuelles ne dépasse pas celle des hétérosexuelles. La lesbienne n'est pas un être hors la loi ; n'étant point mise sur un pied d'égalité avec les délinquantes, elle ne dirige pas ses révoltes contre l'ordre établi, comme c'est souvent le cas pour son homologue masculin.

Pour tracer le portrait exact d'une lesbienne, il n'est pas

nécessaire d'examiner les évolutions secondaires provoquées par la société, telles que ses révoltes, son comportement antisocial, etc.

Les difficultés qu'une lesbienne rencontre sur le plan social ne peuvent masquer ni estomper ses véritables traits caractéristiques. En effet, pour la femme homosexuelle, seule entre en ligne de compte sa réaction en face du jugement moral que son prochain porte sur elle, et le mépris qui s'exprime par le mot « perversion ». Or il semble bien que ces réactions ne laissent pas plus de traces chez une lesbienne que n'en laissent les heurts les plus courants de la vie quotidienne. Si la structure de la personnalité est solide et bien assise, l'adaptation s'effectue relativement bien.

Longtemps on a imputé les tendances de l'homosexualité à un dérèglement des fonctions endocriniennes. Mais aucun indice n'est venu confirmer cette hypothèse.

Du point de vue extérieur, on observe chez les femmes homosexuelles deux variantes très apparentes ; d'une part, les femmes à caractère viril qui révèlent — parfois même par leur conformation physique — une ressemblance avec le sexe masculin ; et d'autre part, celles qui paraissent essentiellement féminines et dont le caractère et le tempérament sont, en effet, essentiellement féminins. Parmi ces dernières notamment, nombre de femmes ont des rapports alternés avec leur sexe et avec le sexe opposé.

On sait qu'à l'époque de la puberté, les tendances érotiques et sexuelles de la petite fille sont orientées vers des personnes du même sexe. L'adoration pour un professeur-femme, une actrice ou une camarade plus âgée, accompagne souvent la première tentative d'évasion du foyer familial. Les êtres, adorés et vénérés, sont en général des femmes plus âgées, en pleine maturité, occupant une situation indépendante. Peut-être parce qu'elles offrent une sorte de protection et de sécurité aux jeunes êtres qui s'émancipent de l'emprise familiale, ces femmes deviennent la cible des tendances érotiques naissantes de la jeune fille. Dans ces cas, l'activité sexuelle fait défaut et la jeune fille n'est même pas consciente de l'arrière-plan érotico-sexuel de sa tendresse.

En général, la rencontre d'un homme qui attire l'attention de la jeune fille suffit à faire dévier ladite adoration. Là aussi, l'objet du désir naissant est habituellement beaucoup plus âgé que l'enfant (un professeur, un collègue du père, etc.). Il s'agit d'une sorte de prolongation des rapports père-fille ; l'objet aimé, au début de la puberté, devant en même temps remplacer les parents.

Après l'émancipation de l'emprise des parents, l'oscillation entre les deux sexes se stabilise généralement par l'orientation vers le sexe opposé. Dans certains cas, la femme adulte et normalement hétérosexuelle, cultive une amitié avec une femme « à laquelle elle peut se confier librement » et, chose singulière, elle s'entretient avec cette amie, de sujets intimes qu'une sorte de pudeur l'empêche d'aborder avec son époux. Ces amitiés conservent certains caractères propres aux liaisons enfantines, notamment dans les manifestations de tendresse, les mots affectueux. Cela se borne là et ce genre d'amitié ne peut, en aucun cas, être interprété comme un équivalent de l'homosexualité. C'est, tout au plus, une sorte de « reliquat » de la puberté.

L'évolution qui conduit la fillette, dont les aspirations et les désirs sont concentrés sur une femme ou une amie, jusqu'au seuil de sa vie de femme épanouie dans l'amour d'un homme, ne comprend qu'une phase relativement courte de l'existence. En fonction de relations homosexuelles ultérieures, ces années sont pourtant capitales ; il est du reste probable qu'elles sont déjà marquées de l'empreinte qui sera responsable de la déviation homosexuelle. Au cours de ces années, l'évolution de l'individualité permet de comprendre les particularités du caractère. Il est impossible de préjuger du comportement sexuel de la jeune fille lorsque celle-ci traverse sa pleine puberté. Ce n'est qu'après la puberté que l'on peut juger de ses dispositions et, même alors, on ignore si son orientation vers son propre sexe est le symptôme ou d'une puberté mal surmontée et non assimilée, ou d'une empreinte reçue pendant l'enfance. En outre, on ignore si la conformation physique joue un rôle. Certes, il est singulier d'observer une jeune femme en pleine maturité, ayant eu une vie hétérosexuelle, et qui brusquement, effectue un retour vers le comportement homosexuel de la puberté. Ce retour est-il la conséquence de ses dispositions individuelles ? Faut-il l'interpréter d'un point de vue psychologique, ou ces deux facteurs interviennent-ils en même temps ? Il est impossible de trancher.

Citons le cas d'une jeune fille de 18 ans, de puberté tardive, qui eut une amitié amoureuse et sexuelle avec une camarade plus âgée. Jusqu'à cette époque, la jeune fille avait eu une existence triste et dépourvue d'affection. Après un an environ, s'étant perdues de vue après une séparation, et ayant dû abandonner leurs relations, les deux jeunes filles entretinrent chacune des relations avec des hommes. Après plusieurs expériences malheureuses, l'intéressée se maria. La guerre l'ayant rendue veuve, elle se remaria. Le second partenaire l'abandonna quelques années plus tard. L'union que la jeune femme avait réussi à conclure pour s'assurer un avenir stable était mal assortie. Après son divorce, la jeune femme noua, de nouveau, des liens avec une amie et entretint, avec elle, des relations sexuelles stables.

Dans ce cas, il peut s'agir d'une lesbienne qui, après quelques « errements », suivit sa véritable inclination. Mais il se peut aussi qu'il y ait ici un besoin d'échapper à l'état adulte, le désir de retrouver la sécurité de l'expérience de la puberté — désir propre aux êtres instables, au caractère mal assuré et qui ont trébuché. De telles femmes peuvent donner l'impression d'être lesbiennes, au même titre que les femmes séduites par une lesbienne pendant les années de la puberté et qui, de ce fait, ont été freinées dans leur développement. Quant à notre exemple, ajoutons que cette jeune femme se fixa et fut, au demeurant, satisfaite de son sort.

Une jeune fille de 15 ans, intelligente, animée du désir de savoir, attira l'attention d'une assistante de laboratoire d'un Institut scientifique. La jeune fille était heureuse d'avoir rencontré une aînée qui la prenait au sérieux et se donnait la peine de l'instruire. Peu à peu, cette amitié évolua vers des relations sexuelles qui restèrent stables pendant de longues années. L'entourage était convaincu que la jeune fille était « une lesbienne née ». Or, un an après avoir perdu l'amie plus âgée, la jeune fille, à l'âge de 25 ans, se maria, devint une bonne épouse et une mère heureuse. A partir de cette époque, cet être, infantile malgré son intelligence aiguisée et supérieure, s'épanouit dans la féminité.

Même le choix d'une compagne de vie, appartenant donc au même sexe, ne permet pas d'établir avec certitude si la femme est vraiment lesbienne ou non. En réalité, il ne peut s'agir d'une véritable lesbienne que dans le cas où l'orientation homosexuelle n'est ni un acte de compensation, ni un retour ou une évasion vers l'enfance, ni une fixation des expériences de la puberté, c'est-à-dire un obstacle à l'évolution. Seul, le psychiatre est compétent en la matière. La majorité des lesbiennes appartiennent à la seconde catégorie. Au point de vue psychologique, elles témoignent presque toutes de certains caractères infantiles.

Certaines femmes, en outre, — même si elles ont occasionnellement des rapports avec des hommes ou si elles sont mariées — finissent par devenir homosexuelles. Ces femmes « supportent » le mariage, parce qu'elles aiment leurs enfants qu'elles ne veulent pas abandonner. En général, elles se sont mariées uniquement pour des raisons sociales ou conventionnelles ou parce qu'elles croyaient pouvoir surmonter ainsi leur anomalie.

Il semblerait que, dans ces cas, les relations avec les parents aient joué un rôle capital. Ici, le comportement sexuel est modelé, de façon décisive, avant la puberté, par des événements et des expériences vécus dans la famille. Sans le vouloir, le père comme la mère peut orienter l'enfant vers un comportement homosexuel. Le père est-il tyrannique et la fille vit-elle dans la crainte du père : cette peur risque de l'orienter vers une fixation, positive ou négative. Par la suite, la jeune fille se « dédommagera » de sa peur en jouant elle-même le rôle de l'être viril et actif. Cette attitude l'obligera à devenir, dans ses amitiés, le partenaire actif et à contracter des relations homosexuelles qu'elle conservera si, jeune femme, elle ne réussit pas à se libérer de cette emprise. La mère aussi peut provoquer une telle attitude chez sa fille, notamment lorsqu'elle « domine » sa famille, et que le père est incapable de « protéger » sa fille contre elle. La jeune fille adopte alors souvent le rôle du personnage qui doit dominer la mère pour se libérer du joug maternel ; elle joue le rôle du père, tel qu'il devrait être, à son goût.

D'après Hélène Deutsch, il est caractéristique pour cette variété de lesbiennes d'avoir, non pas une, mais deux amies. Conformément à leur condition de femmes, en dehors de leur union homosexuelle où elles jouent le rôle de l'être viril et actif (rôle vers lequel elles ont évolué en raison d'une situation familiale malheureuse, et en dépit de leur manière de penser et de sentir typiquement féminine), elles entretiennent une amitié avec une femme plus âgée, vis-à-vis de laquelle elles jouent le rôle de l'être qui cherche aide et protection.

Pour terminer, il faut dire un mot des lesbiennes qui frappent notre attention par leur aspect plus ou moins masculin : voix au timbre mâle, pilosité de la lèvre supérieure, cou puissant, seins plats, hanches étroites et épaules larges, etc. Elles possèdent, en même temps, des caractéristiques psychiques et intellectuelles comparables à celles de l'homme. Souvent, ces femmes préfèrent des vêtements masculins, ou tout au moins très sobres. Elles occupent, fréquemment, des situations importantes ; elles ont des professions typiquement masculines et ce sont elles qui, en majeure partie, luttent pour l'émancipation de la femme. Le choix et l'exercice de leur profession permettent à nombre de ces femmes d'utiliser, de mettre en valeur leurs qualités masculines sans en faire usage dans leurs relations sexuelles.

En amour, ces femmes rencontrent les plus grandes difficultés. D'une part, elles trouvent généralement en face d'elles, des hommes plutôt passifs, qui ne peuvent les rendre heureuses parce qu'elles désirent être « conquises ». D'autre part, les hommes virils se détournent d'elles ou les traitent en camarades. La scission de leur personnalité, nettement visible, en un Moi féminin et un Moi masculin, aboutit finalement à la négation catégorique de la nature féminine en faveur de l'aspect viril. Or, cantonnée dans la sphère féminine, la vie des femmes dotées et équipées de caractères masculins, est vouée à l'échec. C'est alors que ces femmes tentent de vivre « en homme » et, généralement avec plus de succès. Ou ces femmes utilisent leurs qualités masculines dans une vie professionnelle intense, ou elles se tournent vers d'autres femmes qu'elles aiment, en jouant le rôle du partenaire masculin. Néanmoins, l'un ou l'autre côté de leur nature n'est jamais comblé. Mères, elles compliquent plutôt qu'elles ne stimulent l'évolution de leurs enfants. A tout prendre ce sont, parmi les lesbiennes, les créatures les plus malheureuses. A maints égards, elles ressemblent aux hermaphrodites.

Habituellement, le désir d'avoir un enfant est satisfait par un compromis : la femme se marie pour « avoir des enfants ». L'époux est alors considéré comme le meilleur ami et comme le meilleur soutien de la famille.

Sadisme et masochisme

Dr E. Siebecke, Offenbach

Parmi les multiples formes d'expression de la vie sexuelle, il existe deux modes de comportement que l'on appelle le sadisme et le masochisme ; ces mots sont passés dans la langue courante et ils désignent le besoin de faire souffrir et le besoin de souffrir. Ces deux formes d'anomalie sexuelle ne sont pas spécifiques à l'un ou l'autre sexe, on peut les observer chez l'homme comme chez la femme et elles apparaissent souvent simultanément et comme confondues dans un seul et même individu.

Les termes sont connus, certes. Mais ce que la plupart des gens entendent par le terme de « sadisme » serait mieux exprimé par le mot anglo-saxon de *mental cruelty* ; en français « cruauté mentale ». En réalité, le sadisme a une signification essentiellement différente.

Le fameux marquis de Sade vécut en France vers la fin du XVIIIᵉ siècle. Il passa la plus grande partie de son existence en prison où il écrivit ses œuvres devenues célèbres. Ses contemporains ont présenté Sade comme un homme timide, sensible et rêveur. Le fait peut sembler d'autant plus étonnant que ses œuvres révèlent une imagination débridée, des visions fantastiques qui font fi de la réalité. Dans ces ouvrages, la volupté sensuelle exige des cruautés toujours plus raffinées. Toujours, il y est question de pénétration de corps éventrés, et autres conduites obscènes et infâmes. C'est à partir de ces livres que fut désigné sous le nom de « sadisme » le comportement sexuel qui cherche des voluptés plus intenses à travers des souffrances infligées au partenaire.

Le terme et la notion de « masochisme » ont pris leur source dans les ouvrages d'un écrivain autrichien, le docteur Léopold Ritter Sacher-Masoch (XIXᵉ siècle). Dans ses romans, et particulièrement dans *La Vénus à la fourrure*, il a décrit un comportement conjugal très spécial, où un des partenaires se soumet corps et âme à l'autre conjoint, celui-ci étant supposé cruel et sensuel.

Nous croyons, quant à nous, que toute « perversion » n'est qu'une exagération, un débordement, une fixation de traits de caractère et de modes de comportement qui existent dans toute vie normale. On rencontre chez tout être normal certaines dispositions et attitudes qui constituent le point de départ de toutes les anomalies, y compris le sadisme et le masochisme.

Tandis que certains êtres ont tendance, dans la vie, à réagir énergiquement et à affronter les difficultés, il en est d'autres qui cherchent à éviter les heurts et les conflits, à patienter, à attendre la dernière minute avant de se décider à agir. On désigne parfois ces dispositions caractérielles par les termes de « comportement viril » et de « comportement efféminé » ; mais il n'est rien de plus faux que de vouloir attribuer ces comportements à l'un ou l'autre sexe. En effet on rencontre des hommes très virils qui ont tendance à reculer devant certaines situations ; par contre il existe des femmes très féminines et nullement virilisées qui, d'une façon brutale, savent « prendre le taureau par les cornes ». Mais, le plus souvent, ces deux attitudes coexistent dans le même individu, c'est-à-dire que le même être se montre actif ou passif suivant les circonstances. Qui ne connaît de ces hommes qui, dans leur profession, se montrent extrêmement actifs et compétents, qui font preuve de courage et même d'agressivité dans leurs rapports avec leur entourage, mais qui reculent devant une explication avec l'Administration (le ministère des Finances, par exemple !) et préfèrent y envoyer leur épouse ?

Cette même ambiguïté de comportement se manifeste dans la vie sexuelle. Pour maintenir et sauvegarder une union, il est indispensable que le don et l'abandon, l'activité et la passivité soient mutuels, réciproques et alternés. Une femme totalement passive, qui supporte et tolère tout événement sans manifester aucune réaction personnelle, fatiguera son partenaire. L'idée que, dans les rapports sexuels, seul le rôle passif conviendrait à la femme, est pernicieuse.

Lorsque ces deux formes de comportement sont poussées jusqu'à l'exagération, on risque d'aboutir au sadisme et au masochisme.

Le « désir de prendre » ou plutôt le « besoin de prendre », quand il est excessif, revêt aisément un accent de violence. Cette violence vise deux buts : d'une part, l'homme exaspère sa volonté de puissance et de domination jusqu'à une sorte d'ivresse émotionnelle, et d'autre part il cherche à intensifier son plaisir voluptueux en soumettant, d'une façon absolue, sa partenaire, en brisant en elle toute résistance, et même en lui infligeant de réelles souffrances comme pour mieux l'assujettir. Le sadique contraint son partenaire à des gestes, à des actes douloureux ou pénibles et qui sont opposés à sa nature. Plus l'Autre est poussé jusqu'aux limites de la dégradation physique et psychique, plus la volupté sexuelle du sadique est intense. Il peut en arriver au meurtre, commis par ivresse sexuelle.

La souffrance du partenaire augmente la volupté sensuelle du sadique ; c'est donc qu'il n'est pas insensible à la douleur qu'il inflige. Mais c'est précisément cette sensibilité, cette divination de la souffrance de l'Autre qui l'aiguillonne vers les pires excès. Le spectacle de cette souffrance avec laquelle il communie, le stimule et l'excite. Inutile de souligner qu'un tel comportement n'a rien de commun avec la véritable union sexuelle ; le sadique ne se propose pas la communauté du jeu sexuel ni l'obtention réciproque de la jouissance ; il poursuit son propre plaisir, indépendamment du partenaire.

Inversement c'est dans un abandon exagéré que le masochiste trouve sa jouissance : une jouissance suscitée par sa propre détresse, sa misérable faiblesse, par une volonté maladive d'être inférieur à son partenaire, de lui être assujetti comme un esclave, par un besoin maladif de souf-frances. Cet abandon total de sa propre personne à un autre être est souvent associé (et c'est là d'ailleurs l'origine de ce comportement) à une conviction intime de manquer de toute valeur, à des sentiments de culpabilité et à des remords très obscurs. Le masochiste voudrait se perdre totalement en l'Autre, tandis que le sadique veut « posséder » son partenaire.

Le « désir de se perdre » se manifeste indirectement dans un penchant vers des choses viles, basses et ignobles, qui n'appartiennent pas toujours au domaine sexuel. Les masochistes créent, pour ainsi dire, les situations capables de satisfaire leur besoin de souffrance ; ils acceptent, par exemple, des travaux excédant leurs forces physiques, ils choisissent des professions dépassant leurs capacités physiques et mentales.

Le sadisme et le masochisme se manifestent à travers les moindres expressions émotionnelles de l'individu et apparaissent d'une manière spontanée. Il est facile de les reconnaître.

Une variante du sadisme est ce que l'on appelle la manie de la flagellation (de *flagellum* : fouet). Cette variante existe chez les deux sexes et se manifeste sous des formes diverses allant des caresses raffinées jusqu'à la flagellation proprement dite, les blessures infligées par des coups et toutes sortes de brutalités physiques. Les spécialistes voient dans la flagellation un retour aux représentations et aux événements vécus pendant l'enfance : sévères corrections physiques reçues par l'enfant et caresses affectueuses sur le fessier que la mère prodigue au bébé. En général, des formes inoffensives de flagellation existent dans les jeux amoureux les plus normaux. Mais on ne peut parler de véritable flagellation que si les coups donnés ou reçus sont la base indispensable de la volupté sexuelle.

La manie de fouetter, de frapper afin d'obtenir une excitation sexuelle, ne s'adresse pas uniquement au partenaire sexuel mais s'oriente souvent vers les enfants (voire les propres enfants du maniaque) ou vers les animaux. Là non plus, les réactions et les chocs émotifs du sujet frappé ne jouent aucun rôle. L'émotivité de l'individu est uniquement concentrée sur son besoin d'atteindre le plaisir voluptueux.

Un tel comportement a des conséquences néfastes chez ceux contre qui il s'exerce. Citons le cas d'un sadique qui, dans ses rapports conjugaux, n'avait pas l'occasion d'assouvir son penchant. Pour compenser ses instincts de sadisme, il dressait ses enfants au fouet. En dépit de cette cruauté,

sa fille unique l'aimait, l'adorait même et lui était totalement soumise. Dans ses relations sociales, elle chercha à
son tour à jouer vis-à-vis des étrangers le rôle tout-puissant
que le père jouait vis-à-vis de ses enfants. Naturellement
les gens la fuyaient. A l'âge de 24 ans, elle épousa un
homme, doux et sensible, qui, extérieurement, avait une
attitude exagérément virile. Tout ce que cette femme avait
aimé dans son père, elle l'attendait de son époux. Le mariage fut malheureux et demeura stérile. A 30 ans, la
jeune femme subit une intervention chirurgicale dont elle
parut ne pouvoir se remettre. Elle en vint à devoir subir
successivement une opération après l'autre, des occlusions
intestinales rapprochées exigeant des interventions successives. Les médecins finirent par diagnostiquer « la manie
de l'opération », et adressèrent la malade à un psychothérapeute. La fixation masochiste au père s'était transformée
en une manie. Cette « compensation » n'était pas sans danger pour la vie de la malade. Si elle avait rencontré, pour
remplacer son père, un amant sadique, sa vie aurait sans
doute pris un autre cours.

Une autre variante du sadisme est ce que l'on appelle
« la manie de salir ». Ici, l'individu cherche à souiller les
vêtements ou le corps du partenaire ou plutôt de la victime
choisie. Ces maniaques ont parfois des démêlés avec la
loi lorsqu'ils salissent, dans la rue ou dans un lieu public
les vêtements d'une femme inconnue avec de l'encre, de la
peinture ou de la boue. On peut compter, parmi ce genre
de maniaques, les sadiques qui coupent les cheveux des
femmes et obtiennent ainsi une évidente satisfaction sexuelle,
ce comportement étant mêlé ici de fétichisme.

La douleur jouant un rôle prépondérant dans le sadisme
et dans le masochisme, il est nécessaire d'examiner le phénomène qui consiste soit à infliger, soit à éprouver une
souffrance. L'individu sain et normal réagit contre la douleur par une sensation de déplaisir. Lorsqu'il provoque involontairement une douleur, ou lorsqu'il assiste au spectacle
de la souffrance, il éprouve du déplaisir, c'est-à-dire de la
pitié et de la commisération, il souffre avec l'Autre et il
éprouve un déplaisir pareil à celui que lui causerait une
douleur analogue dont il souffrirait lui-même. Il cherchera
donc à aider et à secourir l'Autre, à lui épargner toute
souffrance dans la mesure où il cherchera lui-même à éviter la douleur.

La pudeur et le dégoût constituent une forme de ce déplaisir. Or il est remarquable que cette pudeur et ce dégoût, autrement dit cette sensation de déplaisir, peuvent se trans-

former : par exemple un tel changement est nécessaire, en ce qui concerne la pudeur et le dégoût des choses sexuelles qui apparaissent presque toujours à l'époque de la puberté. Chez les jeunes filles notamment, l'idée du plaisir sexuel déclenche aisément de violentes sensations « négatives ». Lorsque la jeune fille devient adulte, ces dispositions émotionnelles se transforment dans l'amour sexuel.

En ce qui concerne la souffrance, infligée ou subie, le déplaisir reste constant chez un être normal. Au contraire, pour les sadiques et les masochistes, il semble qu'à un certain moment, en raison de circonstances particulières, le sentiment « négatif » provoqué par la souffrance se mue en un sentiment « positif ». Ni le sadisme ni le masochisme ne sont congénitaux : ils n'apparaissent qu'à travers une revalorisation de la souffrance. Ce qui est désagréable et pénible, laid et repoussant pour un être normal, devient agréable.

Dans cette transmutation du déplaisir normal, l'éducation joue un grand rôle (l'exemple cité plus haut en témoigne). Mais la sensibilité nerveuse de l'individu y joue un rôle tout aussi grand. Plus un individu est différencié, complexe, de constitution et de vitalité faibles, plus les dangers auxquels il est exposé sont grands. C'est ainsi qu'un individu hypersexuel devient aisément un maniaque de l'excitation sexuelle. Souvent de tels êtres stimulent leur appétit sexuel à l'aide de films, de romans, de photographies érotiques. Et si d'aventure, à cause d'une mauvaise éducation ou de certains événements mal assimilés, les sentiments de déplaisir causés normalement par la douleur ont changé de signe, le sadisme ou le masochisme vont apparaître. Plus les pulsions sexuelles d'un sadique sont faibles, plus les tortures qu'il imaginera pour trouver la volupté seront raffinées. Quant au masochiste hyposexuel, les douleurs auxquelles il se soumet volontairement sont à peine croyables tant elles sont cruelles. Mais c'est uniquement à travers de telles souffrances que ces êtres parviennent à atteindre la volupté sexuelle. Leurs capacités d'imaginer puis de supporter la douleur, sont souvent surprenantes. Un masochiste larvé qui, dans son union conjugale, ne pouvait donner cours à ses instincts, compensait ce besoin de souffrances en empêchant son dentiste de lui faire des piqûres anesthésiques.

La souffrance psychique, aussi bien que physique, joue un rôle capital chez les sadiques et les masochistes, de même que les humiliations et les dégradations de toutes sortes. Le principe est toujours le même : la douleur se transforme en plaisir.

On voit dès lors combien souvent on utilise à tort les termes de sadique et de masochiste. A une époque récente, on prétendait volontiers que « tous les enfants en bas âge sont sadiques » ; cette affirmation est aussi fausse que celle qui veut qu'il y ait des peuples sadiques et des peuples masochistes. Le comportement qui a valu à l'enfant cette appellation de sadique, découle très naturellement de son désir d'éprouver sa force au contact du monde extérieur. L'enfant est incapable de contrôler ce besoin, et il ne se soucie pas de la douleur qu'il fait subir à d'autres parce qu'il ne l'a jamais éprouvée. De même les sensations que recherchent ceux qui assistent à des combats de taureaux n'ont à peu près rien de commun avec le sadisme.

En ce qui concerne la répartition du sadisme et du masochisme entre les deux sexes, il est exact que l'on rencontre les formes les plus brutales du sadisme chez l'homme exclusivement, ou presque. Toutefois, il ne faut pas oublier que des actes de sadisme, moins connus du public, sont commis parfois par des femmes. En raison de leurs forces physiques plus faibles, elles s'attaquent à des victimes qui leur sont physiquement inférieures. Les brutalités sadiques commises envers des enfants par leur mère, leur belle-mère, leur gouvernante, révèlent une variété extraordinaire de tortures psychiques et physiques ; mais il est rarement possible d'intervenir parce que la jeune victime n'a pas le moyen de se plaindre. Il faut d'autre part remarquer qu'un grand nombre de « violences sadiques » commises sur des enfants ou sur des adultes ne sont pas de véritables délits sadiques ; ces violences sont souvent le fait d'êtres qui manquent simplement de sensibilité et de cœur ; tandis que les véritables sadiques et masochistes sont des êtres affamés de sensations et qui cherchent à compenser de la sorte leur manque de vitalité.

Fétichisme et autres perversions

Dr E. Siebecke, Offenbach

Les perversions que nous examinerons dans ce chapitre, ne sont, dans leur origine, ni héréditaires, ni innées. Il ne s'agit donc pas d'individus qui seraient tarés en venant au monde. Ce qui est inné chez eux, c'est une nature peu adaptable, une sensibilité ambiguë et inquiète telle qu'on la retrouve chez la majorité des êtres anormaux. Un événement insignifiant, une parole émise sans mauvaise intention par exemple, sont capables de les blesser profondément. Ils ont honte de leur sensibilité excessive et — au lieu de tenter de s'y adapter — ils cherchent à la cacher, et à masquer à tout prix leur monde intérieur. Cela ne signifie pas que tous les êtres hypersensibles et peu sociables deviennent des anormaux. Cependant ils sont exposés à maints dangers et, pour eux, le rôle de l'éducation est particulièrement important.

Les comportements anormaux dont il sera question ici sont caractérisés par le fait qu'a priori, il y a habituellement absence d'un vrai partenaire. Ces êtres sont isolés dans leurs expériences sexuelles, ils sont obsédés et comme obnubilés par leur propre personne. Leurs facultés de sensation sexuelle sont fixées dans un mode d'expression déterminé et figé. Ils agissent sous une sorte de contrainte parce qu'ils sont incapables d'obtenir et de goûter la volupté sexuelle d'une autre manière. L'origine de cette anomalie ne consiste ni dans un vice de conformation des organes sexuels ou des glandes sexuelles, ni dans un dérèglement des fonctions du système nerveux, provoqué soit par un traumatisme, soit par une maladie du cerveau (comme ces êtres se plaisent à le croire), mais dans une maladie du psychisme. Aussi désigne-t-on ces individus sous le nom d'« anormaux psycho-sexuels ».

Examinons d'abord le fétichisme qui représente la plus importante des perversions évoquées dans cette étude. D'une manière générale, le nom de « fétiche » désigne des objets matériels (bois, pierres) que les peuples primitifs vénèrent en tant que symbole d'une déité ou d'une force de la nature. Dans le domaine de la sexualité, le fétiche est un objet qui déclenche spontanément une sensation sexuelle chez un individu, cette réaction étant « automatique », au point qu'une sensation sexuelle devient impossible sans le secours de cet objet ; cette définition est conforme à l'idée de fétichisme. La personne même qui possède ou porte l'objet est indifférente au fétichiste, est sans importance et sans attrait pour lui. C'est en cela que les fétichistes se distinguent essentiellement de ceux qui, tout en préférant, par exemple, certaines formes de mains dont l'aspect les stimule sexuellement, ne cessent pas pour autant d'associer les mains en question à leur possesseur. Si la forme particulière des mains leur procure une excitation sensuelle, celle-ci n'est pas isolée. Tandis que les rapports affectifs sont sans importance et perdus pour le fétichiste. Ils ne sont plus en relations avec un être vivant, mais avec un objet.

Cet objet peut avoir les aspects les plus divers : un bas, des chaussures, des gants noirs, une forme de pied ou de main, un coloris de cheveux, un chapeau, des sous-vêtements, une forme de sein, le pénis, une malformation physique, etc. Les fétichistes réussissent rarement à se débarrasser de leur anomalie. Dans la mesure où des rapports sexuels normaux leur sont possibles, ils doivent généralement se contenter de prostituées qui, contre argent sonnant, contentent leurs penchants. Parfois, ils épousent une partenaire avec laquelle ils ont un contact psychique et spirituel, qu'ils vénèrent et à qui ils se sont confiés en raison de sa faculté de compréhension. Mais, après un certain temps, des heurts inévitables surgissent, en général parce que la partenaire, malgré toute sa bonne volonté et sa sincère affection, ne peut tolérer cette anomalie. Un jeune avocat, qui avait été obligé une première fois de rompre ses fiançailles, épousa une femme à laquelle il avait pris la précaution de révéler son anomalie sexuelle. Pendant quelques années, le mariage fut satisfaisant, puis cette créature généreuse, compréhensive et bonne, eut une dépression nerveuse. Afin de permettre à son époux d'obtenir sa satisfaction sexuelle, elle devait s'allonger sur un lit recouvert d'un drap noir, comme un catafalque, vêtue seulement de bas et de gants noirs. La « fixation » de son époux à ce sinistre drap noir la paralysait et, très rapidement, elle n'éprouva plus aucune émotion sensuelle. Ses tentatives pour persuader son époux de se soumettre à un traitement psychothérapeutique avaient échoué ; il se refusait absolument à guérir de sa perversion. Vraisemblablement, il y était déjà trop assujetti. Ici, le fétiche n'était pas un seul objet, mais un ensemble d'objets réunis en vue de créer une certaine atmosphère. Ce n'est pas rare chez le fétichiste, bien que ses désirs ne prennent pas nécessairement une forme aussi macabre.

Le fétichiste n'est pas toujours capable d'avoir des rapports sexuels, même s'ils sont facilités par la présence d'un objet spécifique déclenchant sa libido. Fréquemment l'orgasme et l'éjaculation apparaissent spontanément à la seule vue du fétiche et les rapports sexuels normaux et réguliers ne sont ni possibles, ni même désirés.

Quelquefois, les fétichistes sont atteints de la « manie de collectionner » divers objets ; par exemple des mouchoirs ou du linge. Obéissant à une sorte de contrainte, ils s'emparent parfois de ces objets et s'exposent ainsi à des poursuites judiciaires. S'ils ont en même temps tendance à détruire l'objet « aimé », c'est-à-dire s'il y a trace aussi d'un penchant au sadisme, ils peuvent souiller des vêtements (à l'insu de leur possesseur) ou couper des cheveux. Une autre variante de cette perversion se rencontre chez des hommes (jamais chez des femmes) : l'exhibitionnisme. On entend par là le besoin d'exposer les parties génitales ou le fessier. L'exhibitionnisme est fréquemment pratiqué devant des enfants, évidemment sans leur consentement. L'enfant, contraint de regarder les parties génitales (généralement en érection) est alors, pour le maniaque, « saisi » par le spectacle que celui-ci lui offre. Cette perversion ne vise pas à l'acte sexuel. En général, pendant ou après l'exhibition, il y a éjaculation spontanée ou masturbatoire. La manière de procéder est toujours la même, et la seule différence consiste dans le choix du lieu : la rue, une forêt, des endroits retirés, près des portes susceptibles d'être ouvertes par des jeunes filles, etc. L'exhibitionniste est habituellement un être timide, peu sûr de soi, et vulnérable. La preuve en est que le délit est presque toujours commis devant des enfants ou de très jeunes filles. (Le risque d'une dénonciation est plus grand lorsque la chose se passe devant une femme.) Ces individus sont en général primitifs, ou séniles ou faibles d'esprit ; inconsciemment, ils désirent affirmer une virilité dont le symbole est, pour eux, le membre en érection. Ce besoin de se dénuder s'empare brusquement de l'exhibitionniste, de sorte que l'on a parfois l'impression qu'il lui est impossible de réagir contre cette impulsion.

Le fils d'un savant connu et de caractère autoritaire, avait été cité en justice pour délit d'exhibitionnisme. Il s'agissait d'un jeune homme sensible, de grande intelligence, et qui, subjugué et comme opprimé par la personnalité autocratique de son père, souffrait d'un besoin violent de se faire valoir. Il ne pouvait comprendre son propre comportement et souffrait profondément de son anomalie qui apparaissait périodiquement. Peu de temps après sa condamnation, il épousa une jeune femme compréhensive et bonne. Le couple eut plusieurs enfants et grâce à l'habileté de l'épouse, cet homme put retrouver une situation que sa condamnation lui avait fait perdre. Sa confiance en soi rétablie, sa virilité affirmée par la présence de sa progéniture, le sujet fut complètement guéri de son penchant à l'exhibitionnisme et sans le secours de la psychothérapie. Ses succès professionnels, son union avec une épouse intelligente avaient comblé totalement son « besoin de se faire valoir ».

Il existe également ce que l'on peut appeler un « exhibitionnisme verbal » qui consiste à importuner les autres, surtout des êtres sexuellement convoités, par des allusions et des mots obscènes. Les individus atteints de cette manie ne sont qu'une minorité parmi les exhibitionnistes.

Les exhibitionnistes, on s'en doute, ont fréquemment affaire à la justice. Mais leur condamnation n'entraîne aucune amélioration de leur état. Lorsque leur perversion n'est pas encore trop « automatique », le traitement psychothérapeutique donne généralement de bons résultats.

Avec des indices pour ainsi dire « renversés », la manie de « contempler » du « voyeur », correspond à l'exhibitionnisme. Le voyeur cherche à regarder un couple pendant ses rapports sexuels, à épier une personne en train de se déshabiller ou de satisfaire ses besoins naturels. Il est caractéristique que les personnes qu'il épie lui sont indifférentes et la plupart du temps, inconnues. Le voyeur n'est intéressé que par l'événement en soi, qui le stimule sexuellement. Il est capable d'avoir des rapports sexuels normaux, mais il les évite. Il perce des trous dans les murs, dans les portes des W.-C., des salles de bains ou des chambres d'hôtel ; au printemps et en été, il se cache dans les jardins publics ou dans les bois pour observer et surprendre les couples d'amoureux. Une autre forme de cette manie est la tendance de certains êtres à placer des miroirs de manière à pouvoir observer leurs propres actes sexuels, ou la manie qu'ils ont de collectionner les images érotiques. Ces manies proviennent, en général, d'un refoulement des curiosités infantiles sexuelles ; elles ne dégénèrent en « voyeurisme » proprement dit, que si le sujet est en même temps atteint d'une faiblesse caractérielle. Les voyeurs sont rarement des femmes.

Il ne faut pas confondre les voyeurs avec certains jeunes garçons qui, au moment de la puberté et pendant une courte période de leur vie, ont tendance à « regarder » les spectacles érotiques et qui vont jusqu'à observer leurs propres parents par le trou d'une serrure. A moins que cette tendance ne se fixe en névrose, elle quittera bientôt l'adolescent. Il s'agit ici d'une forme spéciale de la curiosité, exacerbée chez le garçon pendant la crise pubertaire.

Pour terminer, quelques mots concernant la sodomie, qui désigne les rapports sexuels avec des animaux. Autrefois, on avait coutume d'appliquer ce terme à tout ce qui entrait dans la catégorie de la « luxure contre nature ». L'appellation est dérivée du nom de la ville de Sodome (Ancien Testament) qui, avec la ville de Gomorrhe, fut détruite par

Yaweh en raison de la dépravation et de la luxure qui y régnaient. Souvent, la sodomie est un acte de compensation, commis dans une période d'abstinence sexuelle forcée ; par exemple, par les soldats en temps de guerre, lorsqu'ils se trouvent dans l'impossibilité d'avoir des relations sexuelles normales (soldats surpris avec des chevaux), ou à la campagne (ouvriers agricoles surpris avec des vaches ou des chevaux, bergers surpris avec des chèvres ou des vaches). Il s'agit de perversion lorsque la sodomie devient un besoin, une manie et lorsque les rapports sexuels normaux ne sont plus ni désirés, ni possibles. Les sodomistes véritables sont presque toujours faibles d'esprit. Cette perversion est rare.

Le résumé ci-dessus est forcément très succinct. Nous avons seulement voulu décrire, d'une manière générale, certaines déviations dont l'instinct sexuel est susceptible dans des circonstances et des cas déterminés. Mais la forme et la manifestation d'une perversion ou d'une perversité, n'expliquent pas ses origines. Pour découvrir les origines profondes de ce genre de phénomènes, il faudrait observer le problème sous un angle différent de celui que nous avons choisi pour notre exposé.

La prostitution

Dr Peter Hesse, Weimar
chef de service à la Polyclinique de Weimar

Le terme de prostitué s'applique à tout individu qui, sans y participer ni dans son corps, ni dans son cœur, ni dans sa conscience, ni dans son âme, pratique des rapports sexuels avec de multiples partenaires non choisis, contre une rétribution ou aux fins d'assurer sa subsistance. Les femmes, en se prostituant, en « faisant commerce de leurs charmes », ont généralement recours à des rapports hétérosexuels et les hommes qui, eux aussi, se prostituent parfois, ont généralement recours à des rapports homosexuels

En ce qui concerne la prostitution féminine, il faut distinguer entre la prostitution avouée et la prostitution clandestine. La première, exercée soit en maisons closes, soit isolément, est tolérée et contrôlée par l'Etat. La prostitution clandestine est pratiquée par des femmes qui ne sont pas officiellement reconnues comme « professionnelles » (et qui exercent souvent un métier). La femme entretenue n'est pas considérée comme une prostituée. La prostitution masculine est toujours clandestine.

Au début de l'ère historique, la prostitution était intimement liée aux cultes. Grâce au code de Hammourabi (XIXe siècle av. J.C.), on sait qu'en dehors des filles de joie exerçant au temple, il y avait également dans les palais des adolescents prostitués. La prostitution profane, féminine et masculine, était usuelle, notamment dans les cabarets. Le service des dieux de la fécondité obligeait chaque femme de Babylone une fois dans sa vie, à être possédée par un étranger près du bois sacré d'Ishtar. Dans certaines régions de l'île de Chypre régnaient des coutumes analogues (Hérodote). Chez les Hittites, la pédérastie était une institution officielle. En Egypte, la prostitution profane était surtout exercée par les danseuses, les musiciennes et les servantes de cabarets. L'Egypte ancienne a été, pour ainsi dire, le pays d'origine des tavernes et des entraîneuses. Il me semble qu'en Palestine, la prostitution cultuelle (culte d'Astarté) et la prostitution profane aient été, par moment, combattues. Les Syriens et les Phéniciens répandirent la prostitution sacrée dans toute la Méditerranée. En Lydie, les femmes se prostituaient au temple et, comme à Babylone, elles devaient remettre l'argent reçu aux prêtres. Aux Indes, la prostitution (au temple) était limitée aux actes sexuels entre les prêtres et les bayadères. Les jeunes danseuses débutantes étaient initiées à l'art d'aimer par les bayadères plus âgées. Les danses voluptueuses étaient une figuration du coït. L'offrande la plus appréciée par Çiva était le don de la virginité et les jeunes filles devaient forcer au préalable leur hymen à l'aide d'un phallus sculpté et gardé au temple où il était adoré comme étant celui du dieu Çiva.

La prostitution (au temple) existait également au Japon. Plus tard, les prostituées japonaises ont compté parmi les femmes les plus cultivées. La prostitution sacrée ne semble pas avoir existé dans la Chine ancienne ; la prostitution profane, par contre, y était une institution officielle organisée. Au Mexique, la prostitution existait au service de la déesse d'amour Xochiquetzal et une prostitution profane était établie au service des soldats.

En Grèce, en dehors de la prostitution au temple (culte d'Aphrodite), la prostitution profane, au moins depuis le VIe siècle, fut réglementée par Solon ; elle était contrôlée par l'Etat et les établissements spécialisés devaient verser des impôts. Les maisons closes n'étaient pas dissimulées ni mal famées comme de nos jours ; elles étaient, à la lettre, des « maisons publiques » que les hommes fréquentaient ouvertement et conformément à l'esprit de l'époque, lequel était, à l'égard du domaine sexuel, d'une liberté inconnue de nos jours. Les rangs des prostituées du temple étaient essentiellement alimentés par le réservoir inépuisable des esclaves orientales. Plus le nombre et la beauté de ces filles de joie étaient grands, plus les prêtres étaient prospères. La prostitution étant fortement encouragée, il n'est guère étonnant que l'hétaïrisme se soit développé jusqu'à devenir un métier groupant des femmes intelligentes, spirituelles et cultivées, analogues en somme à celles que l'on pouvait encore voir récemment au Japon. La culture de la danse et de la musique était très poussée chez elles et la maîtrise, en ces arts, était exigée. A cette époque déjà, la prostitution florissait, en premier lieu, dans les ports et les stations thermales. La littérature grecque abonde en récits concernant l'hétaïrisme (par exemple Thaïs, Laïs, Phryné). On sait que Sparte et certaines villes grecques n'encourageaient pas la prostitution féminine. En dehors des temples et des institutions de l'Etat, il existait de nombreux lupanars appartenant à des propriétaires et à des entremetteuses profanes ; les filles étaient des esclaves qui jouissaient d'une liberté relative bien qu'elles fussent souvent revendues ou rachetées. A côté des filles en maison, qui s'offraient sur le seuil des portes, il y en avait d'autres qui, indépendantes, faisaient le « pied de grue » et accompagnaient chez lui ou ramenaient chez elles le client. Les prix des maisons publiques étaient peu élevés et dans les maisons privées, il y avait des « rayons » à bon marché où, pour une obole, la grande masse trouvait son compte ; le prix de 5 à 10 drachmes était considéré comme un bon prix. Il y avait naturellement des maisons plus luxueuses où, par contrat, on pouvait même louer une fille pour son usage exclusif et pour un temps déterminé. Le tarif, pour un seul abandon, pouvait s'élever de 1 000 à 10 000 drachmes. Les hétaïres de qualité envoyaient aussi des servantes ou des domestiques raccoler les clients qui étaient ensuite exploités sérieusement. « Les auberges — sans parler des cabarets — ressemblaient étrangement à des lupanars » (Sudhoff). Les maisons closes étaient signalées par une enseigne où figurait le dieu Priape. Les clients choisissaient leurs partenaires parmi des filles vêtues de robes transparentes. Celles-ci devaient se tenir près du seuil des portes pour attirer la clientèle. Il existait à Athènes une corporation des coiffeurs et des maquilleurs de prostituées. C'étaient les pornographes (*pornê* : prostituée, *graphein* : écrire). Les prostituées profanes se faisaient aider par leurs pro-

pres filles, élevées dès leur jeune âge en vue de ce
métier. Les enfants trouvées étaient également destinées à
la profession et des jeunes filles libres venaient encore
grossir les rangs des prostituées, soit volontairement, soit
contraintes par quelque tuteur.

La Rome antique, en dehors de la prostitution au temple, connaissait également une prostitution profane exercée
presque exclusivement par les esclaves. Conformément à
l'esprit rationnel bien connu des Romains, la prostitution
fut rapidement réglementée (surveillance officielle, tentatives de limitation, imposition). Comme partout où il existe
des lois, il y avait tout naturellement une prostitution clandestine étendue ; des femmes, déguisées en musiciennes notamment, exerçaient leur métier dans les auberges, les pâtis-
series, les cabarets et surtout aux bains *(balnea mixta)*.
Cette immense marchandise humaine, présentée d'une manière raffinée, rapportait des bénéfices colossaux à la Ville.
Les prix étaient en rapport avec les excès de la sexualité
à cette époque. Mais, si les plus dégradées de ces femmes
étaient à peine payées, les filles de luxe à l'usage des séna-
teurs et des marchands coûtaient de 1 000 à 4 000 sesterces
par nuit. La pédérastie jouait également un rôle dans la
prostitution à Rome (Pétrone, Néron), toutefois, son importance était moindre qu'en Orient ou en Grèce. La prostitution y était placée sous le contrôle des édiles (police
romaine). Toute femme s'adonnant à ce métier devait faire
une déclaration devant ces magistrats et son nom devait
figurer sur une liste, où les femmes adultères étaient également inscrites. Ces dernières étaient ensuite enfermées
dans un lupanar où elles devaient se livrer au premier venu.
Ce n'est que sous l'empereur Théodose que cette loi cruelle
fut abolie. Les maisons closes constituaient une industrie
fort développée dont l'exploitation n'était pas déshono-
rante. Cependant, lorsque leurs propriétaires occupaient une
situation officielle, ils préféraient recourir à un homme de
paille pour en assurer la gérance. Les clients de ces entreprises étaient, avant tout, recrutés parmi les voyageurs et
les étrangers, mais ces maisons étaient également fréquen-
tées par des bourgeois honorables. En lisant Cicéron ou
Caton, on est surpris de constater qu'il y a deux mille ans,
le problème de la prostitution était d'une brûlante actua-
lité et que les arguments d'alors correspondent dans leurs
grandes lignes à ceux que l'on entend aujourd'hui. Comme
de nos jours, nombre de moralistes de Rome considéraient
la prostitution comme une sorte de soupape de sûreté permettant aux célibataires et aux hommes mariés de satis-

faire les déviations de leur libido avec des filles « perdues » et ils affirmaient que, de cette manière, la pureté du mariage et celle des jeunes filles étaient préservées. Cicéron défendait la théorie que la prostitution est une nécessité sociale : « Si d'aucuns pensent qu'il faut défendre à la jeunesse de frayer avec les prostituées, je suis d'avis qu'une telle sévérité n'est point justifiée. Celui qui considère que notre siècle est une époque de licence condamne en même temps les mœurs et les idées de nos ancêtres. Comment oserait-on les combattre ? Ne devrait-on pas plutôt les prendre comme règle de conduite ? » Caton n'était pas opposé à la prostitution, au contraire, il l'approuvait au nom de la morale. Si, d'une part, l'adultère était sévèrement puni (l'époux avait le droit de couper le nez et les oreilles de son rival quand il le prenait en flagrant délit), cette forme de rapports extra-conjugaux, par contre, était généralement approuvée. Saint Augustin a écrit : « Existe-t-il quelque chose de plus triste, de plus bas et de plus vil que les filles publiques, les souteneurs et autres fléaux ? Néanmoins, vous n'avez qu'à supprimer la prostitution et vous noierez notre société dans la débauche ! » A plusieurs reprises, on essaya d'endiguer, de limiter la prostitution, jusqu'au moment où l'empereur Justinien l'interdit totalement.

La prostitution ne semble pas avoir existé chez les anciens Germains. En Gaule, elle était punie de mort, chez les Visigoths, par la fustigation et par l'expulsion. Il est évident que la fusion du germanisme et de l'antiquité gréco-romaine ne pouvait s'accomplir sans de profonds changements. Mais le christianisme d'une part, si opposé à la sensualité, et l'abolition de l'esclavage avec l'avènement de la féodalité d'autre part, empêchèrent au début l'expansion de la prostitution en Europe centrale. Cependant, à l'époque des croisades déjà, un grand nombre de prostituées suivaient les armées. En 1200, la France réglementa la prostitution suivant le modèle antique (maisons publiques, impôts). A la fin du XIVe siècle, la maison close, surveillée par la municipalité, ne manquait dans aucune ville d'Allemagne. De nombreux règlements de l'époque nous ont été transmis à cet égard. « Dans certaines villes, comme par exemple à Leipzig, il y avait les processions saisonnières (mardi-gras) des filles de joie, et on organisait des fêtes publiques solennelles dans les maisons closes. Les invités de marque étaient conduits dans les maisons closes et libéralement traités aux frais de la ville. » (Sudhoff.) Grâce au service féminin, la prostitution florissait dans les établissements de bains au Moyen Age. Deux ou plusieurs personnes des deux

sexes prenaient leur bain en même temps dans la même
baignoire, tout en mangeant et en buvant. Les lits de repos
et de massage ne servaient pas exclusivement à cet usage...
En Angleterre, la prostitution (réglementée dès l'an 1161
par un acte du Parlement) prospérait surtout dans les établissements de bains. Naturellement, il y avait aussi des
prostituées qui exerçaient leur métier d'une manière indépendante. Frédéric II (1212-1250) tenta de taxer la prostitution. A l'occasion d'assemblées et de festivités particulières, comportant des massages et rassemblant des gens
au portefeuille bien garni, les prostituées accouraient en
masse. Plus de mille prostituées assistèrent ainsi indirectement au concile de Constance (1414-1418). Si les diverses
régions de l'Europe médiévale connurent les mœurs et les
coutumes les plus variées, dans le domaine de la prostitution l'influence de l'Eglise qui visait à l'égalitarisme se
fit sentir, et nivela les différences. Sources de revenus
excellents, les maisons closes étaient protégées officiellement. Les dignitaires de l'Eglise eux-mêmes ne dédaignaient
pas, parfois, l'argent ainsi gagné. C'est ainsi que le pape
Sixte IV retira de la protection accordée à cette industrie
la coquette somme de 20 000 ducats. Le pape Paul II, de
son côté, décréta qu'il fallait protéger la prostitution contre
tout abus et toute violence. Clément VII, lui, décida que les
prostituées devaient verser la moitié de leurs gains à un
couvent. Lorsque Jeanne de Naples dut abandonner Avignon
au Pape, on édicta l'ordonnance suivante : « I° Le 8 août
1347, notre bonne Reine Jeanne ayant autorisé l'établissement d'un bordel à Avignon, désire que les pécheresses ne
courent pas librement dans la ville, mais qu'elles soient
rassemblées au bordel ; pour les reconnaître, elles devront
porter sur l'épaule gauche un insigne rouge. II° Si une
jeune fille a péché et qu'elle ne veuille point se corriger,
le gardien des clefs de la ville ou le capitaine devra la
prendre par le bras et, aux battements du tambour, après
qu'elle aura été marquée de l'insigne rouge, elle sera conduite au bordel. Il lui sera interdit de retourner dans la
ville et si elle se rend coupable d'une infraction à cette
interdiction, elle sera frappée d'une amende et, en cas de
récidive, fustigée et expulsée de la ville. III° Notre bonne
Reine ordonne que le bordel soit installé à la rue du
Pont-Traucat, près du cloître Saint-Augustin, à la Porte
Peire ; il devra être fermé par un portail de manière que
les jeunes gens ne puissent pénétrer chez les femmes sans
l'autorisation de la supérieure ou de l'administratrice élue
annuellement par le Conseil de la Ville. L'administratrice

gardera les clefs et devra veiller à ce que les jeunes gens
ne soient pas trop bruyants et ne maltraitent point les
prostituées ; dans le cas contraire, et à la moindre plainte,
ceux qui auront semé le désordre devront être amenés à la
geôle sous bonne escorte. IV° La Reine désire que l'administratrice et un chirurgien choisi par le Conseil visitent les
filles perdues tous les samedis et, si l'une d'elles est tombée malade par la faute de son vice, elle devra être séparée des autres afin de protéger les jeunes gens de la contagion. V° Si l'une des femmes du bordel est enceinte, l'administratrice devra veiller à ce que l'enfant ne soit pas
supprimé et avertir le Conseil de la Ville qui sera responsable de l'accouchement. VI° Sous peine de fustigation,
l'administratrice interdira aux hommes l'entrée du bordel
le Vendredi Saint et à Pâques. VII° La Reine désire qu'en
cas de dispute ou de jalousie, les femmes soient séparées ;
elles ne devront ni voler, ni se battre, mais vivre comme
des sœurs ; en cas de discorde, l'administratrice mettra de
l'ordre et les femmes se soumettront à ses décisions.
VIII° Si l'une des femmes a commis un vol, l'administratrice devra l'obliger à rendre l'objet volé à sa propriétaire ;
si elle s'y refuse, le gardien devra la fustiger et en cas de
récidive, elle sera remise aux mains du bourreau qui la
punira. IX° L'administratrice devra interdire l'accès du bordel à tout Juif ; si un Juif s'y introduit par ruse et s'il y
a des rapports avec une femme, il sera d'abord enfermé
puis battu et expulsé de la Ville. »

En dépit du caractère semi-officiel de la prostitution au
Moyen Age, les pauvres créatures qui exerçaient la profession étaient profondément méprisées, notamment par les
seigneurs, particulièrement sévères à cet égard. A preuve
les vêtements uniformes et les insignes qu'elles devaient
porter dans la plupart des pays. A Vienne, elles étaient
obligées d'arborer un foulard jaune ; à Zürich et à Berne,
le manteau rouge était le sceau de l'infamie. De cette
manière il était possible de les distinguer à première
vue des autres femmes. Dufour compare le sort des prostituées au Moyen Age à celui des Juifs. Souvent, un roi
bienveillant leur offrait, comme à eux, sa protection, et
les prostituées et les Juifs étaient alors tolérés. Cependant, en général, elles étaient considérées comme des
êtres inférieurs et en marge de la société. Paradoxale-
ment, les prostituées jouaient un grand rôle lors des récep-
tions organisées en l'honneur de seigneurs ou de personnalités de marque. Lorsqu'en l'année 1434, l'empereur Sigis-
mond visita la ville d'Ulm, il ne manqua pas de fréquenter

les maisons closes et, à cette occasion, les rues parcourues par
le cortège furent illuminées. Les troupes de lansquenets
étaient accompagnées par les filles de joie. Enfin, à cette
époque, les « maquerelles » veillaient fréquemment à faire
accomplir par celles-ci des travaux pratiques (service, cuisine, soins aux malades, travaux de fortification). Depuis
la Renaissance, on retrouve, comme dans l'Antiquité, des
courtisanes cultivées, et qui, grâce à leurs charmes, réussirent
à se créer une situation importante. C'est notamment
en Italie, en France et en Angleterre, qu'on observa le type
des grandes courtisanes. Les noms de quelques-unes de ces
femmes sont devenus légendaires et restent entourés d'une
certaine gloire (Tullia d'Aragon, Ninon de Lenclos, Ambre).
Quand on approche de l'époque moderne, le contrôle médical et la lutte contre la prostitution clandestine s'intensifient.
En France, la licence des mœurs avant et après la Révolution, avait contribué à l'expansion de la prostitution. Elle
est dépeinte et analysée dans maintes œuvres de la littérature française (Balzac). Enfin, avec l'avènement du capita-
lisme, la prostitution « s'étendit pour ainsi dire à toutes
les classes de la société, l'esprit de jouissance capitaliste
ayant tendance à fixer un prix pour toute chose et à considérer le charme féminin comme achetable » (Sudhoff). De
nos jours, il n'est pas rare que la prostituée se cache sous
un pseudo-métier (secrétaire, artiste, gouvernante, manne-
quin, serveuse de bar, entraîneuse). Enfin, nombre de femmes sans profession ou en chômage sombrent dans la prostitution. D'autre part, les deux guerres mondiales ont créé
des circonstances et des occasions particulières et, dans les
pays occupés, des femmes, jusque-là honnêtes, se sont prostituées aux troupes d'occupation. La faim, l'insuffisance de
chauffage et de vêtements en furent responsables, aussi bien
que, par ailleurs, une mise en question de toutes les valeurs.

Actuellement, les maisons closes sont officiellement inter-
dites dans presque tous les pays européens. Mais cette interdiction, plus ou moins effective, n'a pas entraîné partout leur
disparition. Les « pensionnaires » y entrent en général très
jeunes. Par contrat, elles ne peuvent la quitter qu'après avoir
payé les dettes qu'elles y ont contractées. « Madame »,
naturellement, fait tous ses efforts pour que les dettes de
sa pensionnaire ne soient pas réglées avant que l'âge et
la maladie ne viennent mettre un terme à l'activité de
celle-ci. De toute manière, les prostituées sont toujours ex-
ploitées par les tenanciers des « maisons », comme le sont,
par ailleurs, les femmes qui « travaillent » pour un sou-
teneur.

Malgré les règlements, les sanctions officielles et l'hygiène observée par la plupart des femmes, il n'y a pas de véritable hygiène prophylactique dans les maisons closes. Les examens médicaux hebdomadaires bien qu'obligatoires sont souvent évités par quelques-unes des femmes, qui se font remplacer par une camarade. D'autre part, l'examen médical, bien que pratiqué régulièrement, est incomplet. En effet, la femme n'est pas examinée à fond, le médecin ne pratiquant souvent qu'un test relatif au dépistage de la blennorragie et ne procédant que rarement aux examens sérologiques nécessaires pour détecter la syphilis. D'une manière générale, le client n'est pas suffisamment protégé contre la contagion. En dehors des maladies purement physiques que l'on y peut contracter, ces établissements sont également dangereux pour l'hygiène psychique. En effet, nombre de jeunes gens y font leur première « expérience amoureuse » et en gardent souvent un souvenir désastreux pour leur comportement sexuel futur. En outre, les perversités de la vie sexuelle sont, pour ainsi dire, cultivées dans ces établissements.

Les *catastrophes* causées par la prostitution sont évidentes : par elle, se propagent les maladies vénériennes, la tuberculose et les maladies infectieuses. Les statistiques prouvent d'une façon irréfutable que les maladies vénériennes, et en premier lieu la blennorragie et la syphilis, sont surtout propagées par la prostitution. D'après l'ouvrage de Hartung paru en 1953 : à Hanovre, parmi 187 prostituées officiellement dénombrées, 149 ont été atteintes à un moment donné de blennorragie ou de syphilis. 20 % des prostituées seulement n'ont pas été malades. Ces chiffres, vraisemblablement inférieurs à l'indice réel de maladie, sont conformes à d'autres statistiques également sérieuses. Hartung affirme à juste titre qu'en ce qui concerne la blennorragie, les affections doivent être en réalité plus fréquentes car, grâce à l'usage de la pénicilline, les prostituées peuvent masquer leur état. Hartung ajoute enfin que les prostituées sont souvent infectées dès le début de leur activité, sinon avant. Une statistique plus récente publiée à Paris, indique toutefois qu'une grande partie des contaminations sexuelles observées à la consultation externe de l'hôpital Saint-Louis sont dues à des rapports avec des « compagnes de rencontre non rétribuées »; et un nombre non négligeable (environ 15%) à des contacts homosexuels.

Jusqu'à ce jour, aucun pays n'a réussi, à l'aide de la prostitution publique et avouée, à étouffer ni même à limiter la prostitution clandestine. Dans les pays industrialisés, on peut généralement observer un certain cycle : ou bien la prostitution augmente dans les périodes d'économie florissante — parce qu'elle est alors aisément exploitée par des trafiquants — ou bien elle augmente à la faveur d'une économie générale défaillante parce que de nombreuses femmes y sont poussées par la misère. Dans les deux cas, l'État finit par intervenir en promulguant de nouvelles mesures répressives. La prostitution semble alors régresser pour un temps, jusqu'à ce que les contrôles se relâchent ou que les proxénètes mettent au point de nouvelles formules leur permettant d'échapper aux lois. (Ainsi, le système américain des « call-girls »)[1].

Certes, nombre de raisons militent en faveur de l'interdiction de la prostitution publique et en premier lieu la « morale double » de la société moderne. D'un côté, en effet, notre société est responsable de cette situation peu réjouissante ; mais, d'un autre côté, on n'aime guère l'étaler au grand jour. En d'autres termes, si elle est publiquement méprisée, la prostitution, n'en correspond pas moins à des besoins et à des exigences secrètes. Il est certes impossible d'endiguer et de limiter l'instinct sexuel de l'être humain. Aussi serait-il préférable de faciliter à l'homme une vie

---

1. Le 2 novembre 1949, la IVe assemblée générale de l'ONU a voté une convention internationale « pour la répression et l'abolition de la traite des êtres humains et de l'exploitation de la prostitution d'autrui ».
D'autre part, cette même convention supprimait toute réglementation, quelle qu'elle fût : inscription sur registres spéciaux, cartes, etc. Le but de cette décision était de ne plus considérer les prostituées comme une catégorie à part, comme une race maudite. En effet, remarque Marcel Sicot, secrétaire général honoraire d'Interpol (cf. *La Prostitution dans le monde*, Hachette) il était injuste et illogique d'imposer certaines règles sanitaires aux seules prostituées, et sans que soient touchés leurs visiteurs. Les clients sont, pour une large part, responsables de la prostitution, et ils représentent un danger de contamination bien plus grand. En Europe, quoique plus aucune maison close ne soit officiellement autorisée, elles sont souvent tolérées par les autorités locales. Il faut noter par ailleurs que la prostitution clandestine a toujours été plus importante que la prostitution « légalisée ». Quant à la traite internationale, si elle a sensiblement diminué, elle n'a pas disparu. Il semble bien qu'il n'existe pas de trusts internationaux ; mais il y a une prostitution itinérante, même entre pays évolués. Les moyens de recrutement les plus courants sont : la formation de groupes de danseuses en vue de « tournées artistiques » à l'étranger, le recrutement de mannequins, les concours de beauté. Il serait naïf de sous-estimer les dangers que peuvent courir les femmes et jeunes filles isolées ou trop crédules. Mais de là à ne pas oser laisser partir une jeune fille à l'étranger pour un voyage d'études ou des vacances, il y a de la marge.
Concluons avec Marcel Sicot : « La preuve est faite, n'en déplaise aux sceptiques impénitents, que, si la sexualité est un phénomène parfaitement naturel, instinctif, qui nécessite, *dans la vie privée*, le plus grand libéralisme, la prostitution *commercialisée*, publique, n'est ni un phénomène éternel ni un problème absolument insoluble. » M. Sicot, après René Delpêche, suggère un moyen qui paraît, en effet, radical. « Si cependant les hommes étaient considérés, du moins dans certains cas, comme des complices en matière de prostitution vénale et de racolage, si les habitués se trouvaient « embarqués », eux aussi, dans le « panier à salade » au cours de certaines rafles, s'ils risquaient, en cas de récidive, d'être soumis eux-mêmes à une visite sanitaire ? » Certainement aussi, les campagnes éducatives devraient être intensifiées. (C.J.).

sexuelle plus libre, tout en tenant compte des dangers que cela impliquerait.

D'autre part, en raison de sa vie professionnelle, la femme moderne est en contact étroit avec le monde masculin. Il s'agit donc de la rétribuer suffisamment et de lui permettre de se créer une situation sociale. La femme qui, grâce à sa profession, a conquis la sécurité matérielle et qui est satisfaite de son activité, sera consciente de sa valeur et ne se prostituera pas facilement.

En ce qui concerne la prostitution clandestine, la surveillance officielle est nécessaire. C'est ici que la coopération des médecins et des assistantes sociales s'impose. La prostitution clandestine est principalement recrutée dans des milieux peu évolués et parmi les victimes du paupérisme. Les salaires insuffisants[1], le chômage, l'alcoolisme, les taudis, l'absence d'éducation en sont fréquemment les facteurs. Il est évident qu'il existe également des individus qui se prostituent en raison d'une véritable disposition innée. Il s'agit là très souvent d'êtres inconsistants et faibles, aux facultés intellectuelles limitées ; mais de tels cas sont relativement rares.

Le normal et l'anormal dans le comportement sexuel

Dr Alfred C. Kinsey, Wardell B. Pomeroy,
Clyde E. Martin et Paul H. Gebhard
*professeurs à l'Institut de Sociologie de
l'Université Bloomington, Indiana*

Dès l'aurore des temps historiques et dans presque toutes les civilisations, les différentes formes de l'activité sexuelle ont été considérées soit comme acceptables soit comme répréhensibles. Toujours la société a cherché à contrôler le comportement de ses membres. Ce contrôle est la rançon même de ceux qui veulent bénéficier des avantages qu'on trouve à faire partie d'une société organisée.

---

1. Le degré d'instruction des prostituées est significatif. Voici, d'après M. Sicot, les statistiques sur 1 000, pour la France :

Instruction primaire élémentaire	700
Instruction primaire supérieure ou secondaire	120
Instruction technique ou commerciale	60
Instruction supérieure	8
Instruction indéterminée	112

Les contrôles de la société ne sont pas limités, bien entendu, à l'activité sexuelle individuelle. L'agressivité naturelle de l'homme, sa façon de s'habiller ou de manger, les formalités et cérémonies qu'il doit respecter dans ses rapports quotidiens avec ses congénères, ainsi que la plus grandé partie de ses autres activités, sont réglées, dans une certaine mesure, par l'usage, sinon par la loi écrite de son pays. Il n'en existe pas moins, cependant, des restrictions très particulières pour tout ce qui touche à l'activité sexuelle.

La prohibition de certaines formes du comportement sexuel qui peuvent nuire à la santé corporelle d'autrui, peut être considérée comme un prolongement des restrictions imposées à l'agressivité en général. L'interdiction du viol, comme des autres formes de rapt, relève des mêmes raisons. Les maladies vénériennes, l'inceste et la complicité d'adultes à la délinquance des jeunes enfants, sont évidemment nocifs et il est naturel que de telles pratiques soient considérées comme criminelles.

D'autre part, il existe un ensemble d'activités sexuelles qui sont proscrites légalement et socialement bien qu'elles ne causent aucun dommage au bien d'autrui ou à sa personne. Dans notre civilisation, ces activités sont particulièrement : la masturbation (fréquente chez l'adulte), les contacts buccogénitaux (entre personnes du même sexe ou de sexe opposé et dans le mariage ou non), le rapport anal, toutes relations entre individus du même sexe (contacts homosexuels quel qu'en soit le mode), tous rapports entre l'homme et les animaux de différentes espèces, sans compter d'autres types de comportement plus rares. A l'exception de la masturbation solitaire, toutes ces formes d'activité sexuelle sont considérées comme criminelles par la loi anglo-américaine bien que, rarement, au sens strict du terme, elles menacent autrui ou son bien. La loi ne prétend même pas qu'elles soient une menace. Elle les proscrit parce qu'elle les considère comme des crimes contre nature (ce qui veut dire : comportement anormal ou pervers) et elle les punit parce qu'elle les considère comme tels. Ils demeurent punissables sans que l'on tienne compte du désir mutuel des personnes en cause et parce que ces personnes éprouvent du plaisir à les accomplir. Mais de tels comportements, simplement, offensent la nature et cette nature doit être protégée contre de telles offenses. C'est le seul aspect de la question que connaisse notre « code sexuel ».

Si la « Nature » peut être considérée comme une entité spirituelle qu'intéresse la notion du Bien et du Mal, tout comportement normal ou anormal relève alors des théologiens et des philosophes. Si les termes de « naturel » et « contre-nature » ne dépendent plus, par définition, que du bien et du mal qui peut être fait à la société, ce qui est normal ou anormal devient objet d'étude pour les sociologues. Si la Nature est envisagée comme un univers comportant des formes vivantes que l'on distinguera des non-vivantes à cause de leur développement ordonné, de leur croissance, de leur reproduction et, par leur pouvoir unique, capables de répondre aux stimuli les plus variés, ou, si la Nature est considérée comme la chaîne d'événements qui, à travers les mécanismes de l'hérédité, peuvent contribuer aux activités de toute créature vivante, alors, la distinction à faire entre ce qui est naturel et ce qui est contre-nature, devient un sujet d'étude pour le biologiste et pour celui qu'intéresse le comportement animal.

Si la Nature est identifiée à tout cela, le moraliste, le sociologue, l'anthropologiste, le biologiste et le psychologue doivent joindre leurs efforts pour tâcher de comprendre ce qui est normal et ce qui ne l'est pas dans le comportement sexuel. Mais, dans ce cas, il faut surtout qu'il n'y ait pas d'équivoque et qu'on vérifie bien les sources de chaque opinion et de chaque réponse. L'homme de science ne voit pas d'inconvénient à ce que l'Eglise décide de ce qui est bien ou mal dans le comportement de l'homme, si elle n'essaie pas de justifier son éthique en faisant appel aux origines biologiques d'un tel comportement. Mais, parallèlement, l'homme de science comme tel ne peut pas s'occuper des valeurs morales, du bien social et des questions théologiques sans trahir ses propres responsabilités. Le clinicien qui discute d'une « vie sage » et de la signification des différents types de comportement du point de vue des « buts ultimes des fonctions sociales et biologiques », doit savoir qu'il raisonne en philosophe, même s'il a acquis un grand prestige comme homme de science. S'il s'agit de juger de ce qui est normal ou anormal sexuellement, on doit s'assurer dès que l'on se trouve devant des interprétations contradictoires, que des considérations philosophiques, morales ou sociales, n'entrent pas en jeu.

ORIGINES HISTORIQUES

Nos lois écrites et nos usages sociaux condamment certains types de comportement sexuel comme des actes contre-nature, mais il faut se rappeler que ni la nature, ni les biologistes n'ont été consultés quand ces codes furent établis. Comme nous l'avons fait remarquer dans notre ouvrage sur *Le comportement sexuel de l'homme*, les lois sexuelles anglo-américaines ont pour origine les vieilles lois juives qui, à leur tour, ont été influencées par les règles des anciens Hittites, Chaldéens, Egyptiens et par d'autres peuples de l'Orient. La loi hébraïque et ses coutumes furent codifiées et réunies dans le Talmud, mais les lois sexuelles du Talmud figuraient déjà, en grande partie, dans l'Ancien Testament. C'est de ces différentes sources, des philosophies grecques et de certains cultes ascétiques romains, que la jeune Eglise chrétienne tira son code sexuel aux premiers siècles de son existence ; mais parce que les premiers chrétiens étaient des juifs vivant sous la loi romaine, les codes chrétiens furent d'abord juifs et romains à leur origine. Avec l'extension du pouvoir temporel de l'Eglise chrétienne, le contrôle des lois et coutumes sexuelles tomba entre les mains des chefs religieux et y demeura pendant de longs siècles. Même quand l'administration des lois civiles et la plus grande partie de la justice criminelle furent arrachées au pouvoir de l'Eglise d'Angleterre au XII⁰ siècle, les tribunaux royaux et ordinaires hésitaient à se mêler de ce qui touchait à la sexualité et cela n'eut guère lieu qu'au XV⁰ siècle environ. Et encore, les tribunaux ordinaires étaient si influencés par le code sexuel en usage qu'ils utilisèrent les lois de l'Eglise sans y rien changer d'essentiel. C'est encore ce code qui nous régit aujourd'hui, à quelques modifications près. Ces lois ont été acceptées depuis tant de siècles que même l'homme de science a longtemps hésité à les étudier dans leurs origines, avec leurs mérites et leurs défauts.

Cette attitude peut difficilement être attribuée au fait qu'il serait inutile d'en faire une étude scientifique, ou que les Hittites et les Hébreux avaient des données scientifiques suffisantes pour régler ces questions. Les lois ne peuvent pas être justifiées non plus, par le fait qu'elles représentent la sagesse accumulée des temps passés. Alors que les lois qui régissent l'acte sexuel peuvent être un résultat de l'expérience, l'histoire ne permet pas une telle explication des lois réprimant les perversions. L'examen des anciens codes sexuels montre qu'ils prirent leur origine de la même manière que les tabous concernant la nourriture, les tabous menstruels, les restrictions relatives à la nudité et quantité d'autres défenses. Les codes des Hittites et des Hébreux sont remplis de condamnations classifiées, certains actes y sont désignés comme purs ou impurs et, comme péché si ces actes sont perpétrés à la vue du Roi ou de Jéhovah ou de quelque autre dieu. A l'origine, ces défenses visaient seulement certaines nourritures, certains animaux, certaines relations sexuelles entre personnes d'un rang social déterminé, les relations ayant lieu à certaines heures ou certains jours autres que ceux spécifiés du mois lunaire, et ailleurs que dans les endroits prescrits. C'est plus tard seulement que ces défenses concernèrent tout rapport avec un animal, tout contact homosexuel et presque tout contact bucco-génital. Le contact bucco-génital, qui demeure inscrit dans le code juif orthodoxe et qui fait partie de la cérémonie de circonscision, est un résidu d'un très vieux rite érotique religieux trop profondément ancré en Asie orientale pour qu'il ait été écarté, même par les peuples qui tentèrent de s'éloigner de leurs voisins. Les contacts bucco-génitaux, la prostitution hétérosexuelle et les actes d'homosexualité faisaient partie des services religieux de nombreux peuples asiatiques comme ils ont fait partie du rituel religieux de beaucoup d'autres peuples. Le désir de se considérer soi-même comme un peuple élu en tenant tous les autres pour des païens, et leurs manières pour manières païennes, a probablement exercé beaucoup d'influence sur le code sexuel juif. Et plus d'influence, certainement, que les avantages physiques ou sociaux que nous-mêmes, à l'âge de la science, nous essayons de trouver dans l'ancienne coutume.

La philosophie qui a propagé ces codes hébraïques le fit à dessein. Elle ne découvrait qu'une seule justification à l'acte sexuel : la possibilité que cet acte conduisît à la procréation. *Ipso facto*, tout acte sexuel qui ne menait pas à la procréation devenait acte pervers, crime contre nature, impur et abominable aux yeux de Dieu. La soi-disant « Loi de Nature » de l'ancienne et, pour une part, de la nouvelle Eglise chrétienne, perpétue cette philosophie. La masturbation, le contact bucco-génital, anal, homosexuel, et les rapports avec les animaux étaient considérés comme contre-nature puisqu'ils n'avaient pas pour but la procréation. Tous étaient considérés comme de plus grands péchés que les rapports adultérins. En regard des conceptions modernes concernant la masturbation, il ne faudrait pas oublier que la pollution était considérée comme le péché sexuel suprême par certains exégètes talmudiques. Néanmoins, à différentes époques de l'Eglise chrétienne, le jeu précoïtal, certaines positions prises pendant les rapports et toutes les autres fantaisies érotiques furent également condamnées comme perverses. Certaines Eglises admettent le jeu érotique, autorisant même les contacts bucco-génitaux, à condition que ces jeux ne trouvent pas leur fin en eux-mêmes, mais qu'ils favorisent la consommation heureuse de l'union des partenaires mariés. Il est intéressant de noter que beaucoup de cliniciens utilisent encore ce critère de la reproduction pour faire la discrémination du normal et de l'anormal dans le comportement sexuel de leurs clients.

En fait, cette optique est une de celles qui ont provoqué les plus grands débats scientifiques au cours des siècles. Du besoin de comprendre qui animait l'homme primitif est née une science qui désirait trouver une raison et un objet à chaque phénomène naturel. Aristote use d'une telle philosophie dans ses descriptions des structures et des fonctions animales. A travers les thèses de Darwin et, jusqu'à la fin du siècle dernier, les biologistes ont cherché des fins aux phénomènes naturels. Au siècle présent, cependant, nous avons plus spécialement cherché à noter les faits d'expérience, les décrivant comme causes ou effets et en acceptant l'univers tel qu'il est, sans chercher à en expliquer les buts. Aujourd'hui, la plupart de ceux qui font des recherches biologiques se sont séparés des diverses philosophies bien que, quelques-uns, spécialisés dans la physiologie et le comportement humains, cherchent encore à élucider les buts de l'existence.

Il y a ceux qui condamnent cette recherche scientifique moderne comme un grossier matérialisme ou comme un fétichisme de l'objectivité. Il y a les autres qui considèrent qu'une telle recherche, appliquée à l'étude de l'animal humain, rabaisse l'homme à l'état de bête. Contre ces critiques, nous n'avons pas d'autre défense que celle de refuser, avec l'ensemble des hommes de science, tout mélange de la science et de la philosophie.

Le renforcement de ces codes religieux fondamentaux contre les prétendues perversions sexuelles, s'est développé à travers les siècles parce qu'on y attachait une signification émotionnelle considérable. Cela s'est produit, en partie, parce qu'on a considéré comme synonymes les mots : pur, naturel, normal, moral et juste, aussi bien que les mots : impur, contre-nature, anormal, immoral et faux. Les philosophes modernes y ont encore ajouté les concepts de dégénération mentale et de retard psychosexuel. Les réactions émotives évoquées par ces classifications sont responsables de quelques-uns des chapitres les plus sordides de l'histoire humaine. L'homme a rarement été plus cruel pour l'homme que dans cette condamnation et cette punition de ceux qu'on accusait de prétendues perversions sexuelles. Les sanctions des actes sexuels qui sont des crimes contre la personne n'ont jamais été plus sévères. Les peines infligées comprennent l'emprisonnement, la torture, la perte de la vie ou

d'un membre, le bannissement, l'ostracisme social, la perte
du prestige, la séparation des amis et des familles, la perte
de situation à l'école ou dans les affaires, de lourdes peines pour les hommes servant dans les forces armées, des
condamnations publiques par des juges vindicatifs ou émotifs et peu sûrs, enfin la torture endurée par ceux qui vivent dans la crainte perpétuelle que leur comportement
sexuel non conformiste soit rendu public. Voilà les peines
infligées à ceux qui n'ont causé aucun dommage aux biens
ni à la personne d'autrui, mais qui n'ont pas voulu se conformer à l'usage courant. Pareilles cruautés n'ont guère été
dépassées que par les persécutions religieuses ou raciales.

Les problèmes sexuels le plus souvent soumis à l'avis du
clinicien sont, mises à part la frigidité féminine et l'impuissance masculine, ceux qui concernent la masturbation,
les contacts bucco-génitaux, les rapports homosexuels, interdits comme contraires à l'usage. Ceux-là seuls qui ont connu les détails de telles histoires peuvent commencer à comprendre le mal fait à beaucoup d'êtres, qui vivent à l'ombre
de notre code traditionnel en ces matières. S'il tient compte
des justifications morales de n'importe quel code religieux,
l'homme de science ne peut pas agir en spécialiste. De tels
problèmes doivent être laissés à ceux qui sont habitués
aux questions d'éthique et de valeur sociale. *Rien de ce
que nous avons dit ci-dessus, ou de ce que nous allons dire,
ne permet de se faire un jugement au sujet de ce qui est
moralement acceptable ou non au sujet des prétendues perversions sexuelles*[1]. Contre l'objection habituelle : « Ce qui
est bien est toujours bien et ce qui est mal est toujours
mal », nous ne nous insurgerons pas, même si cette objection
ne tient pas compte des faits nouveaux dans l'étude du
comportement sexuel humain. Mais aucune justification

---

1. C'est nous qui soulignons. Mieux que tout commentaire, une page d'Henri
Bergson, dans *Les Deux Sources*, p. 295, montrera qu'on ne saurait sous-estimer
l'importance de telles études, et combien sont malcontreusement les oppositions
passionnées auxquelles les affirmations de Kinsey ont si souvent donné lieu :
« Puisque les dispositions de l'espèce subsistent, immuables, au fond de chacun de nous, il est impossible que le moraliste et le sociologue n'aient pas à en
tenir compte. Certes, il n'a été donné qu'à un petit nombre de creuser d'abord
sous l'acquis, puis sous la nature, et de se replacer dans l'élan même de la vie.
Si un tel effort pouvait se généraliser, ce n'est pas à l'espèce humaine, ni par
conséquent à une société close, que l'élan se fût arrêté comme à une impasse. Il
n'en est pas moins vrai que ces privilégiés voudraient entraîner avec eux l'humanité ; ne pouvant communiquer à tous leur état d'âme dans ce qu'il a de profond, ils le transposent superficiellement ; ils cherchent une traduction du dynamique en statique, que la société soit à même d'accepter et de prendre définitive
par d'éducation. Or, ils n'y réussiront que dans la mesure où ils auront pris
en considération la nature. Cette nature, l'humanité dans son ensemble ne saurait
la forcer. Mais elle peut la tourner. *Et elle ne la tournera que si elle en connaît
la configuration.* » (C.J.)

du code sexuel ne peut en appeler aux interprétations de la biologie qui représente, à tout le moins, ce que pouvaient atteindre de mieux les biologistes, les psychologues et les anthropologistes par l'emploi des méthodes scientifiques les plus modernes.

Il y a, bien sûr, ceux qui n'accordent pas à l'homme de science le droit d'analyser ce qui paraît être sans attache avec les valeurs sociales. Il y en a même qui lui refuseraient le droit de faire connaître ses découvertes sans tenir compte des conséquences sociales de leur publication.

Il y a ceux qui affirment que l'homme de science devrait, de quelque manière, garder secrets les faits qui peuvent menacer le statu quo, comme si le statu quo, dans notre attitude à l'égard des perversions sexuelles, par exemple, représentait le sommet de la sagesse humaine pour tout ce qui touche aux problèmes sexuels dans la société. En vérité, plusieurs des objections faites à l'investigation scientifique tendent simplement à refouler cette idée que nos codes traditionnels n'ont pas fait d'aussi bon travail qu'on voulait bien nous le faire croire.

Au cours de l'histoire, beaucoup d'objections se sont élevées contre l'intrusion de la recherche scientifique en de nouveaux domaines. Les recherches sur la forme de la terre et sur sa position dans le système solaire furent, autrefois, considérées, elles aussi, comme des intrusions sur le plan moral et le droit de faire ces recherches fut sévèrement contesté. Les recherches originales en physique et en chimie, et chaque progrès dans les nouveaux domaines de la biologie, ont été contrecarrés de la même façon. Le droit de publier des découvertes scientifiques a été souvent attaqué dans le passé. Mais c'est une donnée historique que les faits scientifiquement établis font, à la longue, le bonheur de l'homme, tandis que l'ignorance et la dissimulation de la vérité ont causé beaucoup de mal à la race humaine.

Sources du comportement sexuel

Dans toute tentative pour découvrir des relations causales entre les phénomènes, l'animal-homme incline à chercher quel facteur unique peut être tenu pour responsable du résultat final. Ainsi, les diverses disciplines ont trouvé différentes explications aux perversions sexuelles, mais elles sont toutes d'accord pour croire qu'il doit y avoir une explication fondamentale à de telles entorses aux lois. La perversion doit tenir soit à quelque trouble névropathique de la personnalité, soit à quelque désordre plus profond encore ;

ou bien la source des troubles doit être recherchée dans les rapports de l'enfant avec ses parents, ou encore dans des troubles hormonaux, ou bien l'individu doit avoir des inclinations criminelles, ou être un psychopathe sexuel. Mais puisque l'efficacité des méthodes cliniques et la vie de millions de prétendus dévoyés sexuels dépendent de tels jugements, il est important, même théoriquement, de déterminer la valeur des explications proposées.

Dans l'état présent de nos connaissances scientifiques, on prouve sa maturité d'esprit si l'on admet que beaucoup de facteurs différents peuvent, chez certains individus, expliquer leur divorce d'avec les coutumes sociales. En réalité, des facteurs différents jouent dans chaque cas particulier. Tous peuvent, néanmoins, se ramener aux quatre facteurs principaux suivants :

Premièrement, il y a les facteurs qui tiennent à l'entourage immédiat du sujet. Deuxièmement, il y a l'expérience passée du sujet qui peut l'amener à réagir aux circonstances présentes, conformément à cette expérience passée. Troisièmement, l'hérédité individuelle du sujet peut tenir à quelques ressemblances ou différences entre son comportement et celui d'autres individus de son espèce. Quatrièmement, le comportement de chaque espèce peut résulter, à long terme, de l'hérédité phylogénétique du groupe biologique auquel elle appartient.

Pour y voir clair, nous devons admettre que chaque comportement particulier peut être le résultat d'une conjonction des quatre facteurs énumérés ci-dessus. Pendant les trente dernières années, l'intérêt porté au problème du subconscient a fait négliger les autres sources possibles du comportement. Il est certain que la période de la petite enfance influence grandement le développement du comportement ultérieur. Notre expérience étendue des très jeunes enfants confirme l'opinion psychologique et psychiatrique sur ce point. Mais il n'y a aucune raison fondamentale de croire que la petite enfance est la seule période de la vie qui conditionne l'avenir. Les réactions, à n'importe quel moment de la vie, doivent être considérées comme le résultat, non seulement des plus précoces expériences du sujet, mais de toutes celles qu'il a traversées, sans oublier toutes les réactions aux excitations du moment. En outre, il faut tenir compte du fait que chacun commet tel ou tel acte ici ou là, parce qu'il y trouve son plaisir.

1° *Stimuli directs.* — Certains individus sont sexuellement non conformistes parce qu'ils trouvent dans leur comportement quelque chose de plus direct et, à la longue, de plus avantageux que ce que leur propose la société. On peut attacher une valeur relative très différente à ces avantages, ainsi qu'aux promesses des avantages que peuvent procurer la continence et un comportement sévère.

Les personnes intoxiquées, droguées, fatiguées ou profondément troublées peuvent n'être pas intimidées par les considérations sociales et préférer les satisfactions présentes.

Il en est qui ignorent les impératifs sociaux pour tout ce qui touche au comportement sexuel et peuvent réagir par conséquent sans inhibition, aux excitations présentes. Cela est vrai, souvent, pour les enfants et assez fréquent chez les jeunes adolescents. Cela est vrai aussi des adultes faibles d'esprit. Cela est vrai encore de beaucoup d'adultes intelligents et socialement bien adaptés qui, pourtant, se livrent à l'exhibitionnisme, aux attouchements des jeux amoureux, aux contacts bucco-génitaux et à tous autres modes d'activité sexuelle, sans se douter que la loi réprime ces pratiques et qu'un tel comportement est aussi « criminel » que les conduites pour lesquelles d'autres sont condamnés par les tribunaux comme pervers.

D'autres individus en toute connaissance de cause, choisissent enfin d'ignorer les impératifs sociaux et les condamnations possibles, pour se livrer délibérément à certaines manœuvres parce qu'elles leur apportent une satisfaction immédiate.

Pour beaucoup de personnes, les raisons du comportement dépendent des occasions qui se présentent ou se refusent, bien que cette dernière raison soit rarement admise. Les parents et les éducateurs croient, par exemple, qu'il est important d'éloigner leurs enfants de certains camarades ou de certains milieux et voient rarement la nécessité, « en ce qui concerne l'activité sexuelle », de favoriser les occasions de fréquenter ceux dont le comportement est approuvé par la société. Par son refus d'admettre l'hétérosexualité, la société devient responsable en partie de l'homosexualité. En fait, notre examen de plusieurs milliers de cas, prouve que les objections morales faites à l'hétérosexualité ont plus d'importance que les défauts de l'individu et les fixations de l'adolescence, dans le développement de l'homosexualité.

2° *Expérience passée.* — Les adultes qui pratiquent une activité sexuelle non conforme ont eu souvent (mais pas toujours) une expérience satisfaisante de ces pratiques, avant ou pendant leur adolescence. Leur comportement d'adulte peut dépendre, en partie, de leurs expériences de jeunesse. Une grande proportion de ceux qui deviennent homosexuels à l'âge adulte en avaient fait une première expérience dès leur très jeune âge. Pour la même raison, les pratiques bucco-génitales et anales commencent souvent pendant l'enfance. Les rapports avec des animaux, chez les jeunes fermiers, tiennent, d'habitude, au fait qu'ils imitent des camarades adolescents ou plus jeunes. Réciproquement, une expérience précoce malheureuse dans le comportement sexuel normal, des mises en garde, des réprimandes et des punitions visant les pratiques hétérosexuelles peuvent expliquer plus tard une inaptitude aux rapports normaux et l'impossibilité de se livrer à des relations coïtales.

Le rapport que nous avons publié montre que, à l'âge de 14 ans, environ 85 % des jeunes garçons ont acquis le mode de comportement sexuel qui sera le leur comme adultes et qu'environ neuf sur dix d'entre eux ne changent rien à ce mode de comportement après 16 ans.

On a tendance, depuis quelques années, à ne plus tenir l'individu pour responsable de qualités ou défauts innés, mais à lui demander des comptes pour tout ce qui touche à son comportement acquis. Nous ne brûlons plus ceux qui étaient possédés du diable en venant au monde ; mais nous continuons à reprocher à l'individu les esprits qui prennent possession de lui après sa naissance. Nous ne faisons entrer en ligne de compte, par exemple, ni la prédominance homosexuelle de beaucoup de nos institutions sociales, ni le système d'éducation, ni les difficultés matérielles de la vie qui influencent l'individu dans son développement psychosexuel, ni les impératifs sociaux qui peuvent faire dévier une personnalité quand ces impératifs sont trop étrangers aux capacités biologiques du sujet, ni les contraintes infligées à l'enfant par ses camarades et par des adultes dominateurs, ni la dureté avec laquelle la loi réprime les activités sexuelles des jeunes et, dans des milliers de cas, les condamne à la maison de redressement où il leur sera impossible d'échapper à l'homosexualité. Mais, de même que nous avons appris à admettre les effets de l'hérédité, ainsi devons-nous apprendre que certains états psychologiques libèrent des forces puissantes devant lesquelles l'individu n'est pas toujours en mesure de réagir.

3° *Hérédité individuelle.* — Après un demi-siècle d'études génétiques il ne devrait plus être nécessaire de souligner que les individus ont des réactions différentes devant chaque stimulus particulier, parce qu'ils diffèrent physiquement, physiologiquement et probablement psychologiquement. S'il ne nous est pas encore possible d'affirmer que les variations dans le comportement sexuel sont dues à des différences d'hérédité du sujet, nous ne pouvons pas davantage prétendre que toutes les différences sexuelles résultent de divers facteurs agissant sur les individus et que les situations seraient égales pour tous au départ.

Nous admettrons, par exemple, que certaines différences dans le goût que peut avoir le sujet pour les excitations buccales, anales, des seins, ou pour d'autres localisations, peuvent dépendre des variations de l'influx nerveux ou d'autres raisons physiologiques ou de structure. Comme autres facteurs génétiques, nous citerons les variations étonnantes montrées par différents individus au cours de l'orgasme. Ces différences vont du spasme localisé à certaines parties du système génital aux convulsions les plus violentes et les plus prolongées. Certaines de nos enquêtes montrent que, réserve faite de la fatigue ou d'une maladie, ou d'autres raisons physiologiques, chaque individu demeure pareil à lui-même dans l'orgasme pendant toute sa vie. Il est possible qu'une expérience, même antérieure au premier orgasme d'un individu, ait influé sur son mode de réaction, mais aucun homme de science sérieux ne se refusera à admettre que ces variations individuelles peuvent tenir à l'hérédité. Il ne faut pas cependant en déduire que tout comportement qui a débuté pendant la prime jeunesse est nécessairement déterminé par l'hérédité.

Si l'hérédité agit sur le comportement humain, il est probable qu'elle agit indirectement par l'héritage de caractéristiques physiques ou de qualités physiologiques qui peuvent aider à déterminer la personnalité. L'acné, par exemple, peut pousser au développement de l'homosexualité parce qu'elle crée un handicap dans les relations sociales entre les hommes et les femmes ; les individus infirmes, ou trop gros, ou physiquement sous-développés, sont souvent timides dans leurs rapports avec les personnes du sexe opposé. Il est possible que de telles caractéristiques physiques aient des causes héréditaires, et qu'ainsi, ces causes interviennent dans le développement de la personnalité.

4° *Hérédité phylogénétique.* — L'hérédité individuelle et les effets du milieu sont les deux sources des variations par lesquelles chaque individu, plante ou animal, se distingue de tous les autres individus de son espèce. D'autre part, on trouve toujours des caractéristiques morphologiques et psysiologiques semblables chez tout individu de n'importe quelle espèce, genre, **ordre**, classe ou de tout autre groupe classé. Depuis 1859, **les** biologistes ont compris que de tels caractères **communs** représentaient l'héritage phylcgénétique de **chaque** groupe. Aussi, est-il essentiel de considérer le **comportement** sexuel des parents de l'homme primitif et celui **des** mammifères en général, avant d'aller plus loin dans **l'analyse** de la nature du comportement humain.

Malheureusement, on a classé certains actes sexuels dans les perversions bien avant nos conceptions modernes de l'évolution et avant que nous ayons une connaissance suffisante du comportement sexuel des autres mammifères. Même dans les études modernes de psychologie et de psychiatrie, les interprétations des « personnes » humaines relèvent plus souvent des anciennes classifications religieuses et moins souvent des recherches modernes et des investigations spécifiques du comportement sexuel chez les autres animaux. Ce fait est d'ailleurs quelque peu compréhensible, car nous ne possédons jusqu'à présent aucune étude d'ensemble sur le comportement sexuel des mammifères. Mais cette excuse ne sera plus valable longtemps, car des recherches consciencieuses nous ont donné une foule de renseignements sur ce qui est normal et anormal dans l'histoire phylogénétique de tous les mammifères.

Il est curieux de noter que l'usage que nous faisons des renseignements concernant les mammifères provoque la critique de certains. Dominant les aspects évolutionnistes de la question et la transposant sur le terrain des valeurs morales, ils prétendent qu'un comportement peut être mauvais (et par conséquent anormal), bien qu'il soit généralisé. Utilisant le procédé discutable de l'analogie, ils font remarquer que ce n'est pas parce que le rhume banal est si généralement dispensé que les rhumes sont chose normale en physiologie humaine. Pareille confusion entre deux problèmes, dont l'un concerne l'hérédité phylogénétique et l'autre une maladie acquise par contagion d'un germe ou d'un virus, eût été plus compréhensible il y a un siècle. Aujourd'hui, c'est inexcusable dans le domaine des recherches biologiques.

En un temps qui se flatte d'être scientifique, la recherche relative au problème du comportement humain ne peut pas être écartée sous le prétexte que cela ne convient pas aux prédispositions morales ou philosophiques de certains. C'est un des principes fondamentaux de la phylogénétique que, si un phénomène physiologique se reproduit souvent ou universellement dans l'espèce d'un groupe donné, ce phénomène est héréditaire. Si les contacts bucco-génitaux sont, chez les mammifères des autres espèces, aussi fréquents que nous le disent ceux qui étudient ces problèmes, et si les mêmes contacts sont aussi fréquents chez l'animal humain que le montrent nos propres observations, il y a toute raison de croire qu'une lointaine origine phylogénétique explique ce comportement. Que cet héritage biologique fournisse une base suffisante pour considérer ce comportement comme bon ou mauvais, comme socialement désirable ou non, nous n'en jugerons pas et nous n'en avons jamais jugé. Nous prétendons, néanmoins, que tout acte sexuel dont on peut prouver qu'il est héréditaire dans une espèce donnée, ne peut pas être classé comme contraire à la nature, anormal ou pervers.

Le comportement sexuel des enfants

Quarante pour cent, au moins des garçons préadolescents, pratiquent le jeu hétérosexuel et près de 48 % le jeu homosexuel spécifiquement génital, cependant qu'un plus grand nombre s'adonne aux contacts sexuels non génitaux. Quelques-uns de ces jeux vont de l'exhibition accidentelle à des attouchements de peu d'importance physiologique ou psychologique. Certains, cependant, sont indiscutablement sexuels et provoquent fréquemment de la tumescence, des réactions pelviennes et l'orgasme complet.

Pour notre propos, le fait le plus significatif dans ce jeu précoce des enfants, est que l'individu s'engage dans toute la variété des activités sexuelles, comprenant le jeu génital, bucco-génital, le contact anal, aussi bien avec ceux de son sexe qu'avec ceux du sexe opposé. Des enfants de 4 et 5 ans reproduisent dans ces jeux certaines attitudes des adultes de leur classe et milieu social, alors que, pendant l'adolescence, ils montreront la même attitude traditionnelle de l'adulte en s'opposant à l'homosexualité en faveur des relations hétérosexuelles. Rappelons que nous avons proposé une échelle de pourcentage de l'hétéro- et de l'homosexualité en donnant le chiffre « 0 » à l'individu sans réaction homosexuelle et le chiffre « 6 » à ceux dont les réactions sont exclusivement homosexuelles. Les personnes également homo- et hétérosexuelles ont la cote « 3 », tandis que toutes les autres combinaisons de réactions s'échelonnent entre ces différents chiffres.

Dans leur tout jeune âge, les enfants à la fois homo- et hétérosexuels sont en majorité et les exclusifs sont beaucoup plus rares. Grosso modo, leur pourcentage est plus ou moins celui d'une courbe de fréquence normale. Au début de l'adolescence, néanmoins, le nombre de garçons exclusivement hétérosexuels s'accroît nettement, tandis que ceux qui ont, à la fois, une expérience homo- et hétérosexuelle décroît. Vers 19 ou 20 ans, les hétérosexuels sont en majorité et constituent plus des deux tiers de la population, le nombre de ceux qui font la double expérience diminue plus encore, tandis que les homosexuels exclusifs sont les moins nombreux. La répartition originelle, plus ou moins normale, dans l'échelle des pourcentages d'hétéro-homosexuels, s'est changée en une répartition qui figure la moitié gauche d'une courbe en « U ». Le comportement hétérosexuel qu'admet la société domine nettement ; le comportement qu'elle désapprouve est de beaucoup le plus faible.

Une telle courbe n'est ni une courbe de croissance, ni une image du développement biologique. De telles courbes sont, généralement, le résultat de facteurs spécifiques qui ont transformé une répartition originelle de fréquence plus normale. Considérant les relations socio-sexuelles, la courbe « U » (ou courbe « J » inversée) est le résultat de deux phénomènes. Le premier tient au fait que l'anormal recherche le mode de comportement qui lui a donné le plus de satisfaction, évitant les actions moins satisfaisantes pour lui. Même dans une société qui n'attacherait aucune valeur sociale aux relations sexuelles quelles qu'elles soient, un certain nombre d'individus, après expérience, deviendraient plus ou moins exclusivement homo- ou hétérosexuels. La plupart des mâles considèrent l'expérience hétérosexuelle comme la plus satisfaisante, anatomiquement, physiologiquement et psychologiquement et il est peu douteux qu'ils continueraient à la considérer comme telle, même dans une société où aucune contrainte ne s'exercerait à l'encontre d'un comportement homosexuel. Cela est vrai pour la plupart des espèces de mammifères chez lesquelles n'existe aucune contrainte comparable à celle de la société humaine, bien que le biologiste ne se l'explique pas très clairement. Nous connaissons un nombre restreint d'espèces animales qui possèdent des glandes à parfum ou d'autres moyens d'attraction spécifique qui servent à attirer l'un vers l'autre les individus de sexe opposé. L'anatomie des parties génitales est plus favorable aux rapports hétérosexuels qu'aux rapports homosexuels chez la plupart des mammifères. Dans un assez grand nombre de cas, il est probable que la différence d'agressivité — le mâle étant plus actif, la femelle plus passive — joue également au profit de l'union entre les sexes opposés.

Mais dans l'état actuel de la civilisation, le comportement sexuel est orienté vers un mode exclusif, parce que la société accorde son soutien à l'hétérosexualité et repousse l'homosexuel reconnu comme tel. C'est pourquoi l'extrémité de notre courbe représentant l'hétérosexualité exclusive s'allonge, et d'autant plus que les contraintes sociales se font plus sévères. En revanche l'ostracisme social est responsable aussi de quelques agissements homosexuels exclusifs qui sont représentés à l'extrémité droite de la courbe. Parce que la société suscite plus d'obstacles aux rapports hétérosexuels pour les individus qui ont eu, auparavant, des activités homosexuelles, elle oblige nombre d'entre eux à demeurer exclusivement homosexuels. Le caractère non spécifique des réactions sexuelles de base chez l'animal humain est particulièrement apparent dans les groupements non inhibés de la civilisation américaine et, apparemment, dans d'autres civilisations.

Nous avons fait des observations sur ce point précis parmi les groupements les moins évolués économiquement et socialement avec lesquels nous avons travaillé, ainsi que parmi certains milieux intellectuellement et socialement très évolués. Dans de tels groupements, un grand nombre d'enfants atteignent le chiffre 2, 3 ou 4 de l'échelle hétéro-homosexuelle, et, ce qui est plus significatif, un beaucoup plus grand nombre d'adultes pratiquent à la fois les contacts hétéro- et homosexuels durant de longues périodes de leur vie. En dehors de notre propre civilisation, cette même combinaison d'activités hétéro- et homosexuelles chez l'adulte se retrouvait dans la Grèce classique et il semble qu'il en soit de même aujourd'hui dans certains groupes musulmans et bouddhistes.

En bref, le comportement psychosexuel de l'animal humain trouve son origine dans des réactions sexuelles indéterminées qui, résultant des contraintes sociales, sont progressivement restreintes en direction des interprétations traditionnelles de ce qui est normal ou non.

Cela, il faut le noter, n'est pas l'image freudienne du développement de la psychosexualité à travers les étapes d'homosexualité et de narcissisme qui conduit, dans la maturité, à l'hétérosexualité. Pas plus que nous n'acceptons l'interprétation de la masturbation ou de l'homosexualité chez l'adulte comme étant le résultat d'une fixation à des étapes précoces du développement. Notre enquête préliminaire portant sur 7 000 mâles et presque autant d'individus du sexe féminin montre qu'une très minime partie d'entre eux seulement traverse ces étapes hypothétiques. Quelques enfants trouvent, au début, un intérêt de narcissisme exclusif dans leurs réactions sexuelles, d'autres ont, au départ, une activité exclusivement hétérosexuelle, tandis que certains s'intéressent au jeu homosexuel exclusivement ; mais la grande majorité réagit au début à n'importe quelle excitation suffisamment forte. C'est exactement ce que nous pouvions attendre, d'après nos connaissances actuelles en anatomie et en physiologie du mécanisme de la sexualité.

Nos interprétations paraissent s'accorder plus simplement avec les faits que ne le font la théorie de la pansexualité, ou la théorie des étapes de perversions polymorphes dans le développement psychosexuel. Ces derniers concepts semblent impliquer qu'il y a différentes sortes d'une « certaine chose » appelée sexualité et que toutes ces impulsions, plus ou moins mystérieuses se logent quelque part dans le corps de l'enfant. Au contraire, nous proposons d'admettre que la sexualité, dans ses origines fondamentales biologiques, se présente comme une réaction à tout stimulus suffisamment puissant. Elle est simplement le résultat d'une réaction physiologique et d'une situation psychologique.

Les psychologues et les biologistes savent bien que c'est ainsi que se présente la sexualité chez l'enfant et chez la plupart des autres jeunes mammifères. Sans doute, chez certains adultes non inhibés, la tendance sexuelle reste toujours ce qu'elle est, quels que soient les stimuli. Mais chez la majorité des êtres humains, la répétition d'une expérience accroît forcément la préférence pour tel mode particulier de comportement. D'autre part si, comme il se fait dans notre société, la façon de se conduire entraîne des réactions sociales capables de causer le bonheur ou le malheur d'un individu, il est évident que certains comportements sexuels auront tendance à prédominer, et que ces mêmes comportements deviendront, dans la pensée de la plupart des gens, ce qui est « normal et naturel ».

De la perversion comme phénomène culturel

En dépit des nombreux siècles durant lesquels notre civilisation a cherché à supprimer — à l'exception d'un seul — tous les types d'activité sexuelle, l'animal humain continue de s'adonner à certains actes rangés par la civilisation dans la catégorie des actes pervers. Les observations scientifiques montrent que les deux tiers ou les trois quarts des mâles de la civilisation américaine et un nombre plus faible de femmes pratiquent quelques perversions sexuelles de temps à autre, entre l'adolescence et la vieillesse. La moitié ou les deux tiers des mâles se comportent fréquemment ainsi à une certaine période de leur vie et bon nombre d'entre eux pendant toute leur vie. En fait, plus de 95 % des mâles sont des pervers si la masturbation peut être considérée comme une perversion, ainsi que l'affirment les codes juifs, orthodoxes et catholiques.

Quelques cliniciens, d'accord avec la société, croient que toute personne dont le comportement sexuel est non conformiste ne peut être qu'un individu instable et équivoque. Trop souvent, cette interprétation est tenue pour une explication suffisante de toute déviation sexuelle. Cependant, il est difficile d'admettre que les trois quarts ou plus des mâles américains soient des psychopathes. Nos observations prouvent que, seule une faible proportion de ceux dont le comportement sexuel est non conformiste, se considèrent comme instables ou se trouvent en conflit assez aigu avec la société pour justifier une assistance médicale. Dans cette génération de notre pays, par exemple, la majorité de ceux qui se masturbent, la plupart des garçons de ferme qui ont des rapports avec les animaux, probablement la plus grande partie de ceux qui ont pratiqué le contact anal ou bucco-génital et un bon nombre d'homosexuels, ne sont pas particulièrement incommodés par leurs expériences.

Les théories courantes sur les perversions sexuelles sont beaucoup trop souvent fondées sur l'expérience des gens du monde qui se font soigner dans les cliniques. Aussi longtemps que de sévères punitions seront infligées aux non-conformistes, le clinicien ne pourra espérer faire des observations justes, à moins qu'il puisse garantir le secret absolu. Nos propres observations ont pour base un examen de la population entière, les rapports des médecins, des conseillers personnels et des juristes. On avait rarement vu une enquête aussi étendue.

Il faudra pousser plus loin encore les investigations si l'on veut comprendre parfaitement pourquoi certains individus sont troublés et pourquoi certains autres, qui pratiquent le non conformisme sexuel, ne le sont pas. Quelques suggestions cependant peuvent être faites dès maintenant. Tout d'abord, soulignons que certains névropathes sexuels seraient des névropathes même en dehors de la sexualité. Certains se tourmentent à propos de tout et de rien et trouveraient de quoi se tourmenter même si le sexe n'existait pas. D'autres sont des individus fondamentalement timides. D'autres encore sont des révoltés qui se refusent à tout contrôle et réagissent perversement en saisissant chaque occasion de montrer leur méfiance à l'égard des conventions sociales. D'autres, enfin, sont des impulsifs qui persistent dans leur non-conformisme, en dépit des punitions que leur inflige la société. A tous ceux-là, les pratiques sexuelles non conformistes apportent un accroissement de troubles, mais le problème principal du clinicien n'en demeure pas moins de diagnostiquer et de soigner des troubles qui existaient déjà avant les irrégularités sexuelles.

D'un autre côté, certains individus qui deviennent non conformistes avant d'avoir connu aucun trouble pathologique, connaissent ces troubles du fait de leur comportement nouveau. Beaucoup d'adolescents, et même de jeunes gens, peuvent s'adonner à une activité sexuelle non conformiste sans se rendre compte que ce comportement leur attirera des sanctions. Ils ne connaissent alors ces troubles que depuis le moment où ils apprennent que la société réprouve leur comportement. Certains individus du sexe féminin s'adonnent à des attouchements solitaires qui ne troublent leur psychisme que lorsqu'ils découvrent que ces attouchements sont, en réalité, de la masturbation ; après quoi, il leur arrive, dans certains cas, de cesser ces pratiques. Beaucoup de garçons de ferme qui ont des rapports avec les animaux le font en toute « innocence » jusqu'à leur arrivée dans une ville ou dans un collège où ils apprennent que leur comportement est considéré comme anormal ou pervers. Le trouble qui atteint ces individus résulte sans aucun doute, de la désapprobation de la société dont ils ont pris conscience, et non pas de quelque anomalie de leur personnalité.

Même ceux qui admettent, en connaissance de cause et délibérément, le non-conformisme sexuel et qui persistent dans ces activités pendant plusieurs années sans en être troublés, finissent par s'inquiéter à l'idée qu'ils pourraient être découverts. A entendre chaque jour condamner des pratiques telles que les contacts bucco-génitaux et l'homosexualité, le non conformiste endure une torture comparable à celle du prisonnier sur le crâne duquel le bourreau fait tomber l'eau goutte à goutte.

Afin de comprendre comment un comportement non conformiste influence la personnalité, nous devrions d'abord comprendre pourquoi certains en sont troublés et d'autres pas.

Il est significatif que des individus troublés par leurs activités sexuelles, reprennent confiance quand ils apprennent que d'autres ont ce même comportement.

Bien que la masturbation ait été considérée comme une perversion extrême par les Hébreux, et bien que la loi anglo-américaine n'en fasse pas mention, cette activité sexuelle a toujours été « tabou » en Europe comme elle l'était aux Etats-Unis et dans tous les milieux, il y a deux générations encore. Les médecins voyaient alors fréquemment des patients aussi profondément troublés parce qu'ils se masturbaient que sont troublés aujourd'hui les homosexuels. A présent, les personnes cultivées de notre génération témoignent d'une compréhension plus large et admettent que la masturbation ne présente pas de danger pour la santé. En dépit de certaines condamnations sévères émanant de communautés religieuses, l'opinion publique s'habitue peu à peu à considérer cette pratique comme une soupape de sûreté avant le mariage. De nos jours, et parmi les plus jeunes générations des classes les mieux éduquées, le médecin rencontre moins d'exemples de personnes que troublent leurs pratiques de la masturbation. Cela ne signifie pas que la masturbation soit aujourd'hui une perversion moindre ou plus grave. Les observations montrent que la fréquence et l'incidence de ce phénomène n'ont pas changé depuis les deux ou trois dernières générations dans ce même milieu cultivé. Mais l'importance des troubles causés est bien moindre parce que l'opinion publique comprend mieux ce comportement.

On peut établir un autre parallèle entre l'attitude de la société à l'égard de la masturbation et des autres types d'activité sexuelle qui n'ont pas la reproduction pour but. Alors que la masturbation était, à l'origine, condamnée pour des raisons morales, le verdict était d'autant plus sévère qu'on la croyait dangereuse pour la santé de l'individu. De la même manière, les jugements sociaux et moraux contre toute activité sexuelle non conformiste invoquaient, à l'origine de pareille activité, des perversions biologiques et une inadaptation héréditaire.

A la lumière de toutes ces observations, nous devons conclure que les jugements portés, de nos jours, sur les activités normales et anormales étaient, au départ, des jugements moraux mais qui ne trouvent guère ou pas de justifications dans la biologie. Le problème des prétendues perversions sexuelles n'est que la résultante des contradictions entre l'héritage biologique de l'animal humain et les lois traditionnelles de la civilisation. La véritable origine des troubles de la personnalité réside le plus souvent dans la condamnation d'un individu qui s'écarte des lois en vigueur ou dans la peur de cet individu devant ces réactions sociales, s'il est découvert. Le problème des prétendues perversions sexuelles relève moins de la psychopathologie que d'un ajustement de l'individu à la société dont il fait partie.

Conclusion

LA LIBERTE COMMENCE A DEUX

C. Jamont, Bruxelles

L'homme devra créer et inventer le monde de demain ;
tout effort serait donc voué à l'échec qui tenterait de prévoir, aujourd'hui, les conduites dans lesquelles s'incarnera
la sexualité au cours des générations futures.

Aussi bien, dans cette conclusion, nous essayerons avant
tout de discerner le nouvel esprit qui — nous semble-t-il
— se fait jour à travers ces différentes études. En fait,
nous ne ferons guère que prolonger et élargir les vues que
nous avions proposées dans l'introduction.

EVOLUTION HISTORIQUE DU PHENOMENE SEXUEL

Dans les civilisations mythiques

Les sociétés primitives sont organisées sur un plan extrêmement logique, mais elles n'ont pas de « durée » au sens
bergsonien du mot : chez elles, le temps ne fait pas « boule
de neige ». « On dirait, note Lévi-Strauss, que les univers
mythologiques sont destinés à être démantelés aussitôt que
formés pour que de nouveaux univers naissent de leurs
fragments. »

Néanmoins, deux remarques nous paraissent importantes
pour le sujet qui nous occupe : la sexualité. 1) La vieille
croyance en une promiscuité primitive est à classer dans
le musée des idées mortes. Dans toutes les sociétés que
la science connaît, les hommes se sont toujours imposé des
règles sexuelles, si élémentaires qu'elles aient pu être. La
sexualité humaine n'est possible que si la raison supplée
au défaut de l'instinct. Qu'on en ait conscience ou non,
l'homme n'abandonne une loi sexuelle que pour s'en imposer une nouvelle. 2) Dans les sociétés primitives, note encore Lévi-Strauss, « la prohibition de l'inceste est moins
une règle qui interdit d'épouser mère, sœur ou fille, qu'une
règle qui oblige à donner mère, sœur ou fille à autrui ».

Déjà apparaissent les deux pôles essentiels de la sexualité humaine : la loi et le don.

Dans la civilisation actuelle

Le phénomène le plus frappant, aujourd'hui, sur le plan sexuel, c'est une révolte généralisée contre les règles imposées par la morale traditionnelle. Or, dans son rapport sur *Le comportement sexuel de l'homme*, Kinsey souligne : « Les conflits apparents entre les codes religieux et les habitudes de comportement sexuel pourraient conduire à négliger les origines religieuses des habitudes sociales. Qu'il le veuille ou non, l'individu qui proclame n'être influencé en aucune façon par les règles religieuses dépend farouchement du système religieux basé sur les lois naturelles. Il admet que certains comportements sont normaux, alors que d'autres vont contre la nature et témoignent d'une tendance à la perversité. Il considère que certaines choses (en nombre limité) sont belles et procurent une satisfaction esthétique et qu'il est normal qu'un homme intelligent et réfléchi y souscrive. En agissant ainsi, il ne fait que perpétuer les traditions des lois hébraïques et des préceptes chrétiens. »

Quelle peut être l'origine d'une telle révolte... et d'un tel attachement ?

Notre civilisation ne prend pas sa source chez les Gréco-romains, mais chez les Hébreux. Or la discipline sexuelle des Hébreux se situe déjà sur un plan inhabituel. Sans doute, le but unique de la sexualité reste encore la procréation, mais le mariage est toujours plus ou moins l'écho de l'alliance entre Yaweh et son peuple ; ce qui donne sa dignité à la relation sexuelle, c'est que tous les couples peuvent nourrir l'espoir que le Sauveur surgira de leur descendance.

Avec le christianisme, la perspective bascule. Jésus intériorise pour ainsi dire la Loi. « Le vent souffle où il veut ; tu entends sa voix mais tu ne sais ni d'où il vient ni où il va. Ainsi en est-il de quiconque est né de l'Esprit. » La Loi Nouvelle, c'est essentiellement l'Esprit en nous, qui ne parle qu'à travers notre liberté. L'homme est ainsi défini comme une « passion infinie », comme une pure tension entre la nature à laquelle il doit s'arracher, dont il doit faire une nature humaine, et un point Oméga vers lequel il est en marche : l'existence de l'homme n'est pas faite d'avance. Peu à peu, la sexualité va pouvoir découvrir (et créer) la double dimension par laquelle elle se définit. Dimension verticale ou personnelle : mes gestes sexuels auront le sens que, dans la solitude de ma décision, *je* saurai faire surgir de ces comportements. Dimension horizontale ou communautaire : *ma* vérité sexuelle commence quand nous sommes deux ; ensuite, à travers le partenaire, le désir sexuel tend vers l'enfant et vers la communauté tout entière. La Loi extérieure (c'est-à-dire les exigences objectives de mon corps, du corps de l'autre et du monde où je vis) n'est pas éliminée, mais « le sabbat est fait pour l'homme et non pas l'homme pour le sabbat ».

En fait, cette révolution ne s'est pas développée dans le monde hébraïque (pour lequel toute distinction entre le corps et l'âme était impensable), mais dans le monde gréco-romain dont la civilisation était, pourrait-on dire, fondée sur la dissociation de l'esprit et de la matière, du corps et de l'esprit. Sans doute, pour que cette nouvelle civilisation pût se répandre, la « technè » grecque et l'esprit organisateur romain étaient-ils indispensables. Toujours est-il que le drame — en ce qui concerne la sexualité — a jailli presque aussitôt. Après un premier moment où l'on essaya d'infuser à la sexualité un nouveau sens cosmique (qui n'avait rien à voir avec Dionysos), la prédominance des idées néoplatoniciennes eut tôt fait de reléguer le corps à l'arrière-plan, et le mariage dans un domaine purement juridique. Après vingt siècles, pointe peut-être l'aube d'un retour à la source.

Une difficile liberté

Nous pouvons maintenant essayer de dégager la signification de cette révolte généralisée contre le code judéo-chrétien, que note Kinsey.

Il y a d'abord *l'angoisse de la liberté.* Aussi longtemps qu'il pouvait s'identifier à la nature, au clan, à la religion, l'homme solitaire se sentait en sécurité. Mais peu à peu la civilisation a tranché ces liens primaires ; un ange armé d'une épée garde l'entrée du paradis perdu ; une seule voie reste à l'homme : comme être indépendant, mais avec ses semblables, il lui faut soumettre ce monde dans lequel il est jeté. Cependant, si les conditions économiques, sociales et politiques ne favorisent pas une véritable communauté humaine, ne viennent pas soutenir cette neuve indépendance, la liberté va devenir un fardeau insupportable. Par tous les moyens, l'homme tentera de fuir cette liberté qui le laisse dans une intolérable solitude : or la sexualité anonyme constitue un des meilleurs mécanismes d'évasion. (Voir sur ce sujet, le très bel essai d'Erich Fromm : *La Peur de la Liberté.*)

Nous trouvons ici une des raisons les plus profondes de

cette révolte généralisée contre les disciplines sexuelles : car les lois — celles que l'on se donne et celles que la société édicte — n'ont d'autre but que d'empêcher la sexualité de retomber dans l'insignifiance. Or c'est cela, précisément, que veut la masse : déposer ce fardeau intolérable qu'est la responsabilité sexuelle, et que les jeux du corps ne soient plus (ô ironie des mots !) que le repos du « guerrier ».

Cependant il serait simpliste de prétendre que cette révolte contre les lois qui protègent la sexualité, est toujours motivée par un désir de fuir les responsabilités.

De nouvelles conditions économiques et sociales ont amené *l'émergence de la personne et du couple hors du social* ; l'individu est livré à lui-même, n'est plus soutenu par le clan ; le couple est contraint au face à face. Or cette nouvelle liberté exigerait un milieu « moral » nouveau, c'est-à-dire des lois autrement nuancées. L'homme moderne se trouve un peu dans la situation d'un enfant. Pour se développer, l'enfant doit sortir du sein de sa mère ; pour passer à l'adolescence, il devra de nouveau changer de « milieu » : car les lois qui régissent l'univers d'un garçon ou d'une fille de seize ans, sont radicalement différentes de celles qui organisent la vie d'un enfant de quatre ans. Ensuite, pour passer à l'âge adulte, l'adolescent devra encore changer de milieu : il doit quitter son père et sa mère pour s'attacher à sa femme, et Dieu sait si cet arrachement du milieu familial est souvent difficile. Afin de pouvoir exercer sa nouvelle existence — comme individu qui n'est plus soutenu par le clan familial, et comme couple réduit au face à face — l'homme moderne aspire à un changement qui n'est pas moins profond.

Les techniciens et les idéalistes

La technique, celle qui rêve d'une organisation universelle de l'existence, croit — non sans raisons, on va le constater — avoir son mot à dire. Il est grand temps de maîtriser la sexualité. Les faits sont là. Si l'humanité garde sa fécondité traditionnelle (six enfants par ménage) « le taux de croissance des humains serait alors un triplement tous les vingt ans ! C'est-à-dire une multiplication par 243 d'ici à l'an 2060. Dans la seule année 2061, le nombre des hommes s'accroîtrait d'environ 20 milliards, soit de quoi peupler en une seule année Mars, Vénus et la Lune à une densité double de la Terre d'aujourd'hui ! Mais ce qui est grave, c'est que, même avec des taux de natalité très réduits, la croissance reste forte... *Au taux actuel des Etats-Unis,* le doublement se fait en quarante-sept ans et donne une densité de population de *100 habitants à l'hectare sur toute la Terre aux alentours de l'an 2350...* Il faudra bien que la croissance s'arrête » (Jean Fourastié). Quant aux foyers, ne voyez-vous pas que le problème le plus grave, « l'enfant-cauchemar », sera écarté quand on aura trouvé la « pilule » idéale pour dissocier — d'une façon qui soit non seulement efficace (c'est déjà fait) mais absolument inoffensive sur le plan médical, — la sexualité de la procréation. Alors les époux pourront s'aimer librement... Librement ? reprend le psychanalyste. A condition que nous ayons d'abord démonté ces mécanismes de sécurité par lesquels vous vous protégez contre l'angoisse, et qui vous empêchent de vous donner librement l'un à l'autre. Quand vous serez passés sur le divan, alors vous serez libres... Et l'on pourrait continuer.

C'est ici qu'interviennent les idéalistes de toutes appartenances, philosophique et religieuse, tous ces néo-platoniciens qui s'ignorent[1] : « Le mal, disent-ils, vient de l'intérieur. C'est l'âme qui est malade. L'homme, c'est d'abord et avant tout son âme. Il est urgent de dissocier l'amour de la jouissance génitale. »

Mais cette dernière position est bien la pire que puisse rencontrer celui qui voudrait rendre quelque dignité à l'étreinte sexuelle. « L'instinct, disent ces idéalistes, plonge ses racines dans la partie inférieure de l'homme. » Dès lors l'exercice physique de la sexualité ne peut être qu'un obstacle — nécessaire sans doute, mais néanmoins un obstacle, à la liberté : cette liberté qui ne peut jaillir qu'à l'intérieur de l'âme. Mais, en parlant ainsi, l'idéaliste commet une double erreur. 1) Il suppose une dissociation entre l'esprit et le corps. 2) Il oublie que l'apparition de la vie spirituelle ne laisse pas telle qu'elle était la sphère des instincts. L'esprit pénètre l'instinct et le réorganise d'une tout autre façon. C'est pourquoi, par exemple, l'homme, au contraire de l'animal, ne connaît (guère) des époques de rut. C'est pourquoi aussi une altération grave des fonctions supérieures (de la vie spirituelle) peut se traduire par la perte des initiatives sexuelles. Le comportement humain est toujours plus *ou moins* que le comportement animal. L'homme passe de l'ordre biologique à l'ordre psychique puis à l'ordre spirituel par une restructuration du domaine

---

1. On se rappelle l'allégorie que Platon développe au début du livre VIIe de la République. Supposez des captifs enchaînés dans une caverne, le dos tourné contre l'entrée devant laquelle brûle un brasier. Des gens passent entre le feu et l'entrée de la grotte, et leurs ombres se projettent sur la paroi à laquelle font face les prisonniers. La matière n'est que l'ombre de l'Idée ; seule l'Idée est la vraie réalité.

précédent. Ces trois ordres ne subsistent pas en nous comme trois mondes différents qui réagiraient l'un sur l'autre ; à chaque fois il s'agit des mêmes éléments, mais organisés différemment. Il vaut la peine de le noter : ce mystère qui, pour reprendre les mots de Jung, « fait de l'âme l'aspect intérieur de la vie du corps, et du corps, la révélation extérieure de la vie de l'âme », ce mystère auquel le philosophe Merleau-Ponty a consacré toute son œuvre, il coïncide avec l'optique des Hébreux. Les exégètes montrent en effet que l'idée de la chair, comme principe opposé à Dieu et siège du péché, est étrangère à la Bible. Elle se rencontre pour la première fois dans les livres de Salomon, mais de toute évidence il y a là une influence hellénique.

Quant à la technique, elle est à la fois absolument nécessaire et strictement insuffisante. Si l'homme conquiert sa liberté sexuelle dans la mesure où il s'arrache à la nature, ce n'est pas pour édifier une liberté désincarnée ; il faut nous détacher du monde ambiant, mais c'est pour pouvoir le recréer, lui donner une structure nouvelle. Là est le rôle de la technique. Les lois sexuelles que se donnait l'homme primitif étaient déjà un essai de technique : c'est-à-dire un essai pour imposer un visage humain à la nature biologique. Ensuite, au fur et à mesure que l'homme se civilise, nous trouverons de nouvelles structures économiques, sociales et culturelles sans comparaison plus élaborées ; toujours, un des buts de ces nouvelles structures concernera la sexualité : us et coutumes, lois définies concernant les interdits sexuels, les relations pré-conjugales, le divorce, etc.

Le développement de la sexualité à la recherche de sa liberté est donc ambigu : à chaque étape nouvelle, l'homme d'une part doit se créer de nouvelles structures dans lesquelles s'incarnera cette neuve liberté, mais d'autre part, à chaque fois, l'homme risque de devenir prisonnier des structures économiques, sociales et culturelles qu'il a ainsi élaborées... et qu'il devrait à nouveau nier afin de pouvoir les dépasser et accéder à un stade ultérieur.

C'est de là que provient, à n'en pas douter, le malaise de l'homme moderne sur le plan sexuel. Le milieu humain du XIXᵉ siècle concordait avec les besoins de l'époque. Aujourd'hui, l'émergence de la personne et du couple hors du social réclame de nouvelles structures.

MATURATION DE LA SEXUALITE CHEZ L'INDIVIDU

Le problème que nous allons aborder ici est celui-là même

que nous venons de quitter ; mais transposé sur le plan individuel, il pourra nous ouvrir un nouvel horizon.

Dans le premier chapitre de cet ouvrage, Emmanuel Mounier a excellemment résumé les accidents, les conflits, les déviations qui, depuis la plus tendre enfance, compromettent notre développement sexuel, et menacent de faire échouer le choix hétérosexuel qui consacre notre adaptation à autrui et au monde extérieur. Ces moments de crise, dans notre histoire sexuelle, les psychologues les ont appelés « complexes » : complexe d'Œdipe, complexe de castration, etc. Personne ne peut éviter ces crises ; elles nous sont aussi nécessaires que les difficultés scolaires pour un étudiant. Aussi bien les « complexes » constituent comme les nœuds vitaux de notre psychisme : de même que nous avons un foie, un cœur, des nerfs, ainsi nous avons des complexes. Ce mot ne prend un sens pathologique que dans la mesure où ces moments de crise ont été mal vécus.

Cependant, les heurs et malheurs de notre sexualité infantile ne sont pas des événements qui restent là-bas, dans le passé, loin de nous qui sommes devenus des adultes. Chez cet homme, par exemple, qu'obsède un désir tyrannique d'être aimé, subsiste le narcissisme de la quatrième année, un auto-érotisme qu'il n'a pas su dépasser ; cet avare, quand il était enfant, portait comme tous les bébés un vif intérêt aux produits de ses excrétions, mais son psychisme d'adulte reste comme fasciné par les copro-symboles, c'est-à-dire par tout ce qui rappelle les excréments : en l'occurrence, l'argent. Il ne serait que trop facile de poursuivre.

Dès lors la grande, l'immense question qui se pose est celle-ci : ce mécanisme sexuel est-il infrangible ? Celui qui n'a pas la possibilité de subir une analyse qui le délivrerait, est-il inéluctablement muré en lui-même ?

Ici encore la phénoménologie nous paraît singulièrement pertinente et libératrice. Prenons comme exemple le cas que rapporte le docteur Nacht. François vient consulter pour un état d'épuisement et de manque d'appétit sexuel. Derrière un masque de douceur, en réalité c'est un haineux ; mais cette hostilité il la traduit, avec sa femme, en se montrant sombre et silencieux: jusqu'à ce qu'elle n'en puisse plus et éclate en larmes. En cours d'analyse, l'examen d'un rêve (François est un chien, solidement attaché ; une chienne tourne autour de lui et l'excite ; il parvient à casser la chaîne et court après la chienne jusqu'à épuisement, sans pouvoir la rejoindre) fait resurgir une expérience traumatique qui se situe dans l'enfance : François, couché dans la chambre de ses parents, épiait leurs rappro-

chements sexuels, guettait le moindre bruit ; et tout cela
le mettait dans un état d'excitation sexuelle, de jalousie et
de dépit qui l'épuisait à la fin. Cet événement traumatique
n'est pas la *cause* du comportement actuel de François ;
c'est le moyen qui permet de comprendre son attitude *présente*. En fait, l'expérience infantile, mal vécue, n'a jamais
été dépassée ; depuis lors, sur cette ligne précise de sa conduite, il n'y a plus eu d'expérience vraiment nouvelle :
François a répété indéfiniment le même comportement,
parce qu'il conservait la même attitude profonde.

Dans *L'Etre et le Néant*, au sujet de l'homosexuel qui,
tout en reconnaissant son penchant, tout en avouant une
à une chaque faute qu'il a commise, refuse — malgré les
faits — de se considérer comme un pédéraste, J. P. Sartre
écrit : « ... il lutte de toutes ses forces contre l'écrasante
perspective que ses erreurs lui constituent un *destin*. Il ne
veut pas se laisser considérer comme une chose ; il a
l'obscure et forte compréhension qu'un homosexuel n'est
pas homosexuel comme cette table est table ou comme cet
homme roux est roux. Il lui semble qu'il échappe à toute
erreur dès qu'il la pose et qu'il la reconnaît ; mieux même
que la durée psychique, par elle-même, le lave de chaque
faute, lui constitue un avenir indéterminé, le fait renaître
à neuf. A-t-il tort ? Ne reconnaît-il pas, par là même, le
caractère singulier et irréductible de la réalité humaine ? »

Un être humain n'est jamais totalement emmuré dans
sa situation ; du fait que c'est une situation humaine, elle
reste toujours ouverte, sinon il n'y aurait jamais moyen
d'en sortir, même grâce à la technique. La psychanalyse
n'ouvre pas une situation, elle profite d'une faille existante, qui se manifeste dans le « transfert » ; le transfert des sentiments du patient sur l'analyste, qui devient
tour à tour la mère désirée, le père redouté, etc., constitue
déjà une tentative de dialogue, une tentative obscure pour
rompre le cercle infernal. Le fait de la « folie » ne doit
pas nous faire illusion. Ce mot de « folie » ne signifie pas
seulement que le malade s'est enfermé dans son univers
personnel et a refermé toutes les portes sur lui ; ce mot
signifie bien plus que nous, étant donné la pauvreté de nos
connaissances actuelles, nous ne sommes pas capables de
rejoindre ce malade dans son univers, que nous ignorons
les chemins qui pourraient rétablir la nécessaire communication.

Lorsque s'installe un trouble sexuel grave ou léger —
nous voulons dire : soit que ce trouble envahisse, tel un
chancre, la totalité de la conscience, soit qu'il affecte un

point particulier et laisse relativement intacte l'ensemble de la personnalité — toujours la structure proprement humaine se désagrège, et l'homme tend à vivre dans cette situation un peu comme l'animal qui « vit à l'état d'extase », comme dit Scheler. La psychanalyse sera efficace dans la mesure exacte où le patient, à travers le « dialogue » psychanalytique, va s'engager dans une expérience qui, cette fois, sera vraiment nouvelle et qui brisera le cercle vicieux.

Ce qui nous paraît ici d'une extrême importance, c'est que le processus psychanalytique met en évidence le fait que *nous sommes simplement capables de liberté, que nous ne pouvons pas devenir libres par nous-mêmes, seuls.* Pour que la liberté puisse naître en nous, il y faut l'intervention de l'Autre. Autrement dit, *la liberté, même sexuelle, commence à deux.*

LE COUPLE

La première esquisse du couple, c'est la mère et son enfant ; la mère qui, penchée sur le visage du bébé, y fait surgir le miracle du premier sourire ; la mère qui amène ce petit être, jusque-là noyé dans une vie opaque et indistincte, à une existence proprement humaine. Dans le couple des amants, cette même création de liberté, cet appel à l'existence est réciproque et non plus à sens unique ; et elle jaillit de la fusion des corps.

Le paradoxe du plaisir

Que le plaisir fasse problème, il serait difficile d'en douter. Il semble en effet, au premier abord tout au moins, que le plaisir enferme les amants chacun en soi, au lieu de les réunir. Comment prêter attention à l'autre quand on est possédé par le plaisir ? Au moment où la rencontre devrait se produire, les amants sont arrachés l'un à l'autre par cette violence qui les submerge, les emporte, et qui semble les rendre plus étrangers qu'ils ne le furent jamais.

Mais tout d'abord, remarque J. P. Sartre dans cette merveilleuse analyse de la caresse que nous offre *L'Etre et le Néant*, pp. 453 et sq., nous désirons *une* femme et non simplement notre assouvissement. Seul un roué se représente le désir, le traite en objet, l'excite, le met en veilleuse, en diffère l'assouvissement, etc. Mais alors, c'est notre désir qui devient objet du désir, et non plus la personne de l'autre. J. P. Sartre montre ensuite comment la caresse fait exister et dévoile le corps d'autrui et mon propre corps. « Rien n'est moins *chair* qu'une danseuse, fût-elle nue. Le désir (la caresse) est une tentative pour déshabiller le corps de ses mouvements comme de ses vêtements et de le faire exister comme pure chair ; c'est une tentative d'*incarnation* du corps d'Autrui... En caressant autrui, je fais naître sa chair sous ma caresse, sous mes doigts. La caresse est l'ensemble des cérémonies qui incarnent Autrui... Mais c'est mon corps de chair qui fait naître la chair d'autrui. La caresse est faite pour faire naître par le plaisir le corps d'Autrui à Autrui, *et à moi-même*... la révélation de la chair d'autrui se fait par ma propre chair ; dans le désir et la caresse qui l'exprime, je m'incarne pour réaliser l'incarnation d'autrui ; et la caresse en *réalisant* l'incarnation de l'Autre me découvre ma propre incarnation. »

Par la caresse, dit-il encore, le Pour-Soi[1] d'Autrui vient affleurer à la surface de son corps, s'étend tout à travers de son corps, *de sorte qu'en touchant ce corps, je touche enfin la libre subjectivité de l'autre*.

Peu importe que Sartre interprète tout ce processus comme un essai pour fasciner et envoûter autrui, et donc — à ses yeux — que le désir aille à un échec : puisque, voulant rejoindre la liberté d'autrui, il ne réussit qu'à l'engluer. Il nous semble qu'il est possible de lire, dans la caresse, une toute autre signification.

Il y a d'ailleurs, dans cette analyse que Sartre nous donne du désir sexuel, une sorte de contradiction. Il admet que si le plaisir ramène un corps à lui-même, en interrompant ce « mouvement continuel par lequel il se projette dans les choses et vers autrui » (pour reprendre l'expression de Merleau-Ponty), c'est pour que toute la vie profonde du sujet vienne affleurer à la surface du corps, et que le partenaire puisse ressaisir, sur ce corps tout occupé au plaisir, une vie singulièrement personnelle. Mais à cette première rencontre, Sartre ne prête aucune importance.

Pour rendre sensible combien peut être dramatique cette apparition, dans le corps, d'une présence vivante, nous voudrions rappeler une page de R. M. Rilke dans *Les Cahiers de Malte Laurids Brigge*. « Il y a beaucoup de gens, mais encore plus de visages ; car chacun en a plusieurs. Voici des gens qui portent un visage pendant des années. Il s'use naturellement, se salit, éclate, se ride, s'élargit comme des gants qu'on a portés en voyage... D'autres gens changent de visage avec une rapidité inquiétante. Ils les essaient l'un après l'autre, et les usent... le dernier est troué après huit

---

1. Pour-soi = liberté.

jours, troué par endroits, mince comme du papier, et puis, peu à peu, apparaît alors la doublure, le *non-visage*, et ils sortent avec lui. — Mais la femme, la femme : elle était tombée en elle-même, en avant, dans ses mains. C'était à l'angle de la rue Notre-Dame-des-Champs. Dès que je la vis, je me mis à marcher doucement. Quand de pauvres gens réfléchissent, on ne doit pas les déranger. Peut-être finiront-ils encore par trouver ce qu'ils cherchent. — La rue était vide ; son vide s'ennuyait, retirait mon pas de sous mes pieds et claquait avec lui, de l'autre côté de la rue, comme avec un sabot. La femme s'effraya, s'arracha elle-même. Trop vite, trop violemment, de sorte que son visage resta dans ses deux mains. Je pouvais l'y voir, y voir sa forme creuse. Cela me coûta un effort inouï de rester à ces mains, de ne pas regarder ce qui s'en était dépouillé. Je frémissais de voir ainsi un visage du dedans, mais j'avais encore bien plus peur de la tête nue, écorchée, sans visage. »

Le premier miracle de l'amour physique, c'est qu'il nous donne la capacité d'offrir à l'autre notre propre visage — nu, dépouillé, sans apprêt, sans masque ; et de pouvoir regarder « son » visage alors qu'il ne se contrôle plus. Sans impudeur, sans que ce soit une sorte de viol. Le texte de Rilke nous paraît d'autant mieux approprié qu'il y est question de souffrance. Car, aussi longtemps que le plaisir gardera une nuance plus ou moins auto-érotique (que l'on se rappelle *Le Silence* de Ingmar Bergman), ou encore — mais n'est-ce pas la même chose ? — aussi longtemps que les partenaires ne seront pas parvenus à cette *Befriedigung*, à cette pacification dont parle Fr. Duyckaerts, il est presque impossible que le visage humain ne garde pas un peu, au cours de l'étreinte sexuelle, ce caractère de « tête nue, écorchée, sans visage ».

« Tu t'éloigneras, désir, que je connaisse aussi ce front de femme mis à nu », écrit Saint-John Perse. Et il est remarquable que le poète mette ces mots sur les lèvres de l'amant *après* l'étreinte.

Etre avec l'autre

« Le plaisir, dit encore Sartre, est la mort et l'échec du désir. » Et cela de deux façons : tout d'abord, en fait, le désir prend fin avec le plaisir ; d'autre part, le plaisir — comme une douleur trop vive — n'a plus d'attention que pour lui-même ; il oublie la chair de l'autre, il oublie l'existence de l'autre ; sa propre incarnation l'absorbe au point de devenir son but ultime. Bien plus le désir veut autre chose que

la caresse, il veut se prolonger dans des actes de préhen-
sion et de pénétration. « La caresse n'avait pour but que
d'imprégner de conscience et de liberté le corps de l'autre.
A présent, ce corps saturé, il faut le prendre, l'empoigner,
entrer en lui. Mais du seul fait que je tente à présent de
saisir, de traîner, d'empoigner, de mordre, mon corps cesse
d'être chair... et du même coup l'Autre cesse d'être incarnation... Sa conscience qui affleurait à la surface de sa chair
et que je tentais de *goûter* avec ma chair (Doña Prouhèze,
Soulier de Satin, 2ᵉ journée : « Il ne connaîtra pas le goût
que j'ai ») s'évanouit sous ma vue : il ne demeure plus
qu'un *objet...* »

A travers les mots, transparaît cette philosophie de l'absurde que Sartre veut déduire de cette analyse ; peu nous
importe.

Déjà les philosophes du Moyen Age l'avaient noté : il est
vrai que l'être humain perd pour ainsi dire conscience pendant l'orgasme, submergé qu'il est par le plaisir ; mais ce
sommeil de la conscience, ajoutaient-ils, n'ôte rien à la qualité de l'acte. En effet, pour qu'il y ait vie proprement humaine, il n'est nullement nécessaire que nous possédions une
représentation intérieure de l'objet ou que nous formulions
un jugement. Par exemple, note Merleau-Ponty, en entrant
dans une pièce, nous percevons un désordre mal localisé
bien avant de découvrir la raison de cette impression, qui
sera éventuellement la position asymétrique d'un cadre ; ou
encore, entrant dans un appartement, nous pouvons perce-
voir l'esprit de ceux qui l'habitent sans être capables de
justifier cette impression par une énumération de détails
remarquables. Nous *vivons* ces significations humaines, nous
en avons conscience avant de pouvoir les formuler.

La caresse, déjà, obnubile la conscience claire ; nous
n'avons plus conscience que de la chair de l'autre et de notre propre chair. Puis c'est le plaisir lui-même qui occupe
tout le champ de la conscience, et enfin s'évanouit toute représentation. Mais la conscience représentative n'est qu'une
des formes de la conscience ; dans l'« inconscience » de l'orgasme, subsiste une intention pratique qui en fait « une
mélodie orientée ». Il est certain d'ailleurs que toute étreinte, malgré cette soi-disant inconscience, est perçue par les
partenaires comme ayant un sens bien défini : acte d'amour,
ou au contraire acte d'agression, mêlé de peur, etc.

Tout ceci tendait à montrer que le dialogue des corps,
jusque dans la jouissance sexuelle la plus intense, non seulement peut avoir un sens, mais a toujours une signification — humaine ou infra-humaine. Les chrétiens ajouteront

que l'étreinte peut avoir, en raison de l'Esprit qui l'anime, une signification surnaturelle. S'il en est tant encore, et que l'on ne peut soupçonner de mauvaise foi, qui refusent de considérer l'expérience sexuelle comme aussi valable, pour la formation du couple, que les plus belles conversations ou un travail en commun, c'est que précisément ils ne parviennent pas à comprendre que l'étreinte sexuelle *peut* être tout aussi riche de vie spirituelle que ne peut l'être, pour des croyants, une prière dite en commun. Mais, à l'inverse, on voit aussi l'erreur de ceux qui prétendent que l'acte sexuel est toujours, par lui-même et nécessairement, porteur d'une richesse ; et enfin que la théorie selon laquelle on peut accomplir cet acte « comme on prend un verre d'eau », n'est qu'une illusion[1].

Ordre biologique, ordre psychique, ordre spirituel : une fois encore, ce ne sont pas là trois mondes différents qui subsisteraient en nous comme des couches superposées ; à chaque fois, ce sont les mêmes éléments qui entrent en jeu, mais ils sont différemment structurés. C'est ainsi que l'étreinte peut n'être qu'un acte « animal », mais c'est un homme qui lui donne cette orientation. Ce peut être aussi un acte hautement spirituel : tout dépend de la signification concrète que nous mettons dans cet acte.

Ainsi donc la disparition progressive d'une certaine conscience au cours de l'étreinte, n'implique nullement que s'évanouisse cette liberté qui, pendant le rituel de la caresse, imprégnait le corps des partenaires. Dans l'étreinte, non seulement ils peuvent toucher enfin, mais ils peuvent vivre la liberté de l'autre.

Participation plus vécue que connue, mais qui donne une singulière profondeur au Nous conjugal. Nous ne prétendons nullement réduire la formation du lien conjugal à ce qui se construit au cours de l'étreinte. Néanmoins il ne semble pas douteux que cette relation constitue l'union spécifique des époux : à condition de souligner que le don mutuel des corps, que ce *co-esse* (exister avec, en même temps, sur le même rythme) ne se limite ni aux caresses ni à l'orgasme. Il ne serait pas difficile de montrer que ce don mutuel subsiste alors même que les corps sont séparés. C'est pourquoi on dira « un couple » d'amants, mais « une paire » d'amis. Il y a entre les êtres humains des rapports d'intimité croissante, des degrés dans la communication des existences : on peut noter, par exemple, cette communica-

1. « Parce que nous sommes au monde, nous sommes *condamnés au sens...* » Merleau-Ponty, *Phénoménologique de la Perception*, p. XIV.

tion, très superficielle, dans un autobus, avec ce voisin auquel j'adresse un mot d'excuse ; puis, vers le sommet, la communication d'une vraie amitié. L'étreinte conjugale résume et conduit jusqu'à leurs derniers prolongements tous les modes de communication. Le poète ne se trompe pas lorsqu'il dit à l'amante : « Mon enfant, ma sœur... »

Si ces analyses sont exactes, nous pouvons dire que s'est dévoilée la signification profonde du geste sexuel ; que le couple moderne est à la fois le premier but vers lequel tendait toute l'histoire humaine, et le point de départ vers un âge nouveau.

ET DEMAIN ?

Les analyses qui précèdent ne prétendaient pas décrire le couple moderne tel qu'il existe ; c'était un essai pour discerner, dans le malaise qui caractérise notre époque sur le plan sexuel, une piste qui n'aboutisse pas à une impasse. En réalité, le couple moderne est rarissime — si du moins on entend par là un couple où l'homme et la femme osent s'affronter comme deux êtres radicalement différents dans leur sexe et dans ce qui constitue leur personnalité propre, pour vivre le plus totalement possible cette différence même.

Le couple existe à peine

Il faut d'ailleurs reconnaître que tout se ligue pour empêcher le couple de parvenir à sa véritable existence : ce couple qui n'a pas cinquante années. « Une grande partie des difficultés que rencontre la famille moderne, dit le sociologue König, a son fondement dans un retard séculaire de la famille sur le développement économique de la société. » Par exemple, l'employeur ne voit pas la famille de l'ouvrier du même point de vue que celui-ci : « Ce qui pour l'un est le centre de tous ses efforts, apparaît à l'autre sous la rubrique charges sociales. » Aucune éducation véritable ne prépare les jeunes à cette immense aventure que pourrait être aujourd'hui le mariage. Les lois limitent encore les droits de la femme. La morale officielle se soucie de ce qui est « permis ou défendu » bien plus que de chercher, positivement, les lois du dialogue conjugal.

Ajoutons que notre « civilisation aphrodisiaque », à travers les films, les revues, les affiches, les spectacles des plages, appelle les époux à une vie sexuelle où le plaisir n'a plus rien de « figuratif », où la jouissance se love sur elle-même. Rares sont les jeunes qui ne se laissent pas fasciner. Ils essayent d'épuiser tout le registre des sensations, pour expérimenter bientôt que cet éventail est loin d'être indéfini. Désespérément, ils tentent de retrouver l'euphorie des premières étreintes, oubliant que si ces premières rencontres ont été belles c'est qu'ils allaient à la découverte l'un de l'autre. En octobre 1962, J. M. Lo Duca croyait pouvoir donner les statistiques suivantes :

41 % des filles perdent leur virginité pour « s'affranchir » ; 66 % des garçons souhaiteraient épouser une femme vierge ; 62 % des couples se marient pour avoir un « chez soi » ; après 3 ans de mariage 90 % des couples se déclarent déçus ; après 10 ans de mariage 90 % des « amoureux » ne font plus un couple. (Arts, n° 885).

La plupart du temps, dès que surgit un conflit, ou bien le couple se sépare ou bien les partenaires se réfugient dans des compromis. La relation sexuelle, dans ce dernier cas, devient une habitude dans le pire sens du mot ; elle se réduit à un spasme rapide d'où tout rituel est absent. Et cela se comprend, puisque c'est ce rituel qui permettrait à la vie profonde des époux de faire surface : mais en même temps resurgiraient les problèmes que l'on veut précisément écarter.

Car la sexualité est le seul comportement où l'homme soit contraint, comme dit Schwarz, à l'authenticité. Il faudrait évoquer ici toute cette dramatique du couple que François Duyckaerts a si bien étudiée dans *La Formation du Lien Sexuel*. Car il n'existe aucun homme et aucune femme qui arrivent au mariage parfaitement équilibrés. Certes, ce sont des gens normaux, mais à l'arrière-plan subsistent des peurs, des angoisses qui risquent à tout moment de venir empoisonner la relation ; et il faut toujours beaucoup de temps pour que cette agressivité instinctive (que l'on se masque du mieux que l'on peut) se change en une agressivité « ludique ». « Ce que l'individu apporte et doit apporter dans le secret de la chambre, ce n'est pas une âme lavée de toute trace d'égoïsme, ni un esprit exclusivement centré sur le partenaire, c'est tout son être, avec le cortège de ses peurs et de ses craintes, de ses exigences et de ses attirances, de son avidité et de son dévouement, c'est son organisme complet, avec une sereine tension pour utiliser tous les matériaux psychiques. » (p. 287). Et encore : « Si par comparaison avec la liaison, le mariage a si mauvaise presse auprès des grands créateurs, c'est que l'humanité n'a peut-être jamais encore jusqu'à ce jour entrevu ni envisagé sérieusement la possibilité d'y introduire la richesse de la vie artistique et sentimentale. C'est pourtant à cette condition qu'il ne sera pas un carcan. » (p. 313).

La fonction du couple

Si le couple ne s'est pas encore vraiment trouvé, à plus forte raison n'a-t-il pas encore pu inventer sa fonction dans la grande communauté humaine.

Au XIXe siècle, la question était tout autre. La Cité était constituée par un certain nombre de « sociétés domestiques », organisées elles-mêmes en sous-groupes (provinces, etc.) et qui géraient en commun un patrimoine économique et culturel. Les grandes familles mettaient leur honneur à servir la Patrie. Dans cette société domestique, le couple n'avait d'autre fonction que la prolongation dans le temps de la cellule familiale. L'extinction d'une famille était considérée comme un malheur. Et c'est pourquoi, dans les familles chrétiennes, on considérait qu'une lignée ne pouvait mieux se terminer que par l'entrée dans les Ordres du dernier enfant mâle : la famille acquérait ainsi une sorte d'immortalité, encore que ce fût sur un autre plan. Il est remarquable aussi que cette prolongation de la lignée dans le temps était liée au « nom », et au seul nom de l'homme ; comme partout ailleurs, la femme était quantité pratiquement négligeable. La Cité était donc l'organisation d'un certain nombre de sociétés domestiques, centrées sur l'homme. Or, cette société domestique a, pour ainsi dire, disparu. Ne subsiste « que » le couple.

C'est donc une nouvelle Cité, une nouvelle Société qui est appelée à naître.

Pour l'instant, la structure de nos Cités est toujours calquée sur la société du XIXe siècle. Mais comme les « familles » au sens antique du mot se sont volatilisées, et comme d'autre part le couple n'a pas encore pu accéder à une véritable existence, il ne reste que des individus. D'où l'apparition de « la masse », de « la foule », du « public » : une poussière d'individus agglomérés, parfois organisés (syndicats, etc.) ; mais l'élément de base c'est toujours l'individu, et l'élément masculin continue de prédominer.

Lorsque les familles nouvelles, qui se définissent essentiellement par le couple, auront pris une vraie consistance, quel visage prendra notre société ? Nul ne peut le prévoir ; tout essai de prévision ressortirait au roman d'anticipation. Mais on devinera à quel point le couple pourrait bouleverser jusqu'à la vie économique elle-même, si l'on réfléchit à l'exemple que nous citions ci-dessus. Qu'arrivera-t-il lorsque l'employeur, en engageant un ouvrier, sera contraint d'abandonner ce point de vue individualiste qui feint d'ignorer l'existence du couple par lequel se définit « cet » ouvrier ?

Le mariage (moderne) est un « contrat » créateur de communauté, dit le sociologue Bradley. Et il ne faut pas l'entendre en ce sens que le couple est appelé à s'agrandir par la naissance des enfants. Les enfants n'ajoutent rien à la communauté du couple, comme telle ; par destination, ils doivent quitter le nid familial dès qu'ils seront adultes, pour former à leur tour d'autres couples. La procréation est loin de définir la fonction du couple. On le voit bien, par exemple, lorsque tel couple est appelé à limiter le nombre des naissances en raison du rôle politique ou syndical qu'il s'est assigné.

« Tout mariage, dit Lévi-Strauss, est une rencontre dramatique entre la nature et la culture. »

Telle sera la conclusion dernière de ce dossier : la sexualité nous invite à créer, à inventer une Société nouvelle.

« Tu te souviens, le reptile préhistorique qui est sorti pour la première fois de la vase, au début du primaire, et qui s'est mis à vivre à l'air libre, en respirant, bien qu'il n'eût pas de poumons, en attendant qu'il lui en vienne ? ... (Eh bien, ce gars-là, il était fou, lui aussi. Complètement louftingue. C'est pour ça qu'il a essayé. C'est notre ancêtre à tous, il ne faudrait tout de même pas l'oublier. On ne serait pas là sans lui. Il était gonflé, il y a pas de doute...) Il faut essayer nous aussi. C'est ça, le progrès. A force d'essayer, comme lui, peut-être qu'on aura à la fin les organes nécessaires, par exemple l'organe de la dignité, ou de la fraternité... » (Romain Gary, *Les Racines du Ciel*, p. 396).

En fin de compte, l'Histoire humaine n'a pas d'autre sens : inventer l'amour.

Note de l'éditeur

Les éditeurs suivants nous ont autorisés à reprendre, pour la présente édition de « La sexualité » les textes dont ils conservent le copyright :

LES EDITEURS DESCLEE DE BROUWER.
en p. 7 : de Karl Jaspers, un extrait de *La situation spirituelle de notre époque*.

LES EDITIONS DE L'EPI.
en p. 72 : de Paul Evdokimov, un extrait du *Sacrement de l'amour*.

UNION GENERALE D'EDITIONS.
en p. 107 : de Roger Géraud, un extrait de *La limitation médicale des naissances*.

TABLE DES MATIERES

Le lecteur trouvera en p. 346 du tome 1 l'orientation
bibliographique de l'ensemble de l'ouvrage.

DES PRESSES DE GÉRARD & Cᵒ
65, rue de Limbourg, Verviers (Belgique).